KB146716

한국산업인력공단 주관 · 시행

건설기계 정비 필기 기능사

GoldenBell
www.gbbook.co.kr

머리말

　국내외적으로 건설 현장의 활성화로 작업중 안전관리를 위해 건설기계 정비에 대한 관심도 지속적으로 높아지고 있습니다. 여기에 '중대재해처벌법'도 있기도 하구요. 이에 따라 많은 분들이 건설기계 정비 자격증 취득을 위해 시간과 노력을 투자하고 있습니다.

　근년에는 자동차가 첨단화되어 기술적 측면을 보면 엄청난 발전을 하고 있지만, 오히려 자동차 정비 분야 인력들은 축소되는 실정입니다. 이유라면 정비 개소가 줄었다는 반증이기도 하구요. 자동차 정비 분야에 종사하던 사람들까지 건설기계 정비에 관심을 돌리고 있습니다.

　문제는 「건설기계정비자격증」 취득에 목표를 두고 공부하는 수험생들은 증가하지만, 국가기술자격 시험이 CBT로 전환된 이후에 필기시험과 관련된 정보가 부족하여, 수험생들이 공부하는 데 많은 어려움을 겪고 있는 것이 현실입니다.

　이 수험서는 과년도 기출문제와 최근 3년 동안 CBT 예상 출제문제를 복원·분석하고 정리하여, 수험생들이 쉽게 이해할 수 있도록 장치별 핵심 요약 및 문제 풀이 형식으로 편성하였습니다. 또한 출제가 예상되는 문제를 장치별 비율로 실제 시험처럼 제시하여, 수험생들이 실전에 대비할 수 있도록 하였다는 것이 특징입니다.

　아무쪼록 이 교재가 「건설기계정비자격증」을 취득하는데, 수험생들에게 많은 도움이 되기를 바랍니다. 곳곳에 미흡한 점이 많으리라 생각되나 차후에 계속 보완해 나갈 것이며, 이 책이 만들어지기까지 물심양면으로 도와주신 (주)골든벨 김길현 대표님과 직원 여러분에게 진심으로 감사를 드립니다.

저자 일동

- **자격종목 : 건설기계정비기능사**
- **직무내용**

  건설기계의 정상가동을 위해 엔진, 전기, 동력전달, 유압 및 작업장치 등을 점검 및 정비하는 직무

- **취득방법**

  ① 시 행 처 : 한국산업인력공단

  ② 관련학과 : 전문계 고등학교 등의 기계 관련학과

  ③ 시험과목

    - 필기 : 건설기계정비

    - 실기 : 건설기계정비작업(작업형)

  ④ 검정방법

    - 필기 : 객관식 4지 택일형, 과목당 60문항(60분)

    - 실기 : 작업형(4시간 정도)

  ⑤ 합격기준

    - 필기 : 100점을 만점으로 하여 60점 이상

    - 실기 : 100점을 만점으로 하여 60점 이상

- **수행직무**

  ○ 건설기계정비에 관한 지식과 기능을 바탕으로 각종 공구 및 장비와 시험기를 사용하여 건설기계의 엔진, 전기장치, 동력전달장치, 유압장치 및 작업장치 등을 점검·정비할 수 있는 역할과 직무의 수행할 수 있다.

  ○ 건설기계의 구조 및 기능을 이해하고, 건설기계의 결함부위를 점검·정비할 수 있다.

  ○ 각종 공구 및 시험장비를 사용하여 건설기계의 결함부위를 점검·수리할 수 있다.

  ○ 숙련된 지식과 기능을 바탕으로 현장에서 정비를 할 수 있다.

- **진로 및 전망**

  ○ 기업건설기계회사(볼보 코리아, 두산인프라코어, 현대중공업 등)

  ○ 일반 건설기계 정비업체 및 건설기계 검사소

  ○ 장비 관련 방위 산업체(두산, 로템, STX 등)

  ○ 자동차, 유체기계등의 지식을 보유하고 있으므로 자동차, 유체기계, 기계설계 분야의 직종으로 전직이 즉시 가능함

주요항목	세부항목	세세항목
1. 엔진정비	1. 엔진본체 및 주변장치 정비	1. 엔진 일반 2. 헤드 및 실린더와 연소실 3. 흡배기 밸브 및 캠 축 4. 피스톤 및 피스톤 링, 커넥팅 로드 5. 크랭크 축 및 플라이 휠 6. 윤활장치　　　　7. 냉각장치 8. 흡·배기장치　　　9. 연료와 연소 10. 연료장치　　　11. 전자제어 센서 12. 엔진제어장치　　13. 유해 배기가스 처리 장치
2. 차체정비	1. 차체 및 작업장치 정비	1. 클러치　　　　2. 토크 컨버터 3. 변속기　　　　4. 자재이음 및 종 감속장치 5. 현가장치　　　　6. 조향장치 7. 제동장치　　　8. 타이어식 및 무한궤도 장치 9. 작업장치
3. 유압장치 정비	1. 유압원리 및 유압펌프	1. 유압 원리 2. 유압 작동유 3. 유압펌프
	2. 유압기기 및 부속장치 정비	1. 유압밸브 2. 유압모터 3. 유압실린더 4. 부속기기 5. 유압기호
4. 전기장치 정비	1. 전기 및 전자장치 정비	1. 기초전기전자 2. 축전지 3. 예열장치 4. 시동장치 5. 충전장치 6. 계기장치 7. 등화장치 8. 냉·난방장치
5. 주부재 용접 접합	1. 주부재 용접	1. 피복아크 용접 2. 가스 및 탄산가스 용접
6. 작업장 안전관리	1. 산업안전보건	1. 안전기준 및 재해 2. 안전보건표지 3. 기계 및 기기 취급 4. 전동 및 공기구 5. 수공구
	2. 작업현장의 안전	1. 기관 및 전기 작업안전 2. 차체작업 안전 3. 유압장치 작업 안전 4. 작업장치 작업 안전 5. 용접작업 안전

차례

Part3 유압장치 정비

Part4 전기장치 정비

Part

01

기관 정비

Part 01

기관 정비

Section 1-1 **기관 일반 및 본체**

1 기관의 일반적인 사항

1. 기관의 정의

기관이란 열에너지를 이용하여 기계적 일로 변환하는 장치이며, 내연기관과 외연기관이 있다.

내연 기관의 장점	내연 기관의 단점
① 소형 경향으로 마력당 중량이 적다.	① 충격과 진동이 심하다.
② 열효율이 높고 연료소비율이 적다.	② 윤활 및 냉각이 까다롭다.
③ 운전 취급 및 시동 정지가 쉽다.	③ 원활한 저속 운전이 곤란하다.
④ 부하 변동에 따라 민감하게 적응할 수 있다.	④ 자력 시동이 불가능하여 시동장치가 필요하다.
⑤ 시동 후 전부하에 이르는 시간이 적다.	⑤ 저질연료 사용이 어렵고, 마멸과 부식부가 많다.

2. 기관의 분류

(1) 기계학적 사이클에 의한 분류

① **4행정 사이클 기관(4 stroke cycle engine)** : 크랭크축 2회전으로 흡입→압축→폭발(동력)→배기의 4행정으로 1사이클을 완료하며, 이때 캠축은 1회전하고 각 흡·배기밸브가 1번씩 개폐된다.

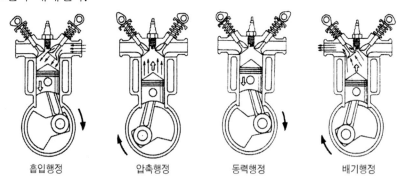

| 흡입행정 | 압축행정 | 동력행정 | 배기행정 |

▲ **4행정 사이클 기관의 작동순서**

㉮ **흡입행정** : 흡입밸브가 열리고 피스톤은 상사점에서 하사점으로 이동하며, 실린더 내에 공기를 흡입한다.

㉯ 압축행정 : 흡·배기밸브는 모두 닫혀 있으며, 피스톤은 하사점에서 상사점으로 이동하여 흡입 공기를 압축한다. 디젤기관의 압축비는 15~20 : 1, 압축압력은 30~45kgf/cm², 압축온도는 500~550℃이다.

㉰ 폭발(동력)행정 : 흡·배기밸브는 모두 닫혀 있으며, 연료의 연소에 의한 폭발압력이 피스톤을 상사점에서 하사점으로 밀어내려 크랭크축을 회전운동 시킨다. 디젤기관의 폭발압력은 55~65kgf/cm² 정도이다.

㉱ 배기행정 : 피스톤은 하사점에서 상사점으로 이동하며, 배기밸브가 열려 연소가스를 배출한다. 그리고 배기행정의 초기에 배기밸브가 열려 연소가스의 압력에 의해 배출되는 현상을 블로다운(blow down)이라 한다.

4행정 사이클 기관의 장점	4행정 사이클 기관의 단점
① 각 행정에 대한 구분이 확실하다.	① 밸브기구가 복잡하고 정비가 필요하다.
② 흡입행정에서의 냉각효과로 열적 부하가 적다.	② 밸브가구 부품수가 많아 충격과 소음이 크다.
③ 저속에서 고속까지 회전속도 변화의 범위가 넓다.	③ 가격이 비싸고 마력당 중량이 무겁다.
④ 흡입행정 기간이 길어 체적효율이 높다.	④ 폭발 횟수가 적어 회전력의 변동이 크다.
⑤ 기동이 쉽고 불완전 연소에 의한 실화가 없다.	⑤ HC의 배출은 적으나 질소산화물 배출이 많다.

② **2행정 사이클 기관(2 stroke cycle engine)** : 크랭크축 1회전(360°)으로 피스톤은 상승과 하강 2개의 행정으로 1사이클을 완성하는 기관이다. 그리고 2행정 사이클 기관의 장·단점은 다음과 같다.

2행정 사이클 기관의 장점	2행정 사이클 기관의 단점
① 실린더 수가 적어도 회전력의 변동이 적어 회전이 원활하다.	① 피스톤의 유효행정이 짧아 흡·배기가 불완전하다.
② 밸브 기구가 없거나 간단하고, 부품 수가 적으며, 이에 따라 고장도 적다.	② 연료소비율이 크다.
③ 마력당 무게가 가볍고 값이 싸다.	③ 저속 회전이 어렵고 역화가 발생되기 쉽다.
	④ 피스톤과 링의 마모가 크며, 손상되기 쉽다.

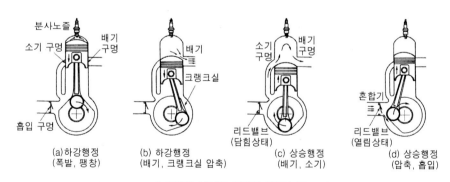

▲ 2행정 사이클 기관의 작동순서

(2) 실린더 안지름과 피스톤 행정의 비율에 따른 분류

① **장 행정기관(언더 스퀘어 기관)** : 실린더 안지름(D)보다 피스톤 행정(L)이 큰 것이며, 회전속도는 비교적 낮으나 큰 회전력을 얻을 수 있고 측압을 적게 할 수 있다.

② **단 행정기관(오버 스퀘어 기관)** : 피스톤 행정/실린더 안지름의 값이 1.0보다 작은 것이며 다음과 같은 장·단점이 있다.

단 행정기관의 장점	단 행정기관의 단점
① 피스톤 평균속도를 높이지 않고도 회전속도를 높일 수 있다. ② 단위 실린더 체적 당 출력을 크게 할 수 있다. ③ 흡입효율이 높고, 직렬형은 기관의 높이가 낮아진다.	① 피스톤이 과열되기 쉽다. ② 기관 베어링을 크게 하여야 한다. ③ 기관의 길이가 길어진다.

③ **정방형 기관(스퀘어 기관)** : 실린더 안지름과 피스톤 행정의 크기가 똑같은 기관이다.

3. 디젤기관의 장점 및 단점

디젤기관의 장점	디젤기관의 단점
① 열효율이 높고, 연료소비율이 적다. ② 인화점이 높은 경유를 연료로 사용하므로 그 취급이나 저장에 위험이 적다. ③ 대형기관 제작이 가능하다. ④ 점화장치가 없어 이에 따른 고장이 적다. ⑤ 배기가스가 가솔린기관보다 덜 유독하다.	① 연소압력이 커 기관 각 부분을 튼튼하게 하여야 한다. ② 기관의 출력 당 무게와 형체가 크다. ③ 운전 중 진동과 소음이 크다. ④ 연료 분사 장치가 매우 정밀하고 복잡하며, 제작비가 비싸다. ⑤ 압축비가 높아 큰 출력의 기동전동기가 필요하다. ⑥ 최고 회전속도가 가솔린기관보다 낮다.

2 기관 본체의 구조

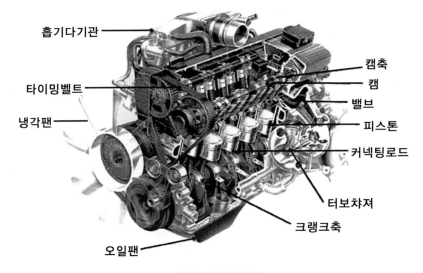

▲ 디젤기관 본체의 구조

1. 실린더 헤드(cylinder head)

(1) 실린더 헤드의 재질

실린더 헤드의 재질은 가볍고 열전도성이 큰 알루미늄 합금을 주로 사용한다.

(2) 실린더 헤드의 구비 조건

① 고온에서 열팽창이 적을 것
② 열팽창 압력에 견딜 수 있는 강성과 강도가 있을 것
③ 열전도율이 높을 것
④ 주조나 가공이 쉬울 것

(3) 실린더 헤드 개스킷의 구비 조건

① 내압성이 풍부할 것
② 내열성이 있을 것
③ 가스·냉각수 및 엔진 오일 등이 새는 것을 방지할 것
④ 적당한 강도와 유연성이 있을 것

(4) 실린더 헤드 정비

가. 실린더 헤드 탈착 순서

① 헤드 볼트를 풀 때는 변형을 방지하기 위해 대각선의 바깥에서 중앙을 향해 푼다.
② 헤드 볼트를 푼 후 실린더 헤드가 잘 떨어지지 않으면 연질 해머(고무 해머, 플라스틱 해머)로 가볍게 두들겨 고착을 풀거나 압축압력 또는 자중을 이용하여 떼어낸다. 그러나 정이나 드라이버 등을 사용해서는 절대로 안 된다.

5) 실린더 헤드 변형 점검 및 원인

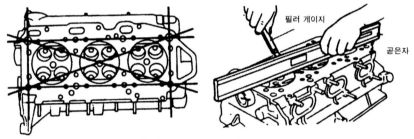

▲ 실린더 헤드 변형 점검 방법

① **점검 방법** : 변형 점검은 곧은자(또는 직각자)와 필러(시크니스 또는 틈새) 게이지를 사용하여 6개소를 점검한다.

6) 실린더 헤드 설치하기

① 헤드 볼트는 중앙에서부터 대각선으로 바깥쪽을 향하여 조인다.
② 2~3회 나누어 조이며, 최종적으로 토크 렌치를 사용하여 규정 값으로 조인다.
③ 헤드 볼트를 규정대로 일정하게 조이지 않으면 냉각수 누출, 압축압력의 저하, 기관 오일의 누출 등이 일어난다.

(7) 실린더 헤드 가스켓 파손시 엔진에 미치는 영향

① 압축 압력 누설에 의한 출력 저하
② 냉각수 누출에 의한 과열
③ 흡입 압력 부족에 의한 흡입 효율의 저하
④ 엔진 오일의 누설

2. 디젤기관의 연소실

연소실은 공기와 연료의 연소와 연소가스의 팽창이 시작되는 부분이다. 디젤기관 연소실의 종류에는 단실식(single chamber type)인 직접 분사실식과, 복실식(double chamber type)인 예연소실식, 와류실식, 공기실식 등이 있다. 연소실의 구비 조건은 다음과 같다.

① 분사된 연료를 가능한 한 짧은 시간 내에 완전 연소시킬 것
② 평균유효압력이 높고 연료소비율이 적을 것
③ 고속 회전에서의 연소상태가 좋을 것
④ 기관 시동이 쉽고, 노크 발생이 적을 것

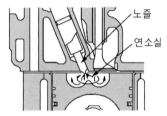

▲ 직접분사실식 연소실의 구조

(1) 직접 분사실식 연소실

직접 분사실식은 연소실이 실린더 헤드와 피스톤 헤드에 설치된 요철에 의하여 형성되고, 여기에 직접 연료를 분사하는 방식이다.

직접 분사실식 연소실의 장점	직접 분사실식 연소실의 단점
① 실린더 헤드의 구조가 간단하므로 열효율이 높고, 연료소비율이 작다. ② 연소실 체적에 대한 표면적 비율이 적어 냉각 손실이 작다. ③ 기관 시동이 쉽다. ④ 실린더 헤드의 구조가 간단하므로 열 변형이 적다.	① 연료와 공기의 혼합을 위해 분사 압력을 높게 하여야 하므로 분사펌프와 노즐의 수명이 짧다. ② 사용 연료 변화에 매우 민감하다. ③ 노크 발생이 쉽다. ④ 기관의 회전속도 및 부하의 변화에 민감하다.

(2) 예연소실식 연소실

예연소실식 연소실은 실린더 헤드와 피스톤 사이에 형성되는 주 연소실 위쪽에 예연소실을 둔 것이며, 먼저 분사된 연료가 예연소실에서 착화하여 고온·고압의 가스를 발생시키며, 이것에 의해 나머지 연료가 주 연소실에 분출되어 공기와 잘 혼합하여 완전 연소하는 연소실이다.

▲ 예연소실식 연소실의 구조

예연소실식 연소실의 장점	예연소실식 연소실의 단점
① 분사 압력이 낮아 연료 장치의 고장이 적고, 수명이 길다. ② 사용 연료 변화에 둔감하므로 연료의 선택범위가 넓다. ③ 운전상태가 조용하고, 노크 발생이 적다. ④ 다른 형식의 연소실에 비해 유연성이 있으며, 제작하기 쉽다.	① 연소실 표면적에 대한 체적 비율이 크므로 냉각손실이 크다. ② 실린더 헤드의 구조가 복잡하다. ③ 시동 보조 장치인 예열플러그가 필요하다. ④ 연료소비율이 비교적 크다.

(3) 와류실식 연소실

와류실식 연소실은 실린더나 실린더 헤드에 와류실을 두고 압축행정 중에 이 와류실에서 강한 와류가 발생하도록 한 형식이며, 와류실에 연료를 분사한다.

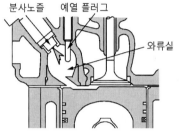

▲ 와류실식 연소실의 구조

와류실식 연소실의 장점	와류실식 연소실의 단점
① 압축행정에서 발생하는 강한 와류를 이용하므로 회전속도 및 평균유효압력이 높다. ② 분사 압력이 낮아도 된다. ③ 회전속도 범위가 넓고, 운전이 원활하다. ④ 연료소비율이 비교적 적다.	① 실린더 헤드의 구조가 복잡하다. ② 분출구멍의 조임 작용, 연소실 표면적에 대한 체적비율이 커 열효율이 낮다. ③ 저속에서 노크 발생이 크다. ④ 시동 보조 장치인 예열플러그가 필요하다.

(4) 공기실식 연소실

공기실식 연소실에서 연료는 주연소실 내로 분사되고 하강에 따라 공기실로부터 공기가 분출하여, 하강에 따라 공기실로부터 공기가 분출되어 산소를 보급하고 와류를 일으켜 연소시키는 것이다.

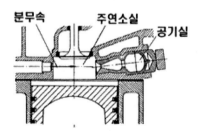

▲ 공기실식 연소실의 구조

공기실식 연소실의 장점	공기실식 연소실의 단점
① 연소가 완만하기 때문에 어느 형식보다 작동이 정숙하다. ② 최고 폭발압력이 디젤엔진 중에서 가장 낮은 50[kgf/㎠] 정도이다. ③ 연료를 직접 분사실식과 같이 주연소실 내에 분사하므로 시동성이 좋으며, 예열을 사용하지 않을 때가 많다. ④ 핀들 노즐의 사용이 가능하다.	① 연료분사 시기의 오차에 따라 작동상태의 변화가 크고 취급이 어렵다. ② 후연소의 경향이 있으며, 배기온도가 높다. ③ 연료소비율이 비교적 많다.

3. 실린더 블록(cylinder block)

(1) 실린더(cylinder)

실린더는 피스톤이 기밀을 유지하면서 왕복운동을 하는 진원통형이며, 그 길이는 피스톤 행정의 2배 정도이다.

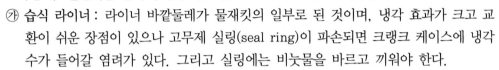

가. 실린더의 분류

① **일체형**: 실린더 블록과 같은 재질로 제작한 것이며, 실린더 벽이 마모되면 보링(boring)을 하여야 한다.

② **라이너(슬리브)형**: 실린더 블록과 실린더를 별도로 제

▲ 실린더 블록과 라이너

작한 후 실린더를 블록에 삽입하는 것으로 습식과 건식이 있다.

㉮ 습식 라이너 : 라이너 바깥둘레가 물재킷의 일부로 된 것이며, 냉각 효과가 크고 교환이 쉬운 장점이 있으나 고무제 실링(seal ring)이 파손되면 크랭크 케이스에 냉각수가 들어갈 염려가 있다. 그리고 실링에는 비눗물을 바르고 끼워야 한다.

㉯ 건식 라이너 : 라이너가 냉각수와 간접 접촉하는 것이며, 삽입할 때 유압프레스로 2~3ton의 힘을 가해야 한다.

나. 실린더 벽 마모의 경향

실린더 윗부분(상사점 부근)의 마모가 가장 크며, 하사점 아래쪽은 거의 마모되지 않는다. 상사점 부근의 마모가 큰 이유는, 윤활 상태의 불량과 피스톤 헤드가 받는 압력이 가장 크므로, 피스톤 링과 실린더 벽과의 밀착력이 최대가 되기 때문이다.

다. 실린더 벽 마모량 점검

① **실린더 벽 마모량 점검기구**

㉮ 실린더 보어 게이지

㉯ 내측 마이크로미터

㉰ 텔레스코핑 게이지와 외측 마이크로미터

② **실린더 벽 마모량 측정 방법**

㉮ 실린더 벽의 상, 중, 하 3개소에서 각각 축 방향과 축의 직각 방향으로 모두 6개소를 측정한다.

㉯ 최대 마모 부분과 최소 마모 부분의 안지름 차이를 마모량 값으로 결정한다.

㉰ 축의 직각 방향 쪽(측압 쪽)의 마모가 더욱 크다.

4. 피스톤(piston)

(1) 피스톤의 구조

피스톤은 헤드, 링 지대(링 홈과 랜드), 스커트 부분, 보스 부분 등으로 되어 있으며 제1번 랜드에는 헤드 부분의 높은 열이 스커트 부분으로 전달되는 것을 방지하는 히트 댐(heat dam)을 두는 형식도 있다.

(2) 피스톤의 구비 조건

① 무게가 가벼울 것
② 열팽창률이 적을 것
③ 열전도성이 크고 고온·고압에 견딜 것
④ 블로바이 발생이 없을 것

(3) 피스톤 간극

피스톤 간극은 기관 작동 중 열팽창을 고려하여 두는 것으로, 실린더에서 축의 직각 방향에 피스톤을 거꾸로 집어넣고 스커트 부분에서 측정한다.

가. 피스톤 간극이 크면

① 압축압력이 저하한다.
② 블로바이(blow by)가 발생한다.
③ 연소실에 기관 오일이 상승하여 연소한다.
④ 피스톤 슬랩이 발생한다.
⑤ 엔진오일에 연료가 희석되어 오염된다.
⑥ 기관의 시동성능이 저하한다.
⑦ 기관의 출력이 저하한다.

▲ 피스톤−커넥팅로드 어셈블리의 구조

> **참고 피스톤 슬랩(piston slap)과 피스톤 측압**
> ■ 피스톤 슬랩(piston slap) : 피스톤 간극이 크면 피스톤이 상·하사점에서 운동 방향을 바꿀 때 실린더 벽에 충격을 주는 현상이며, 저온에서 현저하고, 오프셋(off-set) 피스톤의 사용으로 방지할 수 있다.
> ■ 피스톤 측압 : 피스톤이 실린더 벽을 미끄럼 운동을 할 때 실린더 벽에 가해지는 압력을 말하며, 동력행정에서 가장 크다. 또 측압은 커넥팅 로드의 길이와 피스톤 행정에 관계된다.

나. 피스톤 간극이 작으면

피스톤과 실린더의 마찰이 커지고 소결(고착)이 발생한다.

5. 피스톤 링(piston ring)

(1) 피스톤 링의 3대 작용

① 기밀 유지(밀봉) 작용
② 오일 제어(실린더 벽의 오일 긁어내기) 작용
③ 열전도(냉각) 작용

(2) 피스톤 링의 재질 및 구비 조건

피스톤 링은 특수주철을 사용하여 원심주조로 제작한다. 그리고 피스톤 링의 구비 조건은 다음과 같다.

① 실린더 벽에 균일한 압력을 유지할 것
② 고온에서 탄성을 유지할 것
③ 실린더 벽의 재질이 피스톤 링의 재질보다 강할 것
④ 열팽창률이 적을 것

(3) 링 절개부(이음 부분) 방향

링 절개부는 블로바이를 방지하기 위해 서로 120~180°의 각도 차이를 두고 측압 부분을 피해서 설치하여야 한다.

6. 피스톤 핀(piston pin)

피스톤 핀은 보스에 끼워져 피스톤과 커넥팅 로드를 연결해 주는 것이며, 재질은 저탄소강, 니켈-크롬강을 표면 경화하여 사용한다. 피스톤 핀을 피스톤 및 커넥팅 로드에 고정하는 방식은 다음과 같다.

① **고정식** : 피스톤 보스 부분에 볼트로 핀을 고정하는 방식이다.
② **반부동식(요동식)** : 커넥팅 로드 소단부에 핀을 고정하는 방식이다.
③ **전부동식(부동식)** : 피스톤 보스, 커넥팅 로드 소단부 어느 쪽에도 핀을 고정하지 않는 방식이다.

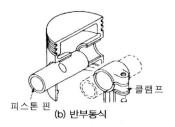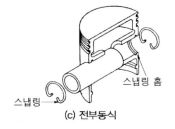

▲ 피스톤 핀 고정방식

7. 크랭크축(crank shaft)

(1) 크랭크축의 구조

크랭크축은 메인 저널, 크랭크 핀, 크랭크 암, 평형추 등으로 구성되어 있다.

▲ 크랭크축의 구조

(2) 착화 순서

① **4실린더형 기관** : 크랭크 핀의 위상차(폭발이 일어나는 각도)는 180°이며, 폭발순서는 우수식(1-3-4-2)과 좌수식(1-2-4-3)이 있다.

② **직렬 6실린더형 기관** : 크랭크 핀의 위상차는 120°이며, 우수식(1-5-3-6-2-4)과 좌수식(1-4-2-6-3-5)이 있다. 그리고 6개의 실린더가 한 번씩 폭발하면 크랭크축은 2회전 한다.

(3) 크랭크축 정비

① 크랭크축에 균열이 있으면 교환한다.

② **휨 점검** : 다이얼게이지와 V블록을 사용하며, 다이얼게이지 눈금의 1/2이 휨 값이다.

③ **저널 마모량 점검** : 외측 마이크로미터로 편마모, 테이퍼 마모, 턱 발생 등에 대해 점검한다.

④ **저널의 오일 간극 점검 방법** : 마이크로미터를 사용하는 방식, 심 스톡을 사용하는 방식, 플라스틱 게이지를 사용하는 방법 등이 있으며, 플라스틱 게이지가 가장 적합하다.

⑤ **크랭크축 엔드 플레이(축 방향 유격)점검** : 다이얼게이지나 필러(시크니스)게이지로 점검하며, 한계값은 0.3mm이다. 엔드플레이가 너무 크면 스러스트 베어링(또는 스러스트 플레이트)을 교환한다.

8. 플라이휠

플라이휠은 폭발행정을 할 때 동력을 저장하였다가 회전속도를 일정하게 유지하는 작용을 하며, 관성의 법칙을 이용한 부품으로 무게는 기관의 회전속도와 실린더 수에 관계한다.

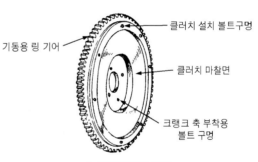

▲ 플라이휠의 구조

9. 기관 베어링(engine bearing)

(1) 기관 베어링의 종류

① **배빗메탈** : 주석(80~90%), 안티몬(3~12%), 구리(3~7%)의 베어링 합금이다.

② **켈밋메탈** : 구리(60~70%), 납(30~40%)인 베어링 합금이다.

(2) 기관 베어링의 구조

① **크러시(crush)** : 베어링 바깥둘레와 하우징 둘레와의 차이를 말한다.

② **스프레드(spread)** : 베어링 하우징의 지름과 베어링을 끼우지 않았을 때 베어링 바깥지름과의 차이를 말하며, 두는 이유는 다음과 같다.

㉮ 베어링이 제자리에 밀착 되게 하기 위함이다.

㉯ 캡에 베어링이 끼워진 채로 있어 작업의 편리성 때문이다.

㉰ 크러시가 압축됨에 따라 안쪽으로 찌그러지는 것을 방지하기 위함이다.

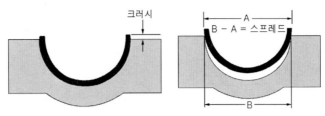

▲ 베어링 크러시와 스프레드

10. 밸브 기구(valve train)

(1) 캠축과 캠(cam shaft & cam)

캠축은 기관의 밸브 수와 같은 수의 캠이 배열된 축으로 주요 기능은 흡·배기밸브 개폐이다. 4행정 사이클 기관에서는 크랭크축 2회전에 캠축이 1회전 하는 구조로 되어 있다. 따라서 크랭크축 기어와 캠축 기어의 지름의 비율은 1 : 2로 되어 있다.

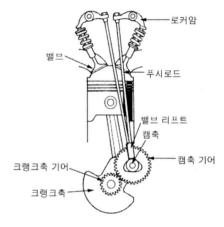

▲ 기어구동 방식

(2) 밸브 리프터(밸브 태핏 : valve lifter or valve tappet)

밸브 리프터는 캠축의 회전운동을 상하운동을 변환시켜 푸시로드로 전달한다. 유압식 밸브 리프터는 오일의 비압축성과 윤활장치의 기관 오일 순환 압력을 이용한 것이며, 기관의 작동온도 변화에 관계없이 밸브간극을 0으로 유지하도록 한 방식으로 그 특징은 다음과 같다.

① 밸브간극을 점검·조정하지 않아도 된다.
② 밸브 개폐 시기가 정확하고 작동이 조용하다.
③ 오일이 완충작용을 하므로 밸브 기구의 내구성이 향상된다.
④ 밸브 기구의 구조가 복잡하다.
⑤ 윤활장치가 고장이 나면 기관 작동이 정지된다.

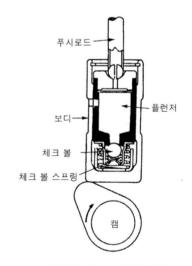

▲ 유압식 밸브 리프터의 구조

(3) 흡·배기밸브(valve)

건설기계용 기관의 흡·배기밸브는 포핏 밸브(poppet valve)가 사용되며, 밸브는 실린더 헤드에 설치되어 높은 연소열과 폭발압력을 받기 때문에, 다음과 같은 조건을 갖추어야 한다.

① 고온 고압에 충분히 견딜 수 있는 강도가 있어야 한다.
② 혼합 가스에 이상 연소가 발생되지 않도록 열전도가 양호하여야 한다.
③ 혼합 가스나 연소가스에 접촉되어도 부식되지 않아야 한다.
④ 관성력이 증대되는 것을 방지하기 위하여 가능한 가벼워야 한다.
⑤ 충격에 잘 견디고 내구력이 있어야 한다.

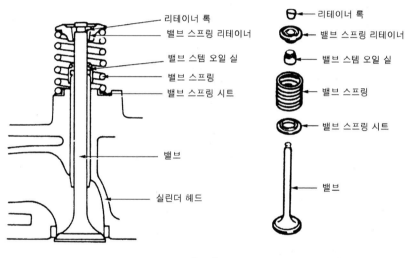

▲ 밸브의 구조

(4) 밸브 회전 기구를 두는 이유

① 밸브 스틱(stick)을 방지한다.
② 밸브 면과 시트, 밸브 스템과 가이드의 편마모를 방지한다.
③ 밸브를 회전시켜 밸브 헤드의 온도가 상승되지 않도록 유도한다.
④ 밸브 면과 시트의 카본퇴적을 방지한다.

(5) 밸브 스프링과 서징(Surging)

밸브 스프링은 밸브를 닫는데 필수적인 부품으로, 탄력이 강하면 기밀성은 좋으나 밸브 개방 시 많은 힘이 필요하고, 탄성이 약하면 밸브 시트와 밀착이 불충분하여 가스 누출이 발생할 수가 있다. 또한 밸브 스프링 고유진동과 기관 회전수가 같아지면 밸브 서징(Surging)이 발생할 수 있으므로, 이와 같은 조건을 고려하여 스프링을 선정해야 한다.

가) 밸브 스프링의 구비 조건

① 밸브 페이스와 밸브 시트가 접촉되어 기밀을 유지 할 수 있도록 충분한 장력이 있을 것.

② 밸브 스프링의 고유 진동인 서징을 일으키지 않을 것.

③ 엔진의 최고 회전속도에서 견딜 수 있는 정도의 내구성이 있을 것.

④ 밸브 기구의 관성력을 이기고 캠의 형상대로 움직이게 할 수 있을 것.

나) 밸브 스프링의 서징(surging)

서징이란 밸브가 캠에 의하여 개폐될 때 밸브 스프링의 고유진동과 같거나 또는 그 정수배가 되었을 때, 밸브 스프링은 캠에 의한 강제 진동과 스프링 자체의 고유 진동이 공진하여, 캠에 의한 작동과 관계없이 진동이 발생되는 현상이다. 밸브 서징 현상이 발생되면, 밸브의 개폐가 부정확하고 스프링의 일부에 큰 압축력과 변형이 발생되며, 이로 인하여 스프링이 파손된다.

다) 서징 현상 방지법

① 고유 진동수가 서로 다른 2중 스프링을 사용

② 충분한 스프링 정수

③ 부등 피치의 스프링을 사용

④ 원뿔형 스프링 사용

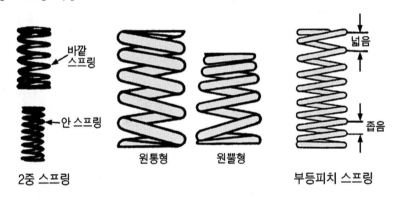

▲ 밸브 서징 방지용 스프링의 구조

(6) 밸브스프링의 점검 사항

① **자유 높이** : 규정 높이의 3% 이상 감소한 경우 교환한다.

② **직각도** : 자유 높이 100 mm에 대하여 3 mm 이상 변형된 경우 교환한다.

③ **장력** : 규정 장력의 15% 이상 감소 되었을 때는 교환한다.

(7) 밸브간극(valve clearance)

밸브간극은 기관 작동 중 열팽창을 고려하여 로커 암과 밸브 스템 엔드 사이에 둔다.

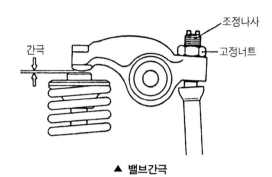

▲ 밸브간극

밸브간극이 너무 적을 때	밸브간극이 너무 클 때
① 밸브가 빨리 열리고, 늦게 닫힌다. ② 실화를 일으킨다. ③ 압축가스가 누출되어 동력이 감소된다. ④ 역화(Back fire)가 일어나기 쉽다.	① 밸브가 늦게 열리고 빨리 닫힌다. ② 밸브가 열릴 때 충격으로 소음이 발생된다. ③ 흡입공기량이 적고 배기가 불충분하다. ④ 밸브가 적게 열려 흡·배기 효율이 저하된다.

(8) 밸브 오버랩

밸브 오버랩(valve over lap)이란 피스톤의 상사점 부근에서 흡기밸브와 배기밸브가 동시에 열려있는 시기이며, 흡입효율을 높이고, 잔류 배기가스를 배출하기 위해 둔다.

11. 압축압력 측정

(1) 압축압력의 측정목적

이 시험은 기관에 이상이 있을 때 또는 기관의 성능이 현저하게 저하되었을 때 분해·수리 여부를 결정하기 위한 것이다.

(2) 압축압력 측정 준비작업

① 축전지의 충전상태를 점검한다.
② 기관을 시동시켜 난기운전(웜업)을 한 후 정지한다.
③ 모든 분사노즐이나 예열플러그를 모두 **뺀다**.
④ 연료차단 솔레노이드 밸브 커넥터를 분리하여 연료공급을 차단한다.
⑤ 공기청정기 및 팬벨트를 제거한다.

(3) 압축압력 측정순서

① 분사노즐 또는 예열플러그 설치구멍에 압축 압력계를 밀착시킨다.
② 기관을 크랭킹(cranking) 하여 5~8회 압축행정이 되게 한다. 이때 기관의 회전속도는 200~300rpm이다.

③ 첫 압축압력과 맨 나중 압축압력을 기록한다.

(4) 압축압력측정 결과분석
① **정상 압축압력** : 규정 값의 90% 이상이고, 각 실린더 사이의 차이가 10% 이내일 때
② **규정 값 이상일 때** : 규정 값의 10% 이상이면 실린더 헤드를 분해한 후 연소실의 카본을 제거한다.
③ **밸브 불량** : 규정 값보다 낮고 습식시험을 하여도 압축압력이 상승하지 않는다.
④ **실린더 벽 및 피스톤 링 마모** : 계속되는 폭발행정에서 조금씩 상승하며, 습식시험을 하면 압력이 뚜렷하게 상승한다.
⑤ **헤드 개스킷 불량 및 실린더 헤드 변형** : 인접한 실린더의 압축압력이 비슷하게 낮으며, 습식시험을 하여도 압축압력이 상승하지 않는다.

> **참고**
>
> 습식시험이란 밸브 불량, 실린더 벽 및 피스톤 링, 헤드 개스킷 불량 등의 상태를 판단하기 위하여, 분사노즐 설치구멍으로 엔진 오일을 10cc 정도 넣고 1분 후에 다시 하는 시험이다.

(5) 기관의 분해 정비시기 결정 요소
① 압축압력이 규정압력의 70% 이하일 때, 각 실린더의 압력 차가 10% 이상일 때
② 연료소비율이 표준 소비율보다 60% 이상 소비될 때
③ 윤활유 소비율이 표준 소비율보다 50% 이상 소비될 때
④ 기관의 내부적인 결함이 발생 되었을 때

01 다음 4행정 기관에 대한 설명 중 맞는 것은?

① 크랭크축 2회전에 캠축 2회 회전한다.
② 크랭크축 10회전에 캠축 5회 회전한다.
③ 캠축 2회전에 크랭크축 1회전한다.
④ 크랭크축과 캠축의 회전수는 같다.

해설 4행정 기관이 1사이클을 완성하기 위해서는 크랭크축이 2회전할 때, 캠축은 1회전한다.

02 다음 중 캠 기구 설명 중 틀린 것은?

① 행정에 관계없이 회전비가 2:1로 일정하다.
② 4행정 기관에서 캠의 수는 기관의 밸브 수와 같다.
③ 오일펌프와 연료펌프를 작동시킨다.
④ 흡기 및 배기밸브의 개폐를 돕는다.

해설 캠 기구는 ②③④항 외에 4행정 기관에서는 회전비가 2:1이지만, 2행정 기관에서의 회전비는 1:1이다.

03 단행정 기관의 단점은?

① 엔진 높이가 낮출 수 있다.
② 측압이 증대된다.
③ 피스톤 평균속도를 높이지 않고 엔진 회전속도를 높일 수 있다.
④ 흡기 효율을 높일 수 있다.

해설 단행정 기관은 피스톤의 행정이 짧아 측압을 많이 받는 단점이 있다.

04 디젤기관이 가솔린기관보다 압축비가 높은 이유를 설명한 것으로 가장 적합한 것은?

① 압축된 공기의 열로 착화 연소시키기 위하여
② 연료의 분사 압력을 높게 하여 공기와의 혼합을 잘 시키기 위하여
③ 연료의 무화와 관통력을 크게 하기 위하여
④ 기관의 과열을 방지하고 진동과 소음을 적게 하기 위하여

해설 디젤기관에서 압축비가 높은 이유는 압축된 공기의 열로 착화 연소시키기 때문이다.

05 직접분사식 디젤기관의 장점이 아닌 것은?

① 구조가 간단하고 연료소비율이 낮다.
② 열효율이 높다.
③ 회전수가 낮아 토크가 잘 안 일어난다.
④ 연소실 표면적 비율이 적어 냉각손실이 적다.

해설 직접 분사식 디젤기관의 장점으로는 연료소비량이 적고, 연소실 표면적이 비열이 적어 냉각손실이 적으며, 열효율이 높고, 헤드의 구조가 간단한 장점이 있다.

정답 **01.**② **02.**① **03.**② **04.**① **05.**③

06 실린더 블록과 헤드 사이에 끼워져 압력 가스의 누출을 방지하는 부품은?

① 실린더 헤드　　② 물재킷
③ 실린더 로커암　④ 헤드 개스킷

해설 헤드 개스킷은 실린더의 블록과 헤드 사이에 조립되며, 압력가스, 냉각수, 엔진오일의 누출을 방지한다.

07 기관의 실린더 헤드 개스킷이 갖추어야 할 조건이 아닌 것은?

① 취성이 클 것
② 내압성이 풍부할 것
③ 적당한 강도와 유연성이 있을 것
④ 내열성이 있을 것

해설 실린더의 헤드 개스킷은 내압성 및 내열성이 크고, 가스, 냉각수 및 엔진 오일 등이 새는 것을 방지하여야 한다.

08 실린더 헤드가 심하게 변형되면 나타나는 현상은?

① 실린더 내로 냉각수 유입
② 압축 압력의 증가
③ 연료 분사 압력의 증가
④ 피스톤 행정의 변화

해설 실린더 헤드가 변형되면 실린더 헤드 개스킷의 누설이 발생되므로, 압축 압력의 저하, 실린더 내로 냉각수 유입 등이 발생된다.

09 실린더 헤드 볼트를 풀 때의 요령으로 맞는 것은?

① 풀기 쉬운 것부터 푼다.
② 중심에서 외측으로 향해 푼다.
③ 외측에서 대각선 방향으로 풀어 중앙으로 온다.

④ 고정 토크로 한 번에 전부 일렬로 푼다.

해설 실린더 헤드 볼트를 풀 때는 외측에서 대각선으로 풀어 중앙 부분으로 풀어준다. 조립할 때는 안쪽에서 바깥쪽으로 대각선 방향으로 조여준다.

10 실린더 헤드 볼트 풀기와 조이기에 대한 안전 사항 중 바르지 못한 것은?

① 한 번에 조이지 않고 2~3회 나누어서 조이는 것이 좋다.
② 토크렌치는 최종적으로 규정 토크로 조일 때 사용한다.
③ 헤드의 바깥쪽에서 중앙으로 향하여 일직선 방향으로 조이는 것이 좋은 방법이다.
④ 조이고 풀 때는 렌치를 작업자의 몸쪽에서 잡아당기면서 작업한다.

해설 실린더 헤드 볼트를 풀기와 조이기 작업은 ①②④항 외에 헤드의 중앙에서 바깥쪽으로 대각선 방향으로 조여준다.

11 실린더 헤드 볼트의 조이는 힘을 측정하기 위한 공구는?

① 토크렌치　　　② 복스 렌치
③ 소켓렌치　　　④ 오픈엔드 렌치

해설 실린더 헤드 볼트를 일정한 힘으로 조여주기 위해서 토크렌치를 사용한다.

12 기관 실린더의 점검 사항에 들지 않는 것은?

① 실린더 내벽의 균열
② 실린더 윗면의 변형
③ 실린더 내벽의 마모
④ 실린더 내벽의 강도

해설 실린더의 점검 사항은 실린더 내벽의 균열, 실린더 윗면의 변형, 실린더 내벽의 마모 등을 점검한다.

해설 피스톤 링의 3대 작용은 기밀유지 작용, 오일제어 작용, 열전도 작용이다.

13 실린더 테이퍼 마멸을 측정하는데 가장 좋은 측정기는?

① 필러게이지 ② 강철제의 줄자
③ 보어게이지 ④ 플라스틱게이지

해설 실린더 내벽 마모량을 점검하는 측정기는 실린더 보어게이지, 텔레스코핑 게이지와 마이크로미터, 내경 마이크로미터, 공기 마이크로미터 등이 있다.

14 다음 중 내경 측정이 가능한 게이지를 모두 나열한 것은?

> A : 외경 마이크로미터
> B : 텔레스코핑 게이지
> C : 공기 마이크로미터
> D : 실린더 보어 게이지

① A, B ② B, C
③ B, C, D ④ A, B, C, D

15 습식라이너를 끼울 때 고무 실에 바르는 것으로 가장 적합한 것은?

① 그리스 ② 엔진오일
③ 비눗물 ④ 증류수

해설 습식라이너를 엔진 블록에 끼울 때는 고무 실에 비눗물을 바르고 끼운다. 최근에는 전용 젤이 사용되고 있다.

16 피스톤 링의 3대 작용이 아닌 것은?

① 기밀유지 작용 ② 응력분산 작용
③ 오일제어 작용 ④ 열전도 작용

17 표준 안지름 90mm의 실린더에서 0.26mm가 마멸되었을 때 보링 치수는 얼마인가?

① 안지름을 90.30mm로 한다.
② 안지름을 90.40mm로 한다.
③ 안지름을 90.50mm로 한다.
④ 안지름을 90.60mm로 한다.

해설 표준 안지름보다 0.26mm가 마모되었으므로, 한계값 0.2mm를 초과하므로 수정해야 한다. 수정 절삭값(0.2mm)이므로 90.26+0.2=90.46mm, 오버사이즈는 0.25mm 단위이므로 0.50mm, 즉, 90.50mm로 수정한다.

18 엔진의 실린더 표준 안지름이 105mm인 6기통 기관에서 안지름을 측정한 결과, 최소값이 105.15 mm, 최대값이 105.32mm인 경우 수정값은?

① 105.35mm ② 105.50mm
③ 105.52mm ④ 105.75mm

해설
마모량 = 최대값−표준값 = 105.32−105=0.32mm, 한계값 0.2mm를 초과하므로 수정해야 하며, 수정 절삭값(0.2mm)이므로 105.32+0.2=105.52mm, 오버사이즈는 0.25mm 단위이므로 0.75mm, 즉, 105.75mm로 수정한다.

19 엔진의 실린더 표준 안지름이 88mm인 6기통 기관에서 안지름을 측정한 결과, 최대값이 88.43 mm인 경우 수정값은?

① 0.25 O/S ② 0.50 O/S
③ 0.75 O/S ④ 1.00 O/S

마모량 = 최대값-표준값 = 88.43-84.00=0.43mm, 한계값 0.2mm를 초과하므로 수정해야 하며, 수정 절삭값(0.2mm)이므로 0.43+0.2=0.63mm, 오버사이즈는 0.25mm 단위이므로 0.75mm O/S로 수정한다.

20 실린더 호닝 작업의 주목적은?

① 내면을 매끈하게 하기 위해
② 진원도를 얻기 위해
③ 편심도를 수정하기 위해
④ 가공경화를 위해

해설 실린더의 호닝 작업이란 보링 후에, 실린더 내면의 바이트 자국 등을 연마하여 내면을 매끄럽게 가공하는 작업이다.

21 피스톤 종류에서 스플리트 피스톤에 홈 (slot)을 설치한 목적으로 가장 적합한 것은?

① 피스톤의 강도를 크게 하기 위해서
② 헤드에서 스커트부로 흐르는 열을 차단하기 위하여
③ 피스톤의 무게를 적게 하기 위하여
④ 헤드부의 열을 스커트부로 빨리 전달하기 위하여

해설 스플리트 피스톤에 홈(slot)을 설치하는 목적은 피스톤 헤드에서 스커트부로 흐르는 열을 차단하기 위함이다.

22 디젤기관 실린더에서 발생하는 측압에 대한 설명으로 옳은 것은?

① 피스톤 하강시 커넥팅 로드를 요동으로 작동시키는 것
② 배기행정시 피스톤의 상승 운동을 방해하는 압력

③ 압축행정시 피스톤의 상승 운동을 방해하는 압력
④ 압축행정시 피스톤이 실린더에 벽에 접촉되어 가하는 압력

해설 측압이란 압축행정에서 피스톤이 실린더의 벽에 접촉되어 가하는 압력을 말한다.

23 피스톤의 측압과 직접적인 관계가 있는 것은?

① 피스톤의 무게와 실린더 수
② 배기량과 실린더의 직경
③ 혼합비와 실린더 수
④ 커넥팅 로드의 길이(행정)

해설 피스톤의 측압은 커넥팅 로드(행정)의 길이가 길면 감소한다.

24 피스톤에 피스톤 핀을 고정하는 방식 중에서 핀을 고정하지 않고 빠지지 않도록 스냅 링 또는 엔드 와셔로 고정한 방식의 명칭은?

① 고정식   ② 반부동식
③ 전부동식   ④ 반고정식

해설 전부동식은 피스톤에 피스톤 핀을 고정하는 방식 중에서 핀을 고정하지 않고 빠지지 않도록 스냅 링 또는 엔드 와셔로 고정한다.

25 피스톤 실린더 사이의 간격이 크면 어떤 현상이 생기게 되는가?

① 레이싱 현상이 생긴다.
② 블로바이 현상이 생긴다.
③ 스틱 현상이 생긴다.
④ 런-온 현상이 생긴다.

해설 피스톤 간극이 크면 압축압력의 저하, 블로바이 가스의 발생, 피스톤 슬랩 발생, 엔진오일의 연료로 희석, 기관의 오일이 연소실로 상승, 백색 배기가스의 발생, 엔진 출력 저하 등이 발생한다.

26 기관의 피스톤 간극이 클 경우 생기는 현상으로 아닌 것은?

① 마멸 감소
② 블로바이 가스 발생
③ 피스톤 슬랩 발생
④ 엔진 출력 저하

27 피스톤 슬랩 현상에 대한 설명으로 틀린 것은?

① 피스톤 간극이 클 때 생긴다.
② 기관 온도가 저온시 현저히 발생된다.
③ 오프셋 피스톤을 사용하면 현저히 발생한다.
④ 슬랩 현상이 발생하면 압축 압력이 저하된다.

해설 피스톤 슬랩 현상에 대한 설명은 ①②④항 이외에 슬랩 현상을 방지를 위해 오프셋 피스톤을 사용한다.

28 피스톤과 실린더와의 간극은 어디에서 측정하는 것이 가장 올바른가?

① 피스톤 헤드　　② 피스톤 보스
③ 피스톤 핀　　　④ 피스톤 스커트

해설 피스톤과 실린더와의 간극은 피스톤 스커트에서 측정한다.

29 4행정 기관에서 행정이 120mm이고, 지름이 102mm, 피스톤 평균속도가 8.4m/s이면 크랭크축의 회전속도는?

① 1,700rpm　　② 2,100rpm
③ 3,000rpm　　④ 3,125rpm

해설 피스톤 평균속도

$$S = \frac{2NL}{60}$$ 에서 $$N = \frac{60S}{2L}$$

$$\therefore \ N = \frac{60 \times 8.4}{2 \times 0.12} = 2,100 rpm$$

30 기관의 피스톤 헤드부에 링을 설치하기 위한 부분에 해당되는 것은?

① 리브　　　　② 랜드
③ 스커트　　　④ 히트 댐

해설 피스톤링 지대는 링 홈과 랜드로 구성되어 있으며, 피스톤링을 설치하기 위한 부분에 해당되는 것은 랜드 부분이다.

31 다음 중 피스톤 링의 구비조건이 아닌 것은?

① 실린더 벽에 균일한 압력을 유지할 것
② 고온에서 탄성을 유지할 것
③ 고온 고압에 대하여 장력의 변화가 클 것
④ 마찰이 적어 실린더 벽을 마모시키지 않는 형상일 것

해설 피스톤 링의 구비조건은 ①②④항 이외에 내열성 및 내마모성이 좋고, 열전도성이 양호하며 열팽창률이 적어야 한다.

32 피스톤 링을 조립시 주의사항으로 맞는 것은?

① 크롬 도금한 링은 마멸이 작으므로 분해할 때마다 갈아 끼우지 않아도 된다.
② 바깥둘레가 테이퍼 되어 있는 링은 지름이 큰 쪽을 아래로 하여 끼운다.
③ 링의 이음 간극이 제2링보다 톱링 쪽을 작게 한다.
④ 크롬 도금한 링은 크롬 도금한 실린더에 사용한다.

해설 피스톤 링을 조립시 주의사항
① 크롬 도금한 링도 분해할 때마다 교환한다.
② 링의 이음 간극은 톱링 쪽을 가장 크게 한다.
③ 크롬 도금한 링은 크롬 도금한 실린더에 사용해서는 안된다.

33 다음 중 피스톤 링의 역할이 아닌 것은?

① 기밀 유지 작용
② 열전달 작용
③ 실린더 벽 보호 작용
④ 오일 제어 작용

해설 피스톤 링의 3대 작용은 기밀 유지 작용, 열전달 작용, 오일 제어 작용이다.

34 기관의 커넥팅 로드 베어링 위쪽 부분에 오일 분출 구멍을 설치하는 목적으로 가장 옳은 것은?

① 오일의 소비를 적게 하려고
② 오일의 압력을 낮게 하기 위하여
③ 실린더 벽에 오일을 공급하기 위하여
④ 커넥팅 로드 비틀림을 방지하기 위하여

해설 커넥팅 로드 베어링 위쪽에 설치된 오일 분출 구멍은 피스톤이 상사점 부근에 있을 때 실린더 벽으로 오일을 분출하여 윤활하도록 해준다.

35 4기통 사이클의 작동순서로 맞는 것은?

① 흡입, 동력, 배기, 압축행정
② 흡입, 배기, 동력, 압축행정
③ 흡입, 압축, 배기, 동력행정
④ 흡입, 압축, 동력, 배기행정

해설 4기통 사이클의 작동순서는 흡입, 압축, 폭발(동력), 배기행정이다.

36 크랭크축의 오버랩을 설명할 것 중 맞는 것은?

① 핀 저널과 메인 저널이 겹치는 부분
② 핀 저널과 메인 저널과의 직경 차
③ 핀 저널과 메인 저널과의 길이 차
④ 크랭크 암의 메인 저널이 겹치는 부분

해설 크랭크핀 저널과 메인 저널이 겹치는 부분을 크랭크축 오버랩이라고 한다. 오버랩을 두는 이유는 크랭크축의 강성을 높이고 고속 회전을 하기 위함이다.

37 크랭크축이 회전 중 받는 힘이 아닌 것은?

① 휨
② 전단력
③ 비틀림
④ 관통력

해설 크랭크축이 회전 중 받는 힘은 휨, 전단력, 비틀림이다.

38 건설기계 기관에서 크랭크축의 구성부품이 아닌 것은?

① 크랭크 암
② 크랭크 핀
③ 저널
④ 플라이휠

해설 크랭크축의 구조는 메인 저널, 크랭크 핀, 크랭크 암, 평형추 등으로 구성되어 있다.

정답   32.②   33.③   34.③   35.④   36.①   37.④   38.④

39 다음 중 크랭크축 베어링의 구비조건이 아닌 것은?

① 하중 부담 능력이 있을 것
② 내피로성이 적을 것
③ 내식성이 클 것
④ 매입성이 좋을 것

해설 크랭크축 베어링의 구비조건은 ①③④항 외에 내피로성이 커야 한다.

40 기관 정비시 크랭크축의 점검 사항이 아닌 것은?

① 오일 구멍 상태 점검
② 휨 상태 점검
③ 무게 점검
④ 마모 상태 점검

해설 크랭크축의 점검 사항은 휨 점검, 저널 마모량 점검, 저널의 오일 간극 점검, 크랭크축의 엔드 플레이(축 방향 유격) 점검, 오일 구멍 막힘 점검 등이 있다.

41 다음 중 크랭크축의 분해 · 조립시 주의 사항이 아닌 것은?

① 축받이 캡을 떼었다 조립할 때 제자리 방향으로 끼워야 한다.
② 뒤 축받이 캡에는 오일 실이 있으므로 주의한다.
③ 스러스트 판이 있을 때는 변형이나 손상이 없도록 한다.
④ 분해시에는 반드시 규정 토크렌치를 사용해야 한다.

해설 토크렌치는 엔진 구성품을 조립할 때 규정 토크로 조여주기 위해 사용한다.

42 폭발순서가 1-3-4-2인 기관에서 3번 피스톤이 압축행정을 할 때 2번 피스톤은 무슨 행정을 하는가?

① 폭발행정
② 배기행정
③ 압축행정
④ 흡입행정

해설 폭발순서가 1-3-4-2인 기관에서 3번 피스톤이 압축행정을 할 때 4번은 흡입행정, 2번은 폭발행정, 1번은 배기행정을 한다.

43 점화순서가 1-3-4-2인 엔진에서 2번 실린더가 흡입행정 중이라면 4번 실린더는 무슨 행정을 하는가?

① 흡입행정
② 압축행정
③ 폭발행정
④ 배기행정

해설 2번 피스톤이 흡입행정을 할 때 1번은 배기행정, 3번은 폭발행정, 4번은 압축행정을 한다.

44 크랭크축에 오일 실링거(slinger)를 설치하는 이유는?

① 오일의 침입을 막기 위해서
② 오일의 누설을 막기 위해서
③ 오일에 가스 발생을 막기 위해서
④ 오일의 열화를 막기 위해서

해설 크랭크축에 오일 실링거를 설치하는 이유는 오일의 누설을 방지하기 위함이다.

정답 39.② 40.③ 41.④ 42.② 43.② 44.②

45 크랭크축의 축 방향 간극이 너무 클 때 일어나는 현상은 무엇인가?

① 회전이 무거워진다.
② 점화시기가 빨라진다.
③ 기관이 떤다.
④ 크랭크 암 및 대단부 쪽의 마멸을 촉진시켜 소음이 발생한다.

해설 크랭크축의 축 방향 간극이 너무 크면, 크랭크 암 및 대단부 쪽의 마멸을 촉진시켜 소음이 발생한다.

46 크랭크축의 축방향 놀음(End play) 측정에 적당한 계측기는?

① 실린더 게이지
② 플라스틱 게이지
③ 텔레스코핑 게이지
④ 다이얼 게이지

해설 크랭크축의 축방향 놀음 측정은 다이얼 게이지나 필러 게이지를 사용한다.

47 분해된 크랭크축에서 점검하지 않아도 되는 것은?

① 휨
② 축 방향 유격
③ 마모량
④ 균열과 긁힘

해설 크랭크축을 분해 후에 점검하는 사항은 휨, 저널의 마모량, 균열과 긁힘 여부 등이다.

48 표준지름이 75mm인 크랭크축 저널의 외경을 측정한 결과 74.68mm, 74.66mm, 74.76mm이었다. 크랭크축을 연마할 경우 수정값은?

① 74.50mm
② 74.46mm
③ 74.25mm
④ 74.62mm

해설 마모량 = 표준값−최소값 = 75.00−74.66=0.34mm, 한계값 0.2mm를 초과하므로 수정해야 하며, 수정 절삭값(0.2mm)이므로 74.66−0.2 =74.46mm, 언더사이즈는 0.25mm 단위이므로 74.25 mm로 수정한다.

49 표준지름이 65mm인 크랭크축 저널의 외경을 측정한 결과 64.65mm이었다. 크랭크축을 연마해야 할 언더사이즈는 얼마인가?

① 0.25mm
② 0.50mm
③ 0.75mm
④ 1.00mm

해설 마모량 = 표준값−최소값 = 65.00−64.65=0.35mm, 한계값 0.2mm를 초과하므로 수정, 수정 절삭값(0.2mm)이므로 마모량+수정 절삭값 = 0.35+0.20=0.55mm 언더사이즈는 0.25mm 단위이므로 0.75mm로 연마한다.

50 캠축의 휨을 측정시 가장 적당한 것은?

① 스프링 저울과 브이블록
② 버니어캘리퍼스와 곧은 자
③ 마이크로미터와 다이얼 게이지
④ 다이얼 게이지와 브이블록

해설 캠축의 휨을 측정할 때는 브이블록 위에 캠축을 올려놓고 다이얼 게이지로 측정한다.

51 크랭크축과 저널 베어링 틈새 측정에 쓰이는 게이지 중 가장 적합한 것은?

① 필러 게이지
② 다이얼 게이지
③ 플라스틱 게이지
④ 텔레스코핑 게이지

해설 저널 베어링의 오일 간극 점검 방법에는 마이크로미터 사용, 플라스틱 게이지 사용 방법 등이 있으며, 플라스틱 게이지가 가장 적합하다.

정답 45.④ 46.④ 47.② 48.③ 49.③ 50.④ 51.③

52 크랭크축 베어링에 스프레드(spread)를 두는 이유가 아닌 것은?

① 베어링과 하우징과의 완전한 밀착을 위해서
② 베어링 조립시 베어링이 캡에 끼워진 채로 있어 작업하기 편리하므로
③ 베어링 조립시 크러시가 압축됨에 따라 안쪽으로 찌그러지는 것을 방지하기 위해서
④ 작은 힘으로 눌러 끼워 베어링이 제자리에 밀착 되도록 하기 위해서

해설 베어링과 하우징의 완전한 밀착을 위해서 두는 것은 크러시(crush)이다.

53 캠축의 캠 점검에 대한 설명을 옳은 것은?

① 캠의 높이가 심하게 마멸되면 연마하여 수정한다.
② 캠이 마멸하면 그만큼 밸브 틈새가 커진다.
③ 캠이 한계값 이상 마멸되면 교환하여야 한다.
④ 캠의 단붙임 마멸은 중목의 줄로서 수정한다.

해설 캠축이 한계값 이상으로 마멸되면 캠축을 교환하여야 한다.

54 가장 많이 사용하는 밸브시트의 각도는 얼마인가?

① 15°와 30°　　② 30°와 45°
③ 45°와 65°　　④ 45°와 75°

해설 가장 많이 사용하는 밸브시트의 각도는 30°와 45°이다.

55 밸브 배열에 따른 실린더 헤드 형식이 아닌 것은?

① I형　　② L형
③ F형　　④ G형

해설 밸브 배열에 따른 실린더 헤드 형식에는 I형, L형, F형, T형이 있다.

56 밸브 면과 시트부의 접촉상태가 불량한 경우 가장 적절한 조치는?

① 래핑 작업을 한다.
② 분해하여 밸브 면을 깨끗이 닦고 다시 조립한다.
③ 밸브를 교환한다.
④ 운전조건에 따라 항상 다르다.

해설 밸브 면과 시트부의 접촉상태가 불량한 경우에는 래핑 작업을 하여야 한다.

57 밸브 스프링 서징 현상의 설명 중 알맞은 것은?

① 밸브가 열릴 때 천천히 열리는 현상
② 밸브의 흡기·배기가 동시에 열리는 현상
③ 고속시 밸브의 고유진동수와 캠의 회전수의 공명에 의하여 스프링이 튕기는 현상
④ 고속 회전에서 저속으로 변화할 때 스프링의 장력차에 의한 현상

해설 밸브 스프링 서징 현상이란, 고속에서 밸브의 고유진동수와 캠의 회전수가 같아질 때, 공명에 의하여 스프링이 튕기는 현상을 말한다.

정답　**52.**① **53.**③ **54.**② **55.**④ **56.**① **57.**③

58 밸브 스프링 서징 현상을 방지하는 방법에 대한 설명 중 틀린 것은?

① 고유진동수 같은 2중 스프링 사용
② 부등피치의 2중 스프링 사용
③ 고유진동수가 틀린 2중 스프링 사용
④ 부등피치의 원뿔형 스프링 사용

해설 밸브 스프링의 서징 현상 방지 방법에는 ②③④ 항 이외에, 공진을 상쇄시키고 정해진 양정 내에서 충분한 스프링 상수를 얻도록 한다.

59 밸브 스프링 점검과 관계없는 것은?

① 직각도   ② 코일의 수
③ 자유높이   ④ 스프링 장력

해설 밸브 스프링 점검
① **자유높이** : 규정 높이의 3% 이상 감소시 교환
② **직각도** : 자유높이 100mm에 대해 3mm 이상 변형시 교환
③ **장력** : 규정 장력의 15% 이상 감소시 교환

60 디젤기관 밸브 스프링 직각도 검사 결과 스프링을 교환해야 하는 기준은?

① 자유높이 100mm에 대해 3mm 이상
② 자유높이 100mm에 대해 5mm 이상
③ 자유높이 100mm에 대해 7mm 이상
④ 자유높이 100mm에 대해 9mm 이상

해설 자유높이는 100mm에 대해 3mm 이상시 교환한다.

61 기관의 밸브간극이 너무 좁을 때 일어나는 현상 중 틀린 것은?

① 압축가스의 누설로 동력이 감소된다.
② 실화를 일으킨다.
③ 적게 열리고 정확히 닫힌다.

④ 역화가 일어나기 쉽다.

해설 밸브간극이 너무 좁으면 밸브가 빨리 열리고 늦게 닫히므로 ①②④항의 현상이 발생한다.

62 엔진에서 밸브간극이 적으면 어떤 현상이 생기는가?

① 실화가 일어난다.
② 엔진이 과열된다.
③ 밸브의 열림 기간은 짧고, 닫힘 기간은 길다.
④ 밸브시트의 마모가 급격하다.

해설 밸브간극이 너무 적으면 밸브가 빨리 열리고 늦게 닫히므로 실화가 일어난다.

63 기관에서 밸브간극이 너무 클 때 일어나는 현상이 아닌 것은?

① 기관 상부에서 소리가 난다.
② 늦게 열리고 빨리 닫힌다.
③ 밸브가 많이 열려 흡입량이 증가한다.
④ 흡입공기량이 감소되고 배기가 잘 안된다.

해설 밸브간극이 크면 밸브가 늦게 열리고 빨리 닫히며, 밸브가 열릴 때 충격으로 소음이 발생한다. 또 흡입 공기량이 적게 되고 배기가 불충분해지며, 밸브가 적게 열리므로 흡·배기 효율이 저하된다.

64 기관에서 밸브 오버랩은 무엇을 나타내는가?

① 흡·배기밸브가 동시에 열려있는 시기
② 흡기밸브만 열려있는 시기
③ 배기밸브만 열려있는 시기
④ 흡·배기밸브가 동시에 닫혀있는 시기

정답 58.① 59.② 60.① 61.③ 62.① 63.③ 64.①

해설 밸브 오버랩(valve over lap)이란 피스톤의 상사점 부근에서 흡입 및 배기밸브가 동시에 열려있는 시기를 말한다.

65 S·O BTDC 8°, S·C ABDC 40° 일 때의 설명으로 맞는 것은?

① 흡기밸브가 상사점 전 8°에서 열리고 하사점 후 40°에서 닫힌다.
② 흡기밸브가 상사점 전 40°에서 열리고 하사점 후 8°에서 닫힌다.
③ 배기밸브가 상사점 전 8°에서 열리고 하사점 후 40°에서 닫힌다.
④ 배기밸브가 상사점 전 40°에서 열리고 하사점 후 8°에서 닫힌다.

해설 S·O = Suction Open(흡기 열림)
S·C = Suction Close(흡기 닫힘)
BTDC = Before TDC(상사점 전)
ABDC = After BDC(하사점 후)

66 다음과 같은 밸브 개폐시기를 가지고 있는 엔진의 밸브 오버랩은 얼마인가?

```
-흡기밸브 열림 : BTDC 18°
-흡기밸브 닫힘 : ABDC 30°
-배기밸브 열림 : BBDC 28°
-배기밸브 닫힘 : ATDC 20°
```

① 48°   ② 46°
③ 58°   ④ 38°

해설 밸브 오버랩은 TDC에서 흡기밸브와 배기밸브가 동시에 열려있는 기간을 말한다.

67 다음 중 가솔린엔진의 부품이 아닌 것은?

① 점화플러그   ② 분사펌프
③ 흡·배기 밸브   ④ 오일펌프

해설 연료분사펌프는 디젤엔진 연료장치에 있는 구성품이다.

68 다음 중 피스톤의 구조가 아닌 것은?

① 피스톤 헤드   ② 링홈
③ 스커트부   ④ 랜덤

해설 피스톤의 구조는 헤드, 링지대(링 홈과 랜드), 스커트 부분, 보스 부분 등으로 구성된다.

69 다음 중 실린더 헤드 면을 연삭하여 조립했을 때 나타나는 현상은?

① 압축비가 감소하는 현상
② 피스톤과 밸브의 간격이 커지는 현상
③ 냉각수 온도 상승 현상
④ 압축비가 상승하는 현상

해설 실린더 헤드를 연삭하면 연소실 체적이 줄어들기 때문에 압축비와 압축 압력이 상승하게 된다.

70 엔진은 힘의 균형과 기계적 균형이 동시에 성립하여야 한다. 다음 중 기계적 균형에 속하는 것은?

① 정상 간격으로 폭발행정이 일어나야 한다.
② 폭발력이 동일하여야 한다.
③ 커넥팅로드와 피스톤 조립의 중량차가 없어야 한다.
④ 압축 압력이 동일하여야 한다.

71 엔진의 압축 압력 시험시 건식시험에서는 압축 압력이 낮으나, 습식시험을 하였더니 압력이 상승하는 원인으로 맞는 것은?

① 실린더 라이너의 균열
② 크랭크축의 휨
③ 피스톤 링의 마모
④ 밸브의 접촉 불량

해설 기관의 압축 압력 시험에서 습식 시험시 압력이 상승한다면 실린더와 피스톤 사이의 마모일 때이다.

72 기준값이 35kgf/㎠인 엔진의 압축 압력을 측정하였다. 건식 측정값이 25kgf/㎠ 습식 측정값이 34kgf/㎠로 나타났다. 예상되는 고장개소는?

① 커넥팅 로드의 휨
② 흡기, 배기밸브 밀착 불량
③ 실린더 헤드 개스킷 파손
④ 피스톤 링 마모

73 다음 중 플라이휠의 정비사항으로 맞지 않는 것은?

① 접촉면이 열화되었을 때는 플라이휠을 교환한다.
② 플라이휠 면마모 깊이가 1mm 이내이면 수정하여 사용한다.
③ 런아웃이 1mm 이상이면 플라이휠을 교환한다.
④ 링기어가 파손되면 플라이휠을 교환한다.

해설 플라이휠의 정비사항은 ①②③ 외에 링기어는 시동전동기의 피니언 기어와 물리는 부분으로 링기어가 파손되면 링기어만 교환하면 된다.

74 다음 중 플라이휠의 기능이 아닌 것은?

① 기어 변속
② 동력의 저장
③ 엔진 맥동 흡수
④ 엔진 시동

해설 플라이휠은 폭발행정을 할 때 동력을 저장하였다가 엔진의 맥동을 흡수하여 회전속도를 일정하게 유지하는 작용을 하며, 관성의 법칙을 이용한 부품으로 무게는 기관의 회전속도와 실린더 수에 관계한다.

75 다음 중에서 고속디젤에 사용되는 열역학적 사이클은 어느 것인가?

① 정적 사이클
② 정압 사이클
③ 카르노 사이클
④ 사바테 사이클

해설 · 오토(가솔린) 사이클 : 정적 사이클
· 디젤 사이클 : 정압 사이클
· 고속 디젤(합성) 사이클 : 사바테 사이클

76 기관에서 실린더 내벽의 마모 원인이 아닌 것은?

① 희박한 혼합기에 의한 마모
② 연소생성물에 의한 마모
③ 흡입 공기 중의 먼지, 이물질 등에 의한 마모
④ 실린더 벽과 피스톤 및 피스톤 링의 접촉에 의한 마모

해설 기관의 실린더는 실린더 벽과 피스톤 및 피스톤 링의 마찰 또는 흡입 공기 중의 이물질이나, 연소생성물 (카본)에 의하여 마모된다.

---

77 다음 중 실린더 내벽이 마멸되었을 때 발생하는 현상이 아닌 것은?

① 엔진의 출력이 낮아진다.
② 압축 압력이 낮아진다.
③ 엔진오일의 소모량이 많아진다.
④ 엔진 회전속도가 증가한다.

해설 [실린더 내벽이 마멸되었을 때 발생하는 현상]
· 엔진오일, 연료의 소비 증가
· 압축 압력 저하 및 시동 곤란
· 엔진 출력 감소 및 블로우 바이 현상 증대
· 매연 증가
· 피스톤 슬랩 현상으로 소음 진동 및 마모 증가

78 다음 중 타이밍기어의 백래시가 클 때 발생하는 현상이 아닌 것은?

① 밸브의 개폐 시기가 늦어진다.
② 연료의 분사가 늦어진다.
③ 엔진의 출력이 증가한다.
④ 엔진의 소음이 증가한다.

해설 타이밍기어는 크랭크축 기어와 캠축 기어, 연료 분사펌프 기어의 위치를 맞추는 것으로 밸브의 정확한 개폐와 분사 시기를 결정해준다.

79 디젤기관 조립시 크랭크축 기어에 의해 회전되는 기어 중 타이밍 마크를 맞출 필요가 없는 것은?

① 크랭크축 기어
② 공기압축기 구동기어
③ 분사펌프 구동기어
④ 캠축기어

해설 공기압축기는 압축공기를 공기탱크에 저장하는 기능을 하므로, 타이밍은 필요없이 크랭크축에서 동력을 전달받아 구동된다.

80 습식라이너를 사용하는 엔진에서 냉각 수가 엔진오일로 유입되는 원인이 아닌 것은?

① 실린더 라이너의 상부에 턱이 크게 생겼다.
② 헤드 개스킷이 손상되었다.
③ 실린더 라이너 실이 손상되었다.
④ 오일 쿨러가 손상되었다.

해설 실린더 라이너의 상부의 턱은 피스톤의 접촉에 의해 발생되는 부분이다.

81 기관에서 폭발행정 말기에 배기가스가 실린더 내의 압력에 의해 배기가스가 배출되는 현상은?

① 바이패스 현상
② 오버 플로우 현상
③ 블로우 다운 현상
④ 채터링 현상

해설 블로우 다운은 기관에서 폭발행정 말기에 실린더 내의 압력에 의해 배기가스가 배출되는 현상이다.

1 기관 오일의 작용과 구비 조건

1. 기관 오일의 작용

① **고체마찰** : 두 금속면이 직접 접촉하여 마찰하는 상태
② **경계윤활** : 불완전 윤활, 유막이 거의 파괴되어 두 금속면이 직접 접촉하는 단계
③ **유체윤활** : 완전 윤활, 충분한 두께의 유막이 형성되어 두 금속면이 완전히 분리되는 윤활 단계

2. 윤활유의 기능

① **마찰감소와 마모방지 작용** : 유체 윤활을 통한 마멸 및 고착 방지 작용
② **기밀작용(밀봉작용)** : 실린더와 피스톤 사이 유막 형성으로 압축 및 폭발가스(Blow-by Gas) 누출 방지
③ **냉각작용** : 윤활유의 열전도(열전달)를 통해 기관에 발생한 열을 냉각시키는 작용
④ **청정작용** : 오일이 엔진 각부를 순환하며 먼지, 카본 및 금속 분말 등의 불순물을 흡수하여 오일 팬으로 이송하고, 오일 팬에서 오일이 재공급될 때는 오일여과기를 거쳐 정화(청정)된 오일을 공급하는 작용
⑤ **방청작용** : 금속 표면에 유막을 형성하여 외부의 공기나 수분의 침투를 막아 금속의 부식을 방지하는 작용
⑥ **소음방지작용** : 유체 윤활에 따른 소음 방지 작용
⑦ **응력분산작용** : 베어링 부에 큰 충격이 가해질 때 유막이 압력을 분산하여 응력이 집중되는 것을 방지하는 작용

3. 윤활유의 구비 조건

① 점도지수가 커 온도와 점도와의 관계가 적당할 것
② 인화점 및 발화점이 높을 것
③ 강인한 유막을 형성할 것(유성이 좋을 것)
④ 응고점이 낮을 것
⑤ 비중과 점도가 적당할 것
⑥ 기포 발생 및 카본생성에 대한 저항력이 클 것

> **참고**
> ■ 점도(viscosity) : 오일의 가장 중요한 성질이다.
> ■ 점도지수(viscosity index) : 오일 점도는 온도가 상승하면 점도가 낮아지고, 온도가 낮아지면 점도가 높아지는 성질이 있는데 이 변화 정도를 표시하는 것이며, 점도지수가 높은 오일일수록 점도 변화가 작다.

2 기관 오일의 분류

1. SAE(미국 자동차 기술협회) 분류

SAE 번호로 점도를 표시하며, 번호가 클수록 점도가 높은 오일이다. SAE 분류는 다음과 같다.
① **겨울철용** : 점도가 낮은 SAE # 10W, 20W, 10, 20을 사용한다.
② **봄 · 가을철용** : SAE # 30을 주로 사용한다.
③ **여름철용** : 점도가 높은 SAE # 40, 50을 주로 사용한다.
④ **범용 기관 오일** : 전 계절용 또는 다급 기관 오일이라고도 부르며, SAE 5W-20, 10W-30, 20W-40 등이 있다.

2. API(미국 석유협회) 분류

가솔린 기관용	디젤 기관용
① ML(Motor Light) : 경부하용 ② MM(Motor Moderate) : 중부하용 ③ MS(Motor Severe) : 고온 · 고부하용	① DG(Diesel General) : 경부하용 ② DM(Diesel Moderate) : 중부하용 ③ DS(Diesel Severe) : 고온 · 고부하용

3 기관 오일 공급 방법

(1) 비산식
오일 팬 내의 오일을 크랭크축이 회전할 때의 원심력으로 퍼 올려 뿌려주는 방식이다.

(2) 압송식
캠축으로 구동되는 오일펌프로 오일을 흡입 · 가압하여 각 윤활 부분으로 보내는 방식이다.

(3) 비산 압송식
크랭크축과 캠축 베어링, 밸브 기구 등으로는 압송식으로 공급하고, 실린더 벽, 피스톤 링과 핀 등에는 커넥팅 로드 대단부에서 뿌려지는 오일로 윤활하는 방식이다.

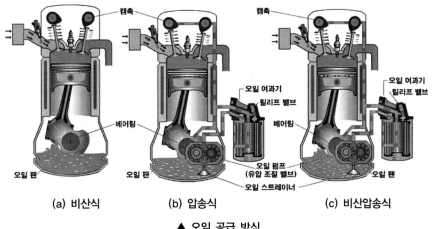

▲ 오일 공급 방식

4 오일 여과 방식

윤활장치 내를 순환하는 오일은 점차로 수분, 카본, 금속 분말, 오일 슬러지 등이 함유되어 기능이 떨어지고, 베어링 부분의 손상을 초래하게 되는데, 여과기를 설치하고 이 불순물을 제거하는 세정작용하며 이를 오일 여과라고 한다. 여과 방식에는 전류식, 분류식, 샨트식 등이 있다.

① 전류식(full-flow filter)

전류식은 오일펌프에서 나온 오일이 모두 여과기를 거쳐서 여과된 후 윤활부로 보내는 방식이다. 항상 여과된 오일을 윤활부로 보낼 수 있으나, 여과 엘리먼트(필터) 등이 막히면 급유 불량이 되기 쉽다. 이를 보완하기 위해 바이패스 밸브(by-pass valve)를 두어 비상 윤활을 할 수 있도록 한다.

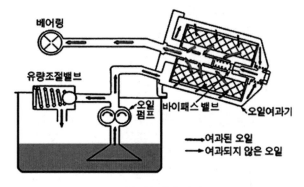

▲ 전류식 여과 방식

② 분류식(by-pass filter)

분류식은 오일펌프에서 나온 오일의 일부는 여과하여 오일 팬으로 보내고, 나머지는 그대로 윤활부로 보내는 방식이다. 이 방식은 여과기를 거치지 않은 오일이 윤활부로 공급되므로 베어링이 손상될 염려가 있다.

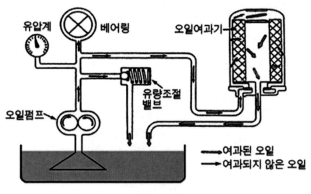

▲ 분류식 여과 방식

③ 샨트식(shunt flow filter)

샨트식은 오일펌프에서 나온 오일의 일부는 여과하여 베어링 부에 공급하고, 일부는 여과없이 베어링으로 직접 공급하는 방식이다.

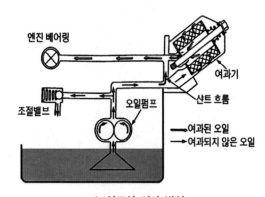

▲ 샨트식 여과 방식

4 윤활장치의 구성부품

1. 오일 팬(oil pan)

아래 크랭크 케이스라고도 부르고, 기관 오일이 담겨지는 용기이며, 기관 오일의 냉각 작용도 한다.

2. 펌프 스트레이너(pump strainer)

오일 팬 섬프 내의 오일을 펌프로 유도해주는 것이며, 오일 속에 포함된 비교적 큰 불순물을 여과하는 스크린이 있다.

3. 오일펌프(oil pump)

오일펌프는 크랭크축이나 캠축으로 구동되며, 종류에는 기어펌프, 로터리펌프, 플런저펌프, 베인 펌프 등이 있다.

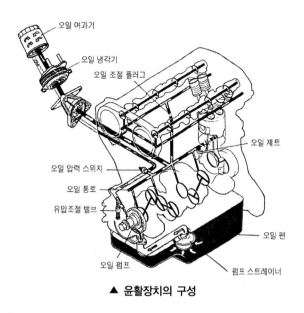

▲ 윤활장치의 구성

4. 오일여과기(oil filter)

윤활장치 내를 순환하는 금속 분말, 먼지 등 미세한 불순물을 제거하는 세정작용을 한다.

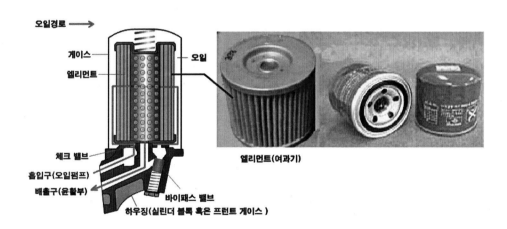

5. 유압조절 밸브(oil pressure relief valve)

윤활 회로 내를 순환하는 유압이 과도하게 상승하는 것을 방지하여 유압이 일정하게 유지되도록 하는 작용을 한다.

오일 압력이 높아지는 원인	오일 압력이 낮아지는 원인
① 엔진오일의 점도가 지나치게 높다. ② 윤활회로의 일부가 막혔다. ③ 유압조절밸브 스프링의 장력이 크다. ④ 유압조절밸브가 닫힌 채로 고착되었다. ⑤ 오일 필터가 막혀 있다.	① 오일팬 내의 오일량이 부족하다. ② 크랭크축 오일 틈새가 너무 크다. ③ 오일펌프의 작동이 불량하다. ④ 유압조절밸브가 열린 상태로 고장났다. ⑤ 엔진 각부의 마모가 심하다. ⑥ 엔진오일에 연료가 혼입되었다.

6. 유면 표시기(oil level gauge)

유면 표시기는 오일 팬 내의 오일 량을 점검할 때 사용하는 금속성 막대로 아래쪽에 F(Full)와 L(LOW)의 눈금이 표시되어 있다. 오일량 측정시 항상 F표시 부분까지 오일이 있어야 하며, L선보다 낮으면 오일이 부족함으로 윤활이 나빠지기 전에 오일의 부족량을 보충해야 한다.

7. 유압 경고등(oil warning lamp type)

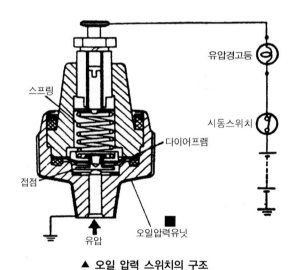

▲ 오일 압력 스위치의 구조

유압경고등은 기관 작동 중에 오일이 순환되지 않으면 계기판에 점등되어 운전자에게 알려주는 램프이다.

8. 크랭크 케이스 환기장치 및 오일냉각기

(1) 크랭크 케이스 환기장치

크랭크 케이스 환기장치는 오일 슬러지를 방지하기 위해 둔다.

(2) 오일냉각기

오일냉각기는 주로 라디에이터 아래쪽에 설치되며 기관 오일이 냉각기를 거쳐 흐를 때 기관 냉각수로 냉각이 되거나 가열되어 윤활 부분으로 공급된다.

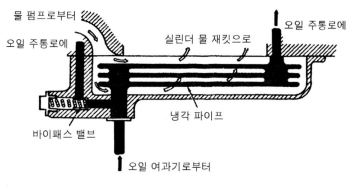

물 펌프로부터
오일 주통로에
실린더 물 재킷으로
오일 주통로에
냉각 파이프
바이패스 밸브
오일 여과기로부터

▲ 오일냉각기의 구조

9. 기관 오일 점검 및 교환

(1) 기관 오일 색깔 점검

① **검은색** : 심하게 오염된 경우이다. 이때는 점도를 점검해 보고 교환 여부를 결정하도록 한다.

② **우유색** : 냉각수가 혼합된 경우이다. 단, 기관에서 사용하던 오일에 냉각수가 유입되면 회색에 가까운 색이 된다.

(2) 기관 오일 교환할 때 주의사항

① 기관에 알맞은 오일을 선택한다.

② 주입할 때 불순물이 유입되지 않도록 한다.

③ 점도가 다른 오일을 혼합하여 사용하지 않는다.(첨가제의 작용으로 오일의 열화가 촉진된다.)

④ 재생 오일은 사용하지 않도록 한다. 재생 오일이란 사용하다가 빼낸 오일을 말한다.

⑤ 교환 시기에 맞추어서 교환한다.

⑥ 오일 양을 점검하면서 규정량을 주입한다. 그리고 보충하고자 할 때는 유면 표시기의 "F"선까지 넣는다.

⑦ 기관 오일이 소모되는 주원인은 연소와 누설이다.

(3) 기관 오일 소비증대의 원인

① 오일 팬 내의 오일이 규정량보다 많을 때
② 오일의 열화 또는 점도가 불량할 때
③ 피스톤과 실린더와의 간극이 과대할 때
④ 피스톤 링의 장력이 불량할 때
⑤ 밸브 스템과 가이드 사이의 간극이 과대할 때
⑥ 밸브 가이드 오일 실이 불량할 때
⑦ 크랭크 케이스 또는 크랭크축 오일 실이 파손되었을 때
⑧ 로커 암 커버 개스킷이 파손되었을 때
⑨ 오일펌프 개스킷이 파손되었을 때
⑩ 오일여과기의 오일 실이 파손되었을 때
⑪ 오일 팬의 균열에 의해서 누출될 때
⑫ 기관 연소실에서 연소에 의한 소비증대
⑬ 기관 열에 의하여 증발되어 외부로 방출 및 연소

Part 01 출제예상문제

01 다음 중 윤활유의 작용이 아닌 것은?

① 응력집중작용
② 밀봉작용
③ 방청작용
④ 청정작용

해설 윤활유의 작용에는 마찰감소 및 마멸방지작용, 밀봉작용, 열전도작용, 세척작용(청정작용), 방청작용 (부식방지작용), 응력분산작용 등이 있다.

02 기관이 처음 가동될 때 피스톤 링과 실린더 벽 사이의 마찰 상태는?

① 고체마찰
② 경계마찰
③ 유체마찰
④ 건조마찰

해설 기관이 처음 가동될 때는 유막이 불완전하기 때문에, 일부 고체마찰이 이루어지는 상태에서의 마찰을 경계 마찰이라고 한다.

03 엔진 오일 압력을 측정하는 곳으로 맞는 것은?

① 오일여과기
② 오일펌프
③ 오일 압력조절밸브
④ 오일 압력스위치 연결 포트

해설 엔진오일의 압력은 오일 압력 스위치의 연결 포트에 압력 게이지를 설치하여 측정한다.

04 유압이 규정 이상으로 높아지는 경우가 아닌 것은?

① 스프링의 장력이 높다.
② 윤활 회로의 어느 곳이 막혔다.
③ 점도가 지나치게 높다.
④ 엔진오일이 경유로 현저하게 희석되었다.

해설 엔진오일에 연료가 섞여 희석되면 오일의 점도가 낮아져 유압이 낮아지게 된다.

05 기관 윤활 회로 내의 유압을 높이려면?

① 유압 조정기 스프링 장력을 세게 한다.
② 유압 조정기 스프링 장력을 약하게 한다.
③ 점도가 낮은 오일을 사용한다.
④ 오일 간극을 크게 한다.

해설 기관의 윤활 회로 내의 유압을 높이려면, 조정 나사를 조여 유압 조정기 스프링 장력을 세게 조정한다.

06 엔진오일 압력이 낮아지는 원인과 거리가 먼 것은?

① 크랭크축의 마멸이 클 때
② 압력조정밸브의 스프링 장력이 클 때
③ 오일펌프 기어의 마멸이 클 때
④ 엔진오일의 점도가 낮을 때

해설 엔진오일 압력이 낮아지는 원인은 ①③④항 이외에 압력조정밸브의 스프링 장력이 약한 경우이다.

정답 01.① 02.② 03.④ 04.④ 05.① 06.②

07 기관의 윤활장치에서 유압이 저하되는 원인이 아닌 것은?

① 오일의 점도가 높을 때
② 크랭크축 오일 간극이 클 때
③ 오일 스트레이너가 막혔을 때
④ 오일펌프의 릴리프밸브 접촉이 불량할 때

해설 오일의 점도가 높아지면 압력이 상승한다.

08 윤활유 소비증대의 가장 큰 원인이 되는 것은?

① 비산과 압력
② 비산과 누설
③ 연소와 누설
④ 희석과 혼합

해설 윤활유 소비증대의 가장 큰 원인은 연소와 누설이다.

09 기관 윤활유 소비증대의 원인 중 틀린 것은?

① 베어링과 핀 저널의 마멸에 의한 틈새 증대
② 기관 연소실에서 연소에 의한 소비증대
③ 기관 열에 의하여 증발되어 외부로 방출 및 연소
④ 크랭크케이스 혹은 크랭크축 오일 실에서의 누유

해설 베어링과 핀 저널의 마멸에 의한 틈새 커지면 유압이 낮아진다.

10 기관의 윤활유 소비가 많은 원인이 아닌 것은?

① 피스톤 및 실린더의 마멸과 손상
② 오일펌프의 불량
③ 밸브 가이드 및 밸브 스템의 마멸
④ 외부로부터 누설

해설 오일펌프의 작동이 불량하면 유압이 낮아진다.

11 다음 중 기관의 유압이 낮은 원인이 아닌 것은?

① 윤활유의 점도가 낮음
② 윤활유의 부족
③ 밸브 가이드 마멸
④ 오일펌프 불량

해설 밸브는 흡 · 배기 장치이므로 유압과는 관계가 없다.

12 기관에서 윤활유 점도가 필요 이상으로 높아짐으로 나타나는 현상이 아닌 것은?

① 유압이 높아진다.
② 유막 형성이 잘 안된다.
③ 마찰계수가 증가한다.
④ 유성이 저하한다.

해설 윤활유의 점도가 필요 이상으로 높아지면 유압이 높아지고, 유막 형성이 잘 안되며 마찰계수가 증가한다.

13 디젤기관에서 윤활유의 점도에 대한 설명으로 틀린 것은?

① 점도가 높을수록 좋다.
② 점도가 낮으면 하중이 증가한다.
③ 점도가 높으면 동력손실이 증대된다.
④ 점도지수가 큰 경우 점도 변화는 적다.

해설 윤활유는 엔진이나 변속기 등 사용 조건에 따라 다르므로, 점도도 윤활유의 특성에 따라 다르다.

정답　07.①　08.③　09.①　10.②　11.③　12.④　13.①

14 엔진 오일량 점검에서 오일 게이지 상한선(Full)과 하한선(Low) 표시가 되어 있을 때 가장 적합한 것은?

① Low 표시에 있어야 한다.
② Low와 Full 사이에서 Low에 가까우면 좋다.
③ Low와 Full 사이에서 Full에 가까우면 좋다.
④ Full 표시 이상이 되어야 한다.

해설 엔진 오일량 점검 게이지에는 상한선(Full)과 하한선(Low) 표시가 되어 있는데, Low와 Full 사이에서 Full에 가까우면 좋다.

15 실린더 블록의 급유 통로 막힘을 검사할 때 사용하는 것으로 적합한 것은?

① 유압을 이용
② 압축공기를 이용
③ 물을 이용
④ 시너를 이용

해설 급유 통로의 막힘을 검사할 때는 압축공기를 이용하여 검사한다.

16 다음 중 오일펌프 내부 마모시 발생하는 현상이 아닌 것은?

① 엔진이 과열된다.
② 오일의 압력이 낮아진다.
③ 오일의 압력이 높아진다.
④ 각 구성품이 소결된다.

해설 오일펌프 내부의 구성품이 마모되면 오일의 공급이 잘되지 않으므로, 압력이 낮아지고 엔진의 온도가 과열되며, 심하면 각 구성품이 소결된다.

17 다음 중 윤활장치의 구성품이 아닌 것은?

① 오일펌프
② 연료여과기
③ 오일여과기
④ 바이패스밸브

해설 연료여과기는 연료장치 구성품이다.

18 엔진오일의 여과 방식에 속하지 않는 것은?

① 전류식
② 반전식
③ 샨트식
④ 분류식

해설 엔진오일의 여과 방식에는 전류식, 분류식, 샨트식이 있다.

19 기관의 윤활장치에 사용되는 공급 펌프의 종류가 아닌 것은?

① 나사펌프
② 기어펌프
③ 플런저펌프
④ 로터리펌프

해설 윤활유 공급 펌프의 종류에는 기어펌프, 시클펌프, 로터리펌프, 플런저펌프, 베인펌프 등이 있다.

20 윤활유의 점도지수를 설명한 것이다. 틀린 것은?

① 점도지수란 온도에 따라 점도가 변하는 정도를 나타내는 척도이다.
② 일반적으로 파라핀계는 온도에 따른 점도 변화가 나프텐계의 윤활유에 비해 많다.
③ 온도에 따른 점도 변화가 적은 경우를 '점도지수가 높다'라고 정의한다.
④ 윤활유는 점도지수가 높은 것이 바람직스럽다.

해설 일반적으로 파라핀계는 온도에 따른 점도 변화가 나프텐계의 윤활유에 비해 적다.

정답 **14.**③ **15.**② **16.**③ **17.**② **18.**② **19.**① **20.**②

21 윤활유에 첨가되는 첨가제가 아닌 것은?

① 탄화 촉진제   ② 부식 방지제
③ 기포 방지제   ④ 청정 분산제

해설 윤활유에 사용되는 첨가제는 점도지수 향상제, 유성 향상제, 청정 분산제, 산화 방지제, 유동점 강하제, 소포제, 방청제, 극압제 등이 사용된다.

22 디젤기관에서 윤활유를 설명한 것이다. 틀린 것은?

① 윤활유를 사용할수록 점도는 낮아지게 되어 유막이 파괴된다.
② 연소시에 생성되는 카본, 수분, 탄산가스 등이 윤활유에 혼입된다.
③ 윤활유에 냉각수가 혼입되면 유백색을 띄게 된다.
④ 윤활유에 먼지나 금속분말 등이 혼입되면 기관 각 부위 마멸을 촉진시키고, 슬러지 생성을 가속화시킨다.

해설 연소가스와 윤활유는 접촉이 되지 않기 때문에 카본이나 탄산가스는 대기 중으로 배출되며, 윤활유에 혼입되지 않는다.

23 디젤엔진에서 연소실로 엔진오일이 유입되는 원인이 아닌 것은?

① 엔진오일 팬 개스킷의 누유
② 밸브 스템 실의 마모에 의한 유입
③ 피스톤의 오일 링의 마모에 의한 유입
④ 블로우 바이 가스 속에 함유된 오일의 유입

해설 엔진오일 팬의 개스킷이 파손되면 엔진오일이 외부로 누출된다.

1 냉각장치의 필요성

　냉각장치는 작동중인 엔진이 발생한 열(약 2,000~2,500℃ 정도)을 냉각하여 엔진의 온도를 알맞게 유지하는 장치를 말한다. 엔진이 과열되면 피스톤, 밸브 등의 고착과 변형이 일어나며, 윤활이 불충분하게 되어 엔진의 손상을 가져온다. 반대로 기관이 과냉되면 연료의 소비가 증가하고, 불완전 연소된 연료가 크랭크실로 유입되어 오일과 희석되므로 베어링부의 마멸을 촉진한다.

　냉각장치는 부품이 과열되지 않도록 과잉의 열을 흡수하여 적당한 온도(정상 작동온도)를 유지시키는 장치이다. 기관 온도는 실린더 헤드 물재킷 내의 온도로 나타내며 약 75~95℃이다.

2 기관의 냉각방식

(1) 공랭식(air cooling type)
　① **자연통풍식** : 차량이 주행할 때 받는 공기로 냉각시키는 방식이며, 실린더 헤드와 블록과 같이 과열되기 쉬운 부분에 냉각 핀(cooling fin)을 두고 있다.
　② **강제통풍식** : 냉각 효과를 높이기 위해 덮개(shroud)와 냉각 팬을 설치하여 냉각시키는 방식이다.

(2) 수랭식(water cooling type)
　① **자연순환식** : 냉각수를 대류에 의해 순환시키는 방식이다.
　② **강제순환식** : 물 펌프로 실린더 헤드와 블록에 설치된 물재킷 내에 냉각수를 순환시켜 냉각시키는 방식이다.
　③ **압력순환식** : 압력의 조절을 라디에이터 캡의 압력 밸브로 하며, 특징은 라디에이터의 크기를 작게 할 수 있고, 냉각수의 비등점을 높일 수 있으며, 냉각수 손실이 적어 기관의 열효율이 향상된다.
　④ **밀봉압력식** : 팽창된 냉각수가 배출되는 결점을 보완하여 라디에이터 캡을 밀봉하고, 냉각수의 팽창과 맞먹는 크기의 보조 물탱크를 설치하여, 냉각수가 팽창하였을 때 외부로 배출되지 않도록 한 방식이다.

3 수랭식의 주요 구조와 그 기능

(1) 물재킷(water jacket)
　물재킷은 실린더 헤드 및 블록에 일체 구조로 된 냉각수가 순환하는 물 통로이다.

(2) 물 펌프(water pump)

물 펌프는 팬벨트를 통하여 크랭크축에 의해 구동되며, 실린더 헤드 및 블록의 물재킷 내로 냉각수를 순환시킨다.

(3) 냉각 팬(cooling fan)

냉각 팬은 물 펌프 축과 일체로 회전하며 라디에이터를 통하여 공기를 흡입하여 라디에이터 통풍을 도와준다.

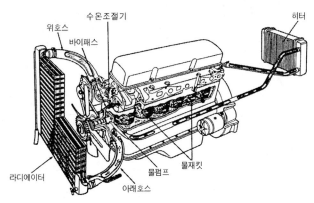

▲ 수랭식의 주요 구조

가. 팬 클러치 방식의 냉각 팬

팬 클러치 방식에는 기관의 회전속도에 따라 작동하는 유체커플링 팬과, 냉각수 온도에 따라 작동하는 전자 단판식 팬이 있으며, 팬 클러치의 작동과 관계없이 물 펌프는 항상 회전한다.

나. 전동 팬(Motor type fan)

전동 팬 방식은 전동기로 냉각 팬을 구동시키는 것이며, 특징은 다음과 같다.

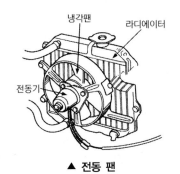

① 냉각수 온도에 따라 작동한다.
② 형식에 따라 차이가 있을 수 있으나, 약 85~100℃에서 간헐적으로 작동한다.
③ 팬벨트가 필요 없다.

▲ 전동 팬

(4) 팬벨트(drive belt or fan belt)

가. 팬벨트의 구조

크랭크축 풀리, 발전기 풀리, 물 펌프 풀리 등을 연결 구동한다. 팬벨트는 각 풀리의 양쪽 경사진 부분에 접촉되어야 하며, 반드시 기관의 작동이 정지된 상태에서 걸거나 빼내야 한다.

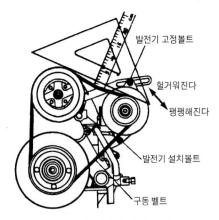

나. 팬벨트의 장력 점검·조정 방법

팬벨트의 장력 점검은 발전기 풀리와 물 펌프 풀리 사이에서 점검하며, 10kgf의 힘으로 눌렀을 때 13~20mm의 헐거움이면 양호하다.

▲ 팬벨트 장력 점검·조정

팬벨트 장력이 너무 클 때(팽팽할 때)	팬벨트 장력이 너무 작을 때(헐거울 때)
① 각 풀리의 베어링 마모가 촉진된다. ② 물 펌프의 고속 회전으로 기관이 과냉될 염려가 있다.	① 물 펌프 회전속도가 느려 기관이 과열되기 쉽다. ② 발전기의 출력이 저하된다. ③ 소음이 발생하며, 팬벨트의 손상이 촉진된다.

(5) 라디에이터(radiator ; 방열기)

가. 라디에이터의 구비 조건

① 단위면적 당 방열량이 클 것
② 가볍고 작으며, 강도가 클 것
③ 냉각수 흐름저항이 적을 것
④ 공기 흐름저항이 적을 것

나. 라디에이터의 구조

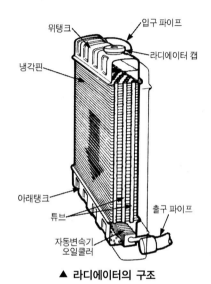

라디에이터는 위쪽에 위 탱크, 라디에이터 캡, 오버플로 파이프, 입구 파이프 등이 있고, 중간에는 코어(수관과 냉각 핀)가 있으며 아래쪽에는 출구 파이프와 냉각수 배출용 드레인 플러그가 설치되어 있다.

▲ 라디에이터의 구조

다. 라디에이터 캡(radiator cap)

① 라디에이터 캡의 개요

라디에이터 캡은 냉각수 주입구 뚜껑이며, 냉각장치 내의 비등점(비점)을 높이고, 냉각 범위를 넓히기 위하여 압력식 캡을 사용한다.

② 라디에이터 캡의 작용

㉮ 냉각장치 내부압력이 부압이 되면 (내부압력이 규정보다 낮을 때) 진공밸브가 열린다.

㉯ 냉각장치 내부압력이 규정보다 높을 때 압력 밸브가 열린다.

▲ 라디에이터 캡의 구조와 작동

라. 라디에이터 코어 막힘 점검

라디에이터를 세척한 후의 주수량이 20% 이상 부족할 경우는 교환하여야 한다. 그리고 라디에이터 냉각핀은 압축 공기를 이용하여 기관 쪽에서 불어내어 청소한다.

마. 수온조절기(정온기 ; thermostat)

수온조절기는 실린더 헤드 물재킷 출구 부분에 설치되어 냉각수 온도에 따라 냉각수 통로를 개폐하여 기관 온도를 알맞게 유지하는 기구이다.

▲ 수온조절기의 종류 (펠릿형·벨로즈형·바이메탈형)

4 냉각 불량시의 영향

(1) 엔진 과열(Over Heat) 영향
① 실린더, 피스톤, 밸브 등의 급격한 강도저하
② 실린더온도의 과열로 조기점화 발생 (출력저하)
③ 유막 파괴로 윤활작용의 불량
④ 충전효율의 저하 등
⑤ 부품의 변형 및 균열

(2) 엔진 과냉(Over Cooling) 시 영향
① 불완전 연소로 연료소비 증대, 출력 감소
② 오일 점도가 높아져 회전저항이 커지고 출력이 감소.
③ 실린더 간극이 커져 오일 희석 발생

(3) 기관의 과열 되는 원인
① 냉각수의 양이 적을 때
② 물 재킷에 스케일이 많이 쌓인 경우
③ 물 펌프의 작용이 불완전 할 때
④ 수온조절기가 닫힌 채 고장이 났을 때

(4) 기관이 과냉되는 원인
① 수온조절기가 열린 채로 고장 났을 경우

② 냉각팬이 계속 작동할 경우

5 냉각수와 부동액

1. 냉각수

엔진에서 사용하는 냉각수는 연수(증류수, 수돗물, 빗물)를 사용하며, 물은 구하기 쉽고 열을 잘 흡수하는 장점이 있으나, 100℃에서 비등하고 0℃에서 얼며 스케일(scale)이 생기는 단점이 있다. 이를 보완하기 위해 부동액을 혼합하여 사용한다.

2. 부동액

냉각수가 동결되는 것을 방지하기 위하여 냉각수와 혼합하여 사용하는 액체이며, 방열기 재질에 따라 알루미늄용과 동판용이 있다. 부동액의 종류에는 에틸렌글리콜, 메탄올, 글리세린 등이 있으며, 현재는 에틸렌글리콜이 주로 사용된다.

3. 부동액의 구비 조건

① 침전물이 발생되지 않을 것
② 냉각수와 혼합이 잘 될 것
③ 내식성이 크고 팽창계수가 작을 것
④ 비등점이 높고 응고점이 낮을 것
⑤ 휘발성이 없고 유동성이 좋을 것
⑥ 부식 등으로 냉각장치에 손상을 주지 않을 것
⑦ 온도변화에 따른 부식을 일으키지 않을 것

6 수랭식 기관의 과열 원인

① 수온조절기가 닫힌 상태로 고장 났을 때
② 라디에이터 코어가 20% 이상 막혔을 때
③ 팬벨트 장력이 느슨할 때
④ 냉각 팬이 파손되었을 때
⑤ 냉각수가 부족한 때
⑥ 냉각수 통로(물재킷)가 막혔을 때
⑦ 기관을 과부하 상태로 운전한 때
⑧ 팬벨트가 마모된 때
⑨ 냉각수에 이물질이 혼합된 때
⑩ 착화 시기가 빠를 때

01 다음 중 부동액으로 적당한 것은?

① 벤젠
② 에틸렌글리콜
③ 알콜
④ 탄산나트륨

해설 부동액의 종류에는 에틸렌글리콜, 메탄올, 글리세린 등이 사용된다.

02 기관에 사용되는 냉각장치 중 방열기의 구비조건으로 틀린 것은?

① 단위 면적당 발열량이 적어야 한다.
② 공기저항이 적어야 한다.
③ 냉각수의 흐름저항이 적어야 한다.
④ 가능한 한 가벼운 것이 좋다.

해설 라디에이터의 구비조건에는 ②③④항 외에 단위 면적당 발열량이 커야 한다.

03 다음 중 공랭식 엔진이 과열되는 원인이 아닌 것은?

① 냉각팬의 파손
② 팬벨트의 파손
③ 냉각핀의 오염
④ 물펌프의 파손

해설 물펌프는 수냉식 냉각장치의 구성품이다.

04 신품 방열기 용량이 40L이고 사용 중인 것의 용량이 32L일 때 코어의 막힘율은?

① 30% ② 20%
③ 10% ④ 5%

해설 막힘율 $= \dfrac{\text{신품 용량} - \text{사용품 용량}}{\text{신품 용량}} \times 100$

$\therefore \dfrac{40-32}{40} \times 100 = 20\%$

05 라디에이터의 세척제로 널리 사용되고 있는 것은?

① 염산 ② 알코올
③ 알칼리 용액 ④ 탄산나트륨

해설 라디에이터의 세척제는 탄산나트륨이나 중탄산 나트륨을 주로 사용한다.

06 기관이 과열되는 원인과 관계없는 것은?

① 라디에이터 코어 막힘 10%일 때
② 연료 분사량이 많다.
③ 라디에이터 캡의 압력 스프링이 손실되었다.
④ 냉각팬의 유체 클러치가 슬립한다.

해설 라디에이터 코어의 막힘율이 20% 이상일 때 세척 및 교환한다.

정답 01.② 02.① 03.④ 04.② 05.④ 06.①

07 구동 벨트에 대한 점검 사항 중 틀린 것은?

① 구동 벨트 장력은 약 10kgf의 엄지손가락 힘으로 눌렀을 때 헐거움이 약 12~20mm여야 한다.

② 장력이 너무 세면 베어링이 조기 마모된다.

③ 장력이 너무 약하면 물 펌프의 회전속도가 느려 엔진이 과열된다.

④ 벨트는 풀리의 홈 바닥에 닿게 설치한다.

해설 구동 벨트는 풀리의 바닥에 닿으면 마모가 심해지므로, 풀리의 2/3정도 접촉되도록 한다.

08 부동액 사용에 대한 설명으로 틀린 것은?

① 부동액을 주입할 때는 세척제로 냉각 계통을 청소해야 한다.

② 부동액의 배합은 그 지방 최저온도보다 5~10℃ 가량 낮게 맞춘다.

③ 혼합 부동액의 주입은 기관이 냉각되었을 때 냉각수 용량의 80%를 주입한다.

④ 사용 도중에 냉각수를 보충할 때는 부동액이 에틸렌글리콜린 경우 물만을 보충해서는 안된다.

해설 부동액 사용에 대한 설명은 ①②③항 외에 부동액은 증발되지 않기 때문에 물만 보충하여야 한다.

09 냉각수 양이 정상인데도 기관이 과열할 때 그 원인은?

① 에어클리너의 불량

② 팬벨트의 헐거움

③ 온도계가 고장

④ 워터펌프의 고속 회전

해설 워터펌프가 고속으로 회전하면 냉각수 순환이 잘 되므로 냉각이 잘된다.

10 엔진이 과열되는 원인으로 틀린 것은?

① 냉각수의 양이 적다.

② 물 재킷에 오물이 많이 쌓였다.

③ 온도조절기가 열린 상태에서 고장이 났다.

④ 물 펌프의 작동이 불완전하다.

해설 기관의 과열 원인
· 라디에이터 코어의 막힘
· 수온조절기가 닫힌 채로 고장
· 냉각장치에 물 때(스케일)이 끼었을 때
· 물펌프의 고장
· 팬벨트가 느슨할 때
· 냉각수의 부족 등

11 다음 중 냉각장치의 과열 원인이 아닌 것은?

① 수온조절기 열린 채 고장났을 때

② 라디에이터 코어의 막혔을 때

③ 물 펌프의 팬벨트가 느슨할 때

④ 냉각장치 내부에 스케일이 과다할 때

해설 기관의 과열 원인
· 라디에이터 코어의 막힘
· 수온조절기가 닫힌 채로 고장
· 냉각장치에 물때(스케일)가 끼었을 때
· 팬벨트가 느슨할 때
· 냉각수의 부족 등

정답 07.④ 08.④ 09.② 10.③ 11.①

12 다음 중 공랭식 냉각장치의 장점이 아닌 것은?

① 냉각계통의 고장율이 적다.
② 겨울철 시동이 용이하다.
③ 마력당 중량이 무겁다.
④ 부분 정비가 가능하므로 정비성이 좋다.

해설 공랭식기관은 구조가 간단하여 정비성이 좋고 고장이 적다. 또한 냉각수가 없고 회전저항이 적으므로 시동성이 양호하며, 기관이 작동되는 온도 범위가 넓다. 그러나 수냉식보다 과열 현상이 많고 마력당 중량이 무겁고 수명이 짧은 단점이 있다.

13 기관에서 공랭식 냉각장치와 비교할 때 수냉식 냉각장치의 장점이 아닌 것은?

① 냉각 작용이 균일하다.
② 차 실내 난방에 용이하다.
③ 기관이 과열될 위험이 적다.
④ 고장율이 적다.

해설 수냉식은 냉각 작용이 균일하고, 과열된 우려가 적으나, 기관의 무게가 무거워지고, 고장 가능성이 크다.

14 공랭식 기관과 비교할 때 수냉식 기관 냉각장치의 단점이 아닌 것은?

① 기관의 무게가 비교적 무겁다.
② 많은 장소를 차지한다.
③ 고장률이 증가한다.
④ 기관이 과열될 위험이 많다.

해설 수냉식 냉각장치는 공랭식에 비해 기관이 과열될 우려가 적다.

15 압력식 라디에이터 캡의 규정 압력은 일반적으로 게이지 압력으로 몇 kg/㎠ 정도인가?

① 0.2~0.9 ② 2.0~9.0
③ 1.2~1.9 ④ 12~19

해설 라디에이터의 압력은 0.2~0.9kg/㎠ 정도이다.

16 기관이 과열되는 원인과 가장 거리가 먼 것은?

① 팬벨트가 헐거울 때
② 물펌프의 작동이 불량할 때
③ 크랭크축의 타이밍기어가 마모되었을 때
④ 방열기 코어가 규정 이상으로 막혔을 때

해설 크랭크축 타이밍기어는 냉각장치와는 관계가 없다.

17 다음 중 수온조절기가 닫힌 채로 고장나면 냉각수의 온도는 어떻게 되는가?

① 규정 온도보다 낮다.
② 냉각수 온도와는 관계없다.
③ 규정 온도를 유지한다.
④ 규정 온도보다 높다.

해설 수온조절기가 닫힌 채로 고장나면 냉각수가 방열기로 순환되지 않으므로 엔진이 과열하게 된다.

18 다음 중 실린더 헤드에 설치된 물재킷의 기능으로 맞는 것은?

① 오일 냉각 ② 기밀 유지
③ 열전달 ④ 연소실 형성

해설 실린더 헤드에 설치된 물재킷은 냉각수가 순환하며 헤드에 발생된 열을 전달하는 기능을 한다.

정답 **12.**③ **13.**④ **14.**④ **15.**① **16.**③ **17.**④ **18.**③

19 다음 중 엔진의 온도를 일정하게 유지해 주는 구성품은?

① 방수기
② 방열팬
③ 정온기
④ 물펌프

해설 수온조절기(정온기)는 엔진의 온도를 일정하게 유지해주는 구성품이다.

20 기관의 과열 원인이 아닌 것은?

① 기관의 오일 부족 또는 불량
② 커넥팅 로드 베어링의 마모
③ 냉각수 부족 또는 펌프 불량
④ 밸브간극 부적당

해설 기관이 과열되는 원인에는 냉각수 부족 이외에도 엔진오일이 부족하거나, 밸브간극이 부적당하면 과열의 원인이 된다.

21 다음 중 엔진의 과열 원인이 아닌 것은?

① 방열기 코어에 오물 부착
② 수온조절기의 닫힌 상태로 고장
③ 연료의 질이 나쁠 때
④ 냉각팬 벨트의 느슨함

해설 연료의 질은 엔진의 과열과는 관계가 없다.

22 기관에서 냉각시스템의 과열 원인이 아닌 것은?

① 냉각수 부족
② 수온조절기 열린 상태 고착
③ 팬벨트의 느슨함
④ 라디에이터 코어 막힘

해설 수온조절기가 열린 채로 고장이 나면 기관의 과냉 원인이 된다.

23 수냉식 냉각장치의 주요 구성부품이 아닌 것은?

① 물 펌프
② 물 재킷
③ 방열기
④ 냉각팬

해설 물 재킷은 실린더 블록과 실린더 헤드에 만들어진 냉각수 통로이다.

24 냉각장치에서 밀봉 압력식 라디에이터 캡을 사용하는 것으로 가장 적합한 것은?

① 엔진 온도를 높일 때
② 엔진 온도를 낮게 할 때
③ 압력 밸브가 고장일 때
④ 냉각수의 비점을 높일 때

해설 냉각수의 비점을 높이기 위해 압력식 라디에이터 캡을 사용한다.

25 다음 중 냉각장치에서 소음이 발생되는 원인이 아닌 것은?

① 수온조절기의 불량
② 팬벨트 마모 및 유격 불량
③ 냉각팬의 파손
④ 물 펌프 베어링 불량

해설 냉각장치의 소음은 대부분 마찰 부분에서 발생되며, 수온조절기는 냉각수 온도를 일정하게 유지해준다.

정답 **19.**③ **20.**② **21.**③ **22.**② **23.**② **24.**④ **25.**①

1 디젤기관의 연료

경유는 석유계 원유에서 정제한 탄소와 수소의 유기화합물의 혼합체이다.

1. 경유의 구비조건

① 자연발화점이 낮을 것(착화성이 좋을 것)
② 황(S)의 함유량이 적을 것
③ 세탄가가 높고, 발열량이 클 것
④ 적당한 점도를 지니며, 온도 변화에 따른 점도 변화가 적을 것
⑤ 고형 미립물이나 유해 성분을 함유하지 않을 것

2. 경유의 착화성

세탄가(cetane number)는 연료의 착화성을 표시하는 수치이며, 착화성이 우수한 세탄과 착화성이 불량한 α -메틸 나프탈린의 혼합액이며 세탄의 함량 비율로 표시한다.

2 디젤기관의 연소과정과 노크

1. 디젤기관의 연소과정

디젤엔진은 압축행정의 종료 부분에서 연소실내에 분사된 연료는 착화지연 기간 → 화염전 파기간 → 직접연소기간 → 후기연소기간의 순서로 연소된다.
① **착화지연기간(연소준비기간)** : 분사된 연료의 입자가 공기의 압축열에 의해 증발하여 연소를 일으킬 때까지의 기간
② **화염전파기간(폭발연소기간)** : 분사된 연료 전체에 화염이 전파되어 동시에 연소되는 기간
③ **직접연소기간(제어연소기간)** : 연료가 분사됨과 동시에 연소가 일어나며 비교적 느리게 압력이 상승되는 연소구간
④ **후 연소기간(후기연소기간)** : 직접 연소 기간에 연소하지 못한 연료가 연소, 팽창하는 기간

2. 디젤기관의 노크

(1) 노크 발생원인

① 기관에 과부하가 걸렸을 때

② 기관이 과냉되었을 때
③ 연료 분사시기가 너무 빠를 때
④ 세탄가가 낮은 연료를 사용하였을 때

(2) 노크 방지 방법

① 세탄가가 높은 연료(착화성이 좋은 연료)를 사용한다.
② 압축비를 높게 한다.
③ 연소실 벽의 온도를 높게 유지한다.(냉각수 온도를 올릴 것)
④ 흡기온도 및 압력을 높게 유지한다.
⑤ 연료의 분사 시기를 알맞게 조정한다.(상사점 부근까지 늦출 것)
⑥ 착화지연 기간중에 연료 분사량을 적게 한다.
⑦ 착화지연 기간을 짧게 한다.

(3) 노크가 기관에 미치는 영향

① 기관 회전속도가 낮아진다.
② 출력이 저하한다.
③ 기관이 과열한다.
④ 흡입효율이 저하한다.

3 디젤기관 시동 보조 기구

1. 감압장치(de-compression device)

압축 행정시에 흡입밸브나 배기밸브를 강제로 개방하여 실린더 내의 압축압력을 낮춰 크랭크축의 회전을 용이하게 해준다

2. 공기 예열 장치

흡입 공기를 직접 가열하거나 예열 플러그를 설치하여 연소실 내의 공기를 예열하여 연료의 착화 조건을 좋게 한다.

3. 연소 촉진 장치

흡기관 내에 연소를 촉진할 수 있는 에텔 등을 주입하는 장치

4. 기관 예열장치

냉각수 가열기나 공기 가열기를 설치하여 기관의 시동을 쉽게 한다.

5. 압축비 증가 장치

특수 연소실을 가진 기관에 사용한다.

(1) 흡기 가열 방식

① **흡기히터(intake heater)** : 흡기다기관에 설치되어 연료를 연소시켜 흡입 공기를 데워 실린더로 보내는 방식이다.

② **히트 레인지(heat range)** : 흡기다기관에 설치된 열선에 전원을 공급하여 발생되는 열에 의해 흡입되는 공기를 가열하는 방식이다.

(2) 예열플러그(glow plug type) 방식

예열플러그는 연소실 내의 압축 공기를 직접 예열하는 방식이다. 종류에는 직렬로 결선되는 코일형과 병렬로 결선되는 실드형이 있으며, 실드형 예열플러그의 특징은 다음과 같다.

① 히트 코일이 가는 열선으로 되어 예열 플러그 자체의 저항이 크다.

② 예열플러그 저항이 필요 없으며, 병렬로 연결되어 있다.

③ 발열량 및 열용량이 크다.

④ 히트 코일이 보호 금속 튜브 내에 설치되어 적열되는 시간이 길다.

⑤ 히트 코일이 연소열의 영향을 적게 받으므로 내구성이 향상된다.

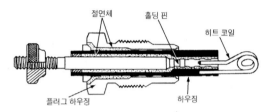

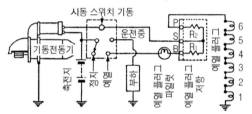

▲ 실드형 예열플러그의 구조와 회로

4 디젤기관의 연료공급 장치

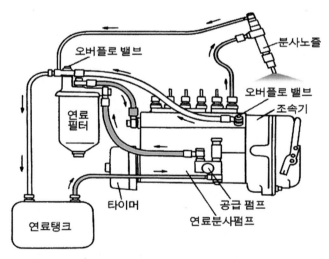

▲ **디젤기관의 연료공급 장치**

> **참고**
> 열형 펌프(독립형)의 연료공급 순서는 연료탱크 → 연료공급 펌프 → 연료여과기 → 분사펌프 → 분사노즐이다.

1. 연료탱크(fuel tank)

겨울철에는 공기 중의 수증기가 응축하여 물이 되어 들어가므로, 연료를 탱크에 가득 채워 두어야 한다.

2. 연료공급 펌프(fuel feed pump)의 작용

① 분사펌프 캠축의 캠에 의해 플런저가 상승하면 연료가 배출된다.
② 플런저가 하강하면 흡입밸브가 열리면서 펌프실에 연료가 유입된다.
③ 송출압력이 규정 값 이상 되면 플런저가 상승한 상태에서 펌프작용이 정지된다.
④ 연료공급 계통의 공기빼기 작업 및 공급 펌프를 수동으로 작동시켜 연료탱크 내의 연료를 분사펌프까지 공급하는 프라이밍 펌프(priming pump)를 두고 있다.

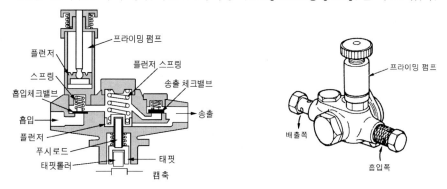

▲ 연료공급펌프의 구조

> **참고** **디젤기관 연료 계통에 공기가 침입하였을 때의 영향**
>
> **(1) 분사펌프 안에 공기가 침입하는 주원인**
> ① 연료 계통의 각 부분의 조임이 불충분할 때
> ② 연료 계통의 부품 교환(연료여과기, 연료 파이프, 분사펌프) 후 공기를 충분히 제거하지 않을 때
> ③ 연료가 결핍되었을 때
> **(2) 연료 계통 속에 공기가 들어 있으면**
> ① 분사노즐로부터의 연료분사가 불량해진다.
> ② 기관의 운전상태가 고르지 못하고 심할 때는 정지된다.
> ③ 연료분사펌프에서 연료의 압송이 불량하게 된다.
> ④ 공기빼기 순서는 연료 공급 펌프 → 연료여과기 → 분사펌프이다.

3. 연료여과기(fuel filter)

연료여과기는 연료 속에 포함되어 있는 먼지와 수분을 제거, 분리하는 기능을 한다. 디젤 연료는 분사펌프의 플런저 및 분사노즐의 윤활도 겸하기 때문에 여과 성능이 높아야 한다.

연료는 수분이나 먼지 등의 불순물을 제거하기 위해 우선 1차 필터를 지난 후 2차 필터로 이동한다. 깨끗한 연료를 높은 압력의 펌프로 보내기 위해서 설치된다. 아주 작은 금속 입자도 고장의 원인이 될 수 있으므로, 몇 백만 분의 일 인치 정도의 미세한 입자도 제거된다.

여과기의 구조는 보디, 엘리먼트, 중심 파이프, 커버, 오버플로 밸브, 드레인 플러그 등으로 구성되어 있으며, 엘리먼트는 여과지식(paper type)을 일반적으로 사용한다.

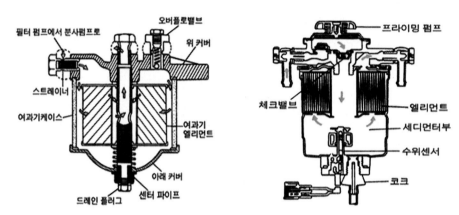

▲ 연료 여과기 구조

4. 수분 분리기(water separator)

연료에 혼합된 수분으로부터 부식 방지를 위해서 설치한다. 그러나 모든 엔진에 표준 부품으로 공급되는 것이 아니며, 연료에 수분이 흡입시 극도의 이상 징후가 예상되는 엔진에서 선택품목으로 사용한다.

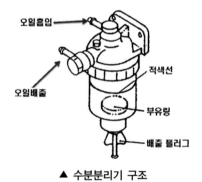

▲ 수분분리기 구조

5. 연료분사펌프 (Fuel Injection Pump)

연료분사펌프는 공급 펌프에서 보내준 연료를 고압으로 변환시켜, 분사파이프를 거쳐 분사노즐로 압송시켜 주는 장치이다. 분사펌프의 형식은 분사노즐에 연료를 공급하는 방식에 따라 독립형, 분배형 등으로 분류한다.

(1) 독립형 분사펌프

① 독립형 분사펌프 방식은 엔진의 각 실린더마다 분사 펌프(플런저)를 한 개씩 갖는 방식이며, 구조가 복잡하고 조정이 어려우나 중대형엔진과 고속용 엔진에 적합하다. 각

실린더에 대응되는 플런저는 캠축에 의해 작동되며 연료를 압송하는 압축펌프 역할을 수행한다.

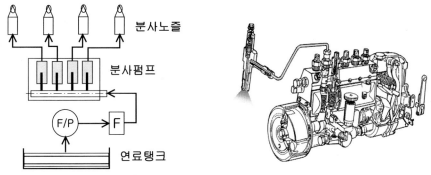

▲ 독립형 분사펌프

② 독립형 분사펌프의 연료 분사량 제어는 연료 조절 기구(플런저 회전 기구, 분사량 조절 기구)에 의해 이루어진다. 연료 조절 기구는 분사량을 조절하기 위해 가속페달이나 조속기의 움직임을 플런저로 전달하는 기구이며, 조절(제어) 래크, 조절 피니언, 조절 슬리브 등으로 구성되어 있다. 전달 과정은 가속페달을 밟으면 조절 래크→조절 피니언→조절 슬리브회전→플런저 회전의 순서로 작동하며 분사량이 조절된다.

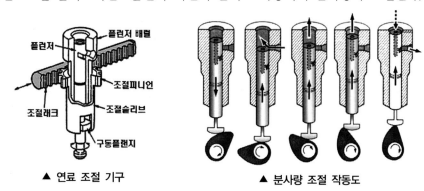

▲ 연료 조절 기구   ▲ 분사량 조절 작동도

(2) 분배형 분사펌프

분배형 분사펌프 형식은 실린더 수에 관계없이 한 개의 분사 펌프를 사용하여 각 실린더에 연료를 공급하는 것으로, 소형 경량이며 구조가 간단하고 조정이 쉬운 장점이 있으나, 하나의 플런저로 여러 실린더에 연료를 압송함으로 (플런저 작동 횟수가 실린더 수에 비례하여 증가함으로) 실린더 수나 최고 회전속도에 제한을 받는다. 이런 장단점 때문에 실린더 수가 적은 중소형 엔진에 적합하다.

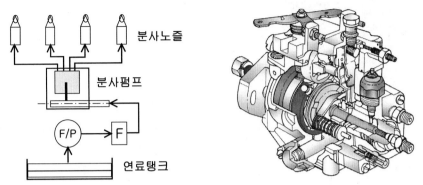

▲ 분배형 분사펌프

(3) 플런저 배럴과 플런저

가. 플런저 배럴과 플런저의 작동

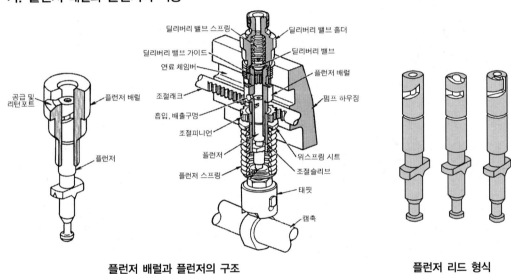

플런저 배럴과 플런저의 구조

플런저 리드 형식
(정리드•역리드•양리드)

플런저 배럴 속을 플런저가 상하 미끄럼 운동하여 고압의 연료를 형성하는 부분이다. 그리고 플런저 유효행정이란 플런저가 연료를 압송하는 기간이며, 연료분사량(토출량 또는 송출량)은 플런저의 유효행정으로 결정된다.

나. 리드 파는 방식과 분사 시기와의 관계

① **정 리드형**(normal lead type) : 분사 개시 때의 분사 시기가 일정한 형식이다.

② **역 리드형**(revers lead type) : 분사 개시 때의 분사 시기가 변화하는 형식이다.

③ **양 리드형**(combination lead type) : 분사 개시와 말기의 분사 시기가 모두 변화하는 리드이다.

(4) 연료 분사량 제어기구

① **제어 래크** : 조속기나 가속페달에 의해 직선운동을 제어 피니언에 전달한다. 제어 래크의 이동량은 무송출에서 전송출까지 21~25mm 정도이다.

② **제어 피니언** : 제어 슬리브에 클램프 볼트에 의해 고정되어 제어 래크와 물려 있으며, 제어 래크의 직선운동을 회전운동으로 변환시켜 제어 슬리브에 전달한다.

③ **제어 슬리브** : 위쪽에 제어 피니언이, 아래쪽의 슬릿에는 플런저의 구동 플랜지가 끼워져 있으며, 제어 피니언의 회전운동을 플런저에 전달하는 역할을 한다.

(5) 분사펌프의 연료 분사량 조정 방법

디젤기관 각 실린더의 연료 분사량이 전부하 운전에서 ± 3%, 무부하 운전에서 10~15% 이상의 불균율일 때는, 연료의 분사 시기를 먼저 조정한 후 불균율에 해당하는 실린더의 제어 피니언 클램프 볼트를 풀고, 제어 피니언과 슬리브의 상대 위치를 변화시켜 조정한 후 클램프 볼트를 조인다.

① **평균 분사량** = 각 노즐 분사량의 합계 / 실린더 수

② **(+)불균율** = $\dfrac{최대분사량 - 평균분사량}{평균분사량} \times 100[\%]$

③ **(-)불균율** = $\dfrac{최소분사량 - 평균분사량}{평균분사량} \times 100[\%]$

④ **불균율의 범위**

불균율은 ± 3% 이내이어야 하며, 독립형 분사펌프의 경우에는 ± 3%인 실린더는 제어 피니언과 제어슬리브의 위치를 변화시켜 연료분사량을 조정한다.

(6) 딜리버리 밸브(delivery valve ; 송출 밸브)의 작용

① 분사 파이프를 통하여 분사노즐에 연료를 공급하는 역할을 한다.

② 분사 종료 후 연료가 역류되는 것을 방지한다.

③ 분사 파이프 내의 잔압을 연료분사 압력의 70~80% 정도로 유지한다.

④ 분사노즐의 후적을 방지한다.

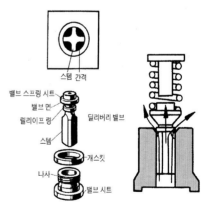

▲ 딜리버리 밸브의 구조와 작용

6. 분사(고압) 파이프(fuel injection pipe)

분사펌프의 각 펌프 출구와 분사노즐을 연결하는 고압 파이프이며, 분사 파이프의 양 끝에는 고압의 연료가 누출되지 않도록 유니언 피팅(union fitting)으로 확실하게 결합한다.

7. 분사노즐(injection nozzle)

분사노즐이란 연료 분사펌프에서 압송된 고압의 연료를 기관 연소실 내로 분무하는 장치를 말한다. 디젤 엔진에서는 연료의 분무 상태가 매우 중요하기 때문에 분사노즐은 다음과 같은 조건이 요구된다.

    ① 연료를 미세한 안개 모양으로 분무하여 쉽게 착화하게 할 것
    ② 분무를 연소실 구석구석까지 뿌려지게 할 것
    ③ 연료의 분사 끝에서 연료가 완전히 차단되어 후적이 일어나지 않을 것
    ④ 고온고압의 가혹한 조건에서 장시간 사용할 수 있을 것

(1) 분사노즐의 종류

분사 노즐의 종류에는 개방형과 밀폐형(폐지형) 노즐이 있으나, 현재는 개방형 노즐은 사용하지 않는다. 밀폐형 노즐은 노즐 내에 니들 밸브를 두고 필요할 때 니들 밸브를 열어 연료를 연소실에 분사하는 형식이다. 디젤기관에 사용하는 분사노즐은 일반적으로 구면형, 핀틀형, 스로틀형을 많이 사용한다.

(2) 연료 분사의 요건

    ① 무화(안개 모양)가 좋을 것
    ② 관통도가 있을 것
    ③ 분포(분산)가 좋을 것
    ④ 분산도가 알맞을 것
    ⑤ 분사율과 노즐 유량계수가 적당할 것

(3) 분사노즐 시험

노즐 시험기로 시험할 수 있는 사항은 분사 개시 압력, 분무의 모양, 무화의 상태, 후적 유무 등이다.

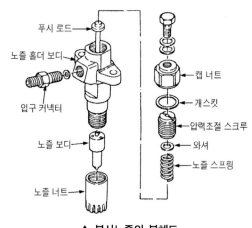

▲ 분사노즐의 분해도

5 분사펌프 부수장치

1. 조속기(Governor)

엔진의 회전속도나 부하변동에 따라 자동적으로 연료의 분사량 조정하여 운전 상태를 안정시키는 장치이다. 특히 저속회전에서는 분사량이 매우 적은 양이고 조절 래크의 작은 움직임에 분사량의 변화가 크기 때문에, 엔진부하 변동에 조속기의 역할은 대단히 중요하다. 그러므로 조속기는 엔진의 회전속도에 따른 변동이 자동적으로 조절 래크를 움직여 분사량을 조절하는 가감장치이다. (기계식 조속기, 원심식 조속기)

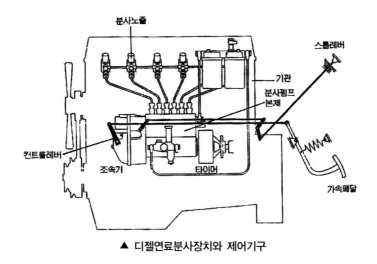

▲ 디젤연료분사장치와 제어기구

2. 타이머(Timer)

　기관의 부하 및 회전속도에 따라 분사펌프 구동 캠의 위상을 변경하여 분사시기를 조정하는 장치. 엔진의 회전속도가 상승하면 원심추에 작용하는 원심력이 커져 타이밍 스프링을 압축시킨다. 이때 구동 플랜지 저널은 원심추 면을 미끄럼 운동을 하게 되고 이때 베어링 핀은 당겨지는데, 이는 분사펌프의 캠축을 빨리 회전시켜 분시시기를 빠르게 해 줌으로 회전속도가 상승한다. 연료가 연소실에서 분사되어 착화지연하고 피스톤에 유효한 일을 시킬 때까지는 어느 정도의 시간이 필요하다. 이때 엔진 회전속도 및 부하에 따라 분사시기를 변화시켜야 하는데, 이 작용을 하는 장치가 타이머이다.

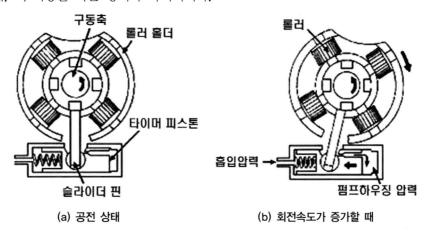

| (a) 공전 상태 | (b) 회전속도가 증가할 때 |

▲ 분배형 분사펌프 타이머의 구조와 작용

3. 앵글라이히 장치(angleichen device)

　시동, 공전 및 고속 등 엔진의 모든 회전속도 범위에서, 공기와 연료의 비율이 알맞게 유지하기 위한 장치이다.

1 전자제어 분사펌프 장치의 장점

① 각 운전 점에서 회전력의 향상이 가능하고 동력성능이 향상된다.
② 가속할 때 스모그를 감소시킨다.
③ 분사펌프의 설치 공간이 절약된다.
④ 더 많은 영향 변수의 고려가 가능하다.
⑤ 분사 시기 보정장치 등 부가장치가 필요 없다.

2 기본 연료 분사량 결정방법

전자제어 연료분사 장치에서 컴퓨터(ECU)는 흡입공기량과 기관 회전속도 신호에 근거하여 기본 연료 분사량을 결정한다. 그리고 전자제어 디젤기관 분사 장치의 기능은 전부하 연료 분사량 제한, 최고 회전속도 제한, 시동할 때 연료 분사량 제어 등이다.

3 전자제어 디젤기관 분사 장치의 수행 기능

① 흡기다기관의 압력제어
② 시동할 때 연료 분사량 제어
③ 정속 운전(최고속도) 제어
④ 공전 속도 제어 및 최고속도 제한
⑤ 전부하 연료 분사량 제어
⑥ 연료분사 시기 제어
⑦ 배기가스 재순환 제어

4 전자제어 디젤기관의 연료 분사량 제어

① 불균율의 보상 제어
② 시동할 때의 연료 분사량 제어
③ 정속 운전에서의 연료 분사량 제어
④ **공회전에서의 연료 분사량 제어** : 동력 조향 장치의 오일 압력 스위치 ON, 자동변속기 인히비터 스위치 N 레인지에서 D 레인지로 변환, 전기부하 스위치 ON, 에어컨 스위치 ON 신호는 엔진의 공회전 속도를 조절하기 위한 신호로 이용된다.
⑤ 전부하에서의 연료 분사량 제어

5 전자제어 디젤기관의 연소과정

① **파일럿 분사(pilot injection, 착화 분사)** : 파일럿 분사란 주 분사가 이루어지기 전에 연료를 분사하여 연소가 원활히 되도록 하기 위한 것이며, 파일럿 분사 실시 여부에 따라 기관의 소음과 진동을 줄일 수 있다.

② **주 분사(main injection)** : 주 분사는 파일럿 분사가 실행되었는지 여부를 고려하여 연료 분사량을 계산한다. 주 분사의 기본값으로 사용되는 것은 기관 회전력의 양(가속페달 센서값), 기관 회전속도, 냉각수 온도, 흡입 공기 온도, 대기압력 등이다.

③ **사후분사(post injection)** : 사후분사는 유해 배출 가스 감소를 위해 사용하는 것이므로, 배출가스에 영향을 미칠 경우에는 사후분사를 하지 않으며, 컴퓨터(ECU)에서 판단하여 필요할 때마다 실행시킨다. 그리고 공기 유량 센서 및 배기가스 재순환(EGR)장치 관계 계통에 고장이 있으면 사후분사는 중단된다.

6 ECU의 입·출력 요소

1. ECU 입력 요소

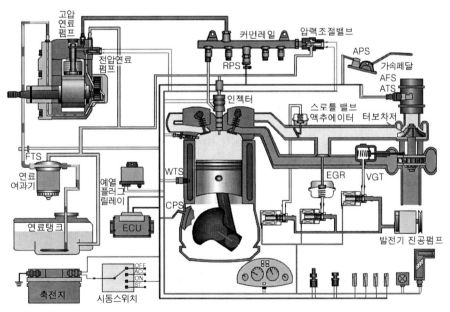

▲ 전자제어 디젤기관의 구성

① **레일 압력 센서(RPS ; rail pressure sensor)**: 커먼레일의 연료 압력을 측정하여 컴퓨터(ECU)로 입력시키며, 컴퓨터는 이 신호를 받아 연료 분사량, 분사 시기를 조정하는 신호로 사용한다.

② **공기 유량 센서(AFS)와 흡기 온도 센서(ATS)** : 공기유량 센서는 흡입되는 공기량을 감지하는 센서로 흡기온도 센서와 일체로 되어 있으며, 부특성 서미스터로 연료량, 분사시기, 기관을 시동할 때 연료량 제어 등의 보정신호로 사용된다.

③ **가속페달 포지션센서 1, 2(APS;)** : 가속페달 포지션 센서는 스로틀 포지션 센서의 원리를 이용하며, 엑셀레이터 페달 위치를 검출하여 연료분사량과 분사시기 결정한다. 센서 1은 주센서로서 센서 1에 의해 연료량과 분사시기가 결정되며, 센서 2는 센서 1을 감시하는 센서로 안전보상의 기능이며, 차량의 급출발을 방지하는 기능을 한다.

④ **연료 온도 센서(FTS)** : 냉각수 온도 센서와 동일한 부 특성 서미스터를 사용하며, 연료 온도에 따른 연료량 보정신호로 사용된다. 연료의 온도에 따라 연료의 체적(밀도) 차이가 발생하는데, 이러한 체적 변화에 따른 연료량을 보정한다.

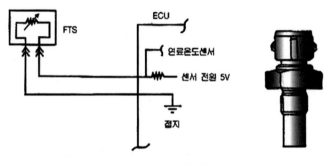

▲ 연료 온도 센서와 회로도

⑤ **냉각수 온도 센서(WTS)** : 냉간 시동에서는 연료 분사량을 증가시켜 원활한 시동이 될 수 있도록 기관의 냉각수 온도를 검출하여 냉각수 온도의 변화를 전압으로 변화시켜 기관 컴퓨터로 입력시킨다.

⑥ **크랭크축 위치 센서(CPS ; crank shaft position sensor)** : 크랭크축 포지션 센서는 실린더 블록에 설치되어 크랭크축과 일체로 되어 있는 센서 휠(sensor wheel)의 돌기를 감지하여, 크랭크축의 각도 및 피스톤의 위치, 기관 회전속도 등을 감지한다. 크랭크축과 연동되는 피스톤의 위치는 연료 분사시기를 결정하는데 중요한 역할을 한다.

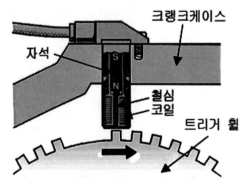

▲ 크랭크축 위치 센서의 내부 구조

⑦ **캠축 위치 센서(CMP)** : 상사점 센서라고도 부르며, 홀 센서 방식(hall sensor type)으로 캠축에 설치되어, 캠축 1 회전(크랭크축 2회전)당 1개의 펄스 신호를 발생시켜 컴퓨터로 입력시킨다. 컴퓨터는 이 신호에 의해 1번 실린더 압축 상사점을 검출하게 되며, 연료분사 순서를 결정한다.

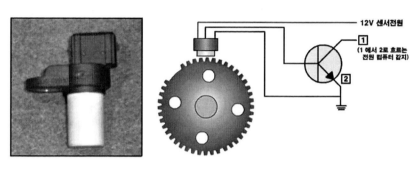

▲ 캠축 위치 센서의 내부 구조

⑧ **부스터(booster 압력센서** : 가변용량 과급기가 설치된 기관에서 사용하는 센서이며, 실제 흡기다기관의 압력(부스터 압력 ; 과급기 작동압력)을 계측하여 목표로 하는 부스터 압력으로 맞추도록 피드백 제어를 하기 위한 센서이다.

2. ECU 출력 요소

① **인젝터(Injector)** : 고압 연료 펌프로부터 송출된 연료가 커먼레일을 통하여 인젝터로 공급되며, 연료를 연소실에 직접 분사한다.
② **연료 압력 제어밸브** : 커먼레일 내의 연료 압력을 조정하는 밸브이며, 냉각수 온도, 축전지 전압 및 흡입 공기 온도에 따라 보정을 한다. 또 연료 온도가 높은 경우에는 연료 온도를 제어하기 위해 압력을 특정 작동지점 수준으로 낮추는 경우도 있다.
③ **배기가스 재순환(EGR) 밸브** : 기관에서 배출되는 가스 중 질소산화물(NOx) 배출을 억제하기 위한 밸브이다.

7 **전자제어 디젤기관의 연료 장치**

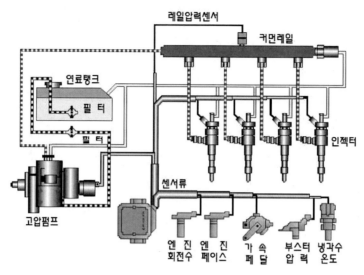

▲ 시스템 구성도

① **저압 연료펌프** : 연료펌프 릴레이로부터 전원을 공급받아 고압 연료펌프로 연료를 압송한다.

② **연료여과기** : 연료 속의 수분 및 이물질을 여과하는 역할을 하며, 연료 가열장치가 설치되어 있어 겨울철에 냉각된 기관을 시동할 때 연료를 가열한다.

③ **오버플로 밸브(overflow valve)** : 저압 연료펌프에서 압송된 연료 압력을 2.8~10.2bar을 유지하도록 제어하며, 과잉압력의 연료는 연료탱크로 복귀시킨다.

④ **연료 온도 센서** : 고압 연료 펌프로 공급되는 연료 온도를 검출하며, 연료 온도가 상승되는 것을 방지한다.

⑤ **고압 연료펌프** : 저압 연료펌프에서 공급된 연료를 약 1,350bar의 높은 압력으로 압축하여 커먼레일로 공급한다.

⑥ **커먼레일(Common Rail)** : 고압 연료펌프에서 공급된 연료를 각 실린더의 인젝터로 분배해주며, 연료 압력센서와 연료 압력제어 밸브가 설치되어 있다.

⑦ **연료 압력 제어밸브(연료 압력 제한 밸브)** : 고압 연료 펌프에서 커먼레일에 압송된 연료의 복귀량을 제어하여 기관 작동상태에 알맞은 연료 압력으로 제어한다.

⑧ **고압 파이프** : 커먼레일에 공급된 높은 압력의 연료를 각 인젝터로 공급한다.

⑨ **인젝터** : 높은 압력의 연료를 기관 컴퓨터의 전류제어를 통하여 연소실에 미립형태로 분사한다.

Part 01 출제예상문제

01 다음 중 디젤기관에서 필요로 하지 않는 부속장치는 어느 것인가?

① 냉각장치　　② 연료공급 장치
③ 점화장치　　④ 윤활장치

해설 디젤기관은 압축착화기관으로 점화장치가 필요 없다.

02 기관의 시동을 쉽게 하기 위하여 사용되는 보조기구 및 방법이 아닌 것은?

① 감압장치　　② 예열장치
③ 연소촉진제 공급　　④ 과급장치

해설 디젤기관에서 시동을 용이하게 하는 장치에는 감압장치, 예열플러그, 히트레인지, 연소촉진제 공급장치 등이 있다.

03 실드형 예열플러그의 설명 중 틀린 것은?

① 병렬로 결선되어 있다.
② 히트 코일이 연소실에 직접 노출되어 있다.
③ 저항기가 필요치 않다.
④ 발열부가 가는 열선으로 되어 있다.

해설 실드형 예열플러그는 ①③④항 외에 히트 코일이 보호 금속 튜브 내에 설치되어 적열되는 시간이 길다.

04 예열플러그 점검 사항이 아닌 것은?

① 예열플러그 단선 점검
② 예열플러그 양부 점검
③ 중심 전극 점검
④ 예열플러그 파일럿 및 예열플러그 저항값 점검

해설 예열장치 점검 사항은 예열플러그 단선 점검, 예열플러그 양부 점검, 예열플러그 파일럿 및 예열플러그 저항값 점검이다.

05 디젤 연료를 분사한 뒤 연료가 착화될 때까지 시간이 필요하다. 이 시간을 무엇이라고 하는가?

① 폭발지연기간　　② 착화지연기간
③ 후연소기간　　④ 제어연소기간

해설 착화지연기간(연소준비기간) : 분사된 연료의 입자가 공기의 압축열에 의해 증발하여 연소를 일으킬 때까지의 기간

06 디젤기관 노크를 방지하는 대책으로 틀린 것은?

① 착화성이 좋은 연료를 사용한다.
② 압축비를 낮게 한다.
③ 압축온도를 높인다.
④ 착화지연 기간 중의 연료 분사량을 알맞게 조정한다.

해설 디젤기관의 노크 발생 원인은 ①③④항 외에 압축비를 높게 한다.

정답 01.③　02.④　03.②　04.③　05.②　06.②

07 디젤기관의 진동이 심한 원인이 아닌 것은?

① 크랭크축과 밸런스 웨이트의 불균형
② 윤활유 펌프의 유압 불량
③ 피스톤과 커넥팅 로드의 중량차가 크다.
④ 연료 분사량 및 노즐 분사 압력의 차이가 크다.

해설 디젤기관의 진동은 대부분 밸런스의 불균형에 원인이 있으며, 윤활유 펌프는 진동과는 관계가 없다.

08 다음 중 디젤엔진의 진동 원인이 아닌 것은?

① 분사노즐 구멍의 수
② 크랭크축의 불균형
③ 분사 시기 · 분사 간격의 불균형
④ 분사 압력 · 분사량의 불균형

해설 디젤엔진의 진동 원인은 대부분 밸런스 불균형에 의해 발생되며, 분사노즐의 구멍의 수는 엔진의 진동 원인과는 관계가 없다.

09 독립식 연료분사장치(열형펌프)의 연료공급순서로 맞는 것은?

① 연료탱크→열형 연료 분사펌프→연료여과기→연료 공급펌프→분사노즐
② 연료탱크→열형 연료 분사펌프→연료공급펌프→연료여과기→분사노즐
③ 연료탱크→연료 공급펌프→연료여과기→열형 연료 분사펌프→분사노즐
④ 연료탱크→분사노즐→연료여과기→연료 공급펌프→열형 연료 분사펌프

해설 독립식 분사펌프의 연료공급 순서는 연료탱크→연료 공급펌프→연료여과기→열형 연료 분사펌프→분사노즐이다.

10 디젤기관 연료 장치의 연료공급 펌프 정비 후 시험방법 중 틀린 것은?

① 누설시험　　② 흡입시험
③ 진공시험　　④ 배출시험

해설 연료공급 펌프 정비 후 시험방법에는 누설시험, 흡입시험, 배출시험 등이 있다.

11 디젤기관의 연료 장치에서 연료여과기에 관한 것이다. 틀린 것은?

① 주행 중 연료탱크에 기포가 발생하여도 자동적으로 공기를 배출한다.
② 여과망의 교환 시기는 종이 여과망은 약 3개월마다 교환하나 면포 여과망은 영구적으로 사용한다.
③ 연료여과기에는 오버플로 밸브가 설치되어 있다.
④ 연료공급 펌프의 압송이 중지되어 소음이 나는 것을 방지하기도 한다.

해설 연료여과기에 대한 설명은 ①③④항 외에 종이 및 면포 여과망은 주기적으로 교환하여야 한다.

12 연료여과기의 필터 엘리먼트의 재질로 현재 가장 많이 사용하고 있는 형식은?

① 직물식　　② 금속제
③ 여과지식　　④ 활성탄식

해설 연료여과기의 필터 엘리먼트는 여과지식을 많이 사용한다.

13 연료여과기의 필터 엘리먼트는 형상에 따라 구분되는 형식이 아닌 것은?

① 원형   ② 코일형
③ 성형   ④ 펠트형

해설 연료여과기의 필터 엘리먼트는 형상에 따라 코일형, 성형, 펠트형으로 구분된다.

14 다음 중 연료필터 관리사항으로 거리가 먼 것은?

① 카트리지형 필터 또는 필터 엘리먼트는 생산자의 치침에 따라 교환한다.
② 필터 엘리먼트를 교환하거나 청소할 경우 수분은 자동 배출된다.
③ 기관의 출력이 저하될 경우 연료필터 막힘 여부를 점검한다.
④ 필터 엘리먼트 교환 작업시 반드시 공기빼기 작업을 실시한다.

해설 연료필터에 수분이 자동으로 배출되는 형식도 있으나, 필터 엘리먼트를 교환하거나 청소할 때는 케이스에 고여 있는 수분과 이물질은 반드시 배출하여야 한다.

15 디젤기관의 연료탱크에 생성되는 응축수에 대한 설명으로 틀린 것은?

① 응축수는 분사펌프와 분사노즐의 손상 원인이 된다.
② 무더운 여름철에 많이 발생된다.
③ 응축수 생성을 방지하려면 연료를 가득 채워서 운행한다.
④ 응축수는 연료탱크 밑바닥에 고이게 된다.

해설 동절기에는 연료탱크 내부와 외부의 기온 차에 의하여 수분이 응결 침전된다. 따라서 응축수 생성을 방지하려면 연료를 가득 채워서 운행한다.

16 플런저식 연료 분사펌프의 부품이 아닌 것은?

① 플런저   ② 배럴
③ 래크와 피니언   ④ 인젝터

해설 인젝터는 전자제어 엔진에서 연료를 연소실에 분사하는 장치이다.

17 분사펌프에서 분사 개시와 종결 모두가 변화되는 형식의 플런저는 어느 것인가?

① 양리드 플런저
② 정리드 플런저
③ 역리드 플런저
④ 중리드 플런저

해설 연료분사펌프 플런저의 형식
– **정리드형** : 분사개시 때의 분사시기가 일정한 형식
– **역리드형** : 분사개시 때의 분사시기가 변화하는 형식
– **양리드형** : 분사개시와 말기의 분사시기가 모두 변하는 형식

18 디젤기관에서 가속페달을 밟으면 직접 연결되어 작용하는 것은?

① 스로틀 밸브
② 연료 분사펌프의 래크와 피니언
③ 노즐
④ 플라이밍 펌프

해설 디젤기관에서 가속페달을 밟으면 연료 분사펌프의 제어 래크를 연료 분사량이 증가하는 방향으로 이동시켜준다.

정답   **13.**①   **14.**②   **15.**②   **16.**④   **17.**①   **18.**②

19 분배형 분사펌프의 특징이 아닌 것은?

① 플런저의 편마멸이 크다.
② 소형 경량이다.
③ 펌프 윤활을 위한 특별한 윤활유를 필요로 하지 않는다.
④ 실린더 수 또는 최고 회전속도에 제한이 따른다.

해설 플런저는 직렬형(열형) 분사펌프의 구성품이다.

20 디젤 연료분사펌프에서 분사량을 제어하는 가구가 아닌 것은?

① 제어 허브
② 제어 래크
③ 제어 슬리브
④ 제어 피니언

해설 연료 분사량 제어 기구는 가속페달을 밟으면 제어 래크 → 제어 피니언 → 제어 슬리브 → 플런저 회전 순서로 작동한다.

21 연료분사펌프에서 연료의 분사량을 조정하는 것은?

① 딜리버리 밸브
② 태핏 간극
③ 제어 슬리브
④ 노즐

해설 연료분사 펌프에서 연료의 분사량 조정은 제어 래크와 제어 슬리브의 위치를 변경하여 조정한다.

22 연료분사장치에서 분사펌프의 주요 기능이 아닌 것은?

① 분사량 제어
② 분사시기 제어

③ 분사각도 제어
④ 분사율 제어

해설 연료분사펌프의 주요 기능은 분사량 제어, 분사시기 제어, 분사율 제어이다.

23 디젤 분사펌프의 각 플런저 분사량 오차는 일반적으로 전부하시에는 얼마 이내이어야 하는가?

① ± 0% ② ± 1%
③ ± 3% ④ ± 5%

해설 ① 전부하운전에서 분사량 불균율 허용 범위 : ± 3%
② 무부하운전에서 분사량 불균율 허용 범위: 10~15%

24 분사펌프의 테스트 결과가 아래와 같을 때 수정을 요하는 실린더는?(단, 불균율 한계는 ± 4%이다.)

실린더 번호	1	2	3	4
분사량(CC)	15	18	19	17

① 1, 2번 실린더
② 2, 3번 실린더
③ 3, 4번 실린더
④ 1, 2, 3번 실린더

해설 평균분사량 = $\dfrac{각실린더의분사량의합}{실린더 수}$

$= \dfrac{15+18+19+17}{4} = 17.25cc$

불균율 한계는 ±4%이므로
- **최대 불균율** : 17.25×1.04 = 17.94cc
- **최소 불균율** : 17.25×0.96 = 16.56cc
∴ 최소 16.56cc에서 최대 17.94cc 이내에 들어야 한다. 따라서 수정이 필요한 실린더는 1번, 2번, 3번 실린더이다.

25 4기통 엔진의 각 실린더당 분사량을 측정한 결과 다음과 같은 결과를 얻었다. + 불균율과, − 불균율을 계산하시오.

실린더 번호	1	2	3	4
분사량(CC)	15	18	19	17

① + 10.14%, − 13.04%
② + 10.04%, − 10.14%
③ + 11.24%, − 15.14%
④ + 15.14%, − 11.24%

해설 평균분사량 $= \dfrac{15+18+19+17}{4} = 17.25cc$

불균율 한계는 ±3%이므로

$$최대불균율 = \dfrac{최대분사량 - 평균분사량}{평균분사량} = \dfrac{19 - 17.25}{17.25}$$
$$= 0.1014 = +10.14\%$$

$$최소불균율 = \dfrac{최소분사량 - 평균분사량}{평균분사량} = \dfrac{15 - 17.25}{17.25}$$
$$= -0.1304 = -13.04\%$$

26 다음 인젝션 펌프 부품 중에서 고압 파이프 내의 잔압을 유지하는 부품은?

① 플런저와 플런저 배럴
② 딜리버리 밸브
③ 플런저 캠축
④ 연료 리턴 밸브

해설 딜리버리 밸브는 분사 파이프를 통하여 분사노즐에 연료를 공급하며, 분사 종료 후 연료의 역류를 방지한다. 또, 고압 파이프 내의 잔압을 분사 압력의 70~80% 정도로 유지하며, 분사노즐의 후적을 방지한다.

27 딜리버리 밸브의 구조에 속하지 않는 것은?

① 딜리버리 스프링
② 딜리버리 밸브 홀더
③ 밸브시트
④ 슬리브

해설 딜리버리 밸브는 분사펌프 상단에 설치되어 있으며, 딜리버리 스프링, 딜리버리 밸브와 홀더, 밸브 시트로 구성되어 있다.

28 디젤기관에서 분사 지연과 착화지연 보상하기 위해 고압 연료 송출 개시점을 기관 회전속도에 따라 진각시키는 장치를 무엇이라 하는가?

① 분사타이머   ② 분사펌프
③ 조속기   ④ 분사노즐

해설 디젤기관에서 타이머는 회전속도에 따른 분사 시기를 조절해 준다.

29 디젤기관에서 연료분사에 대한 요건에서 적합하지 않은 것은?

① 관통력   ② 조정
③ 분포   ④ 무화

해설 연료분사에 대한 구비요건은 무화, 분포, 관통력이다.

30 노즐의 분무 상태와 관계없는 것은?

① 분사 착색   ② 분사 각도
③ 분사 압력   ④ 관통력

해설 노즐의 분무 상태에는 분사 각도, 분사 압력, 관통력, 무화, 분포 등이 있다.

31 노즐 시험기로 시험하는 항목이 아닌 것은?

① 후적의 유무   ② 분사량
③ 분사 각도   ④ 분사 압력

해설 노즐시험기로 시험할 수 있는 항목은 분사 개시 압력, 분무의 모양, 무화의 상태, 후적의 유무 등이다.

정답   25.①   26.②   27.④   28.①   29.②   30.①   31.②

32 디젤기관에서 분사노즐의 분사 개시 압력이 규정보다 높거나 낮을 때 올바른 정비 방법은?

① 니들 밸브 압력 스프링을 교환해서
② 분사 압력 조정나사를 풀거나 조여서
③ 딜리버리 밸브 스프링을 교환해서
④ 플랜저를 회전시킴으로써 플런저의 유효행정을 바꿔서

해설 분사노즐의 분사 개시 압력조정은 압력조정나사를 풀거나 조여서 조정한다.

33 디젤기관의 출력 부족 원인이 아닌 것은?

① 연료의 세탄가가 낮다.
② 연료의 필터가 막혀있다.
③ 윤활유의 점도지수가 낮다.
④ 압축압력이 낮다.

해설 윤활유의 점도지수가 낮으면 점도가 온도에 따라 민감하게 변화한다. 엔진의 출력과는 직접적인 관계가 없다.

34 디젤기관이 잘 시동되지 않거나, 시동되더라도 출력이 약한 원인은?

① 연료분사펌프의 기능 불량
② 연료탱크에 공기가 들어있을 때
③ 클러치가 과도하게 마모되었을 때
④ 변속 조작이 잘되지 않을 때

해설 연료분사펌프의 기능이 불량하면 시동이 잘되지 않으며, 부조화 현상으로 출력이 약하게 된다. 연료탱크는 대기 중의 공기와 접촉되어 있다.

35 디젤기관의 연료분사계통에 널리 쓰이는 펌프는?

① 터빈펌프   ② 기어펌프
③ 플런저 펌프   ④ 다이어프램 펌프

해설 플런저 펌프는 고압을 발생시킬 수 있는 펌프로, 고압의 연료분사펌프로 사용된다.

36 저속 회전상태가 나쁘고 회전이 일정하지 않을 때의 원인이 아닌 것은?

① 노즐 분사 압력이 일정치 않다.
② 노즐의 무화 상태가 불량하다.
③ 거버너(조속기) 스프링의 장력이 정상이다.
④ 플런저의 송유량이 일정치 못하다.

해설 저속 회전상태가 나쁘고 회전이 일정하지 않은 원인은 ①②④항 외에 거버너(조속기)의 작동이 불량한 경우이다.

37 디젤기관의 고압 파이프에 공기가 들어있을 때 발생하는 현상이 아닌 것은?

① 연료의 소비가 2배로 증가한다.
② 노즐로부터의 연료분사가 불량해진다.
③ 엔진의 운전상태가 고르지 못하고 심할 때는 정지된다.
④ 연료분사펌프에서 연료의 압송이 불량하게 된다.

해설 연료 계통 속에 공기가 들어있으면 연료분사펌프에서 연료의 압송이 불량하게 되어 분사노즐로부터의 연료분사가 불량해진다. 따라서 엔진의 운전상태가 고르지 못하고 심하면 정지하게 된다.

정답 **32.**② **33.**③ **34.**① **35.**③ **36.**③ **37.**①

38 디젤기관의 연료 계통에 공기 배출 작업 설명으로 잘못된 것은?

① 연료여과기의 벤트 플러그를 푼다.
② 프라이밍 펌프를 작동시키면서 공기를 배출한다.
③ 공기가 섞인 연료가 빠지면 프라이밍 펌프의 작동을 멈추고 벤트 플러그를 막는다.
④ 공기가 섞인 연료가 완전히 빠질 때까지 프라이밍 펌프를 작동시키면서 벤트 플러그를 막는다.

해설 디젤기관에서 연료 중에 공기가 혼입되어 있으면 반드시 공기빼기 작업을 해야 한다. 공기빼기는 연료 공급펌프 → 연료여과기 → 연료분사펌프 순서로 한다.

39 다음 중 연료분사펌프의 플런저와 배럴 사이의 윤활은 무엇으로 하는가?

① 엔진오일 ② 기어오일
③ 유압유 ④ 경유

해설 연료분사펌프에서 플런저는 연료를 고압으로 압축하는 구성품으로 항상 경유와 접촉되어 윤활이 이루어진다.

40 분사노즐의 분사 개시 압력이 맞지 않을 때 정비 방법으로 맞는 것은?

① 분사노즐 교환
② 압력조절나사로 조정
③ 압력스프링 교환
④ 노즐 팁 교환

해설 분사노즐에 후적이 발생되면 분사노즐을 교환해야 하며, 분사 개시 압력이 맞지 않을 때는 압력조정나사로 조정한다.

41 디젤기관의 시동이 꺼져버렸을 때, 고장원인이 연료 계통에 있다면 가장 먼저 점검해야 할 것은?

① 분사 시기를 점검한다.
② 프라이밍 펌프를 작동하며 에어브리더를 풀어 공기혼입을 점검한다.
③ 고압노즐 파이프를 풀고 프라이밍 펌프를 작동하며 공기혼입을 점검한다.
④ 연료필터를 풀고 불순물의 유무를 점검한다.

해설 디젤기관에서 연료 장치로 인해 시동이 꺼져버렸을 때는 가장 먼저 연료탱크의 연료량을 점검하고, 연료 계통 내에 공기혼입 여부를 점검하여야 한다.

42 연료 분사 파이프의 조건과 거리가 먼 것은?

① 분사 파이프의 길이는 가능한 길수록 좋다.
② 분사 파이프의 길이는 모두 같아야 한다.
③ 분사 파이프는 외부 진동의 영향을 거의 받지 않도록 일정한 간격으로 고정한다.
④ 각 분사 파이프의 굽힘부의 반경은 최소 50mm 이상으로 한다.

해설 연료분사 파이프는 각 실린더에 동일한 압력으로 분사하기 위해 짧을수록 좋으며, 파이프의 길이는 모두 같아야 한다.

43 다음 중 가솔린 연료의 구비조건이 아닌 것은?

① 발열량이 클 것
② 적당한 휘발성이 있을 것
③ 안티-노크성이 클 것
④ 연소 퇴적물의 생성율이 좋을 것

정답 38.③ 39.④ 40.② 41.② 42.① 43.④

· 연소 속도가 빠르고 적당한 휘발성이 있을 것
· 안티-노크성(옥탄가)이 클 것
· 체적 및 무게가 적고 발열량이 클 것
· 연소 퇴적물(카본)의 발생이 적을 것
· 온도에 관계없이 유동성이 클 것
· 내식성이 크고 저장 안정성이 있을 것

44 다음 중 디젤 연료의 구비조건이 아닌 것은?

① 자연발화점이 낮을 것
② 황(S)의 함유량이 적을 것
③ 고형 미립물이나 유해 성분을 함유하지 않을 것
④ 세탄가가 높고 발열량이 적을 것

해설 디젤 경유의 구비조건
· 자연발화점이 낮을 것(착화성이 좋을 것)
· 황(S)의 함유량이 적을 것
· 세탄가가 높고 발열량이 클 것
· 적당한 점도를 지니며, 온도 변화에 따른 점도 변화가 적을 것
· 고형 미립물이나 유해 성분을 함유하지 않을 것

45 다음 공식 중 세탄가에 대한 설명 중 옳은 것은?

① 세탄가는 가솔린 엔진의 인화성을 나타내는 것이다.
② 세탄가는 디젤 연료의 착화성을 나타내는 것이다.
③ 세탄가가 높다는 것은 디젤엔진의 노킹이 일어나기 쉽다는 뜻이다.
④ 세탄가가 높다는 것은 가솔린 엔진의 노킹이 일어나기 쉽다는 뜻이다.

해설 세탄가는 디젤 연료의 착화성을 나타낸다.

46 세탄가의 설명으로 거리가 먼 것은?

① 일반적으로 자동차용 고속디젤기관의 세탄가는 최저 45 이상으로 규정하고 있다.
② 세탄가가 높으면 디젤기관의 시동성이 개선된다.
③ 세탄가가 너무 높으면 불완전 연소의 원인이 된다.
④ 세탄가는 높을수록 연료 소비가 줄어든다.

해설 세탄가는 디젤 연료의 착화성과 노크를 방지하는 척도로 연료 소비와는 관계가 없다.

47 다음 중 분사노즐에 필요한 조건이 아닌 것은?

① 고온·고압의 가혹한 조건에서 장기간 사용 가능
② 분무를 연소실이 구석구석까지 뿌려지게 할 것
③ 분사 후에 후적이 일어나게 할 것
④ 연료를 미립화하여 착화성이 좋을 것

해설 분사노즐의 구비조건
· 분무를 연소실이 구석구석까지 뿌려지게 할 것
· 연료를 미세한 안개 모양으로 미립화하여 쉽게 착화하게 할 것
· 연료를 분사 후에 후적이 발생하지 않을 것
· 고온 · 고압의 가혹한 조건에서 장기간 사용 가능할 것

48 다음 중 디젤기관의 연소 촉진제로 적합하지 않은 것은?

① 아질산 아밀　　② 초산 아밀
③ 초산 에틸　　　④ 점화 촉진제

해설 디젤기관에 시동이 잘되지 않을 때는 연소촉진제를 사용하면 쉽게 시동을 걸 수 있다. 연소 촉진제에

정답 44.④　45.②　46.④　47.③　48.④

는 초산아밀, 초산에틸, 아초산아밀, 아초산에틸 등이 있다.

49 경유 성분 중에서 실린더 벽, 배기관, 소음기 등을 부식시키는 원인이 되는 물질은?

① 유황성분
② 질소성분
③ H_2O
④ CO_2

해설 경유 중의 황(S)은 부식을 발생시키는 원인이 된다.

50 디젤엔진에 사용되는 연료가 갖추어야 할 조건이 아닌 것은?

① 휘발성이 좋을 것
② 착화 온도가 낮을 것
③ 무화가 잘 될 것
④ 황 성분이 높을 것

해설 경유 중의 유황(S) 성분은 부식을 발생시키는 원인이 되므로 황은 적게 포함되어야 한다.

51 디젤엔진의 연료 연소에 대한 설명 중 틀린 것은?

① 압축압력이 높을수록 착화가 잘된다.
② 압축비가 작을수록 착화가 잘된다.
③ 세탄가가 클수록 디젤 노킹이 발생하지 않는다.
④ 연료분사시 무화가 잘되면 매연 발생량이 적다.

해설 디젤엔진은 압축비, 압축압력이 높을수록 착화가 잘된다.

52 디젤기관에서 연료가 정상적으로 공급되지 않아 시동이 꺼지는 현상이 발생되었다. 그 원인이 아닌 것은?

① 연료필터의 막힘
② 연료 파이프 손상
③ 프라이밍 펌프 고장
④ 연료탱크 내의 오물 과다

해설 프라이밍 펌프는 연료공급펌프와 함께 부착되어 수동으로 연료를 분사펌프까지 공급하거나, 연료 계통에 공기를 배출할 때 사용한다.

53 다음 중에서 디젤기관의 열효율을 높이는 방법이 아닌 것은?

① 엔진 압축압력을 높인다.
② 연료분사 시기를 정확히 맞춘다.
③ 인젝터의 분사 압력을 높인다.
④ 엔진 냉각수 온도를 낮게 한다.

해설 엔진의 냉각수 온도가 낮으면 오히려 출력이 저하된다.

54 다음 중 디젤엔진의 출력이 낮아진 원인이 아닌 것은?

① 밸브 간격이 크다.
② 연료분사 압력이 낮게 조정되어 있다.
③ 가열플러그(예열플러그)가 손상되었다.
④ 연료 휠터의 막힘율이 커서 연료공급이 불량하다.

해설 예열플러그는 동절기에 엔진의 원활한 시동을 위하여 흡입 공기를 가열해주는 장치이며, 출력과 관련이 없다.

정답 49.① 50.④ 51.② 52.③ 53.④ 54.③

55 디젤기관에서 분사펌프와 분사노즐을 일체화시킨 장치를 무엇이라 하는가?

① 커먼레일 시스템   ② VE형 분사펌프
③ 직렬형 분사펌프   ④ 유닛 인젝터

56 전자제어식 분사펌프 장치의 장점과 가장 거리가 먼 것은?

① 각 운전 점에서 최적의 거동
② 가속시 스모그 증가
③ 더 많은 영향변수 고려 가능
④ 분사펌프 설치 공간 절약

해설 전자제어 분사펌프 장치의 장점은 ①③④항 외에 가속할 때 스모그를 감소시킨다.

57 전자제어 디젤기관(Electronic Control Module)의 분사량 제어와 거리가 먼 것은?

① 분사압력 제어
② 공회전 제어
③ 시동시 분사량 제어
④ 불균율의 보상 제어

해설 전자제어 디젤엔진의 연료분사량 제어는 불균율의 보상 제어, 시동할 때의 분사량 제어, 정속 운전에서의 분사량 제어, 공회전에서의 분사량 제어, 전부하에서의 분사량 제어 등이 있다.

58 전자제어 엔진에서 흡기계통 센서에 포함되지 않는 것은?

① 흡기다기관 압력 센서(MAP센서)
② 흡기온도 센서
③ 대기압 센서
④ 냉각수 온도 센서

해설 냉각수 온도 센서는 냉각수 통로에 설치되어 있으며, 엔진의 냉각수 온도에 따른 출력신호를 컴퓨터에 입력시키는 역할을 한다.

59 디젤기관 분배형 인젝션 펌프 전자제어 시스템에서 입력신호가 아닌 것은?

① 컨트롤 슬리브 위치 검출 신호
② 연료 온도의 검출 신호
③ 펌프 회전수 검출 신호
④ 중력가속도 검출 신호

해설 중력가속도 검출 신호는 자동차의 전자제어 현가장치 또는 에어백에 이용되는 신호이다.

60 유닛 분사펌프의 시스템에서 가속페달 센서의 치 위치는?

① 페달근처   ② 분사펌프
③ 인젝터   ④ 조향핸들

해설 가속페달 위치 센서는 운전자가 가속페달을 밟은 정도를 검출하여 ECU로 보내주는 센서이다.

61 다음 중 커먼레일 엔진의 장점이 아닌 것은?

① 제작비가 비싸다.
② 환경오염 배출가스 저공해 실현 및 연비 최적화
③ 속도와 출력 전 영역의 유연한 전자제어 기능
④ 소음과 연소, 출력성능 최적화

해설 커먼레일 엔진의 장점은
· 환경오염 배출가스 저공해 실현 및 연비 최적화
· 속도와 출력 전 영역의 유연한 전자제어 기능
· 소음과 연소, 출력성능 최적화 등이 있으며, 제작비가 비싸다는 단점이 있다.

정답   55.④   56.②   57.①   58.④   59.④   60.①   61.①

62 커먼레일 연료분사 장치를 사용하는 엔진에서 PM저감 및 DPF 재생을 위한 분사 구간은?

① 예비분사(파일럿 구간) 구간
② 예열분사(히팅 분사)
③ 주분사(메인 분사) 구간
④ 후분사(포스트 분사) 구간

해설 커먼레일 엔진에서 PM저감 및 DPF 재생을 위해 후분사(포스트 분사)를 해준다.

63 커먼레일식 디젤엔진의 연료 장치에서 시동시 초기 연료 압력을 조정하는 부품은?

① 연료 압력 센서
② 인렛미터링 밸브(IMV)
③ 축압기(어큐뮬레이터)
④ 딜리버리 밸브

해설 인렛미터링 밸브(IMV)는 커먼레일식 연료 장치에서 시동할 때 초기 연료 압력을 조정해 준다.

64 다음 중 열막식 흡기센서의 설명으로 맞는 것은?

① 흡입되는 공기량 검출
② 연료의 온도 검출
③ 냉각수 온도 검출
④ 과급기 작동 압력 검출

해설 전자제어 엔진에서 열막식 흡기센서는 흡입되는 공기량을 검출하여 ECU에 입력시키는 역할을 한다.

흡입 및 배기장치

1 흡배기 장치 주요 구성품

기관의 작동을 위해서는 실린더 안에 혼합기를 흡입하고, 연소 후 연소가스를 외부에 배출하는 작용이 원활이 이루어져야 하며, 이 일을 담당하는 것이 흡·배기장치이다. 흡입장치는 흡입하는 공기 속에 포함된 불순물을 제거하는 공기청정기와, 각 실린더에 혼합기를 분배하는 흡기매니폴드로 구성되며, 배기장치는 각 실린더의 연소가스를 모으는 배기매니폴드, 배기파이프, 소음기 등으로 구별된다.

1. 공기청정기(air cleaner)

엔진의 흡기과정에서 공기와 함께 들어오는 먼지 및 불순물은, 피스톤과 실린더 및 기관 각 부의 마멸에 큰 영향을 미치므로, 이들 불순물을 제거시키고 또한 흡입 소음을 없애는 역할을 한다.

가) 건식 공기청정기

건식 공기청정기는 자동차에 가장 많이 사용하는 공기여과장치로, 여과지 또는 여과포로 된 여과 엘리먼트를 놓고 상·하 공기 누설방지용의 패킹을 대고 건식 공기청정기와 같이 설치되어 있다. 건식 공기청정기의 공기 여과작용은 대기 중의 공기를 흡기다기관의 부압에 의하여 빨아들여, 엘리먼트 주위에서 내부 쪽으로 투과시켜, 불순물이 제거된 깨끗한 공기가 기화기로 유입된다.

건식 공기청정기의 특징은 다음과 같다.
① 작은 입자의 먼지나 이물질의 여과가 가능하다.
② 설치 또는 분해·조립이 간단하다.
③ 장시간 사용할 수 있으며 청소를 간단히 할 수 있다.
④ 기관 회전속도 변동에도 안정된 공기 청정 효율을 얻을 수 있다.

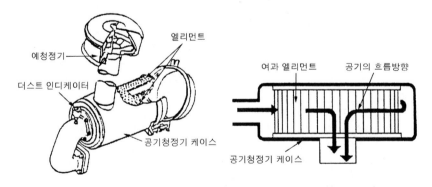

▲ 건식 공기청정기의 구조

나) 습식 공기청정기

습식 공기청정기는 청정기 내부에 오일에 적셔진 엘리먼트가 들어 있고, 바닥에는 오일이 있어 대기 중으로부터 유입된 공기는, 1차적으로 오일과 부딪쳐 비교적 큰 불순물 오일에 가라앉고, 나머지 미소 입자의 불순물은 여과지 또는 여과 엘리먼트에 의하여 여과된다.

2. 흡기매니폴드(intake manifold)

흡기매니폴드는 기화기에서 만들어진 혼합기를 기관에 유도하는 관으로, 혼합기 흐름저항이 작도록 설계되었으며, 2실린더 이상의 다기관일 경우 같은 양의 균일한 혼합기가 각 실린더에 분배되어야 한다.

흡기다기관은 보통 주철이나 알루미늄 합금으로 만들고, 중앙부에 기화기를 설치 할 수 있도록 플랜지가 마련되어 있다. 흡기다기관은 흡입효율이 좋도록 설계되며, 다기관의 직경이 클수록 흡입효율이 높아지거나 혼합기의 속도가 작으며, 안개모양의 연료가 안벽에 부착되어 혼합기가 엷어지기 때문에, 보통 엔진의 최고회전 속도에서 유속은 70[m/s]이고, 기동시는 2.5[cm/s] 이하가 되지 않도록 설계된다.

3. 배기매니폴드(Exhaust manifold)

배기매니폴드는 각각의 실린더에서 나오는 연소가스를 모아, 배기 파이프를 통하여 대기 중에 방출하는 장치로써, 항상 고온에 접하므로 내열성의 주철로써 만들어진다. 배기다기관의 구조는 흡기다기관과 비슷하며 각 실린더 간에 배기간섭이 일어나지 않도록 설계되며, 배기가스의 흐름을 좋게 하기 위하여 배기파이프를 2개 이상으로 하여 소음기에 연결하는 방식도 있다.

4. 소음기(Muffle)

소음기는 기관에서 배출되는 배기가스 600~800[℃]의 높은 온도와, 3~5[kg/㎠]의 높은 압력으로 배기파이프를 통하여 배출되며, 고온 고압의 가스가 그대로 대기 중에 방출되면 급격한 팽창을 일으켜 폭발음이 발생되고, 또한 화재를 일으킬 염려가 있으므로, 이것을 방지하기 위해 가스가 완만한 팽창을 하도록 하여 소음을 감소시킨다.

일반적으로 소음작용을 완전하게하기 위해서는 배기에 많은 저항이 주어져야 하는데, 이 때문에 기관의 배기행정에서 많은 저항이 걸리게 되며, 이 저항을 배압(back pressure)라 하며, 배압이 기관에 미치는 영향은 다음과 같다.
① 출력이 떨어진다.
② 기관이 과열하므로 냉각수 온도가 상승한다.
③ 피스톤의 운동을 방해한다.
④ 기관 회전속도가 저하된다.

5. 소음기에서 검은 연기가 배출되는 원인

① 압축압력이 낮아 압축온도가 낮을 때
② 분사노즐에서 관통력과 무화가 약할 때
③ 분사 시기가 나쁠 때(분사 시기가 빠를 때)
④ 분사노즐로부터 분사 상태가 나쁠 때
⑤ 공기청정기의 막힘
⑥ 연료공급 과다 등으로 인한 불완전 연소

2 과급기(turbo charger)

과급기는 기관의 흡입효율(체적효율)을 높이기 위하여 흡입 공기에 압력을 가하여 공급하는 일종의 공기펌프이다.

1. 과급기의 사용 목적

① 과급기를 설치하면 기관의 무게가 10~15% 정도 증가되며, 출력은 35~45% 정도 증가한다.
② 체적 효율이 증가하므로 평균유효압력과 회전력이 상승한다.
③ 연료소비율이 감소한다.

2. 과급기의 구조

터보차저는 배기가스의 압력에 의해서 고속으로 회전되어 공기에 압력을 가하는 임펠러(impeller), 배기가스의 열에너지를 회전력으로 변환시키는 터빈(turbine), 터빈축(turbine shaft)을 지지하는 플로팅 베어링(floating bearing), 과급 압력이 규정 이상으로 상승되는 것을 방지하는 과급 압력조절기, 과급된 공기를 냉각시키는 인터쿨러(inter cooler), 분사시기를 조절하여 노크가 발생되지 않도록 하는 노크 방지 장치 등으로 구성되어 있다.

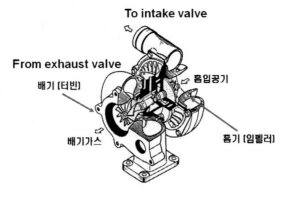

▲ 터보차저의 구조

가) 임펠러(impeller)

임펠러는 흡입 쪽에 설치된 날개이며, 공기에 압력을 가하여 실린더로 보내는 역할을 한다. 디젤기관의 임펠러는 직선으로 배열된 레이디얼형(radial type)이 사용되고, 가솔린 기관의 임펠러는 나선형(spiral)으로 배열된 백워드형이 사용된다.

나) 터빈(turbine)

터빈은 배기쪽에 설치된 날개이며, 배기가스의 압력에 의하여 배기가스의 열에너지를 회전력으로 변환시키는 역할을 한다. 터빈의 날개는 레이디얼형이 사용된다. 따라서 터빈은 기관의 작동 중에는 배기가스의 온도를 받으며, 고속으로 회전하기 때문에 원심력에 대한 충분한 강성과 내열성이 있어야 한다. 기관이 작동될 때 각 실린더의 배기밸브를 통하여 배출되는 배기가스는, 터빈의 하우징 안에서 바깥둘레로부터 터빈의 날개와 접촉하여 회전시키고 배기관을 통하여 배출된다. 이때 흡입 쪽에 설치된 임펠러가 동일 축에 설치되어 있기 때문에 회전하게 된다.

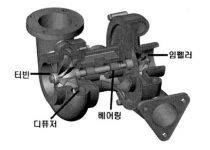

▲ 임펠러와 터빈의 구조

다) 플로팅 베어링(floating bearing, 부동 베어링)

플로팅 베어링은 10,000~15,000rpm 정도로 회전하는 터빈 축을 지지하는 베어링으로, 기관으로부터 공급되는 윤활유(기관 오일)로 충분히 윤활되므로, 하우징과 축 사이에서 자유롭게 회전할 수 있다. 주의할 점은 고속 주행직후 기관을 정지시키면, 플로팅 베어링에 윤활유가 공급되지 않기 때문에 고착이 일어나는 경우가 있으므로, 충분히 공전하여 터보차저를 냉각시킨 후 기관을 정지시켜야 한다.

▲ 임펠러와 터빈 축의 베어링

라) 과급 압력조절기

과급 압력조절기는 과급압력(boost pressure)이 규정값 이상으로 상승되는 것을 방지하는 역할을 한다. 과급압력을 조절하지 않게 되면 허용압력 이상으로 상승되어 기관이 파손되므로 과급 압력을 조절하여야 한다. 압력을 조절하는 방법으로는 배기가스를 바이 패스시키는 방법과, 흡입되는 공기를 조절하는 방식이 있다.

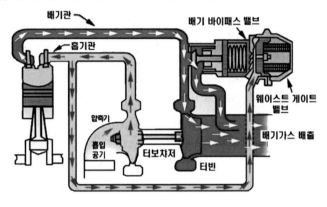

▲ 배기가스 바이패스방식

3. 과급기의 구동 및 윤활

① 4행정 사이클 디젤기관에서는 배기가스로 구동되는 터보차저(turbo charger ; 원심식)가 사용된다.
② 과급기의 윤활은 기관 윤활장치에서 보내준 오일로 직접 공급된다.

3 인터 쿨러

인터쿨러는 임펠러와 흡기다기관 사이에 설치되어 과급된 공기를 냉각시키는 역할을 한다. 임펠러에 의해서 과급된 공기는 온도가 상승함과 동시에, 공기밀도 비율이 감소하여 노크를 일으키거나 충전효율이 저하된다.

따라서 이러한 현상을 방지하기 위하여 라디에이터와 비슷한 구조로 설계하고, 주행 중에 받는 공기로 냉각시키는 공랭식(air cooled type)과, 냉각수를 이용하여 냉각시키는 수랭식(water cooled type)이 있다.

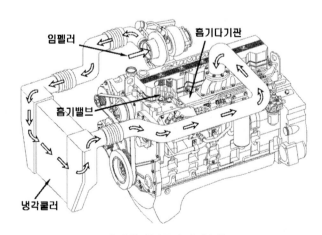

▲ 수냉식 인터쿨러 공기순환도

01 건설기계의 디젤기관에서 과급기를 사용하는 목적은?

① 압축비를 높인다.
② 배기효율을 낮춘다.
③ 배압을 높인다.
④ 흡입효율을 높인다.

해설 과급기는 배기가스에 의해 구동되며, 흡입 공기를 압축하여 공급하여 기간의 체적(흡입)효율을 높이고, 기관의 출력을 향상시킨다.

02 과급기의 장점이 아닌 것은?

① 회전력 증대
② 열효율 증대
③ 엔진의 출력 증대
④ 배기가스 온도 증가

해설 과급기는 흡입되는 공기량이 많아지므로 회전력이 증대되고, 열효율의 증대로 엔진의 출력이 증대된다.

03 과급기의 구성부품에 해당되지 않는 것은?

① 임펠러   ② 오일 냉각기
③ 터빈   ④ 하우징

해설 과급기는 배기가스에 의해 구동되는 터빈, 흡입 공기를 압축하여 실린더로 보내주는 임펠러, 또 이들을 보호하는 하우징 등으로 되어 있다.

04 터보차저 구성부품 중 속도에너지를 압력에너지로 바꾸는 것은?

① 임펠러   ② 플로팅 베어링
③ 디퓨저   ④ 터빈 하우징

해설 디퓨저는 흡입되는 공기의 속도에너지를 압력에너지로 변환하여 실린더로 공급하는 역할을 한다.

05 다음 중 인터쿨러의 설치 위치는?

① 배기다기관과 터보차저 사이
② 터보차저와 흡기다기관 사이
③ 에어크리너와 터보차저 사이
④ 터보차저와 배기관 사이

해설 인터쿨러는 터보차저와 흡기다기관 사이에 설치되어 압축공기의 열을 대기 중으로 방출시키는 공기 냉각기이다.

06 터보차저 터빈 축의 축방향 유격은 무엇으로 측정하는가?

① 외경 마이크로미터
② 내경 마이크로미터
③ 다이얼게이지
④ 직각자

해설 터보차저 터빈 축의 축방향 유격은 다이얼게이지로 검사한다.

정답 **01.④** **02.④** **03.②** **04.③** **05.②** **06.③**

07 과급기에서 금속성의 소리가 나는 것은?

① 베어링이 마모되었다.
② 웨이스트 게이트 밸브가 마모되었다.
③ 흡입 파이프에서 공기가 샌다.
④ 몸체에 녹이 나 있다.

해설 과급기는 고속으로 회전하기 때문에 베어링이 마모되면 금속성 소음이 발생한다.

08 흡·배기 계통에 대한 설명 내용 중 틀린 것은?

① 배기가스가 충분히 통과할 수 있는 통로 면적이 필요하다.
② 배기가스의 흐름저항을 적게 한다.
③ 터보 과급기 부착 엔진에서 작업 종료 시 엔진은 가능한 빨리 시동을 끈다.
④ 웨이스트 게이트 밸브는 터보 과급기에 설치되어 있다.

해설 과급기는 엔진오일로 윤활이 이루어지므로, 작업을 종료 후에 엔진의 시동을 빨리 끄면 과급기가 고착되어 손상을 일으킬 수 있다.

09 엔진 배기장치에서 배압이 높을 때 발생되는 현상이 아닌 것은?

① 피스톤 운동이 방해를 받는다.
② 엔진이 과열한다.
③ 엔진 회전수가 증가한다.
④ 엔진의 출력이 감소한다.

해설 배기장치의 배압이 높으면 ①②④항 외에 엔진 회전수가 감소한다.

10 디젤기관에 발생되는 배기가스 유해물질 중 국내에서 현재 규제하고 있는 것은?

① 매연　　　　　　② CO
③ HC　　　　　　④ 증발가스

해설 CO(일산화탄소), HC(탄화수소), 연료증발가스는 가솔린 기관에서 규제하는 유해물질이다.

11 디젤기관에서 배기가스 중 검은 연기를 내는 원인이 아닌 것은?

① 압축압력이 낮아 압축온도가 낮을 때
② 노즐에서 관통력과 무화가 강할 때
③ 분사 시기가 나쁠 때
④ 노즐로부터 분사 상태가 나쁠 때

해설 배기가스가 검은 연기를 내는 원인은 불완전 연소에 의한 것으로, 압축압력이 낮아 압축온도가 낮을 때, 분사 시기가 나쁠 때, 분사 압력이 낮을 때, 노즐에서 무화와 관통력이 약할 때, 공기청정기의 막힘, 혼합기가 농후한 경우 등이다.

12 디젤기관 운전 중 배기가스가 검은 원인이 아닌 것은?

① 공기청정기가 막혀있을 때
② 분사 시기가 어긋나 있을 때
③ 분사 압력이 과다하게 낮을 때
④ 연료 중에 공기가 흡입되어 있을 때

13 배기가스에서 흰 연기가 발생할 때 원인은?

① 윤활유가 연소실에 들어가 연소할 때
② 냉각수가 연소실에 들어가 연소할 때
③ 연료가 연소실에서 완전 연소 될 때
④ 연료에 공기가 혼합하여 연소할 때

해설 윤활유가 연소실에 들어가 연소되는 경우에는 배기가스의 색깔은 흰색이며, 연료가 연소실에서 완전 연소되는 경우에는 무색으로 배출된다.

정답 07.①　08.③　09.③　10.①　11.②　12.④　13.①

14 디젤기관 운전 중 배기가스의 색이 백색일 경우 예상되는 고장은?

① 피스톤 링의 소손 또는 실린더 간극 과다
② 노즐의 분사 압력 낮음
③ 연료 공급 펌프의 기능 저하
④ 밸브 간극 과다

해설 배기가스가 백색일 경우에는 윤활유가 연소되는 경우이다.

15 터보차저의 설명 중 틀린 것은?

① 디젤기관에서 설치가 용이하다.
② 구조가 간단하다.
③ 배기가스를 내보내기 위한 일종의 블로워 작용을 한다.
④ 기관의 출력을 증가시키며, 연료소비율이 낮아진다.

해설 터보차저는 배출되는 배기가스를 이용하여 흡입공기를 공급하는 장치이다.

16 기관에 필요한 공기의 무게와 운전상태에서 실제로 흡입되는 공기의 무게비를 무엇이라 하는가?

① 배기효율   ② 압축효율
③ 체적효율   ④ 열효율

해설 체적효율이란 기관에 필요한 공기의 무게와, 운전상태에서 실제로 흡입되는 공기의 무게 비율을 말한다.

17 커먼레일 디젤엔진의 배기장치에서 미세 먼지(PM)을 제거하는 기능을 가진 부품의 명칭은 무엇인가?

① 3차원 촉매장치
② 선택적 환원 촉매장치
③ 흡착형 촉매장치
④ 매연여과장치

해설 매연여과장치는 커먼레일 디젤엔진의 배기장치에서 미세 먼지(PM)을 제거하는 기능을 한다.

18 다음 중 디젤엔진에서 발생되는 NOx를 줄이는 방법이 아닌 것은?

① EGR 쿨러 사용
② EGR 밸브 장치 사용
③ 연소 온도를 1,400℃ 이하로 낮춘다.
④ 터보차저 사용

해설 터보차저는 흡입효율을 높이기 위해서 사용하는 과급장치이다.

19 디젤기관에서 시동을 돕기 위한 예열장치로 맞는 것은?

① 과급 장치   ② 발전기
③ 디퓨저   ④ 흡기히터

해설 디젤기관의 시동 보조 장치
· 예열장치: 흡입 공기 온도 상승
· 감압장치: 실린더 내의 압력제거로 기관 크랭킹 용이
· 연소촉진제 사용: 흡입구에 에텔 분무

20 다음 중 시동 보조장치가 아닌 것은?

① 감압장치   ② 히트레인지
③ 과급장치   ④ 공기예열장치

21 배기터빈 과급기에서 터빈 축의 베어링에 급유로 맞는 것은?

① 그리스로 윤활
② 엔진오일로 급유
③ 오일리스 베어링 사용
④ 기어오일을 급유

해설 배기터빈 과급기에서 터빈 축의 베어링은 엔진오일로 급유한다.

정답 14.① 15.③ 16.③ 17.④ 18.④ 19.④ 20.③ 21.②

1-7 기관관련 계산문제

01 다음 그림과 같은 방법으로 너트를 조일 때, 너트에 걸리는 토크는 몇 kgf-m인가?

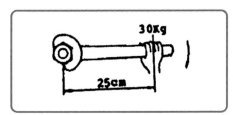

① 5.7   ② 6.4
③ 7.5   ④ 8.7

해설 T = FL (T: 토크, F: 잡아당기는 힘, L: 길이)
= 30kgf × 0.25m = 7.5kgf-m

02 길이 400mm의 렌치로 5.6kgf-m의 토크를 발생시키려면 몇 kgf의 힘이 필요한가?

① 14kgf   ② 28kgf
③ 42kgf   ④ 56kgf

해설 T = FL에서 $F = \dfrac{T}{L} = \dfrac{5.6}{0.4} = 14kgf$

03 실린더 헤드를 연삭하면 압축비가 어떻게 변하는가?

① 작아진다.
② 커진다.

③ 변하지 않는다.
④ 엔진에 따라 작아지는 것도 있고 커지는 것도 있다.

해설 실린더 헤드를 연삭하면 연소실 체적이 감소하기 때문에 압축비는 높아진다.

04 행정체적을 Vs, 연소실 체적을 Vc라 하면 이때 기관의 압축비 ε를 바르게 표시한 것은?

① $\varepsilon = (Vc + Vs)/Vc$
② $\varepsilon = (Vc + Cs)/Vs$
③ $\varepsilon = Vs/(Vc + Vs)$
④ $\varepsilon = Vc/(Vc + Vs)$

해설 압축비 $\varepsilon = \dfrac{Vc + Vs}{Vc} = \dfrac{Vc}{Vc} + \dfrac{Vs}{Vc} = 1 + \dfrac{Vs}{Vc}$

05 연소실 체적이 50cc, 실린더 직경이 80mm, 피스톤 행정이 80mm인 엔진의 압축비를 구하시오.

① 9 : 1   ② 8.5 : 1
③ 8 : 1   ④ 7.5 : 1

해설 $\epsilon = \dfrac{Vc + Vs}{Vc}$

행정체적 $Vs = \dfrac{\pi D^2}{4} \times L = 0.785 \times 8^2 \times 8 = 401.9cc$

$\therefore \epsilon = \dfrac{50 + 402}{50} = 9.04$

정답   **01.**③   **02.**①   **03.**②   **04.**①   **05.**①

06 실린더 총체적이 1,000cc이고 행정체적이 850cc인 엔진의 압축비는?

① 5.60 : 1 ② 6.67 : 1

③ 5.67 : 1 ④ 7.52 : 1

해설 연소실 체적 = 총체적 − 행정체적
= 1,000 − 850 = 150cc

$$\epsilon = \frac{Vc + Vs}{Vc} = \frac{850 + 150}{150} = 6.67$$

07 디젤기관의 실린더가 4개, 총배기량은 14,000cc, 각 실린더당 연소실 용적이 220cc일 때 압축비는?

① 15.9 : 1 ② 16.9 : 1

③ 18.5 : 1 ④ 19.5 : 1

해설 1실린더의 배기량 = 14,000 / 4 = 3,500cc

$$\epsilon = \frac{Vc + Vs}{Vc} = \frac{3,500 + 220}{220} = 16.9$$

08 압축비 21, 행정체적 1,000cm^3인 기관의 연소실 체적은?

① 47cm^3 ② 48cm^3

③ 49cm^3 ④ 50cm^3

해설 $\epsilon = \dfrac{Vc + Vs}{Vc}$ 에서 $Vc = \dfrac{Vs}{\epsilon - 1}$

$$\therefore Vc = \frac{1,000}{21 - 1} = 50㎤$$

09 실린더의 지름 110mm, 행정이 110mm인 6기통 기관의 총배기량은?

① 1,045cc ② 3,701cc

③ 4,701cc ④ 6,269cc

해설 총 배기량 $V = \dfrac{\pi D^2 S}{4} = 0.785 \times D^2 \times S \times Z$

(V:총배기량, D:실린더 안지름, S:행정, Z: 실린더수)
= 0.785 × 11² × 11 × 6 = 6,269cc

10 실린더의 지름 60mm, 행정이 80mm인 4기통 기관의 총배기량은 얼마인가?

① 115cc ② 150cc

③ 904cc ④ 1,205cc

해설 총 배기량 $V = \dfrac{\pi D^2 S}{4} = 0.785 \times D^2 \times S \times Z$

= 0.785 × 6² × 8 × 4 = 904cc

11 기관에서 실린더의 행정체적(배기량)을 계산하는 공식으로서 맞은 것은?[단, D: 실린더 내경(cm), S:행정(cm), Vs: 행정체적(cm^3)]

① $Vs = \dfrac{\pi D^2 S}{4}(cm^3)$

② $Vs = \dfrac{D^2 S}{1613}(cm^3)$

③ $Vs = \dfrac{\pi D^2 S}{4 \times 100}(cm^3)$

④ $Vs = \dfrac{\pi D^2 S}{4 \times 1000}(cm^3)$

12 기관의 회전수가 2,000rpm에서 최대 토크 35 kgf-m일 경우 축 마력은?

① 102.35PS ② 116.21PS

③ 99.25PS ④ 97.77PS

해설 축마력 $Bps = \dfrac{TR}{716}$

(Bps:축마력, T:토크, R:회전수)

$$= \frac{35 \times 2,000}{716} = 97.77ps$$

정답 | **06.② 07.② 08.④ 09.④ 10.③ 11.① 12.④**

13 기관이 중속 상태에서 2,000rpm으로 회전하고 있을 때, 회전 토크가 7kgf-m라면 회전 마력은?

① 약 9.8PS ② 약 19.5PS
③ 약 25.5PS ④ 약 39.5PS

해설 축마력 $Bps = \dfrac{TR}{716}$

$= \dfrac{7 \times 2,000}{716} = 19.5PS$

14 건설기계에서 1분간 일률이 120,000kgf·m/min 이면, 이 건설기계 기관의 출력은?

① 16.67PS ② 26.67PS
③ 36.67PS ④ 46.67PS

해설 출력 $PS = \dfrac{\text{일률}}{75 \times 60} = \dfrac{120,000}{75 \times 60} = 26.67PS$

15 기계효율이 80%인 기관에서 제동마력이 150PS이라면 도시마력은 얼마인가?

① 153.2PS ② 160.4PS
③ 170.6PS ④ 187.5PS

해설 $\eta m = \dfrac{Bps}{Ips} \times 100$

η m: 기계효율, Bps: 제동마력, Ips: 도시마력에서

$Ips = \dfrac{Bps}{\eta m} = \dfrac{150}{0.8} = 187.5PS$

16 디젤기관의 연료소비량은 108kg/h이고, 500PS의 동력을 발생할 때 제동 열효율은 얼마인가? (단, 연료의 발열량은 10,000 kcal/kg이다.)

① 약 28.3% ② 약 29.2%
③ 약 31.5% ④ 약 32.3%

해설 $\eta = \dfrac{632.3 \times Bps}{Be \times Hl} \times 100$

(η :열효율, Bps:제동마력, Be:연료소비량,
Hl :연료의 저위발열량)

$= \dfrac{632.3 \times 500}{108 \times 10,000} \times 100 = 29.2\%$

17 프로니 동력계를 사용하여 다음 조건에서 디젤엔진을 측정하였다. 이 엔진의 제동마력은 얼마인가?(엔진회전속도: 1,200rpm, 크랭크축 토크: 250kgf, 단, 불평형 하중 : 26kgf, 암의 길이는 0.6m이다.)

① 272.35ps ② 254.63ps
③ 225.25ps ④ 200.45ps

해설

$Bps = \dfrac{TN}{716} = \dfrac{(250-26) \times 0.6 \times 1,200}{716} = 225.25ps$

Part

02

차체 및
작업장치 정비

Part 02 차체 및 작업장치 정비

Section 2-1 동력전달장치

1 클러치(clutch)

1. 클러치의 필요성

① 기관을 시동할 때 무부하 상태로 한다.
② 기관의 회전력을 변속기에 전달한다.
③ 부드러우면서도 진동이 없는 발진을 가능하게 한다.
④ 기관과 동력전달장치를 과부하로부터 보호한다.
⑤ 플라이휠과 함께 기관의 회전 진동을 감소시킨다.

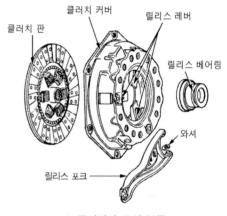

▲ 클러치의 구성 부품

2. 클러치의 구조

(1) 클러치 판(clutch disc ; 클러치 디스크)
플라이휠과 압력판 사이에 끼워져 있으며, 기관의 동력을 변속기 입력축을 통하여 변속기로 전달하는 마찰판이다. 그리고 클러치판은 변속기 입력축에 스플라인을 통하여 설치되어 있으며, 클러치판의 비틀림 코일스프링은 클러치가 작동할 때 충격을 흡수한다.

(2) 변속기 입력축(클러치 축)
변속기 입력축은 클러치판이 받은 기관의 동력을 변속기로 전달한다.

(3) 압력판
압력판은 클러치 스프링의 장력으로 클러치판을 플라이휠에 압착하는 일을 한다.

3. 클러치 조작기구

(1) 클러치 페달(clutch pedal)의 자유 간극(유격)

클러치 페달의 자유 간극이 너무 적으면 클러치가 미끄러지며, 이 미끄럼으로 인하여 클러치판이 과열되어 손상된다. 반대로 자유 간극이 너무 크면 클러치 차단이 불량하여, 변속기의 기어를 변속할 때 소음이 발생하고 기어가 손상된다.

(2) 릴리스 베어링(release bearing)

릴리스 베어링의 종류에는 앵귤러 접속형, 볼 베어링형, 카본형 등이 있으며, 대개 영구주유(oilless bearing)이므로 솔벤트 등의 세척제 속에 넣고 세척하면 안 된다.

4. 클러치 용량

클러치 용량이란 클러치가 전달할 수 있는 회전력의 크기이며, 일반적으로 사용 기관 회전력의 1.5~2.5배 정도이다. 클러치 용량이 너무 크면 클러치가 기관 플라이휠에 접속될 때 기관이 정지되기 쉬우며, 반대로 너무 작으면 클러치가 미끄러져 클러치판의 라이닝 마모가 촉진된다.

5. 클러치의 구비조건

① 동력의 접속이 원활하고 차단이 확실할 것
② 미끄럼에 따른 발열에 대한 열 방산성이 우수할 것
③ 회전시 관성 모멘트가 적고 충분한 전달 용량을 갖출 것
④ 소음, 진동 및 고장 발생이 적고 수명이 길 것
⑤ 클러치 조작력이 적고 고속 선회시 불균형이 발생되지 않을 것

6. 클러치가 미끄러지는 원인

① 클러치 페달의 자유 간극이 작다
② 클러치 디스크의 마멸 과다
③ 클러치 디스크의 페이싱에 오일 부착
④ 플라이휠 및 압력판의 손상 또는 변형
⑤ 클러치 스프링의 장력 약화 또는 자유 높이 감소

7. 클러치의 차단 불량 원인(변속기 기어가 잘 들어가지 않는 원인)

① 클러치 페달의 자유 간극이 크다
② 클러치 디스크의 흔들림(런아웃)이 크다
③ 릴리스 베어링의 손상 또는 파손
④ 유압 계통에 공기의 혼입
⑤ 클러치 각 부분의 심한 마멸

2 수동변속기(manual transmission)

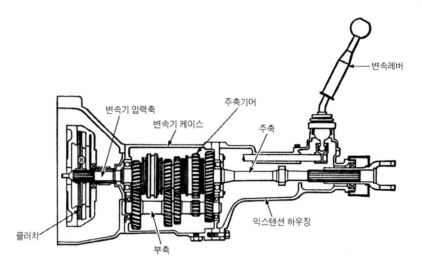

변속레버
변속기 입력축
변속기 케이스
주축기어
주축
클러치
부축
익스텐션 하우징

▲ 수동변속기의 단면도

1. 변속기의 필요성

① 기관과 차축 사이에서 회전력을 증대시킨다.
② 기관을 시동할 때 무부하 상태로 한다(변속레버 중립 위치).
③ 차량을 후진시키기 위하여 필요하다.

2. 변속기 조작기구

기어가 빠지는 것을 방지하기 위한 로킹 볼(locking ball)과 스프링을 두며, 또 하나의 기어가 물려 있을 때 다른 기어는 중립에서 이동하지 못하도록 하여 기어의 2중 물림을 방지하는 인터로크(inter lock)가 설치되어 있다.

3. 싱크로메시 기구

수동변속기에서 싱크로메시 기구 장치는 변속기어가 물릴 때 동기 작용을 한다. 싱크로나이저 링의 테이퍼 부의 마모가 심하거나, 싱크론 키 스프링이 손상되면 변속하는 데 어려움이 따르며, 로킹 볼 스프링의 손상, 기어, 백래시 과대, 클러치 허브의 마모 등은 기어가 저절로 빠지는 원인이 된다.

4. 변속기가 갖추어야 할 조건

① 적절한 변속비를 가질 것
② 소형 경량이고 다루기 쉬울 것

③ 조작이 용이하고 신속, 확실, 정숙하게 이루어질 것
④ 단계가 없이 연속적으로 변속될 것
⑤ 전달 효율이 크고 소음과 진동이 발생하지 않을 것
⑥ 조립 및 정비성이 우수할 것 등이 있습니다.

5. 주행 중 변속기에서 기어가 빠지는 원인

① 기어가 덜 물렸을 때
② 인터록이 고장 났을 때
③ 기어가 마모가 심할 때
④ 로킹 볼이 마모되었을 때
⑤ 로킹 볼 스프링이 손상되었을 때
⑥ 기어 축이 휘었을 때

---

3 유체클러치(fluids clutch) 및 **토크컨버터**(torque converter)

1. 유체클러치(fluids clutch)

유체클러치는 기관 크랭크축에 펌프(또는 임펠러)를, 변속기 입력축에 터빈(또는 러너)을 설치하고, 오일의 맴돌이 흐름(와류)을 방지하기 위하여 가이드 링(guide ring)을 두고 있다.

유체 커플링의 하우징은 기관의 플라이휠에 고정되어 플라이휠의 일부로 기능한다. 펌프는 커플링 하우징 내부에 고정되어 있고, 펌프에 대향해서 설치된 터빈은 펌프와 상관없이 하우징 내부에서 자유롭게 회전할 수 있도록 되어 있으며, 펌프와 터빈의 안쪽에는 각각 직선날개(베인)가 방사선으로 설치되어 있다.

유체클러치 오일의 구비조건은 점도가 낮을 것, 유성이 좋을 것, 비중이 클 것, 비등점이 높을 것, 착화점이 높을 것, 융점이 낮을 것 등이다.

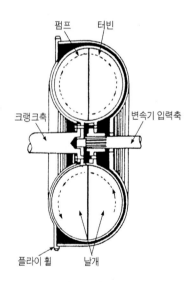

▲ 유체클러치의 구조

2. 토크컨버터(torque converter)

토크컨버터는 크랭크축에 펌프(pump)를, 변속기 입력축에 터빈(turbine)을 두고 있으며, 오일의 흐름방향을 바꾸어 주는 스테이터(stater)를 변속기 케이스에 고정된 축에 프리휠(free wheel ; 일방향 클러치)을 통하여 설치되어 있다. 토크컨버터의 회전력 변환율은 2~3 : 1이며, 오일의 충돌에 의한 효율저하를 방지하기 위하여 가이드 링을 두고 있다. 토크컨버터에서 열이 발생하면 토크컨버터 오일 쿨러, 릴리프밸브, 오일 회로 내의 공기혼입 여부, 오일량 등을 점검한다.

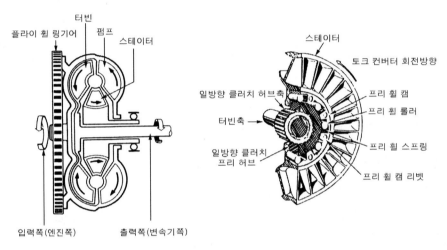

▲ 토크컨버터의 구조

① 유체클러치와 토크컨버터 구성 부품

유체클러치	토크컨버터
펌프(임펠러) – 크랭크축에 연결	펌프(임펠러) – 크랭크축에 연결
가이드링 – 와류 방지	스테이터 – 오일 흐름 방향 변환
터빈(런너) – 변속기 입력축	터빈(런너) – 변속기 입력축

3. 자동변속기(automatic transmission)

① 자동변속기를 제어하는 요소에는 메뉴얼 시프트, 거버너 압력, 스로틀 압력 등이다.
㉮ 유압발생 시스템 : 오일펌프, 동작 유체 (변속기 윤활유)
㉯ 센서 : 선택 레버, 조속기, 스로틀밸브, 킥다운 스위치
㉰ 액추에이터 : 시프트밸브, 다판클러치, 밴드 브레이크, 프리휠링 등
㉱ 스로틀밸브, 매뉴얼밸브, 시프트밸브, 킥다운 밸브는 밸브 보디에 내장
② 자동변속기의 오일펌프는 토크컨버터에 오일을 공급하고 유성기어 유닛의 윤활 작용을 하며, 유압 제어 계통에 유압을 공급하는 역할을 한다.

③ 유성기어 장치는 선 기어, 링 기어, 유성기어(캐리어)로 되어 있다.

④ 자동변속기가 과열하는 원인

㉮ 과부하 상태로 연속운전을 하였다.

㉯ 메인 압력이 높다.

㉰ 오일 쿨러가 막혔다.

㉱ 오일량이 부족하다.

4. 동력인출 장치(PTO ; power take off)

동력인출 장치는 기관의 동력을 주행과는 관계없이 다른 용도에 이용하기 위해서 설치한 장치이며, 변속기의 부축기어에 공전 기어를 슬라이딩시켜 동력을 인출한다. 동력인출의 단속은 공전 기어를 물리고 이탈시켜야 하며, 덤프트럭의 오일펌프 구동 및 소방 자동차의 물 펌프 구동 등에서 이용한다.

4 드라이브 라인(drive line)

변속기에 의해 변환된 구동 토크는 종감속기와 차동장치, 그리고, 구동륜을 거쳐 노면에 전달되는데, 기관, 변속기, 종감속장치 그리고 구동륜 현가장치 등의 형식과 배치 방법에 따라 드라이브 라인(drive line)에는 추진축과 액슬축 그리고 다수의 자재이음(universal joint)이 사용된다.

전기관 후륜구동방식(FR)의 자동차는 변속기의 출력을 종감속장치에 전달할 추진축을 필요로 한다. 자동차가 요철이 심한 노면을 주행할 때는 차륜의 진동으로 추진축의 길이가 수시로 변화되고, 동시에 변속기 출력축과 종감속장치의 입력축이 이루는 각도도 수시로 변화하기 때문에 추진축은 다음과 같은 조건을 만족해야 한다.

① 구동 토크의 전달

② 각도 변화의 가능 (자재이음)

③ 축 방향 길이 변화를 보상 (슬립이음)

③ 회전 진동을 감쇠 (플렉시블 조인트)

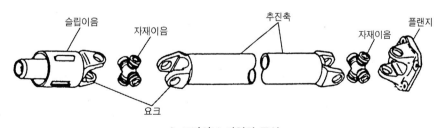

▲ 드라이브 라인의 구성

1. 슬립 이음(slip joint)

슬립 이음은 추진축의 길이 변화를 가능하게 하도록 두고 있다.

2. 유니버설 조인트(universal joint, 자재 이음)

유니버설 조인트는 변속기와 종감속 기어 사이의 구동 각도 변화를 주는 장치이다. 종류에는 십자형 조인트(훅 조인트), 플렉시블 자재 이음, 등속도 자재 이음(CV 자재 이음), 볼 엔드 트러니언 자재 이음 등이 있다.

3. 추진축에서 진동이 발생되는 원인

① 슬립이음의 결합 불량
② 추진축의 휨(휨 한계 0.5mm)
③ 요크 플랜지 체결볼트 이완
④ 센터베어링의 마모
⑤ 정적, 동적 불평형

5 종감속 기어와 차동 기어 장치

1. 종감속 기어(final reduction gear)

종감속 기어는 동력 전달 계통에서 최종적으로 구동력(견인력)을 증가시키는 장치이다.

2. 차동 기어 장치(differential gear system)

① 선회할 때 좌우 구동 바퀴의 회전속도를 다르게 한다.
② 선회할 때 바깥 바퀴의 회전속도를 증대시킨다.
③ 보통 차동 기어 장치는 노면의 저항을 작게 받는 구동 바퀴에 동력을 많이 전달시킨다.

3. 자동 제한 차동 기어 장치의 장점

① 연약한 지반에서 작업이 유리하다.
② 미끄럼이 방지되어 타이어 수명을 연장할 수 있다.
③ 고속에서 직진 주행할 때 안전성이 좋다.
④ 요철 노면을 주행할 때 뒷부분의 흔들림을 방지할 수 있다.

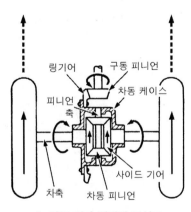

▲ 차동 기어 장치의 구성도

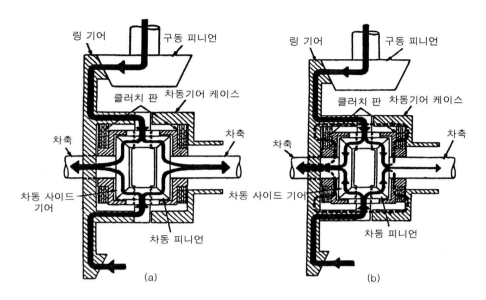

링 기어　구동 피니언

클러치 판　차동기어 케이스

차축　차축

차동 사이드 기어　차동 사이드 기어

차동 피니언

(a)

링 기어　구동 피니언

클러치 판　차동기어 케이스

차축　차축

차동 피니언

(b)

▲ 자동 제한 차동 기어 장치의 구조

6 타이어(tire)

1. 타이어의 분류

(1) 사용 공기 압력에 따른 분류

사용 공기 압력에 따라 고압타이어, 저압타이어, 초저압 타이어 등이 있다.

(2) 튜브(tub) 유무에 따른 분류

튜브 타이어와 튜브리스 타이어가 있으며, 튜브리스 타이어의 장점은 다음과 같다.

① 펑크 수리가 간단하다.

② 못이 박혀도 공기가 잘 새지 않는다.

③ 고속 주행하여도 발열이 적다.

(3) 형상에 따른 분류

타이어의 형상에 따른 분류에는 바이어스 타이어, 레이디얼 타이어, 스노타이어, 편평 타이어 등이 있다.

2. 타이어의 구조

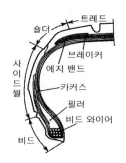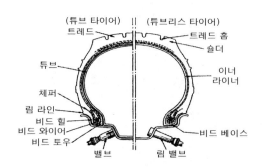

▲ 타이어의 구조

(1) 트레드(tread)

트레드는 직접 노면과 접촉되는 부분으로써 카커스와 브레이커의 외측에 붙어 있는 강력한 고무층으로 내마모성이 우수한 고무로 되어 있으며, 접지면의 모양에 따라 여러 가지 주행 특성을 나타냅니다. 트레드 패턴의 역할은 다음과 같다.

① 타이어 내부의 열을 발산한다.
② 트레드에 생긴 절상 등의 확대를 방지한다.
③ 전진 방향의 미끄러짐이 방지되어 구동력을 향상시킨다.
④ 타이어의 옆 방향 미끄러짐이 방지되어 선회성능이 향상된다.

(2) 브레이커(breaker)

브레이커는 트레드와 카커스의 중간에 있는 코드층으로서 외부로부터 오는 충격이나 외적조건에 의한 내부코드의 손상을 방지하고, 브레이커 코드의 재질에 따라 스틸타이어, 또는 텍스틸 타이어로 분류하기도 한다.

(3) 카커스(carcass)

카커스는 강도가 강한 합성섬유로 된 코드(cord) 지(紙)를 겹쳐서 만든 것으로 타이어의 골격을 형성하는 중요한 부분이다. 타이어가 받는 하중, 충격 및 타이어의 공기압을 유지시켜 주는 역할을 하며, 주행 중 굴신운동에 대한 내피로성이 강해야 한다.

(4) 비드부(bead section)

비드부는 카커스 코드의 끝부분을 감아주는 철선으로, 강력한 철선에 고무막을 입히고 나일론 코드지로 감싸 만들었으며, 타이어를 림에 고정시키는 역할을 한다.

(5) 사이드 월(side wall)

비드부는 타이어의 옆부분으로서 카커스를 보호하고 또 굴신운동을 하므로써 승차감을 좋게 한다.

3. 타이어의 호칭치수

(1) 고압타이어의 호칭치수

타이어 외경(inch) × 타이어 폭(inch) − 플라이 수(ply rating)

(2) 저압타이어의 호칭치수

타이어 폭(inch) − 타이어 내경(inch) − 플라이 수(ply rating)

4. 타이어에 발생되는 이상 현상

(1) 스탠딩 웨이브 현상[standing wave]

자동차가 고속으로 달릴 때 타이어 접지부의 바로 뒷부분이 부풀어 물결처럼 주름이 잡히는 현상으로, 공기압이 낮은 타이어로 고속 주행할 경우 타이어 내부의 부족한 공기로 인해 타이어가 한쪽으로 쏠리면서 접지부에 변형이 일어나게 된다.

주로 타이어 공기압이 표준 공기압 대비 10~15% 낮아질 때 발생하기 때문에, 타이어 공기압 경보장치(TPMS)를 확인하여 주기적으로 점검하여 예방한다.

(2) 하이드로 플래닝(hydro planing)

자동차가 수막(water film)으로 덮여있는 노면을 고속으로 주행할 때 타이어가 완전히 물위로 부상하여 미끄러지면서 달리는 현상을 말한다.

만일 하이드로 플래닝이 발생되면 타이어는 노면에서 떨어져 구동바퀴는 공전되어 회전 속도는 증가되며, 이때 자동차는 단지 관성력으로 미끄러져 달리게 됩니다. 이 상태에서는 타이어가 노면에 접지하는 기능(grip)이 상실되어 제동 불능, 방향성 및 안정성을 잃게 되어 차량의 제어가 불가능하게 되므로 아주 위험한 상태에 빠질 수 있습니다.

하이드로 플래닝의 방지 대책은 다음과 같다.

① 트래드의 마모가 적은 타이어의 사용

② 타이어의 공기압 증대

③ 주행속도를 낮춘다.

④ 리브 패턴의 타이어를 사용한다. 러그 패턴의 타이어는 하이드로플래닝을 일으키기 쉽다.

01 클러치 페달의 자유 간극 조정은?

① 클러치 페달을 움직여서
② 클러치 스프링의 장력을 조정하여
③ 클러치 페달 리턴 스프링의 장력을 조정하여
④ 클러치 링키지의 길이를 조정하여

해설 클러치 페달의 자유간극 조정은 클러치 링키지의 길이로 조정한다.

02 동력전달 장치에서 클러치 용량이 의미하는 것은?

① 클러치 하우징 내에 당겨지는 오일의 양
② 클러치 마찰판의 개수
③ 클러치 수동판 및 압력판의 크기
④ 클러치가 전달할 수 있는 회전력의 세기

해설 클러치 용량은 기관에서 발생된 회전력을 클러치가 전달할 수 있는 회전력의 크기이다.

03 클러치가 미끄러지는 일과 관계가 없는 것은?

① 클러치 페달의 자유 간극이 작을 때
② 스플라인 부의 마멸
③ 클러치 페이싱의 마멸
④ 클러치 페이싱의 오일 부착

해설 클러치가 미끄러지는 원인은 페달의 자유 간극이 작을 때, 클러치 페이싱의 마멸 또는, 페이싱의 오일 부착, 클러치 스프링의 장력이 약할 때 등이다.

04 클러치 끊어짐이 불량한 이유가 될 수 없는 것은?

① 릴리스 레버의 마멸
② 클러치판의 비틀림
③ 페달 유격 과대
④ 토션 스프링의 파손

해설 토션 스프링(비틀림 코일스프링)이 파손되면, 클러치판이 플라이휠에 접속될 때 회전 충격을 흡수하지 못하게 된다.

05 클러치를 연결하고 기어를 변속하면 어떻게 되는가?

① 기어에서 소리가 나고 기어가 마모된다.
② 변속레버가 마모된다.
③ 기관이 정지된다.
④ 클러치 디스크가 마모된다.

해설 클러치를 연결하고 기어를 변속하면 기어에서 소리가 나고 기어가 마모된다.

정답 01.④ 02.④ 03.② 04.④ 05.①

06 다음 불도저 클러치 정비에 대한 설명 중 틀린 것은?

① 주 압력 안전밸브가 열린 채 고착되어 있으면 압력이 낮다.
② 주 압력 안전밸브의 스프링이 약해져 있으면 압력이 낮다.
③ 변속기 케이스의 흡입 스크린이 막혀 있으면 압력이 높다.
④ 모듈레이팅 밸브 커버 밑의 심이 두꺼우면 압력이 높다.

해설 불도저의 클러치는 유압으로 작동되는 다판클러치식으로, 흡입 필터가 막혀있으면 유압이 공급되지 않는다.

07 구동바퀴 반경을 R, 축의 회전력을 T라 할 때 구동력 F는?

① $F = \dfrac{T}{R}$ ② $F = \dfrac{R}{T}$

③ $F = \dfrac{RT}{2g}$ ④ $F = \dfrac{R}{2g}$

해설 $F = \dfrac{T}{R}$

(F:구동력, R:구동바퀴 반경, T:축의 회전력)

08 다음 중 변속기를 분해할 때 가장 먼저 해야 할 작업은 무엇인가?

① HB 제거   ② GAA 제거
③ OE 제거   ④ GO 제거

해설 변속기에는 기어오일(GO)이 윤활하므로 가장 먼저 기어오일을 제거하여야 한다.

09 변속할 때 기어의 물림 소리가 심하게 나는 가장 큰 원인은?

① 윤활유의 부족
② 기어 사이의 백래시 과다
③ 클러치가 끊어지지 않을 때
④ 시프트 포크와 시프트 레일과의 관계 불량

해설 클러치가 끊어지지 않으면, 변속할 때 기어의 물림 소리가 심하게 난다.

10 유체클러치의 주요 구성부품이 아닌 것은?

① 펌프   ② 터빈
③ 가이드 링   ④ 스테이터

해설 유체클러치는 펌프, 터빈, 가이드 링으로 구성되어 있다.

11 유체클러치에서 와류를 감소시키는 작용을 하는 것은 어느 것인가?

① 펌프   ② 스테이터
③ 임펠러   ④ 가이드 링

해설 유체클러치에서 와류를 감소시키는 것은 가이드 링이다.

12 토크컨버터를 옳게 설명한 것은?

① 유체를 사용하여 동력을 전달하는 장치로서 회전력을 증대시킨다.
② 수동변속기에서 동력을 전달하는 장치로서 회전수를 증대시킨다.
③ 수동변속기에서 동력을 전달하는 장치로서 회전력을 증대시킨다.
④ 인히비터 스위치 신호를 받아 컨트롤 밸브를 작동시킨다.

해설 토크컨버터는 자동변속기에 사용되며, 유체를 사용하여 동력을 전달하는 장치로서 회전력을 증대시킨다.

정답 06.③ 07.① 08.④ 09.③ 10.④ 11.④ 12.①

13 토크컨버터의 기본 구성품이 아닌 것은?

① 임펠러(펌프) ② 베인
③ 터빈(러너) ④ 스테이터

해설 토크컨버터는 엔진의 크랭크축과 연결되는 펌프(임펠러), 변속기 입력축과 연결되는 터빈(러너), 오일의 흐름 방향을 바꾸어주는 스테이터로 구성되어 있다.

14 로더 토크컨버터에서 출력 부족의 원인을 열거하였다. 옳지 않은 것은?

① 입력축 커플링의 볼트 이완
② 오일량 부족
③ 오일 스트레이너의 막힘
④ 펌프 흡입측 연결 호스의 실 파손

해설 토크컨버터에서 출력 부족의 원인
· 토크컨버터의 오일량 부족
· 오일 스트레이너의 막힘
· 펌프 흡입측 연결 호스의 실 파손

15 자동변속기 유압제어 회로에 작용하는 유압은 어디서 발생하는가?

① 기관의 오일펌프
② 변속기 내의 오일펌프
③ 흡기다기관의 부압
④ 배기다기관의 부압

해설 자동변속기의 오일펌프는 토크컨버터에 오일을 공급하고, 유성기어 장치에 윤활 작용을 하며, 유압 계통에 유압을 공급한다.

16 건설기계에 사용되는 토크컨버터의 설치 위치는 어디인가?

① 유압 펌프
② 엔진의 플라이휠

③ 변속기의 출력축
④ 변속기의 PTO 장치

해설 토크컨버터는 유체를 사용하여 동력을 전달하는 장치로서 엔진의 플라이휠에 설치된다.

17 유성기어 장치의 구성품으로 맞는 것은?

① 선 기어, 링 기어, 유성기어(캐리어)
② 링 기어, 선 기어 솔레노이드 기어
③ 선 기어, 링 기어, 가이드 링
④ 링 기어, 유성기어(캐리어), 가이드 링

해설 유성기어 장치는 선 기어, 링 기어, 유성기어(캐리어)로 구성된다.

18 유성기어장치에서 유성기어 캐리어를 고정하고 선기어의 구동하면 링기어의 회전은 어떻게 되는가?

① 증속 ② 감속
③ 직결 ④ 역전 감속

해설 캐리어를 고정하면 역전이 이루어지며, 기어 잇수가 적은 선기어가 구동하므로 역전 감속이 된다.

19 다음 장치 중에 감속비가 가장 큰 것은 무엇인가?

① 벨트 전동 장치
② 종감속기
③ 유성기어장치
④ 수동변속기

해설 유성기어장치는 선 기어, 링 기어, 유성기어(캐리어)를 이용하여 큰 감속비를 얻을 수 있다.

20 토크 디바이더(torque divider)의 특징으로 틀린 것은?

① 최고효율은 토크변환기보다 5~6% 상승하나, 스톨 토크비는 감소한다.
② 유체구동의 원활한 특성은 감소한다.
③ 부하토크가 증가됨에 따라 기관의 회전은 저하되지만, 저속에서 출력은 증가한다.
④ 브레이크를 밟으면 클러치가 차단되는 장치이다.

해설 토크 디바이더는 엔진에서 발생되는 동력의 일부가 유체를 통하여 전달되고, 나머지 동력을 기계적으로 전달함으로써, 유체구동의 특징과 기계 구동의 특징을 살려 출력축으로 동력을 전달한다.

21 트랙터 구조에 있어서 견인력을 최대한 증가시켜주는 장치는?

① 트랜스미션　　② 피니언 베벨기어
③ 최종 감속장치　④ 추진축

해설 트랙터에서 최대견인력을 증가시켜주는 장치를 최종감속장치라고 하며, 2중 감속을 시켜준다.

22 동력전달장치인 차동장치의 구동 피니언 기어와 링 기어의 백래시 점검에 알맞은 측정기는?

① 마이크로미터
② 버니어캘리퍼스
③ 다이얼게이지
④ 플라스틱게이지

해설 차동장치의 구동 피니언 기어와 링 기어의 백래시는 다이얼게이지로 점검한다.

23 도로 주행 건설기계에서 차동장치의 백래시를 측정하는 방법으로 틀린 것은?

① 다이얼게이지를 하우징에 견고하게 고정시킨다.
② 구동 피니언 기어를 고정한 후 링기어를 움직여 측정한다.
③ 다이얼게이지 스핀들을 링기어 잇면에 수직되게 접촉시킨다.
④ 측정값이 규정값 내에 들지 않으면 한쪽 조정나사를 돌려 조정한다.

해설 차동장치의 백래시를 측정하는 방법에는 ①②③항 외에 측정값이 규정값을 벗어나면 양쪽의 조정나사를 돌려서 규정값으로 조정하여야 한다.

24 엔진의 회전수가 1,500rpm이고, 변속비가 1.5, 종감속비가 4.0일 때 총감속비는?

① 4.0　　　　　② 5.5
③ 6　　　　　　④ 12

해설 Tr = Rt × Rf
(Tr: 총감속비, Rt: 변속비, Rf: 종감속비)
= 1.5 × 4.0 = 6

25 구동기어의 잇수 $Z_1 = 10$, 피동기어의 잇수 $Z_2 = 25$, 구동기어 회전수 $N_1 = 100$ rpm일 때 피동기어의 회전수 N_2는?

① 60rpm　　　② 40rpm
③ 120rpm　　④ 180rpm

해설 $N_2 = \dfrac{Z_1}{Z_2} \times N_1 = \dfrac{10}{25} \times 100 = 40rpm$

26 변속기의 1속 기어의 감속비가 4:1, 종감 속비가 5:1인 덤프트럭의 기관이 2,600rpm 으로 회전하며 1속으로 주행하고 있을 때, 바퀴의 회전수는 얼마인가?

① 130rpm　　　② 260rpm
③ 520rpm　　　④ 1,000rpm

해설 $Tn = \dfrac{En}{Rt \times Rf} = \dfrac{2,600}{4 \times 5} = 130rpm$

(Tn:바퀴 회전수, En:기간 회전수, Rt:변속비, Rf:종감 속비)

27 엔진의 회전수가 2,400rpm이고, 변속 비가 6:1일 때 추진축의 회전수는 얼마인 가?

① 400rpm　　　② 600rpm
③ 900rpm　　　④ 1,200rpm

해설 $Tn = \dfrac{En}{Rt \times Rf} = \dfrac{2,400}{6} = 400rpm$

(Tn: 바퀴 회전수, En: 기관 회전수, Rt: 변속비, Rf:종감 속비)

28 덤프트럭이 평탄한 도로를 제3속으로 주행하고 있을 때, 엔진의 회전수가 3,000 rpm이라면 현재 이 차량의 주행속도는? (단, 제3속의 변속비는 3:1, 종감속비 3:1, 타이어 반경 1m이다.)

① 62.8km/h

② 72km/h

③ 78km/h

④ 125.6km/h

해설 $V = \pi D \times \dfrac{En}{Rt \times Rf} \times \dfrac{60}{1,000}$

(V:주행속도, D:바퀴지름, En: 엔진 회전수, Rt: 변속비, Rf: 종감속비)

$= 3.14 \times 1 \times 2 \times \dfrac{3,000}{3 \times 3} \times \dfrac{60}{1,000} = 125.6km/h$

1 현가장치의 구성

현가장치는 주행중 노면으로부터 전달되는 충격이나 진동을 완화시켜 바퀴와 노면의 점착성을 향상시키고 승차감을 양호하게 해주는 장치이다. 현가장치는 주로 차체(또는 프레임)와 차축(axle shaft)사이에 설치되며, 스프링의 자유진동을 흡수하여 승차감을 향상시키는 쇽업소버, 좌우 진동을 방지하는 스테빌라이저(stabilizer), 스프링(spring)으로 구성되어 있다.

1. 스프링(spring)

스프링은 차축과 프레임 사이에 설치되어 바퀴에 가해지는 진동이나 충격을 흡수한다. 스프링은 혼자만의 힘으로는 충격이나 진동을 전부 흡수할 수 없으므로 타이어가 스프링의 기능을 보완해 준다. 현가 스프링, 타이어, 시트 스프링은 서로 조화를 이루어야 하며, 다음과 같은 조건을 만족시켜야 한다.

① 가벼워야 한다.
② 설치 공간을 적게 차지해야 한다.
③ 정비할 필요가 없어야 한다.
④ 적차 또는 공차상태를 막론하고 가능한 차체의 고유 진동수가 같아야 한다.
⑤ 적차 또는 공차상태에서도 차체의 최저 지상고는 같아야 한다.

2. 판스프링(leaf spring)

판스프링은 스프링 강을 적당히 구부린 띠 모양으로 된 것을 몇 장 겹쳐서 그 중심에서 센터 볼트(center bolt)로 조인 것이다. 맨 위쪽에 길이가 가장 긴 주 스프링 판(main spring plate)의 양 끝에는 스프링 아이(spring eye)를 두고 섀클 핀(shackle pin)을 통하여 차체에 설치되어 있다. 스프링 아이 중심 사이의 거리를 스팬(span)이라 한다. 판스프링을 차체에 설치한 부분을 브래킷 또는 행거(bracket or hanger)라 하며, 다른 끝은 섀클(shackle)이라 한다. 섀클은 스팬의 길

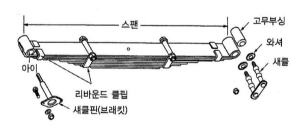

▲ 판스프링의 구조

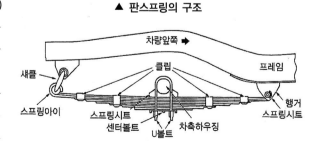

▲ 판스프링의 설치상태

이 변화를 위하여 설치하며, 사용되는 부싱에 따라 고무 부싱 새클, 나사 새클, 청동 부싱 새클 등이 있다. 판스프링의 특징은 다음과 같다.

① 스프링 자체의 강성에 의해 차축을 정해진 위치에 지지할 수 있어 구조가 간단하다.
② 판간 마찰에 의한 진동 억제 작용이 크다.
③ 내구성이 크다.
④ 판간 마찰 때문에 작은 진동 흡수가 곤란하다.

3. 쇽업소버(shock absorber)

쇽업소버는 스프링의 고유진동을 완화하여 스프링의 피로를 적게 하고, 스프링의 상하 운동에너지를 열에너지로 변화시킨다. 자동차에 스프링만 설치하면 노면으로부터 충격을 받았을 때 원만하게 흡수하지 못하며, 바퀴에도 과다한 진동이 발생되므로 승차감이 불량하게 된다. 따라서 쇽업소버는 노면에서 발생한 스프링의 진동을 흡수하여 승차감을 향상시키고 동시에 스프링의 감소시키기 위해 설치되는 기구이다.

2 조향 장치(Steering System)

조향장치는 자동차의 진행 방향을 운전자의 의도에 따라 원하는 방향으로 바꾸어 주는 장치이다. 일반적으로 스티어링 휠(핸들)을 운전자가 돌리면 스티어링 기어에 회전력이 전달되며, 스티어링 기어에 의해 회전을 감속하여 토크를 증대시켜 휠에 전달된다. 따라서 핸들 조작력이 경감되어야 조작이 용이하며, 노면으로부터 오는 충격을 경감할 수 있다.

조향장치는 자동차의 조향성 및 안전성에 영향을 주므로 다음과 같은 구비조건이 필요하다.

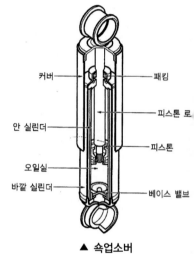

▲ 쇽업소버

① 조향 조작이 주행 중에 충격에 영향을 받지 않을 것
② 조작이 쉽고 방향 변환 조작이 원활할 것
③ 최소 회전 반지름이 작아서 좁은 곳에서도 방향을 변환할 수 있을 것
④ 진행 방향 전환시 섀시, 보디 각부에 무리한 힘이 작용하지 않을 것
⑤ 고속 주행에서도 조향 핸들이 안정될 것
⑥ 조향 핸들의 회전과 바퀴의 선회 차이가 적을 것
⑦ 수명이 길고 다루기 쉬우며 정비가 쉬울 것
⑧ 조향 핸들의 조향력에 좌우 심한 차이가 없을 것

1. 최소 회전 반경 산출 공식

최소 회전 반지름은 무한궤도식은 무한궤도 접지면 궤적의 가장 바깥 부분, 타이어식은 조

향륜의 가장 바깥 바퀴와 노면간의 접촉면의 중심이 만드는 궤적의 반지름으로, 측정 방법은 핸들은 좌 또는 우로 최대로 꺾은 다음 저속으로 선회를 하고 각 궤적의 원 중 최대의 것을 측정하여, 그 치수의 1/2를 최소 회전 반지름으로 한다.

$$R = \frac{L}{\sin\alpha} + r \qquad [여기서, \ L : 축거(축간거리), \ \alpha : 바깥쪽 \ 앞바퀴의 \ 조향각,$$
$$r : 바퀴 \ 접지면 \ 중심과 \ 킹핀과의 \ 거리 \ ]$$

2. 조향 장치의 구조

(1) 조향 핸들(또는 조향 휠, Steering wheel)

조향 핸들은 림(rim), 스포크(spoke) 및 허브(hub)로 구성되어 있다.

① 조향 핸들이 무거운 원인

㉮ 유압 계통 내에 공기가 유입되었다.

㉯ 타이어의 공기 압력이 너무 낮다.

㉰ 유압이 낮다.

㉱ 오일펌프의 회전이 느리다.

㉲ 오일펌프의 벨트가 파손되었다.

㉳ 오일이 부족하다.

㉴ 오일 호스가 파손되었다.

② 주행 중 조향 핸들이 한쪽으로 쏠리는 원인

㉮ 뒤차축이 차량의 중심선에 대하여 직각이 되지 않았다.

㉯ 좌 · 우 타이어의 공기 압력이 같지 않다.

㉰ 바퀴 얼라인먼트의 조정이 불량하다.

㉱ 앞차축 한쪽의 현가스프링이 절손되었다.

㉲ 좌우 캠버가 같지 않다.

(2) 조향기어 박스(steering gear box)

조향기어 박스는 조향 조작력을 증대시켜 조향 바퀴로 전달하는 장치이며, 종류에는 웜 섹터형, 웜 섹터 롤러형, 볼 너트형, 캠 레버형, 래크와 피니언형, 스크루 너트형, 스크루 볼형 등이 있다.

(3) 피트먼 암(pitman arm)

피트먼 암은 조향 핸들의 움직임을 드래그 링크로 전달하는 것이며 그 한쪽 끝에는 테이퍼의 세레이션(serration)을 통하여 섹터 축에 설치되고, 다른 한쪽 끝은 드래그 링크나 센터 링크에 연결하기 위한 볼 이음으로 되어 있다.

(4) 타이로드(tie-rod)

타이로드는 너클 암의 움직임을 반대쪽의 너클 암으로 전달하여 양쪽 바퀴의 관계를 바르게 유지시킨다. 또 타이로드의 길이를 조정하여 토인(toe-in)을 조정할 수 있다.

(5) 앞차축(액슬)과 조향 너클

앞차축과 조향 너클의 설치방식에는 엘리옷형, 역엘리옷형, 마몬형, 르모앙형 등이 있다.

(6) 킹핀(king pin)

킹핀은 앞차축과 너클 스핀을 연결하는 것이다.

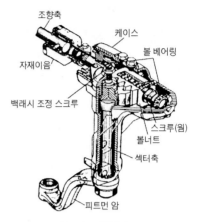

▲ 볼 너트 형식의 구조

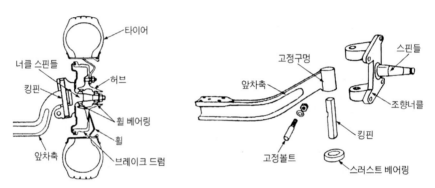

▲ 킹핀의 설치위치와 분해도

3. 동력조향장치(power steering system)

(1) 동력조향장치의 장점

① 조향 조작력이 작아도 된다.
② 조향 조작력에 관계없이 조향 기어비를 선정할 수 있다.
③ 노면으로부터의 충격 및 진동을 흡수한다.
④ 앞바퀴의 시미 현상을 방지할 수 있다.
⑤ 조향 조작이 경쾌하고 신속하다.
⑥ 유압 계통에 고장이 있어도 조향 조작을 할 수 있다.

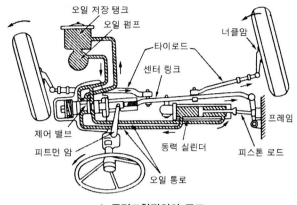

▲ 동력조향장치의 구조

(2) 동력조향장치의 구조

동력조향장치는 작동부, 제어부, 동력부의 3주요부로 구성되어 있다. 그리고 안전 체크 밸브(safety check valve)는 동력조향장치가 고장이 났을 때 수동조작이 가능하도록 해 준다.

4. 허리꺾기 방식 조향 장치의 특징

① 회전반경이 작아 좁은 장소에서의 작업이 용이하다.
② 작업시간을 단축하여 작업능률을 향상시킬 수 있다.
③ 작업할 때 안전성이 결여된다.
④ 핀과 조인트 부분의 고장이 빈번하다.

3 앞바퀴 정렬(Front Wheel Alignment)

1. 앞바퀴 정렬의 개요

앞바퀴 정렬(얼라인먼트)의 요소에는 캠버, 캐스터, 토인, 킹핀 경사각 등이 있으며, 역할은 다음과 같다.

① 조향 핸들의 조작을 확실하게 하고 안전성을 준다.
② 조향 핸들에 복원성을 부여한다.
③ 조향 핸들의 조작력을 가볍게 한다.
④ 타이어 마모를 최소로 한다.

2. 앞바퀴 정렬 요소의 정의와 필요성

(1) 캠버(camber)

차량을 앞에서 보면 그 앞바퀴가 수직선에 대해 어떤

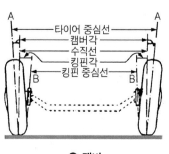

O 캠버

각도를 두고 설치되어 있는데 이를 캠버라 한다. 바퀴의 윗부분이 바깥쪽으로 기울어진 상태를 정의 캠버(Positive camber), 바퀴의 중심선이 수직일 때를 0의 캠버(zero camber), 그리고 바퀴의 윗부분이 안쪽으로 기울어진 상태를 부의 캠버(Negative camber)라 한다. 캠버의 역할은 다음과 같다.

① 수직 방향 하중에 의한 앞차축의 휨을 방지한다.

② 조향 핸들의 조작을 가볍게 한다.

③ 하중을 받았을 때 앞바퀴의 아래쪽(부의 캠버)이 벌어지는 것을 방지한다.

(2) 캐스터(caster)

차량의 앞바퀴를 옆에서 보면 조향 너클과 앞차축을 고정하는 킹핀이 수직선과 어떤 각도를 두고 설치되는데 이를 캐스터라 한다.

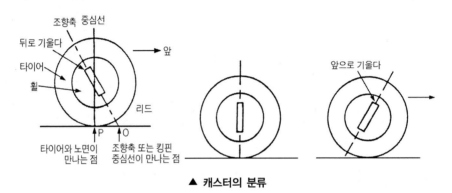

▲ 캐스터의 분류

캐스터의 역할은 다음과 같다.

① 주행 중 조향 바퀴에 방향성(직진성능)을 부여한다.

② 조향하였을 때 직진 방향으로의 복원력을 준다.

(3) 토인(toe-in)

차량의 앞바퀴를 위에서 내려다보면 바퀴 중심선 사이의 거리가 앞쪽이 뒤쪽보다 약간 작게 되어 있는데 이것을 토인이라고 하며 일반적으로 2~6mm 정도이다. 역할은 다음과 같다.

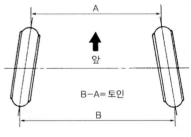

① 앞바퀴를 평행하게 회전시킨다.

② 앞바퀴의 사이드슬립과 타이어 마모를 방지한다.

③ 조향 링키지 마모에 따라 토 아웃(toe-out)이 되는 것을 방지한다.

④ 토인은 타이로드의 길이로 조정한다.

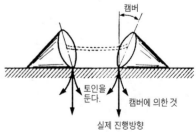

▲ 토인과 토인의 역할

01 다음은 어떤 구성품에 대한 설명이다. 무엇에 대한 설명인가?

> 차량이 선회할 때 구동바퀴의 회전속도를 다르게 하고, 노면의 저항을 작게 받는 구동바퀴에 동력을 더 많이 전달시킨다.

① 차동장치   ② 스태빌라이저
③ 현가장치   ④ 스프링

[해설] 차동장치는 차량이 선회할 때 구동 바퀴의 회전 속도를 다르게 하고, 노면의 저항을 작게 받는 구동 바퀴에 동력을 더 많이 전달시키는 장치이다.

02 축거가 1.2m인 지게차의 핸들을 왼쪽으로 완전히 꺾었을 때 오른쪽 바퀴의 각도가 30°이고 왼쪽 바퀴의 각도가 45°일 때 최소 회전반지름은?

① 1.2m   ② 1.68m
③ 2.1m   ④ 2.4m

03 어느 건설기계의 축거가 2.9m, 외측 차륜의 조향각도가 30°, 내측 차륜의 조향각도가 40°, 킹핀과 바퀴 접지면까지의 거리가 0.2m인 경우 최소회전반경 은 얼마인가?

① 5.8m   ② 6.0m
③ 8.0m   ④ 8.2m

[해설] $R = \dfrac{L}{\sin\alpha} + r = \dfrac{2.9}{0.5} + 0.2 = 6.0m$

(R:최소회전반지름, L: 축간거리, sin α : 바깥쪽 바퀴의 조향각, r: 킹핀과 바퀴 접지면까지 거리)

04 모터그레이더의 조향 핸들이 무겁게 되는 원인이 아닌 것은?

① 펌프의 토출량이 부족하다.
② 파일럿 체크밸브가 누설된다.
③ 제어밸브가 고착되었다.
④ 유압장치의 설정압이 낮다.

[해설] 조향 핸들이 무겁게 되는 원인은 오일펌프의 토출량이 부족, 유압장치의 설정압이 낮음, 제어밸브 고착 등이다.

05 덤프트럭이 주행 중 조향 핸들이 한쪽으로 쏠리는 원인과 가장 거리가 먼 것은?

① 뒤차축이 차의 중심선에 대하여 직각이 되지 않는다.
② 좌우 타이어의 압력이 같지 않다.
③ 조향핸들의 축 방향 유격이 크다.
④ 앞차축 한쪽의 현가스프링이 절손되었다.

[해설] 주행 중 조향 핸들이 한쪽으로 쏠리는 원인에는 ①②④항 외에 바퀴의 얼라인먼트의 조정이 불량한 경우이다.

정답   **01.**①   **02.**④   **03.**②   **04.**②   **05.**③

06 덤프트럭에 동력 조향 장치를 설명하였다. 맞는 것은?

① 조향 각도가 크게 된다.
② 조향 핸들에 유격이 생기지 않는다.
③ 다기관의 부압으로 조향장치를 작동시킬 수 있다.
④ 유압 계통에 고장이 있어도 조향 조작을 할 수 있다.

해설 동력조향장치는 유압장치에 고장이 발생되더라도 안전 체크밸브가 설치되어 있어 수동으로 조향 조작을 할 수 있다.

07 휠 구동식 굴삭기의 조향 각도가 규정보다 작다면 무엇으로 수정해야 하는가?

① 스톱 볼트
② 타이로드
③ 압력 조절 밸브
④ 밸브 스풀

해설 굴삭기나 지게차의 조향 각도는 스톱 볼트의 길이로 조정한다.

08 로더의 굴절식 조향 장치의 장점으로 맞는 것은?

① 좁은 장소에서의 작업이 어렵다.
② 작업 안정성이 높다.
③ 회전반경이 작다.
④ 연결부분의 고장이 적다.

해설 허리꺾기 방식 조향 장치의 특징
· 회전반경이 작아 좁은 장소에서의 작업이 용이하다.
· 작업시간을 단축하여 작업능률을 향상시킬 수 있다.
· 작업할 때 안정성이 결여된다.
· 핀과 조인트의 연결부분에 고장이 빈번하다.

09 휠 구동식 건설기계의 전차륜 정렬에서 캐스터를 두는 이유는?

① 주행중 조향 바퀴에 방향성을 부여한다.
② 조향 휠의 조작력을 적게 할 수 있다.
③ 앞바퀴의 시미 현상을 방지할 수 있다.
④ 조향시에 앞바퀴의 직진 성능을 향상시킨다.

해설 캐스터는 주행 중 조향 바퀴에 방향성을 부여하고, 선회할 때 바퀴에 복원력을 부여한다.

10 덤프트럭이 평탄한 도로를 주행시 방향 안정성이 없을 경우의 수정 방법으로 알맞은 것은?

① 정의 캐스터로 조정한다.
② 부의 캐스터로 조정한다.
③ 캠버를 0으로 조정한다.
④ 토인을 조정한다.

해설 캐스터의 효과(직진 성능)는 정의 캐스터에서만 얻을 수 있고, 정의 캐스터는 선회할 때 차체의 높이가 선회하는 바깥쪽보다 안쪽이 높아지게 되므로 조향 바퀴에 복원성을 준다.

11 덤프트럭의 토인은 무엇으로 조정하는가?

① 타이어 공기 압력
② 현가 스프링
③ 타이로드 엔드
④ 조향 핸들

해설 토인 조정은 타이로드의 길이로 조정한다.

정답 06.④ 07.① 08.③ 09.① 10.① 11.③

12 지게차에서 토인 조정 방법으로 맞는 것은?

① 앞차축에서 타이로드 엔드로 조정
② 앞차축에서 피트먼 암으로 조정
③ 뒤차축에서 벨 크랭크로 조정
④ 뒤차축에서 타이로드 엔드로 조정

해설 지게차의 조향은 뒷바퀴 조향이므로 토인 조정은 후륜에서 타이로드 엔드로 조정한다.

13 사이드슬립 테스터에서 안쪽으로 3mm, 바깥쪽으로 6mm일 때 사이드 슬립량은?

① 바깥쪽으로 1.5mm
② 안쪽으로 1.5mm
③ 안쪽으로 3mm
④ 바깥쪽으로 6mm

해설 사이드 슬립량 $= \dfrac{6mm - 3mm}{2} = 1.5mm$

1 제동장치(brake system)

　제동장치는 주행 중의 자동차를 감속 또는 정지시킴과 동시에 주차상태를 유지하기 위해서 사용되는 중요한 장치이며, 일반적으로 마찰력을 이용하여 자동차의 운동에너지를 열에너지로 바꾸어 공기 중에 방출함으로써 제동 작용을 하는 마찰식이 많이 사용되고 있다. 제동장치의 구비 조건은 다음과 같다.

　① 최고속도와 차량 중량에 대하여 항상 충분한 제동 작용을 할 것
　② 작동이 확실하고 효과가 클 것
　③ 신뢰성이 높고 내구성이 우수할 것
　④ 점검이나 조정하기가 쉬울 것
　⑤ 조작이 간단하고 운전자에게 피로감을 주지 않을 것
　⑥ 브레이크를 작동시키지 않을 때는 각 바퀴의 회전에 방해되지 않을 것

2 유압 브레이크(hydraulic brake)

　유압 브레이크는 파스칼의 원리를 응용한 것이다.

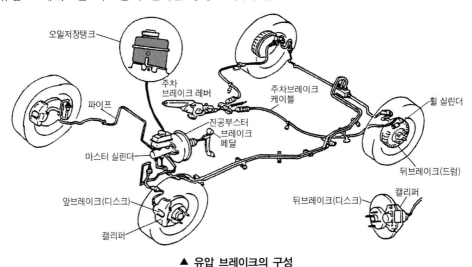

▲ 유압 브레이크의 구성

1. 유압 브레이크의 구조와 그 작용

(1) 마스터 실린더(master cylinder)

　마스터 실린더는 브레이크 페달을 밟는 것에 의하여 유압을 발생시키는 일을 한다. 피스톤

1차 컵은 유압이 발생될 때 유밀을 유지하고, 2차 컵은 오일 누출을 방지한다. 마스터 실린 더 푸시로드의 길이를 길게 하면, 브레이크 페달을 놓았을 때 마스터 실린더의 리턴 포트가 막혀 휠 실린더의 오일이 복귀되지 못하여, 라이닝이 팽창하여 브레이크가 풀리지 않는다.

> **참고** **브레이크 회로에 잔압을 두는 목적과 베이퍼 록(Vaper lock)**
>
> ◆ **브레이크 회로에 잔압을 두는 목적**
> 브레이크 파이프에 잔압이 없을 때 마스터 실린더 체크밸브를 가장 먼저 점검하여야 하며, 잔압을 두는 목적은 다음과 같다.
> ㉮ 브레이크 작동 지연을 방지한다.
> ㉯ 베이퍼록을 방지한다.
> ㉰ 회로 내에 공기가 침입하는 것을 방지한다.
> ㉱ 휠 실린더 내에서 오일이 누출되는 것을 방지한다.
> ◆ **베이퍼 록(Vapor lock)**
> 브레이크 회로 내의 오일이 비등 · 기화하여 오일의 압력 전달 작용을 방해하여 제동력이 약해지는 현상이며, 그 원인은 다음과 같다.
> ㉮ 긴 내리막길에서 과도한 풋 브레이크를 사용할 때
> ㉯ 브레이크 드럼과 라이닝의 끌림에 의해 가열될 때
> ㉰ 마스터 실린더, 브레이크슈 리턴 스프링 쇠손에 의한 잔압이 저하되었을 때
> ㉱ 브레이크 오일 변질에 의한 비점의 저하 및 불량한 오일을 사용할 때

(2) 휠 실린더(wheel cylinder)

휠 실린더는 마스터 실린더에서 압송된 유압에 의하여 브레이크슈를 드럼에 압착시키는 일을 한다.

(3) 브레이크슈(brake shoe)

브레이크슈는 휠 실린더의 피스톤에 의해 드럼과 접촉하여 제동력을 발생하는 부분이며, 라이닝이 리벳이나 접착제로 부착되어 있다.

(4) 브레이크 드럼(brake drum)

브레이크 드럼은 휠 허브에 볼트로 설치되어 바퀴와 함께 회전하며 슈와의 마찰로 제동 을 발생시키는 부분이다. 브레이크 드럼의 점검 사항은 턱 마모 및 균열, 접촉면의 긁힘 및 균열, 접촉면의 손상 및 편마멸 등이다.

(5) 브레이크를 작동할 때 조향 핸들이 한쪽으로 쏠리는 원인

① 좌우 타이어 공기 압력이 불균일하다.
② 앞차축 한쪽의 스프링이 절손되었다.
③ 브레이크 라이닝 간극이 불균일하다.
④ 앞바퀴 정렬이 불량하다.
⑤ 앞바퀴 허브 베어링이 파손되었다.
⑥ 한쪽 쇽업소버가 불량하다.

3 디스크 브레이크

디스크 브레이크는 회전하는 원형판의 디스크에 패드를 밀착시켜, 제동력을 발생시키는 방법을 이용한다. 디스크 브레이크는 휠허브와 함께 회전하는 디스크, 디스크에 밀착되어 마찰력을 발생시키는 패드, 유압이 작용하는 피스톤, 피스톤이 들어있는 캘리퍼 등으로 구성된다. 디스크 브레이크의 특성은 다음과 같다.

① 디스크가 대기 중에 노출되어 회전하기 때문에 방열성이 좋아 제동력이 안정된다.
② 제동력의 변화가 적어 제동 성능이 안정된다.
③ 한쪽만 브레이크 되는 경우가 적다.
④ 고속으로 주행할 때 반복하여 사용하여도 제동력의 변화가 작다.
⑤ 마찰 면적이 작기 때문에 패드를 압착하는 힘을 크게 하여야 한다.
⑥ 자기 작동 작용을 하지 않기 때문에 페달을 밟는 힘이 커야 한다.
⑦ 패드는 강도가 큰 재료로 만들어야 한다.

4 브레이크 배력장치

브레이크 배력장치란 외부의 힘을 이용하여 운전자의 페달 답력을 배가시켜 주는 장치로서 배력장치가 부착된 제동장치라도 배력장치가 고장일 경우에는 운전자의 페달 답력만으로 조작할 수 있어야 한다. 배력장치에 이용되는 외력으로는 기관의 흡입 부압, 유압, 공기압 등이 있다.

1. 진공배력장치

진공 배력장치는 오토기관 자동차에서 흡기다기관의 부압(진공)을 이용하여 배력을 얻는 장치이며, 진공(부압)을 이용하기 때문에 응축수가 생성되지 않는다는 장점이 있다.

배력은 대기압과 흡기다기관 압력과의 압력차를 이용하여 다이어프램에 부착된 피스톤을 작동시켜 얻는데, 큰 배력을 얻기 위해서는 다이어프램의 면적이 넓어야 하고, 동시에 다이어프램의 운동 공간을 필요로 하기 때문에 충진과 방출에 비교적 긴 시간이 소요된다는 단점이 있다.

2. 공기식 배력장치

공기식 제동배력장치는 기관에 의해 구동되는 공기압축기로 압축공기를 만들어 압축된 공기압을 파워 피스톤의 챔버에 유입시켜 배력 작용을 한다. 진공식 분리형과 같은 구조와 원리이며, 다만 흡기부압과 대기압의 차이 대신 대기압과 압축공기압의 차를 이용한 것이며, 사용된 압축공기는 릴레이밸브를 통해 대기로 방출된다.

3. 진공 배력식 브레이크에서 페달의 조작이 무거운 원인

① 진공 파이프에 공기 유입
② 릴레이밸브 및 피스톤의 작동 불량
③ 진공 및 공기밸브의 작동 불량
④ 하이드로릭 피스톤의 작동 불량
⑤ 진공 체크 밸브의 작동 불량

5 브레이크 오일

브레이크 오일은 피마자기름에 알코올 등의 용제를 혼합한 식물성 오일이며, 구비 조건은 다음과 같다.

① 점도 변화가 작고, 윤활성이 있을 것
② 빙점이 낮고, 비등점이 높을 것
③ 베이퍼 록을 일으키지 않을 것
④ 화학적 안정성이 크고, 침전물 발생이 없을 것
⑤ 고무 또는 금속제품을 부식, 연화, 팽창시키지 않을 것

6 공기브레이크(air brake)

1. 공기브레이크의 개요

공기브레이크는 압축 공기의 압력을 이용하여 모든 바퀴의 브레이크슈를 드럼에 압착시켜서 제동 작용을 하는 것이며, 브레이크 페달로 밸브를 개폐시켜 공기량으로 제동력을 조절한다. 그리고 공기브레이크에서 브레이크슈를 직접 작동시키는 것은 캠이다. 공기브레이크의 작동 공기 압력은 일반적으로 5~7kgf/㎠정도이다.

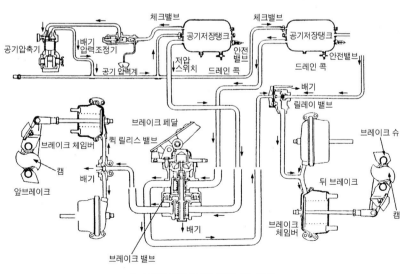

▲ 공기브레이크의 배관 및 구조

2. 공기브레이크 구성 부품의 기능

① **언로더 밸브** : 공기탱크 내의 압력이 8.5kgf/㎠에 이르면 공기탱크에서 흡입밸브 쪽으로 역류되어 압력 조정기 스프링을 압축시켜 압력 조절 밸브가 열리고, 압력 조절 밸브를 통과한 압축 공기는 언로더 밸브에 공급되어 압축기의 압축 작용이 정지된다.
즉, 공기 압력을 조절한다.

② **브레이크 밸브** : 브레이크 페달을 밟으면 압축 공기를 앞 브레이크 챔버와 릴레이 밸브에 공급한다.

③ **퀵 릴리스 밸브** : 브레이크 페달을 밟으면 브레이크 챔버로 압축 공기를 보내고, 놓으면 브레이크 챔버의 압축 공기를 배출시킨다.

④ **릴레이 밸브** : 브레이크 밸브에 의해서 조절된 압축 공기를 브레이크 챔버에 공급 및 해제시킨다.

⑤ **브레이크 챔버** : 유압 브레이크에서 휠 실린더와 같은 기능을 하는 것으로 공기의 압력을 기계적 에너지로 변환시키는 역할을 한다.

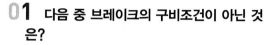

01 다음 중 브레이크의 구비조건이 아닌 것은?

① 신속하게 작동되어야 한다.
② 작동이 확실하고 안정성이 있어야 한다.
③ 조작이 용이하여야 한다.
④ 제동거리가 길어야 한다.

해설 브레이크의 구비조건
· 신속하게 작동될 것
· 작동이 확실하고 안정성이 있을 것
· 조작이 용이할 것
· 제동거리가 짧을 것
· 신뢰성과 내구성이 있을 것
· 점검이나 조정이 용이할 것

02 제동 효과를 충분히 발휘하기 위해 브레이크 페달이 갖추어야 할 구비조건에 해당하지 않는 것은?

① 페달 유격(자유간극) ② 밑판 간극
③ 페달 높이   ④ 페달 압력

해설 페달이 갖추어야 할 구비조건은 페달 유격(자유간극), 밑판 간극, 페달 높이 등이다.

03 유압식 브레이크의 마스터 실린더 푸시 로드에 작용하는 힘이 200kgf이고 피스톤의 단면적이 4㎠이다. 이때 발생하는 유압은 몇 kgf/㎠인가?

① 20   ② 30
③ 40   ④ 50

해설 $F = PA, \ P = \dfrac{F}{A}$

(F: 힘(kgf), P:압력(kgf/㎠), A: 단면적(㎠))

∴ $P = \dfrac{20kgf}{4㎠} = 50kgf/㎠$

04 지게차의 유압 실린더의 직경이 65mm이고, 최대 작동압력이 210kgf/㎠라면, 이 유압 실린더에 작용하는 힘은 얼마인가?

① 약 1,071kgf
② 약 1,365kgf
③ 약 6,965kgf
④ 약 13,650kgf

해설 $F = PA, \ A = \dfrac{\pi D^2}{4} = 0.785D^2$

(F: 힘(kgf), P:압력(kgf/㎠), A: 단면적(㎠))

∴ $F = 210 \times 0.785 \times 6.5^2 = 6,965kgf$

05 브레이크 장치의 마스터 실린더에서 피스톤 1차 컵이 하는 일은 무엇인가?

① 오일 누출
② 베이퍼록 생성
③ 유압 발생시 유밀 유지
④ 잔압 방지

해설 마스터 실린더의 피스톤 1차 컵은, 유압 발생될 때 유밀을 유지하고, 2차 컵은 오일의 누출을 방지한다.

정답 **01.④ 02.④ 03.④ 04.③ 05.③**

06 덤프트럭의 브레이크 파이프 내에 베이퍼록이 발생하면?

① 제동이 더욱 잘 된다.
② 제동에는 관계없다.
③ 급제동이 된다.
④ 제동에 약하다.

해설 베이퍼록은 브레이크 파이프에 열이 가해져 오일이 비등 기화하여 회로를 막고 있는 현상이며, 베이퍼록이 생기면 제동력이 약해진다.

07 지게차의 브레이크 드럼을 분해할 때 점검하지 않아도 되는 것은?

① 턱 마모 및 균열
② 런 아웃 및 부식
③ 접촉면의 긁힘 및 균열
④ 접촉면의 손상 및 편마멸

해설 브레이크 드럼의 점검 사항은 턱 마모 및 균열, 접촉면의 긁힘 및 균열, 접촉면의 손상 및 편마멸 등이다.

08 브레이크 라이닝의 마모가 증가하는 원인이 아닌 것은?

① 라이닝에 유막 형성
② 드럼과 라이닝의 간격 과소
③ 리턴 스프링의 불량
④ 마스터 실린더의 리턴 구멍 막힘

해설 브레이크 라이닝에 오일이 부착되면 제동시 미끄러짐이 발생하게 된다.

09 브레이크에서 라이닝 간격 자동조정장치는 어느 때 조정되는가?

① 라이닝과 드럼과의 간격이 작을 때
② 후진 주행에서 브레이크가 작용할 때
③ 정지에서 브레이크가 작동할 때
④ 전진에서 브레이크가 작동할 때

해설 라이닝 간격 자동조정은 라이닝과 드럼과의 간격이 클 때, 후진 주행에서 브레이크가 작용할 때 조정된다.

10 브레이크 페달을 밟았을 때 제동 시작이 늦어지는 원인이 아닌 것은?

① 마스터 실린더의 오일 포트가 막혔을 때
② 브레이크 라이닝과 드럼 사이 간격이 작을 때
③ 브레이크 페달의 유격이 클 때
④ 휠 실린더와 피스톤 사이 간극이 클 때

해설 브레이크 드럼과 라이닝 사이의 간극이 적으면 마찰열이 축적되어 페이드 현상이 발생된다.

11 휠 구동식 건설기계에서 브레이크 페달을 밟았을 때 브레이크가 잘 작동되지 않는다. 원인이 아닌 것은?

① 브레이크 회로에 누유가 있을 때
② 라이닝에 이물질이 묻어있을 때
③ 브레이크액에 공기가 들어있을 때
④ 브레이크 드럼과 라이닝 간격이 작을 때

해설 브레이크 드럼과 라이닝 사이에 이물질이 있으면 미끄러지는 원인이 되며, 간극이 적으면 과도한 마찰로 열이 축적된다.

정답 06.④ 07.② 08.① 09.② 10.② 11.④

12 타이어식 건설기계의 유압식 브레이크 계통에 공기빼기 작업이 필요 없는 경우는?

① 브레이크 파이프나 호스를 떼어 내었을 때
② 마스터 실린더, 휠 실린더를 분해 수리했을 때
③ 브레이크 라인의 오일을 교환했을 때
④ 가속 운전을 했을 때

해설 유압식 브레이크 계통에 공기빼기 작업이 필요한 경우
· 브레이크 파이프나 호스를 떼어 내었을 때
· 마스터 실린더, 휠 실린더를 분해 수리했을 때
· 브레이크 라인의 오일을 교환했을 때

13 유압식 브레이크에서 제동력을 증대시키기 위해 기관의 흡입행정에서 발생하는 진공과 대기압의 차를 이용한 배력장치는?

① 하이드로 백
② 하이드로 에어백
③ 마스터 실린더
④ 하이드로릭 실린더

해설 하이드로 백은 기관의 흡입행정에서 발생하는 진공과 대기압의 차를 이용한 배력장치이다.

14 하이드로 백의 릴레이 밸브를 작동시키는 것은?

① 릴레이 스프링
② 릴레이 유압
③ 릴레이 막
④ 릴레이 피스톤

해설 하이드로 백의 릴레이 밸브를 작동시키는 것은 릴레이 피스톤이다.

15 하이드로백의 동력 피스톤의 지름이 20cm이고, 대기압과 부압의 차이가 0.5kgf/㎠이라면 이 하이드로백의 작용력은?

① 약 157kgf
② 약 193kgf
③ 약 224kgf
④ 약 353kgf

해설 $F = PA$, $A = \dfrac{\pi D^2}{4} = 0.785 D^2$

(F: 힘(kgf), P:압력(kgf/㎠, A: 단면적(㎠))
∴ $F = 0.785 \times 20^2 \times 0.5 = 157 kgf$

16 하이드로 백 릴레이 밸브의 진공밸브는 무엇에 의해 열리는가?

① 공기 압력
② 스프링의 장력
③ 오일 압력
④ 부압(진공)

해설 릴레이 밸브는 공기밸브와 진공밸브로 구성되어 있으며, 릴레이 밸브 피스톤은 마스터 실린더에서 발생되는 유압에 의해 작동된다.

17 공기브레이크에서 제동력을 크게 하기 위해 조정해야 할 밸브는?

① 압력 조절 밸브
② 체크밸브
③ 언로더 밸브
④ 안전밸브

해설 공기브레이크에서 제동력을 크게 하기 위해서는 압력 조절 밸브를 조정하여야 한다.

정답 12.④ 13.① 14.④ 15.① 16.③ 17.①

PART2 차체 및 작업장치 정비 **127**

18 건설기계의 공기브레이크에서 유압 브레이크의 휠실린더와 같은 기능을 하는 것은?

① 브레이크 챔버
② 퀵 릴리스 밸브
③ 메이크업 밸브
④ 릴레이 밸브

해설 브레이크 챔버는 유압 브레이크에서 휠실린더와 같은 기능을 하는 것으로, 공기의 압력을 기계적인 에너지로 변환시키는 역할을 한다.

19 브레이크를 자주 사용하면 마찰열의 축적으로 인해 라이닝의 표면이 경화되어 제동력이 감소하게 되는데, 이 현상을 무엇이라고 하는가?

① 열화 촉진 현상
② 베이퍼록
③ 공동 현상
④ 페이드 현상

해설 페이드 현상은 브레이크를 자주 사용하면 마찰열의 축적으로 인해 라이닝의 표면이 경화되어 제동력이 감소하는 현상을 말한다.

무한궤도 장치

　무한궤도형 건설기계의 하부구동 장치의 구조는, 트랙 프레임의 앞쪽에는 프론트 아이들러, 위쪽에는 상부롤러, 아래쪽에는 하부롤러가 설치되어 있다. 중간에는 충격을 흡수하는 리코일 스프링이 설치되고, 최종 구동장치의 스프로켓에 의해 트랙이 회전하며 장비가 움직이게 된다.

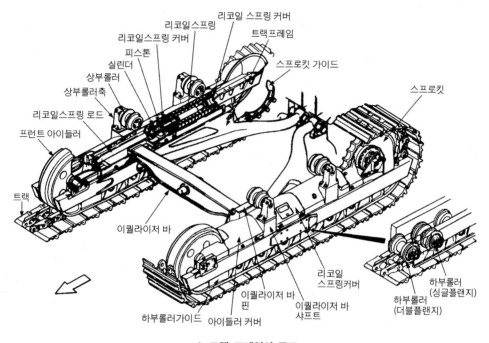

▲ 트랙 프레임의 구조

1. 프런트 아이들러(Front Idler ; 전부 유동륜, 트랙 아이들러)

　프런트 아이들러는 트랙 프레임의 앞쪽에 설치되며, 프레임 위에서 미끄럼 운동할 수 있는 요크에 설치되어 있다. 기능은 트랙의 장력을 조정하면서 트랙의 진행 방향을 유도하며, 트랙 유격 조정 장치와 리코일 스프링에 의해 앞뒤로 약간씩 이동할 수 있게 되어 있다. 아이들러가 프레임 위를 전후로 움직이는 구조로 되어 있는 이유는 주행 중 받는 충격을 완화시키기 위함이다.

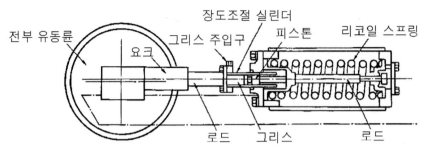

▲ 전부 유동륜과 리코일 스프링

2. 리코일 스프링(Recoil Spring)

리코일 스프링은 안쪽 스프링과 바깥쪽 스프링의 2중으로 된 구조이며, 장비가 주행 중에 전부 유동륜에 오는 충격을 완화시켜 하체의 파손을 방지하고, 트랙의 회전을 원활하게 해주는 일을 한다. 즉 리코일 스프링 장력보다 충격이 크면 스프링이 압축되면서 전부 유동륜이 약간 후진하면서 충격을 완화시켜 준다. 리코일 스프링을 2중 스프링으로 하는 이유는 서징 현상을 방지하기 위함이다.

3. 상부롤러(carrier roller, 캐리어 롤러)

상부롤러는 상부롤러는 전부 유동륜과 스프로켓 사이에 1~2개가 설치되며, 트랙이 밑으로 쳐지지 않도록 받쳐주고, 트랙의 회전 위치를 바르게 유지하는 일을 한다. 또한 상부롤러는 싱글 플랜지식을 사용하며, 트랙이 옆으로 벗어지는 것을 방지해 준다. 상부롤러는 샤프트, 부싱, 컬러, 링, 실 등으로 구성되어 있으며, OE가 주유된다.

4. 하부롤러(track roller, 트랙 롤러)

하부롤러는 트랙 프레임에 4~7개 정도가 4개의 볼트에 의하여 고정 설치되어, 트랙터의 전체 무게를 지지하고 전 중량을 트랙에 평행하게 분배해 주며, 트랙의 회전 위치를 바르게 유지해준다. 하부롤러는 싱글 플랜지식과 더블 플랜지식(Double flange)을 사용하는데, 싱글형은 반드시 전부유동륜 쪽과 스프로켓이 있는 쪽에 설치한다. 싱글형과 더블형은 하나씩 건너서(교번으로) 설치하여 사용한다. 하부롤러의 구성품은 롤러 축, 플로이팅 실이며, 구조와 주유법은 상부롤러와 같다.

5. 스프로킷(구동륜)

스프로킷은 허브에 원뿔형으로 된 스플라인에 끼워지며 너트(nut)로 고정되어 있다. 작동은 최종 구동 기어로부터 동력을 받아 트랙을 구동한다. 스프로킷의 중심위치를 맞추려면 베어링의 앞·뒤 심(shim)으로 조정한다. 일체식, 분할식, 분해식이 있다.

6. 트랙(track; 무한궤도, 크롤러)

트랙은 트랙은 링크, 핀, 부싱, 슈 등으로 구성되어 있으며, 스프로켓, 아이들 롤러, 상·하부 롤러에 감겨 스프로켓에서 동력을 받아 회전하게 된다. 트랙에는 1~2개의 마스터 핀이 있으며, 트랙을 분리할 때는 마스터 핀을 빼내어야 한다. 부싱이 마모되면 180° 회전하여 재사용이 가능하다. 그리고 접지면적을 많이 차지하므로 견인력을 증가시켜 준다.

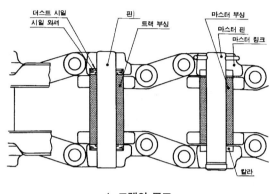

▲ 트랙의 구조

(1) 트랙의 구조

① 링크(link)

링크는 2개가 1조로 되어 있으며, 핀과 부싱에 의하여 연결되어 상·하부 롤러 등이 굴러갈 수 있는 레일을 구성해 주는 부분이다. 그리고 아래쪽에는 4개의 볼트에 의해 슈가 설치된다. 링크는 마모되었을 때 용접하여 재사용할 수 있다.

② 부싱(bushing)

부싱은 링크의 큰 구멍에 끼워지며 스프로켓 이빨이 부싱을 물고 회전하게 되어 있다. 부싱은 마모되면 용접하여 재사용할 수 없으며, 구멍이 생기기 전에 180° 회전하여 재사용이 가능하다.

③ 핀(pin)

핀은 부싱 속을 통과하여 링크의 작은 구멍에 끼워진다. 핀과 부싱을 교환할 때는 유압 프레스로 작업하며 약 100톤 정도의 힘이 필요하다. 또한 무한궤도의 분리를 쉽게 하기 위하여 마스터 핀(master pin)을 두고 있다.

④ 슈(shoe)

슈는 링크에 4개의 볼트에 의해 고정되며, 장비의 전체 하중을 지지하고 견인하면서 회전한다. 슈에는 지면과 접촉하는 부분에 돌기(groused ; 그로우저)가 설치되며, 이 돌기가 견인력을 증대시켜 준다. 돌기의 크기가 2cm 정도 남았을 때 용접하여 재사용할 수 있다.

   ㉮ **단일 돌기 슈** : 돌기가 1개인 것으로 견인력이 크며, 중 하중용 슈이다.

   ㉯ **2중 돌기 슈** : 돌기가 2개인 것으로, 중하중에 의한 슈의 굽음을 방지할 수 있으며, 선회 성능이 우수하다.

   ㉰ **3중 돌기 슈** : 돌기가 3개인 것으로 조향할 때 회전 저항이 적어 선회 성능이 양호하며 견고한 지반의 작업장에 알맞다. 굴삭기에서 많이 사용되고 있다.

   ㉱ **습지용 슈** : 슈의 단면이 삼각형이며 접지면적이 넓어 접지 압력이 작다.

   ㉲ **기타 슈** : 고무 슈, 암반용 슈, 평활 슈 등이 있다.

(2) 트랙의 유격

트랙의 유격은 프런트 아이들러와 1번 상부롤러 사이의 간격을 말하며, 건설기계의 종류에 따라 다소 차이는 있으나 일반적으로 25~40mm 정도이다. 유격이 규정 값보다 크면 트랙이 벗겨지기 쉽고, 롤러 및 트랙 링크의 마모가 촉진된다. 반대로 유격이 너무 적으면 암석지 작업을 할 때 트랙이 절단되기 쉬우며, 각종 롤러, 트랙 구성 부품의 마모가 촉진된다.

(3) 트랙 유격 조정 방법

트랙의 유격을 조정하는 방법에는 2가지가 사용되는데, 2가지 모두 프런트 아이들러를 전진 및 후진시켜서 조정한다. 그중 한 방법은 조정 너트를 렌치로 돌려서 조정하는 방법이며(구형의 경우), 또 다른 방법은 프런트 아이들러 요크 축에 설치된 그리스 실린더(장력 조절 실린더)에, 그리스를 주유하면 트랙 유격이 적어지고, 그리스를 배출시키면 유격이 많아지게 된다.

(4) 트랙을 분리하여야 하는 경우

① 트랙이 벗겨졌을 때

② 트랙을 교환하려고 할 때

③ 핀·부싱 등을 교환하려고 할 때

④ 프런트 아이들러 스프로킷을 교환하려고 할 때

(5) 트랙이 벗겨지는 원인

① 트랙의 유격이 너무 클 때

② 트랙을 정렬이 불량할 때(프런트 아이들러와 스프로킷의 중심이 일치되지 않았을 때)

③ 고속주행 중 급선회를 하였을 때

④ 프런트 아이들러, 상·하부 롤러 및 스프로킷의 마모가 클 때

⑤ 리코일 스프링의 장력이 부족할 때

⑥ 경사지에서 작업할 때

01 다음 중 아이들러의 정렬이 불량할 때 발생되는 고장이 아닌 것은?

① 상부롤러의 마모
② 스프로킷의 마모
③ 트랙 링크의 마모
④ 트랙 슈의 마모

해설 트랙 슈는 아이들러와 직접 접촉되는 부분이 아니다.

02 트랙 프레임이 피봇 핀이나 부싱이 마모되지 않았는데도 평행되지 않는다면 어느 것이 손상된 것인가?

① 트랙 프레임
② 트랙
③ 상부롤러
④ 하부롤러

해설 트랙 프레임이 피봇 핀이나 부싱이 마모되지 않았는데도 평행되지 않는다면 트랙 프레임이 손상된 경우이다.

03 도자의 상부롤러에 많이 쓰이는 베어링으로 맞는 것은?

① 롤러 베어링
② 부싱 베어링
③ 볼 베어링
④ 분할형 베어링

해설 도자의 상부롤러에는 롤러 베어링을 사용한다.

04 주행 중 프론트 아이들러가 받는 충격을 완화시켜 트랙 장치의 파손을 방지하는 역할을 하는 것은?

① 롤러 가드
② 평형 스프링
③ 리코일 스프링
④ 상하부 롤러

해설 리코일 스프링은 무한궤도형 건설기계가 주행할 때 프론트 아이들러로 전달되는 충격을 완화시켜 하부 주행체의 파손을 방지하는 부품이다.

05 리코일 스프링에 대한 설명으로 틀린 것은?

① 안 스프링과 바깥 스프링의 2중으로 된 구조이다.
② 주행 중 프론트 아이들러가 받는 충격을 완화시켜 트랙 장치의 파손을 방지한다.
③ 리코일 스프링 장력보다 큰 충격이 발생하면 압축되면서 프론트 아이들러가 약간 후퇴하여 완충된다.
④ 리코일 스프링의 장력이 강하면 트랙이 벗겨지는 원인이 된다.

해설 리코일 스프링에 대한 설명은 ①②③항이며, 리코일 스프링의 장력이 약하면 트랙이 벗겨지는 원인이 된다.

06 불도저의 상부롤러를 탈착할 때 간략하게 작업하여 경제적이고 시간을 단축하는 방법으로 가장 적합한 것은?

① 아이들러를 분리하고 탈거한다.
② 트랙의 장력을 없애고 탈거한다.
③ 트랙 프레임과 트랙 링크 사이에 유압잭을 사용하여 트랙을 들어 올린 다음 탈거한다.
④ 트랙 하부에 돌이나 강철판을 넣어 트랙 장력을 만들어서 탈거한다.

해설 상부롤러를 탈착할 때는 트랙 프레임과 트랙 링크 사이에 유압잭을 사용하여 트랙을 들어 올린 다음 탈거한다.

07 도자에서 트랙을 분리해서 정비해야 할 경우가 아닌 것은?

① 아이들러 교환시 ② 상부롤러 교환시
③ 스프로켓 교환시 ④ 트랙 링크 교환시

해설 상부롤러를 교환할 때는 트랙의 유격을 느슨하게 조정한 다음 트랙 프레임과 트랙 링크 사이에 유압잭을 사용하여 트랙을 들어 올린 다음 탈거한다.

08 건설기계 하부롤러 축 부위에서 누유가 있을 때 어느 부품을 교환해야 하는가?

① 부싱   ② 더스트 실
③ 백업 링   ④ 플로팅 실

해설 하부롤러 축 부위에서 누유가 있으면 플로팅 실을 교환한다.

09 트랙 롤러는 흙탕물, 진흙탕, 토사에 묻혀서 회전한다. 따라서 윤활제의 누설을 방지하고 흙물의 침입을 막기 위하여 사용하는 실은?

① 파킹 실   ② 플로팅 실
③ O실   ④ 로드 실

해설 플로팅 실(floating seal)은 트랙 롤러(하부 롤러)가 흙탕물, 진흙탕, 토사에 묻혀서 회전할 때, 윤활제의 누설을 방지하고 흙탕물의 침입을 막기 위하여 사용한다.

10 불도저의 스프로킷 허브 주위에서 오일이 누설되는 원인은?

① 내·외측 듀콘 실이 파손되었을 때
② 트랙 프레임이 균열되었을 때
③ 작업장 조건이 편평하지 않을 때
④ 트랙 장력이 너무 작을 때

해설 스프로킷 허브 주위에서 오일이 누설되는 원인은 내·외측 듀콘 실이 파손되었기 때문이다.

11 도자의 최종구동장치 허브 주위에서 오일이 누설되는 원인은?

① 트랙 프레임의 균열
② 트랙 장력이 팽팽할 때
③ 내·외측 듀콘 실의 파손
④ 수중에서 작업할 때

해설 최종구동장치(스프로킷) 허브 주위에서 오일이 누설되는 것은 내·외측 듀콘 실의 파손이 원인이다.

12 건설기계의 동력전달 계통에 많이 사용되는 듀콘 실의 설치 방법 중 맞지 않는 것은?

① 크기에 따라 알맞은 공구를 선택하여 사용한다.
② 설치 시에는 손가락의 힘만을 이용하여 고무링을 삽입한다.
③ 설치 시에는 드라이버 등을 이용하여 고무링을 삽입한다.
④ 금속끼리 접촉되는 부분을 설치 전에 깨끗이 닦는다.

정답 06.③ 07② 08.④ 09.② 10.① 11.③ 12.③

해설 듀콘 실(duo-cone seal)을 설치할 때 드라이버 등을 이용하여 고무링을 삽입하게 되면 고무 표면이 손상되어 누유가 발생된다.

13 트랙 구동 스프로킷이 한쪽 방향으로만 마모되고 있다. 그 원인은 무엇인가?

① 트랙 링크가 과다 마모되었기 때문에
② 환향 조작을 너무 심하게 했기 때문에
③ 트랙 긴도가 이완되었기 때문에
④ 롤러 및 아이들러의 정렬이 틀렸기 때문에

해설 트랙의 스프로킷이 편마모되는 원인은 트랙 롤러와 프런트 아이들러가 직선으로 정렬이 안되어 있기 때문에 발생된다.

14 무한궤도식 굴삭기의 트랙 장력이 느슨해졌을 때 무엇을 주입하여 조절하는가?

① 유압 오일　　　② 기어 오일
③ 그리스　　　　④ 브레이크 오일

해설 트랙의 유격 조정은 장력 조절 실린더에 그리스를 주입하면 유격이 작아지고, 그리스를 배출시키면 유격이 많아진다.

15 트랙 장력이 조정시 아이들 롤러는 무엇에 의해 앞쪽으로 밀리는가?

① 리코일 스프링　　② 장력 조정 실린더
③ 스프로킷　　　　④ 자력으로

해설 트랙의 유격 조정은 장력 조절 실린더에 그리스의 양을 조절하여 조정한다.

16 트랙의 장력이 너무 세게 조정되었을 때 마모가 가속되는 부분으로 가장 거리가 먼 것은?

① 트랙 핀과 부싱　　② 트랙 링크
③ 스프로킷　　　　　④ 슈판

해설 트랙의 장력을 너무 세게 조정되었을 때는, 언더 캐리지에서 서로 접촉되는 아이들러, 상·하부 롤러, 트랙 핀과 부싱, 트랙 링크, 스프로킷 등의 마모가 가속된다.

17 트랙이 주행 중 벗겨지는 원인 중 맞지 않는 것은?

① 급 선회시
② 트랙의 유격이 너무 클 때
③ 전·후부 트랙의 중심 거리가 같을 때
④ 트랙 정렬이 잘되어 있지 않을 때

해설 트랙이 주행 중 벗겨지는 원인
· 고속 주행중 급 선회시
· 트랙의 유격이 너무 클 때
· 전•후부 트랙의 중심 거리가 맞지 않을 때
· 트랙 정렬이 잘되어 있지 않을 때
· 스프로킷과 전부유동륜의 중심이 일치하지 않을 때
· 상부롤러 마모 및 파손시

18 트랙이 벗겨지는 원인이 아닌 것은?

① 트랙 유격이 너무 적을 때
② 스프로킷과 전부유동륜의 중심이 일치하지 않을 때
③ 상부롤러 마모 및 파손시
④ 고속주행 중 급선회를 할 때

해설 트랙의 유격이 너무 적으면 언더캐리지의 과도한 마모가 발생된다.

정답　13.④　14.③　15.②　16.④　17.③　18.①

19 무한궤도식 도저가 일직선 운행이 되지 않는다. 그 원인은?

① 메인 클러치가 나쁘다.
② 변속기가 나쁘다.
③ 스티어링 클러치가 나쁘다.
④ 스파이럴 드라이브 기어가 나쁘다.

해설 무한궤도식 도저가 일직선 운행이 되지 않는 원인은 스티어링(환향) 클러치가 불량하기 때문이다.

20 굴삭기의 아이들러 시임 조정이 잘못되었을 경우 제일 먼저 파손되는 부분은?

① 아이들러 샤프트
② 아이들러 플랜지
③ 아이들러 요크
④ 아이들러 프레임

해설 프런트 아이들러는 동력전달계통에서 동력을 직접 전달받는 부분이 아니라 트랙이 회전할 때 원활하게 회전할 수 있도록 하며, 시임(심)이 불량하면 트랙에 의해 아이들러 플랜지 부분이 손상된다.

21 무한궤도(크롤러)형 굴삭기 주행속도가 정상보다 느릴 경우의 원인을 열거하였다. 옳지 않은 것은?

① 피스톤펌프의 사판 경사각이 작게 조정되어 있다.
② 릴리프밸브의 압력이 높게 조정되어 있다.
③ 유압유 점도가 너무 낮다.
④ 교축밸브의 출구가 작게 열려 있다.

해설 굴삭기의 주행모터의 회전 속도는 유압과 유량에 의해 결정되는데, 릴리프밸브의 압력이 높으면 주행이 빨라진다.

22 건설기계에서 토크컨버터를 탈착하고자 할 때 안전한 작업 방법으로 틀린 것은?

① 토크컨버터에 아이볼트를 설치한 후 호이스트를 연결한다.
② 플라이휠 하우징과 컨버터 연결 너트와 와셔를 분리한다.
③ 유성캐리어 둘레의 와이어는 토크컨버터를 플라이휠에서 분리한 다음 설치한다.
④ 변속기나 토크컨버터 탈착 시에는 오일 배출라인과 흡입라인을 분리한다.

해설 건설기계에서 토크컨버터를 탈착하고자 할 때의 안전 작업 방법은 ①②④항이다.

23 규격이 300ton/h인 쇄석기로 골재 36만 톤을 생산하려면 몇 시간을 가동해야 하는가?

① 1,000시간　　② 1,200시간
③ 1,400시간　　④ 1,600시간

해설 시간당 300톤 생산하므로
$$\frac{360,000}{300} = 1,200시간$$

24 도자에서 트랙의 장력을 측정하는 방법이 아닌 것은?

① 상부롤러와 트랙 사이에서 레버를 끼워 트랙을 들어 올리고 간극을 측정
② 아이들러와 1번 상부롤러 사이에 직정규를 올려 놓고 트랙의 처짐량을 측정
③ 조정 실린더에서 자로 측정
④ 트랙의 한쪽을 들고 늘어짐을 측정

해설 도자에서 트랙의 장력을 측정하는 방법은 ①②④의 방법이 있으나, ②방법을 가장 많이 사용한다.

1 도저(Dozer)

도저(dozer)란 트랙터(tractor) 앞에 부속 장치인 블레이드(blade ; 토공판/배토판)를 설치하여 토사의 굴착이나 굴착된 흙을 밀어내기 위한 건설기계이며, 주로 단거리 작업에 이용된다. 작업 거리는 10~100m 이내가 적합하고, 건설기계 범위는 무한궤도 또는 타이어식인 것이며, 그 크기는 작업 가능 상태의 자중(톤)으로 표시한다.

1. 블레이드 설치방식에 의한 분류

(1) 불도저(스트레이트 도저 : Bulldozer or straight dozer)

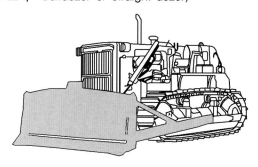

▲ 불도저

불도저는 스트레이트 도저(straight dozer)라고도 하며, 블레이드를 도저의 진행 방향에 90°로 전면에 설치한 것으로서, 삽을 상하로 조종하면서 전후로 피치를 조정하여 굴토력을 증가시킬 수 있다. 피치 조정은 작업 조건에 따라 10°씩 할 수가 있으나, 삽을 임의의 각도로 기울일 수 없게 되어 있다. 직선 송토, 거친 배수로 굴삭, 지균 작업, 경사지 작업 등에 효과적이다.

(2) 앵글 도저(Angle dozer)

앵글도저는 트랙터 빔(beam)을 기준으로 하여 블레이드를 좌우로 20~30° 정도 각도를 지울 수 있어 토사를 한쪽 방향으로 밀어낼 수 있다. 특징은 불도저나 틸트 도저 보다 블레이드 길이가 길고, 폭이 좁다. 매몰작업, 측능 절단(산허리 깎기) 작업, 지균(평탄) 작업 등이다.

(3) 틸트 도저(Tilt dozer)

틸트 도저는 수평면을 기준으로 하여 블레이드를 좌우로 15cm(최대 30cm) 정도 기울일 수 있어 블레이드 한쪽 끝부분에 힘을 집중시킬 수 있다. V형 배수로 굴삭, 언 땅 및 굳은 땅 파기, 나무뿌리 뽑기, 바위 굴리기 등이다.

(4) U형 도저(U type dozer)

U형 도저는 블레이드 좌우를 U자형으로 한 것이며, 블레이드가 대용량이므로 석탄, 나무 조각, 부드러운 흙 등 비교적 비중이 적은 것의 운반처리에 적합하다.

(5) 레이크 도저(rake dozer)

레이크 도저는 블레이드 대신에 레이크를 트랙터에 장착한 것으로, 산지 개간 때 나무뿌리를 뽑거나 도로 또는 사력 댐(earth dam)공사 때에 운반된 토사 중에서 큰 돌을 골라내는 작업 등에 사용한다.

(6) 트리밍 도저

트리밍 도저는 좁은 장소에서 곡물, 소금, 설탕, 철광석 등을 내밀거나 끌어당겨 모으는 데 효과적이다.

2. 주행방식에 따른 분류

(1) 무한궤도 형식(크롤러형 또는 트랙형 : crawler type or track type)

무한궤도 형식은 접지면적이 넓고 지면의 분포 하중이 일정($0.5kgf/cm^2$ 정도)하므로, 강인한 견인력으로 수중 및 습지 통과 능력이 있다. 또한 연약 지반 또는 고르지 못한 지반, 경사지, 습지 등에서 작업이 가능하며 얕은 수심에서도 작업할 수 있다. 단점으로 포장 지대에서 작업을 할 수 없고, 기동성이 좋지 못하여 장거리를 이동할 때는 반드시 트레일러에 실려서 운반되어야 한다.

(2) 타이어 형식(휠형 : tire type or wheel type)

타이어 형식은 주행속도가 30~40km/h 정도로 기동성과 이동성이 양호하며, 포장된 도로의 주행이 가능하다. 사질 토반, 골재 채취장 등의 비교적 평탄하고 포장된 도로에서 정리 작업에 효과적이고 경제적이다. 그러나 견인력이 적고 접지 압력($2.5~3.0$ kgf/cm^2 정도)이 커서 습지나 사지, 험지 등의 작업은 곤란하다.

3. 도저의 환향(조향) 방법

환향하고자 하는 쪽의 클러치 레버를 당기면 클러치가 분리되어 동력이 차단되므로, 스프로킷으로 들어가는 동력도 차단되면서 도저는 차단된 쪽으로 환향을 한다.

(1) 도저에서 환향 클러치를 작동하여도 회전되지 않는 원인

① 오일 부스터에 오일량 부족
② 환향 클러치의 디스크 페이싱 마모
③ 환향 클러치 압력 스프링의 피로

④ 디스크 및 플레이트 슬립

⑤ 환향 레버의 유격 조정 불량

⑥ 오일펌프 토출량 부족

⑦ 디스크 플레이트 변형 및 고착

4. 블레이드 정비 방법

① 블레이드(삽날 본체) 앞에는 특수강의 커팅에지가 볼트로 설치되어 있다. 커팅에지는 5cm 마모되었을 때 180° 뒤집어 재사용하며, 블레이드 하단에서부터 5mm 남았을 때 교환한다.

② 장삽날이 규정 이상 마모되었으면 상·하 180도 뒤집어서 한 번 더 사용한다.

③ 귀삽날은 마모된 쪽만 교환한다.

2 **굴삭기**(Excavator)

굴삭기의 주요 용도는 토사 굴착작업, 도랑파기 작업, 토사상차 작업 등이며, 근래에는 암석·콘크리트 및 아스팔트 등의 파괴를 위한 브레이커(breaker)를 장착하기도 한다. 유압식 굴삭기의 특징은 다음과 같다.

① 구조가 간단하다.

② 운전 조작이 용이하다.

③ 정비가 용이하다.

④ 프런트 어태치먼트(작업 장치) 교환이 쉽다.

⑤ 주행이 쉽다.

▲ 굴삭기의 구조

1. 굴삭기의 주요 구조

굴삭기의 3주요 부분은 작업 장치, 상부 회전체, 하부주행 장치로 구성되어 있다.

(1) 작업 장치(front attachment)

굴삭기의 작업 장치는 붐(boom), 암(arm), 버킷 (bucket) 등으로 구성되며 3~4개의 유압 실린더에 의해 작동된다.

가. 굴삭기 작업 장치의 종류

① **셔블(shovel)** : 굴삭기가 있는 지면보다 높은 곳을 굴착하는데 적당하며, 산지에서의 토사, 암반, 점토질까지 덤프트럭에 싣기가 편리하다.

② **백호(back hoe)** : 굴삭기가 위치한 지면보다 낮은 곳의 땅을 파는데 적합하며, 수중 굴착도 가능하다.

③ **브레이커(breaker)** : 브레이커는 암석, 콘크리트, 아스팔트 파괴 등에 사용되는 것으로, 유압식과 압축 공기식이 있다.

④ **파일 드라이브 및 어스 오거(pile drive and earth auger)** : 파일 드라이브 장치를 붐에 설치하여 주로 항타 및 항발 작업에 사용된다.

나. 굴삭기 붐의 종류

① **원피스 붐(one piece boom)** : 백호(back hoe) 버킷을 부착하여 175° 정도의 굴착작업에 알맞다.

② **투피스 붐(two piece boom)** : 굴착 깊이가 깊으며, 토사의 이동, 적재, 크람셀 작업 및 좁은 장소에서의 작업에 알맞다.

③ **오프셋 붐(offset boom)** : 좁은 도로의 배수로 구축 등 특수조건의 작업에 알맞다.

④ **로터리 붐(rotary boom)** : 붐과 암에 회전 장치를 설치하고 굴삭기의 이동 없이도 암을 360° 회전할 수 있어, 편리하게 굴착 및 상차작업을 할 수 있다.

다. 굴삭기 5대 기본동작

① **붐(boom)** : 상승 및 하강

② **암(arm)** : 오므리기 및 펴기

③ **버킷(bucket)** : 오므리기 및 펴기

④ **스윙(swing)** : 좌우 회전

⑤ **주행(travel)** : 전진 및 후진

> **참고**
>
> 굴삭기로 굴착작업 할 때 붐과 암의 각도가 90~110° 일 때 굴착력이 가장 크며, 암의 각도는 전방 50°, 후방 15° 까지 65° 사이일 때가 효율적인 굴착력을 발휘할 수 있다.

(2) 상부 회전체

상부 회전체는 하부주행 장치의 프레임 위에 스윙 볼 레이스(swing ball race)와 결합되어 있으며, 앞쪽에는 붐이 설치되어 있다. 이 프레임 위에 기관, 유압 펌프, 조종석, 스윙 장치, 작동유 탱크, 제어밸브 등이 설치되고, 아래쪽에는 스윙 볼 레이스에 연결되어 360° 선회가 가능하다.

① 스윙(선회) 장치

스윙 장치는 스윙 모터, 스윙 피니언, 스윙 링기어, 스윙 볼 레이스 등으로 구성되며, 스윙 모터는 레이디얼 플런저형을 사용한다. 스윙 링기어는 하부 추진체 프레임에 볼트로 고정되며, 스윙 볼 레이스는 상부 회전체 프레임에 볼트로 고정되어 있다. 스윙 고정 장치는 굴착기가 주행을 하거나 트레일러로 운반할 때, 상부 회전체와 하부 주행체를 고정해주는 장치이며, 카운터 웨이트(평형추 ; counter weight)는 굴착작업을 할 때 뒷부분에 하중을 주어 굴삭기의 롤링을 방지하고, 임께 하중을 크게 하기 위하여 부착하는 것이다.

② 유압장치

굴착기의 유압장치는 작업 장치 및 무한궤도 형식에서 주행 장치를 작동시키기 위해 설치된 것이며, 유압유 탱크, 유압펌프, 제어밸브(MCV), 스윙 모터와 주행 모터, 유압 실린더 등으로 구성되어 있다.

(3) 하부주행 장치(under carriage)

굴삭기의 하부주행 장치의 종류에는 무한궤도 형식과 타이어 형식이 있다. 무한궤도 형식은 도저와 비슷하나 센터조인트와 주행 모터를 사용하는 방법이 다르다.

가. 센터조인트(center joint) 기능

센터조인트는 상부 회전체의 중심 부분에 설치되어 있으며, 상부 회전체의 작동유를 하부 주행 장치(주행 모터)로 공급해 주는 부품이다. 또 이 조인트는 상부 회전체가 회전하더라도 호스, 파이프 등이 꼬이지 않고 원활히 송유한다. 센터조인트의 O링이 파손되거나 변형이 되면 직진 주행이 안 되거나 주행 불능이 된다.

나. 주행 모터(track motor)

주행 모터는 센터조인트로부터 유압을 받아서 회전하면서 감속 기어·스프로킷 및 트랙을 회전시켜 주행하도록 한다. 주행 모터는 양쪽 트랙을 회전시키기 위해 한쪽에 1개씩 설치하며, 기능은 주행(travel)과 조향(steering)이며, 사축식 플런저형을 많이 사용한다.

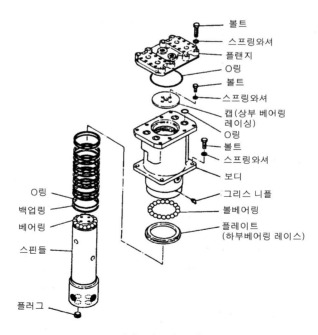

▲ 센터조인트의 분해도

다. 크롤러 굴착기가 주행시 동력 전달 순서

엔진 → 메인 유압펌프 → 컨트롤 밸브 → 센터조인트 → 주행모터 → 감속기어(유성기어장치) → 스프로킷 → 트랙

라. 휠 굴착기 주행 장치 동력 전달 순서

엔진 → 메인 유압펌프 → 컨트롤 밸브 → 센터조인트 → 주행모터 → 구동축 → 차축 → 휠(바퀴)

3 로더(Loader)

로더는 트랙터 앞쪽에 버킷을 부착하고, 건설공사에서 자갈·모래 및 흙을 퍼서 덤프트럭 등에 적재를 주로 하는 건설기계이며, 무한궤도 형식과 타이어 형식이 있다.

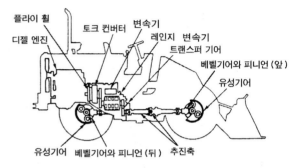

▲ 타이어형 로더

1. 로더의 형식

① 크롤러 로더(무한궤도형)

크롤러형 로더는 크롤러 트랙터 앞에 버킷을 설치하여, 험악한 늪지나 모래땅 등에서 작업을 수행할 수 있는 로더로, 저속 견인력이 클 뿐만 아니라 트랙 높이 정도의 수중작업도 가능하다.

② 휠 로더(타이어형)

고무된 타이어 트랙터 앞에 버킷을 설치한 로더로써, 평탄한 작업장에서는 기동이 신속할 뿐만 아니라 작업 수행에도 능률이 좋은 장점이 있으나, 무른 지반이나 험악한 늪지에서의 작업은 곤란한 단점이 있다.

③ 쿠션형 로더

휠 로더와 크롤러형 로더의 단점을 보완한 것으로, 타이어에 트랙을 감아 기동성을 향상시킨 형태이다.

2. 조향(환향) 장치

무한궤도 형식은 조향클러치 방식이며, 타이어 형식은 허리꺾기 방식(차체 굴절 형식)과 뒷바퀴 조향 방식이 있다.

(1) 허리꺾기 형식(center pin)

앞 차체와 뒤 차체를 2등분으로 나누고, 앞·뒤 차체 사이를 핀과 조인트로 결합시켜 자유롭게 조향할 수 있도록 하고 있다. 특징은 다음과 같다.

① 회전반경이 작아 좁은 장소에서의 작업이 용이하며, 작업시간을 단축하여 능률을 향상시킬 수 있다.

② 작업할 때 안전성이 결여되며, 핀과 조인트 부분의 고장이 빈번하다.

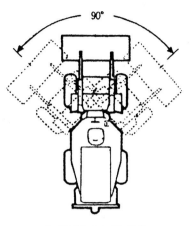

▲ 허리꺾기 조향 형식

(2) 뒷바퀴 조향 형식

지게차와 같은 후륜 조향 방식으로, 핸들의 조작에 따라 드래그 링크와 벨 크랭크, 타이로드에 의해서 뒷바퀴가 조향되는 방식이다. 특징으로는 안정성이 좋으나 회전반경이 커서 좁은 장소의 작업이 불리하고, 작업능률이 저하한다. 최근에는 거의 사용하지 않는다.

(3) 조향 클러치식

조향 클러치식은 크롤러 로더에 사용되며, 조향 클러치와 브레이크가 설치되어 조향된다. 굴삭기와 도저는 레버 및 페달로 조작되지만, 조향 클러치식 로더는 페달로 조향된다.

4 모터그레이더(Motor Grader)

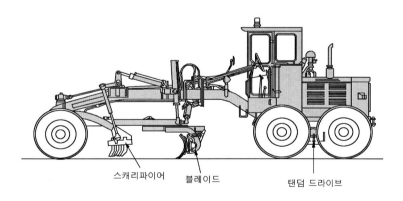

스캐리파이어   블레이드   탠덤 드라이브

▲ 모터그레이더의 구조

1. 그레이더의 작업

① 지균작업

그레이더가 수행하는 작업의 대부분은 지균 작업이며 비행장, 운동장, 도로 등의 정지 작업 및 청소작업을 그레이더가 수행할 수 있다. 작업 시 효과적인 삽의 각도는 20~30°이다.

② 측구작업

그레이더로 배수로 등의 구축작업을 할 수 있다. 측구 작업 시 효과적인 삽의 각도는 약 55°이며, 이때 삽의 일단은 전륜 바로 뒤에 위치하게 조정한다. 그러나 현재는 굴삭기가 신속하고 정확하게 작업을 수행하기 때문에 그레이더의 용도가 적어졌다.

③ 제설작업

그레이더의 삽이나 또는 제설기를 설치하여 쌓인 눈을 도로나 운동장에서 제거할 수 있다. 제설작업을 수행할 때는 삽을 지면에서 약 2cm 정도 들어서 작업한다.

④ 산포작업

자갈 및 모래, 아스팔트 등이 모여 있는 것을 깔아주는 작업을 말하며, 골재(자갈) 및 아스팔트가 손실되지 않게 정확하게 작업에 임한다.

⑤ 제방 경사 작업

제방의 경사된 부분의 청소 및 절토 작업을 할 수 있다.

⑥ 배수로 매몰작업

삽을 자유로이 회전시켜 삽의 각도를 적당하게 세워서 파이프 및 송유관 등의 배수로 매몰작업을 할 수 있다.

⑦ 스케리 파이어(쇠스랑) 작업

매우 굳은 지면의 흙을 파헤칠 때 스케리 파이어로 굴착한 다음 블레이드로 깎아서 다듬질한다.

2. 리닝 장치(앞바퀴 경사 장치 : leaning system)

모터그레이더는 차동장치가 없어 선회할 때 회전반경이 커지는 결점을 보완하기 위하여 앞바퀴를 경사시켜 주며, 좌우 20~30° 정도 경사시킨다. 리닝 장치를 설치한 목적은 회전반경을 작게 하기 위한 것이다.

▲ 리닝 장치

3. 탠덤 드라이브 장치(tandem drive system)

탠덤 드라이브 장치는 4개의 뒷바퀴를 구동시켜서 최대 견인력을 주며 최종 감속 작용을 한다. 이 장치는 상하로 움직여서 모터그레이더의 균형을 유지한다. 즉, 모터그레이더 본체의 상하·좌우 움직임에도 블레이드의 수평 작업이 가능하도록 해준다. 또 모터그레이더가 주행할 때 직진성능을 주며 완충작용을 도와준다.

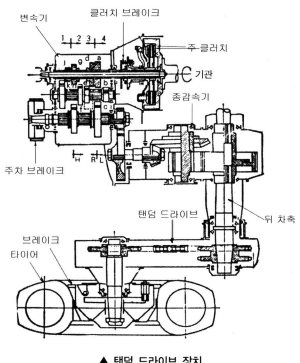

▲ 탠덤 드라이브 장치

4. 경사 스트랩

경사 스트랩은 계획된 각도에서 블레이드를 잡아주는 장치이다.

5. 스냅버 바(snubber bar)

스냅버 바는 전륜과 환향 장치 사이의 웜기어 앞부분에 설치되어 있으며, 그레이더가 주행 중에 전륜에서 오는 지면의 충격이 핸들에 미치는 것을 방지하여, 환향을 용이하게 하고 운전자의 피로를 적게 한다.

6. 시어핀(shear pin)

시어핀은 기계식 동력전달장치에서 작업 조정장치와 변속기 후부 수직축에 설치되어, 작업 중에 과다한 하중이 걸리면 스스로 절단되어 작업 조정장치의 파손을 방지해 준다. 보통 3D

연강핀을 사용하며, 현재의 모터그레이더는 유압장치를 사용하므로 쉬어핀은 설치되어 있지 않다.

5 스크레이퍼(Scraper)

스크레이퍼는 채굴, 적재, 운반, 하역, 확장 등의 작업을 하는 건설기계이며, 500~1,000m 이내의 작업 거리에 효과적인 건설기계이다. 예전에는 트랙터로 구동되는 피견인식을 사영하였으나, 최근에는 엔진을 장착하고 자력 주행할 수 있는 자주식(모터 스크레이퍼)을 사용한다.

스크레이퍼의 건설기계의 범위는 흙, 모래의 굴삭 및 운반장치를 가진 자주식이며, 크기는 보울(bowl)의 평적 용량(m^3)으로 표시된다.

(1) 스크레이퍼의 작업 장치

① **볼(bowl)** : 굴착하여 운반하는 적재함

② **이젝터(ejector)** : 토사를 담을 때 볼(bowl)의 뒷벽을 구성해 주고 하역할 때 앞으로 이동하여 토사를 밀어내어 쏟아 주는 부분

③ **에이프런(apron)** : 볼의 앞 벽을 형성해 주고 토사의 배출구를 닫아주는 문

④ **커팅에지(cutting edge)** : 볼 하단에 설치되어 전진하면서 지면을 깎는 부분

(2) 스크레이퍼의 종류

① **견인식 스크레이퍼** : 작업거리가 100~500m로 푸시 도저와 트랙터로 견인하며 작업한다.

② **모터식(자주식) 스크레이퍼** : 작업거리가 500~1,500m로 구동축에 의한 작업으로 효율이 좋다.

(3) 작업 방법

① **성토작업** : 볼에 흙을 담아 원하는 장소로 이동하는 작업으로 이동시 30~ 50cm 지면에서 떼어 움직인다.

② **절토작업** : 볼에 흙을 적재하기 위해 삽날을 원하는 길이로 내리고 전진시키는 작업

③ **덤프** : 흙 뿌리기 에이프런을 열고 이젝터를 전진시켜 흙을 뿌린다.

④ 절토, 성토, 토사운반, 적재

01 도자의 블레이드 종류가 아닌 것은?

① 스트레이트 블레이드
② V 블레이드
③ 칩 블레이드
④ U 블레이드

해설 도저의 블레이드 종류에는 스트레이트 블레이드, 칩 블레이드, U 블레이드 등이 있다.

02 도저의 블레이드 높이가 60mm이고 길이가 2,000 mm일 때, 블레이드 용량은?

① 0.72㎥　　　　② 1.2㎥
③ 2.4㎥　　　　④ 3.6㎥

해설 Q=BH²
(Q: 블레이드 용량(㎥), B:블레이드 폭(m), H:블레이드 높이(m))
∴Q = 2 × 0.6² = 0.72㎥

03 최초 장착된 도자의 장삽날이 규정 이상 마모되었다. 정비 방법으로 가장 알맞은 것은?

① 장삽날을 연삭하여 재사용한다.
② 좌·우 호환성이 있으므로 교체하여 한 번 더 사용한다.
③ 마모량만큼 용접하여 사용한다.
④ 상·하 180도 뒤집어서 한 번 더 사용한다.

해설 도자의 장삽날이 규정 이상으로 마모되었으면, 상·하 180도 뒤집어서 한 번 더 사용한다.

04 불도자의 귀삽날(end bit)의 정비 방법으로 옳은 것은?

① 한쪽이 마모되면 반대쪽과 교환한다.
② 마모된 쪽만 교환한다.
③ 용접하여 사용한다.
④ 한쪽이라도 마모되면 모두 교환한다.

해설 귀삽날은 마모된 쪽만 교환한다.

05 불도저에 그리스를 주입하지 않아도 되는 곳은?

① 링케이지 구분
② 브레이크 페달 링크
③ 블레이드 링크기구
④ 트랙 슈

해설 트랙 슈는 지면과 접촉하는 부분으로 주유가 필요하지 않다.

6 트랙터의 후미에 있는 견인용 장비를 끌기 위한 고리는?

① 리어 바　　　　② 드로우 바
③ 프런트 바　　　④ 사이드 바

해설 드로우 바(draw bar)sms 트랙터에 견인용 장비를 끌기 위해 후미에 설치하는 고리이다.

정답 **01.②　02.①　03.④　04.②　05.④　06.②**

07 불도저의 1회 작업 사이클 시간(Cm)은? [단, L:평균운반거리(m), V_1 : 전진속도(m/분), V_2 : 후진속도 (m/분), t : 기어 변속시간 (분)]

① $C_m = L/V_1 + L/V_2 \times t$
② $C_m = L/V_1 + L/V_2 \div t$
③ $C_m = L/V_1 + L/V_2 - t$
④ $C_m = L/V_1 + L/V_2 + t$

해설 도자 작업 사이클 시간

$$C_m = \frac{L}{V_1} + \frac{L}{V_2} + t$$

08 불도저의 평균 운반거리가 50m이고, 전진 평균속도 40m/min, 후진 평균속도 100m/min, 1사이클에서 변속에 필요한 기어변환 총시간이 0.25min 일 때 사이클 시간은?

① 1min ② 2min
③ 3min ④ 4min

해설

$$C_m = \frac{L}{V_1} + \frac{L}{V_2} + t = \frac{50}{40} + \frac{50}{100} + 0.25 = 2min$$

[Cm : 작업 사이클 시간, L : 평균운반거리(m), V_1 : 전진속도(m/분), V_2 : 후진속도(m/분), t : 기어 변속시간(분)]

09 굴삭기의 전부 장치에서 좁은 도로의 배수로 구축 등 특수조건의 작업에 용이한 붐은?

① 원피스 붐 ② 투피스 붐
③ 오프셋 붐 ④ 로터리 붐

해설 굴삭기의 오프셋 붐(offset boom)은 좁은 도로의 배수로 구축 등 특수조건의 작업에 용이하다.

10 건설기계의 동력 전달 순서가 틀린 것은?

① 굴삭기의 굴삭 작업시: 기관-유압펌프-컨트롤 밸브 유압 실린더-작업 장치
② 굴삭기의 주행 작업시: 기관-유압펌프-센터 조인트-트랙모터
③ 굴삭기의 스윙 작업시: 기관-유압펌프-피니언기어-링기어-스윙 모터
④ 크롤러형 로더: 기관-토크 컨버터-변속기-조향클러치 및 브레이크-감속기어-스프로킷

해설 굴삭기의 스윙작업을 할 때 동력전달 순서는 기관-유압펌프-컨트롤밸브-스윙 브레이크 밸브-스윙 모터-스윙 감속기어-피니언기어-링기어이다.

11 굴삭기에서 붐과 암의 각도가 몇 도일 때 가장 굴삭력이 좋은가?

① 45°~55°
② 50°~70°
③ 70°~100°
④ 80°~110°

해설 굴삭기로 굴착작업 할 때는 붐과 암의 각도가 90~110° 일 때 굴삭력이 가장 크며, 암의 각도는 전방 50°, 후방 15° 까지 65° 사이일 때가 효율적인 굴삭력을 발휘할 수 있다.

12 굴삭기에서 굴삭력이 가장 클 때는 붐과 암의 각도가 몇 도일 때인가?

① 20°~40°
② 40°~70°
③ 70°~80°
④ 90°~110°

13 굴삭기 버킷을 지면에서 1m 들어 놓고 잠시 후에 보았더니 버킷이 지면에 닿아 있을 때 점검해야 할 것은?

① 암 실린더 웨어링
② 암 실린더 백업 링
③ 버킷 실린더 더스트 실
④ 붐 실린더 피스톤 패킹

해설 붐 실린더의 피스톤 패킹이 손상되어 작동유가 누출되면 유압이 낮아져 자연적으로 하강하게 된다.

14 유압식 굴삭기에서 주행 및 선회시 힘이 약하다. 그 원인으로 적합한 것은?

① 흡입 스트레이너가 막혔다.
② 릴리프밸브의 설정압이 높다.
③ 작동유의 온도가 높다.
④ 축압기가 파손되었다.

해설 흡입 스트레이너가 막히면 유압 펌프로 유압유가 원활하게 유입되지 못하기 때문에 송출되는 유압이 낮아진다.

15 굴삭기의 버킷용량이 0.8m³이고 1회 작업시간이 20초인 경우 시간당 이론 작업량은?

① 124㎥
② 134㎥
③ 144㎥
④ 154㎥

해설 $Q = \dfrac{3,600 \times B}{Cm} = \dfrac{3,600 \times 0.8}{20} = 144㎥$

[Q : 1시간당 이론 작업량, B : 버킷 용량, Cm : 1회 작업시간]

16 굴삭기 1시간당 굴삭 작업량이 $40 m^2/h$, 일일 운전시간이 10시간일 때 굴삭기 1대가 $5000 m^2$를 파는데 소요되는 시간은?

① 10.5일
② 12.5일
③ 14.5일
④ 20.5일

해설 작업 기간 $= \dfrac{5,000}{40 \times 10} = 12.5$일

17 무한궤도식 굴삭기에서 접지면적이 4.5㎡, 장비 중량이 21톤일 때, 접지압은?

① $0.47 kgf/cm^2$
② $0.57 kgf/cm^2$
③ $0.67 kgf/cm^2$
④ $0.77 kgf/cm^2$

해설 접지압 $= \dfrac{중량}{면적} = \dfrac{21 \times 1,000}{4.5 \times 10,000} = 0.47 kgf/㎠$

18 굴삭기가 전후 주행이 되지 않을 때 점검 개소 중 맞지 않는 것은?

① 유성기어 장치를 점검해 본다.
② 붐 하이드로릭 실린더의 유압을 점검해 본다.
③ 유니버셜 조인트의 스플라인 부분을 점검해 본다.
④ 액슬 샤프트의 절단 여부를 점검해 본다.

해설 붐 하이드로릭 실린더의 점검은 붐의 하강 또는 상승이 원활하게 이루어지지 않을 때 점검하여야 한다.

19 굴삭기 상부의 베어링 롤러의 기능은 무엇인가?

① 상부 회전체를 받쳐준다.
② 스프로킷과 아이들러 사이에 트랙의 처짐을 방지한다.
③ 하이드로릭 펌프를 구동한다.
④ 스프로킷을 구동한다.

해설 굴삭기 상부의 베어링 롤러는 상부 회전체를 받쳐주며, 원활한 회전이 되도록 한다.

정답 13.④ 14.① 15.③ 16.② 17.① 18.② 19.①

20 로더의 동력전달순서로 맞는 것은?

① 엔진-변속기-토크컨버터-종감속 장치-구동륜
② 엔진-변속기-종감속 장치-토크컨버터-구동륜
③ 엔진-토크컨버터-변속기-종감속 장치-구동륜
④ 엔진 토크컨버터-종감속 장치-변속기-구동륜

해설 로더의 동력전달순서는 엔진-토크컨버터-변속기-종감속 장치-구동륜이다.

21 타이어형 로더의 장점으로 맞는 것은?

① 기동성이 좋다.
② 견인력이 크다.
③ 습지에서 작업성이 좋다.
④ 좁은 공간에서 선회성이 좋다.

해설 타이어형 로더는 도로 주행이 가능하여 기동성이 좋다.

22 로더에서 시동이 걸린 상태에서 버킷을 상승시켜 놓고 잠시 후 확인 결과 붐이 상당량 내려져 있었다. 고장원인이 아닌 것은?

① 작동압력이 규정치보다 높게 조정
② 실린더 내에서의 내부 누유
③ 컨트롤 밸브 스풀의 마모
④ 릴리프 밸브의 내부 누유

해설 버킷이 자연 하강량이 클 때 점검할 사항은, 실린더 내에서의 내부 누유, 컨트롤 밸브 스풀의 마모, 릴리프밸브의 내부 누유 등이다.

23 로더의 붐 레버를 중립 위치에서 상승 위치로 작동시 붐이 순간적으로 내려가는 원인은?

① 작업 장치 링키지의 핀, 부싱에 과도한 부하가 걸렸을 때
② 덤프 실린더의 피스톤 실 불량
③ 덤프 실린더 보텀 쪽의 안전밸브 결함
④ 유압조절 밸브의 밸브시트 또는 붐 로드 체크밸브 결함

해설 붐 레버를 중립 위치에서 상승 위치로 작동할 때 붐이 순간적으로 내려가는 원인은, 유압조절 밸브의 밸브시트 또는 붐 로드 체크밸브 결함 때문이다.

24 로더의 메이크업 밸브(make-up valve)에 대한 설명이 아닌 것은?

① 진공의 발생을 막아준다.
② 탱크로 오일을 귀환시켜준다.
③ 부족한 오일을 공급한다.
④ 체크밸브와 같은 역할이다.

해설 메이크업 밸브는 회로 내에 진공 발생을 방지하기 위하여 탱크로부터 유방을 보상해주는 밸브이다.

25 다음 중 로더의 시간당 작업량 계산식은 어느 것인가?(단, Q=운전시간당 작업량(㎥/hr), q=버킷용량(㎥), k=버킷계수, f=토량환산계수, E=작업효율, cm=1회 작업 순환시간(sec))

① $Q = \dfrac{3,600 \times q \times k \times f \times E}{cm}$

② $Q = \dfrac{3,600 \times q \times E \times cm}{k \times f}$

③ $Q = \dfrac{3,600 \times q \times k \times f}{E \times cm}$

④ $Q = \dfrac{3,600 \times q \times k \times f \times cm}{E}$

해설 로더의 작업량 계산식

$$Q = \frac{3,600 \times q \times k \times f \times E}{cm}$$

26 모터그레이더의 회전반경을 작게 하기 위해서 앞바퀴를 좌·우로 기울이는 장치는?

① 리닝 장치
② 아티큘레이트 장치
③ 스캐리 파이어 장치
④ 파워 컨트롤 장치

해설 리닝장치(앞바퀴 경사장치)는 모터그레이더는 차동 기어장치가 없기 때문에, 선회할 때 회전반경이 커지는 결점을 보완하기 위하여 앞바퀴를 경사시켜 주며, 좌우 20~30° 정도 경사시킨다. 리닝장치를 설치한 목적은 회전반경을 작게 하기 위한 것이다.

27 모터그레이더에서 리닝 장치의 설치 목적은?

① 작업의 직진성을 방지하기 위하여
② 회전방향을 크게 하여 직진을 돕기 위하여
③ 앞바퀴를 회전하려고 하는 쪽으로 기울여서 작은 반지름으로 회전이 가능하게 하기 위하여
④ 작업의 원활성을 유지하여 산포작업을 돕기 위하여

28 그레이더 전륜경사 장치의 경사각은 어느 정도인가?

① 0~10°　　② 20~30°
③ 30~40°　　④ 40~50°

해설 전륜경사 장치는 좌우 20~30° 정도 경사시킨다.

29 모터그레이더의 구동 방식에 사용되는 탠덤 드라이브의 기능이 아닌 것은?

① 차체의 균형을 유지시킨다.
② 주행이 직진성을 좋게 한다.
③ 전·후 휠에 걸리는 하중을 같게 한다.
④ 회전반경을 작게 한다.

해설 탠덤 드라이브 장치는 기관의 동력을 뒷바퀴에 전달시켜 주는 장치이며, 상하로 움직여 균형을 유지한다. 즉 본체의 좌우 움직임에도 블레이드의 수평작업이 가능하도록 하며, 최종 감속작용을 하여 4개의 뒷바퀴를 구동시켜 최대 견인력을 준다.

30 모터그레이더의 작업속도가 15km/h, 작업거리 500m일 때, 조종작업에 요하는 시간이 2분이라면 사이클 시간은?

① 3분　　　　② 4분
③ 6분　　　　④ 8분

해설 그레이더 작업 사이클 시간

$$Cm = 0.06 \times \frac{L}{V} + t$$

[Cm: 사이클 시간(min), L: 작업거리(m),
V: 작업속도(km/h), t: 조종작업에 요하는 시간(min)]

$$\therefore 0.06 \times \frac{500}{15} + 2 = 4분$$

31 건설기계의 일일 점검 사항으로 적당하지 않은 것은?

① 엔진오일의 점검
② 냉각수 점검
③ 유압오일 점검
④ 기어오일 점검

해설 일일 점검은 운전 전, 운전 중, 운전 후에 실시한다.
· **운전전**: 엔진오일, 유압유, 연료의 점검, 볼트·너트의 풀림 점검, 누유 및 누수 점검 등
· **운전중**: 각종 계기의 정상 작동 여부, 정상적인 기계음 이외의 소음 등

정답 26.① 27.③ 28.② 29.④ 30.② 31.④

32 휠 로더의 일상정비에 포함되지 않는 것은?

① 냉각수량의 점검
② 변속기 유압의 점검
③ 엔진오일 압력계 점검
④ 각 부분의 오일누설 점검

해설 변속기의 오일은 반년 정비(6개월)에 점검한다.

33 건설기계의 작업 장치 자연 하강량 측정은 붐 실린더의 수축량을 말하는 것으로, 측정 시작으로부터 몇 분 동안의 자연 하강량을 측정하는 것이 가장 적당한가?

① 1분   ② 5분
③ 10분   ④ 30분

해설 건설기계의 작업 장치 자연 하강량 측정은 측정 시작으로부터 5분 동안의 하강량을 측정하는 것이 가장 적당하다.

하역작업용 건설기계

1 지게차(Fork Lift)

지게차는 비교적 가벼운 화물을 단거리 운반(100m 이내)하거나 적재 및 적하하기 위한 건설기계이며, 앞바퀴 구동, 뒷바퀴 조향 형식으로 되어 있다.

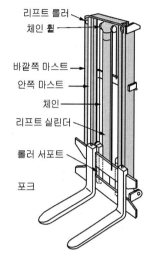

▲ 지게차 마스트의 구성

1. 지게차 작업 장치의 종류

① **하이 마스트**(High Mast) : 하이 마스트형은 마스트가 2단으로 되어 있어 비교적 높은 위치의 작업에 적당하며, 포크의 상승도 신속하고 작업 공간을 최대한 활용할 수 있는 표준형의 마스트이다.

② **트리플 스테이지 마스터**(Triple Stage Mast ; 3단 마스트) : 마스터가 3단으로 늘어나게 된 것으로, 천장이 높은 장소, 출입구가 제한되는 장소에 짐을 적재하는데 적합하다.

③ **로드 스태빌라이저**(Load Stabilizer) : 위쪽에 설치된 압착판으로 화물을 위에서 포크 쪽을 향하여 눌러, 요철이 심한 노면이나 경사진 노면에서도 안전하게 화물을 운반하여 적재할 수 있다.

④ **사이드 시프트 클램프**(Side Shift Clamp) : 지게차의 방향을 바꾸지 않고도 백레스트와 포크를 좌·우로 움직여서, 지게차의 중심에서 벗어난 파레트의 화물을 용이하게 적재 및 하역한다.

⑤ **스키드 포크**(Skid forks) : 차량에 탑재한 화물이 운행이나 하역 중에 미끄러져 떨어지지 않도록 화물 상부를 지지할 수 있는 클램프가 되어 있고, 휴지 꾸러미, 목재 등을 취급하는 장소에서 알맞다.

⑥ **로테이팅 포크**(Rotating fork) : 일반적인 지게차로 하기 힘든 원추형의 화물을 좌·우로 조이거나 회전시켜 운반하거나 적재하는데 널리 사용되고 있으며, 고무판이 설치되어 화물이 미끄러지는 것을 방지하여 주며 화물의 손상을 막는다.

⑦ **힌지드 버킷**(Hinged bucket) : 포크 설치 위치에 버킷을 설치하여 석탄, 소금, 비료, 모래 등 흘러내리기 쉬운 화물 또는 흐트러진 화물의 운반용이다.

⑧ **힌지드 포크**(Hinged fork) : 둥근 목재, 파이프 등의 화물을 운반 및 적재하는데 적합하다.

⑨ **롤 클램프 암**(Roll clamp with long arm) : 긴 암의 끝이 롤 형태의 화물을 취급할 수 있도록 클램프 암이 설치된 것으로, 컨테이너의 안쪽 또는 지게차가 닫지 않는 작업 범위에 있는 둥근 형태의 화물을 취급한다.

2. 지게차 작업 장치

지게차의 작업 장치는 마스트를 비롯하여, 핑거 보드(finger board), 백 래스트(back rest), 포크 리프트 체인(fork lift chain), 틸트 실린더(tilt cylinder), 리프트 실린더(lift cylinder) 등으로 구성되어 있다.

3. 지게차의 유압장치

지게차 유압장치에는 유압 펌프, 조향 유압 펌프, 제어밸브, 조향 제어밸브, 리프트 실린더 (1~2개), 틸트 실린더(2개)로 되어 있다.

2 기중기(Crain)

기중기는 중하물의 적재 및 적하, 기중 작업, 토사의 굴토 및 굴착작업, 수직 굴토, 항타 및 항발 작업 등을 수행하는 건설기계이며, 작업 장치, 상부 회전체, 하부주행 장치로 되어 있다.

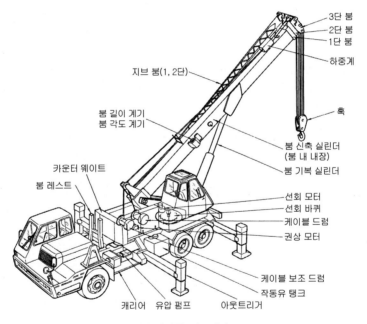

▲ 트럭 탑재형 기중기의 구조

1. 기중기의 붐

(1) 마스터 붐(master boom)

마스터 붐은 가장 기본이 되는 붐이며, 철골구조의 상자(box)형이나 유압으로 작동되는 텔레스코핑형이 사용된다.

(2) 지브 붐(jib boom)

지브 붐은 붐의 끝단에 전체 길이를 연장하는 붐이며, 훅(hook) 작업을 할 때만 사용한다.

(3) 하중의 호칭

① **임계하중** : 기중기가 들 수 있는 하중과 들 수 없는 하중의 임계점의 하중
② **작업하중** : 화물을 들어 올려 안전하게 작업할 수 있는 하중
③ **호칭하중** : 최대 작업하중

(4) 붐의 각도(boom angle)

① 기중기 작업을 할 때 크레인 붐은 66° 30′이 가장 좋은 각도(최대안전 각도)이다.
② 붐의 최대 제한 각도는 78°이고, 최소 제한 각도는 20°이다.
③ 기중기의 붐 작업을 할 때 운전반경이 작아지면 기중 능력은 증가한다.

(5) 기중기 붐 교환 방법

① 기중기를 사용하는 방법(가장 효율적이다)
② 트레일러를 이용하는 방법
③ 드럼이나 각목을 이용하는 방법

2. 전부(작업) 장치

(1) 훅(Hook)

훅은 일반 기중용으로 사용되는 작업장치이며, 훅의 재질은 탄소강 단강품(KSD 371)이나 기계구조용 탄소강(KSD 3517)이며, 강도와 연성이 큰 것이 바람직하다. 훅은 마모/균열 및 변형을 자주 점검하여야 하며, 훅의 마멸은 와이어 로프가 걸리는 부분에 홈이 발생하며, 이 홈의 깊이가 2mm 이상이 되면 연삭숫돌로 편평하게 다듬질하여야 한다. 마멸도가 원래 치수의 20% 이상이 되면 훅을 교환하여야 한다.

(2) 크람셀(clam shell, 조개 작업 장치)

크람셀은 수직 굴토 작업, 토사 상차 작업에 주로 사용하며, 크람셀 버킷, 태그라인 로프, 호이스트 드럼 등으로 구성되어 있다. 태그라인(tag line)은 붐 기복시 버킷이 심하게 흔들리거나 로프가 꼬이는 것을 방지한다.

(3) 드래그라인(drag line)

드래그라인은 수중 굴착 작업이나 큰 작업 반경을 요구하는 지대에서의 평면 굴토 작업에 사용한다. 3개의 시브(sheeve ; 활차)로 되어 던져졌던 케이블이 드럼에 잘 감가도록 안내를 해주는 페어리드(fair lead)를 두고 있다.

(4) 파일 드라이버(항타 작업 : pile driver)

파일 드라이버는 교량 건설 및 건물을 신축할 때 기초를 튼튼히 하기 위해 파일을 박는 건설기계이다. 파일 드라이버의 종류에는 드롭 해머(drop hammer), 증기(공기)해머 (Steam(Air) Hammer), 디젤 해머(Diesel Hammer) 등이 있다.

(5) 트랜치 호(trench hoe)

도랑파기 작업에 적당하며, 버킷 작업은 호이스팅과 리트랙팅 작업을 병행한다. 붐의 하중을 이용하여 지면보다 낮은 곳을 채굴하고 드래그라인, 크램셸의 작업물보다 더 단단한 작업물을 채굴할 수 있다. 작업 사이클은 셔블과 같이 로딩(호이스팅, 크라우딩), 호이스팅, 스윙, 덤핑이며, 한 사이클 당 20~30초 정도 소요된다.

3. 작업 반경(운전반경)

작업 반경이란 상부 회전체 중심에서 화물까지의 수평거리이며, 작업 반경과 기중 능력은 다음과 같은 관계가 있다.

① 작업 반경이 커지면 기중 능력은 감소한다.
② 기중 작업을 할 때 하중이 무거우면 붐 길이는 짧게 하고 붐 각도는 올린다.

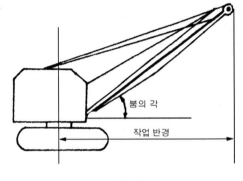

▲ 작업 반경

4. 와이어 로프

(1) 와이어 로프의 꼬임

① **Z 꼬임** : 스트랜드를 왼쪽 방향으로 꼰 것
② **랭 꼬임** : 소선과 스트랜드의 꼬임이 동일방향인 것
③ **S 꼬임** : 스트랜드를 오른쪽 방향으로 꼰 것
④ **보통 꼬임** : 소선과 스트랜드의 꼬임이 서로 반대 방향인 것

(2) 와이어 로프의 규격 표시

와이어 로프의 규격 표시는 직경 × 갈피 수 × 선수 × 길이로 표시한다.

(3) 와이어 로프 교환 시기

① 와이어 로프 길이 30cm당 소선이 10% 이상 절단된 때
② 와이어 로프 호칭지름이 7% 이상 감소된 때
③ 심한 변형이나 부식이 발생된 때
④ 킹크가 심하게 생긴 때

5. 기중기 작업 안전장치

(1) 아우트리거(out rigger)

아우트리거는 타이어식 기중기의 전후·좌우 방향에 안전성을 주어, 기중 작업을 할 때 전도되는 것을 방지해 준다.

(2) 과권 경보 장치

과권 경보 장치는 호이스트(권상) 와이어 로프를 너무 감으면 와이어 로프가 절단되거나, 훅 블록이 시브와 충돌하여 장비를 파손시키게 되는데, 이를 방지해 주는 장치이다. 호이스트 케이블의 적당한 위치에 추를 설치하여 제한스위치(리미트 스위치)를 작동시키면 경보회로가 작동되어 벨이 울리도록 한 장치이다.

(3) 붐 전도 방지 장치

붐 전도 방지 장치는 기중 작업을 할 때 권상 와이어 로프가 절단되거나, 험한 도로를 주행할 때 붐에 전달되는 요동으로 붐이 뒤로 넘어지는 것을 방지하는 장치이다.

(4) 붐 기복 정지 장치

붐 기복 정지 장치는 붐 권상 레버를 당겨 붐이 최대 제한 각도(78°)에 달하면, 붐 뒤쪽에 있는 붐 기복 정지 장치의 스톱 볼트와 접촉되어, 유압 회로를 차단하거나 붐 권상 레버를 중립으로 복귀시켜 붐 상승을 정지시키는 장치이다.

(5) 과부하 방지 장치

과부하 방지 장치는 정격 하중을 초과할 때 권상 와이어 로프에 걸리는 장력에 따라 경보기가 자동으로 울리도록 하는 장치이다. 일반적으로 리미트 스위치가 사용되며 드럼의 회전에 연동되어 권과를 방지하는 나사형 리미트 스위치, 캠형 리미트 스위치와 후크의 상승에 의해 직접 작동시키는 중추형 리미트 스위치가 있다.

01 지게차의 차체를 이동시키지 않고도 포크를 좌·우로 움직여 적재 또는 하역하는 지게차 전부장치 형식은?

① 블록 클램프형   ② 힌지드 포크형
③ 사이드 시프트형   ④ 드럼 클램프형

해설 사이드 시프트형은 차체를 이동시키지 않고도 포크를 좌·우로 움직여 적재 또는 하역할 수 있다.

02 지게차의 작업 장치 중 석탄, 소금, 비료 등 비교적 흘러내리기 쉬운 물건의 운반에 이용되는 장치는?

① 로테이팅 포크   ② 사이드 시프트
③ 블록 클램프   ④ 힌지드 버킷

해설 힌지드 버킷은 석탄, 소금, 비료 등 비교적 흘러내리기 쉬운 물건의 운반에 이용되는 장치이다.

03 휠 구동 지게차의 구성부품에 해당되는 것은?

① 상부 및 하부 롤러   ② 레이크 블레이드
③ 스켈리턴 버킷   ④ 포크

해설 지게차의 작업 장치는 마스트를 비롯하여, 핑거 보드(finger boad), 백레스트(backrest), 포크(fork), 리프트 체인(lift chain), 틸트 실린더(tilt cylinder), 리프트 실린더(lift cylinder)등으로 구성되어 있다.

04 지게차의 제원에 대한 설명으로 틀린 것은?

① 전경각 : 마스트의 수직 위치에서 앞으로 기울인 경우의 최대 경사각을 말하며 5~6° 범위이다.
② 최대 올림 높이 : 마스트를 수직으로 하고 기준하중의 중심에 최대하중을 적재한 상태에서 포크를 최고 위치로 올렸을 때 지면에서 포크의 윗면까지 높이
③ 기준부하 상태 : 기준하중의 중심에 최대하중을 적재하고 마스트를 수직으로 하여 포크를 지상 300mm까지 올린 상태
④ 최소회전반경 : 무부하 상태에서 최대 조향각으로서 행한 경우

해설 최소 회전 반경은 무부하 상태에서 최대 조향각으로 선회한 경우, 최외측 바퀴가 그리는 원의 반지름이다.

05 카운터 밸런스형 지게차의 마스트 전경각은 얼마인가?

① 3° 이하   ② 6° 이하
③ 8° 이하   ④ 12° 이하

해설 카운터 밸런스형 지게차의 마스트 전경각은 6° 이하이다.

정답   **01.**③   **02.**④   **03.**④   **04.**④   **05.**②

06 지게차의 전·후방 안전 경사 각도는 무엇으로 조정하는가?

① 리프트 실린더 브래킷
② 리프트 실린더 로드
③ 틸트 실린더 로드
④ 틸트 실린더 브래킷

해설 지게차의 전·후방 안전 경사 각도는 틸트 실린더 로드로 조정한다.

07 지게차 마스트 경사각을 조정할 때 마스트를 어느 상태로 하면 가장 효과적으로 조정할 수 있는가?

① 수평 상태
② 앞으로 기울인 상태
③ 뒤로 기울인 상태
④ 수직 상태

해설 지게차 마스트 경사각을 조정할 때 마스트를 수직인 상태에서 조종한다.

08 지게차 마스트 전경각이 6° 후경각이 12°로 조정되어 제작된 지게차의 전경각을 4°로 조정하였다면 후경각은 몇 도까지 조정될 수 있는가?

① 10°   ② 12°
③ 8°   ④ 14°

해설 조정 가능한 마스트 각도 = 전경각 + 후경각 = 6° +12° =18°,
∴전경각이 4°로 조정되었다면 후경각은 14°까지 조정이 가능하다.

09 지게차의 리프트 실린더가 상승력이 부족하다. 그 원인으로 틀린 것은?

① 리프트 실린더의 누유
② 다운 컨트롤 밸브의 개폐 부족
③ 유압유 필터가 막혔을 때
④ 스풀의 기밀 불량시

해설 다운 컨트롤 밸브는 리프트의 하강 속도를 제어한다.

10 지게차의 현가장치는 어떤 방식을 사용하는가?

① 판 스프링식이다.
② 코일 스프링식이다.
③ 공기 스프링식이다.
④ 스프링이 없는 일체식 구조이다.

해설 지게차는 롤링이 발생하면 적재물이 떨어질 염려가 있기 때문에, 현가스프링이 없는 일체식 구조의 현가장치를 사용한다.

11 전동식 리치형 지게차를 바르게 설명한 것은?

① 포크를 상하로 움직이고 마스트를 고정식이다.
② 포크는 상하로 움직이고 마스트 전·후진된다.
③ 포크와 미스트를 상하·전후로 회전시킬 수 있다.
④ 마스트는 전후로 경사되고 포크는 고정식이다.

해설 리치형 지게차는 배터리를 동력원으로 하는 지게차로 카운터 웨이터가 없으며, 리치 래그(reach lag)가 마련되어 있어 포크는 상하로 움직이고, 마스트는 앞뒤로 전·후진할 수 있다.

정답 06.③ 07.④ 08.④ 09.② 10.④ 11.②

12 기중기 하중에 대한 용어 설명으로 틀린 것은?

① 정격 총하중 : 각 분의 길이와 작업 반경에 허용되는 훅, 그래브, 버킷 등 달아 올림 기구를 포함한 최대하중
② 정격하중 : 정격 총하중에서 훅, 그래브, 버킷 등 달아 올림 기구의 무게에 상당하는 하중을 뺀 하중
③ 호칭하중 : 기중기의 최대 작업하중
④ 작업하중 : 기중기로 화물을 최대로 들 수 있는 하중과, 들 수 없는 하중과의 한계점에 놓인 하중

해설 임계하중 : 기중기로 화물을 최대로 들 수 있는 하중과, 들 수 없는 하중과의 한계점에 놓인 하중

13 기중기의 전부작업 장치에 포함되지 않는 것은?

① 클램셀　　　② 마그넷
③ 훅　　　　　④ 파일드라이버

해설 기중기의 전부장치(작업장치)에는 훅(갈고리), 크람셀, 드래그라인, 파일 드라이버, 백호, 셔블 등이 있다.

14 기중기 붐 각이 커지면?

① 운전반경이 작아진다.
② 기중 능력이 작아진다.
③ 임계하중이 작아진다.
④ 붐의 길이가 짧아진다.

해설 기중기 붐 각이 커지면 운전반경이 작아진다.

15 기중기의 붐 교환방법으로 가장 거리가 먼 것은?

① 드럼이나 각목을 이용하는 방법
② 기중기를 사용하는 방법
③ 트레일러를 이용하는 방법
④ 지게차를 이용하는 방법

해설 기중기 붐 교환방법에는 기중기를 사용하는 방법(가장 효율적), 트레일러를 이용하는 방법, 드럼이나 각목을 이용하는 방법 등이 있다.

16 드래그라인 작업에서 드래그 로프가 드럼 래깅에 확실하게 감기도록 안내해 주는 것은?

① 페어리드　　　② 태그라인
③ 새들 블록　　　④ 피치 브레이스

해설 용어 설명
· **페어리드(fair lead)** : 기중기의 드래그라인 작업에서 사용하며, 3개의 시브(sheeve)로 되어 던져졌던 케이블이 드럼에 잘 감기도록 안내를 해 주는 장치
· **태그라인(tag line)** : 버킷 등의 흔들림을 멈추도록 하는 장치, 태그라인이 고장 나면 붐 기복시 버킷이 심하게 흔들리거나 로프가 꼬인다.
· **새들 블록(saddle block)** : 셔블에서 디퍼스틱을 안내하는 장치
· **피치 브레이스(pitch brace)** : 디퍼 팁의 굴착 각도를 변화시키면서 디퍼를 지지하기 위한 장치

17 기중기의 작업장치 중 붐 기복이 심하게 흔들리거나 로프가 꼬이면 어느 작업 안전 장치가 고장이라고 볼 수 있는가?

① 크람셀　　　② 태그라인
③ 훅 블록　　　④ 페어리드

18 크레인용 와이어 로프의 고임 중 스트랜드를 왼쪽 방향으로 꼰 것은?

① Z 꼬임 ② 랭 꼬임
③ S 꼬임 ④ 보통 꼬임

해설 와이어 로프의 꼬임
· **Z 꼬임** : 스트랜드를 왼쪽 방향으로 꼰 것
· **랭 꼬임** : 소선과 스트랜드의 꼬임이 동일방향인 것
· **S 꼬임** : 스트랜드를 오른쪽 방향으로 꼰 것
· **보통 꼬임** : 소선과 스트랜드의 꼬임이 서로 반대방향인 것

19 크레인 와이어의 지름이 3cm, 들어 올릴 하중이 100kgf 일 때의 인장강도(kgf/㎠)는?

① 14.2 ② 15.2
③ 16.2 ④ 17.2

해설 $\sigma a = \dfrac{W}{A} = \dfrac{100}{0.785 \times 3^2} = 14.16 kgf/㎠$

[σa: : 인장강도(kgf/㎟), W: 하중(kgf), A: 단면적(㎠)]

20 기중기 붐이 상승하여 붐이 뒤로 넘어지는 것을 방지하는 작업 안전장치는?

① 붐 기복 정지 장치
② 붐 전도 방지 장치
③ 태그라인 장치
④ 어태치먼트

해설 붐 전도 방지 장치는 붐이 상승하여 붐이 뒤로 넘어지는 것을 방지한다.

21 와이어 로프의 교체 시기를 바르게 표현하지 않은 것은?

① 킹크가 심하게 생긴 때
② 심한 변형이나 부식된 때
③ 와이어 로프 지름이 7% 이상 감소된 때
④ 와이어 로프 길이 3cm당 소선이 10% 이상 절단된 때

해설 와이어 로프 교환 시기는 ①②③항 외에 와이어 로프의 길이 30cm당 소선이 10% 이상 절단된 때이다.

22 기중기의 안전하중에 대한 설명 중 맞는 것은?

① 회전하며 작업할 수 있는 하중
② 기중기가 최대로 들어 올릴 수 있는 하중
③ 붐 각도에 따라 안전하게 들어 올릴 수 있는 하중
④ 붐의 최대 제한 각도에서 안전하게 권상할 수 있는 하중

해설 기중기의 안전하중은 붐의 각도에 따라 안전하게 들어 올릴 수 있는 하중이다.

다짐 및 포장용 건설기계

1 **롤러**(Roller)

롤러는 자체 중량 또는 진동으로 토사 및 아스팔트 등을 다져주는 건설기계이다.

1. 롤러의 종류

롤러에는 다짐 방법에 따라 자체 중량을 이용하는 전압방식, 진동을 이용하는 진동방식, 충격력을 이용하는 충격방식 등이 있다.
　　① **전압방식** : 탠덤롤러, 타이어 롤러, 머캐덤 롤러 등
　　② **진동방식** : 진동롤러, 진동 분사력 콤팩터 등
　　③ **충격방식** : 래머, 탬퍼 등

(1) 탠덤 롤러(Tandem Roller)

탠덤 롤러는 앞바퀴와 뒷바퀴가 일직선으로 된 것이며, 2바퀴 방식과 3바퀴 방식이 있다. 모두 앞바퀴 조향, 뒷바퀴 구동 방식이며, 용도는 아스팔트 마지막 다짐 작업에 가장 효과적이며, 그러나 자갈이나 쇄석 골재 등은 다져서는 안 된다.

(2) 머캐덤 롤러(Macadam Roller)

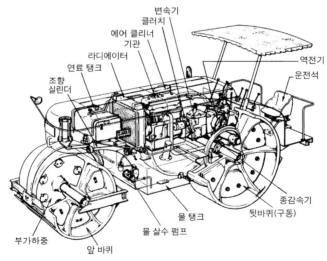

▲ 머캐덤 롤러

머캐덤 롤러는 앞바퀴 1개, 뒷바퀴가 2개인 것이며, 2개의 뒷바퀴로 구동을 하고 앞바퀴 1개로는 조향한다. 용도는 기초다짐에 주로 사용되며, 자갈·모래 및 흙 등을 다지는

데 매우 효과적이다. 그러나 아스팔트 마지막 다짐에는 사용하지 못한다. 머캐덤 롤러에는 조향할 때 좌·우측 바퀴의 회전수를 다르게 하여, 선회할 때 원활한 회전을 가능하게 하는 차동장치를 두고 있다.

(3) 진동롤러(Vibratory Roller)

진동롤러는 제방 및 도로 경사지 모서리 다짐에 사용되며, 또 흙·자갈 등의 다짐에 효과적이다. 자체 중량이 가벼워도 진동에 의한 타격력에 의하여 토사가 다져지므로 매우 강한 다짐 작업을 할 수 있으나, 진동에 의해 운전자가 피로감을 많이 느끼므로 장시간 작업을 할 수 없는 결점이 있다.

(4) 타이어형 롤러(Tire type roller)

타이어형 롤러는 흙·아스팔트 마지막 다짐 작업에 효과적이며, 특히 아스팔트 다짐에서 골재를 파괴시키지 않고, 요철(凹凸) 부분을 골고루 다질 수 있는 장점이 있다.

다른 형식의 롤러보다 기동성이 좋으며 타이어의 공기 압력과 부가 하중(밸러스트)에 따라 전압 능력을 조절할 수 있다. 타이어의 배열은 앞바퀴가 다지지 못한 부분을 뒷바퀴가 다질 수 있도록 되어 있다.

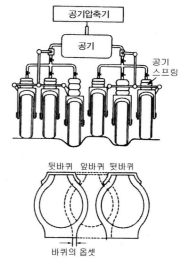

▲ 타이어형 롤러의 바퀴 배열

2. 부가 하중 장치(ballast)

롤러의 롤러의 자체 중량으로는 전압 능력이 부족할 때, 부가 하중을 롤에 실어서 롤러의 중량을 증가시켜 전압 능력을 높이는 장치이다. 이 밸러스트는 철, 물, 중유, 모래 등을 사용한다.

타이어 롤러는 물탱크에 물을 필요한 양만큼 채우며, 머캐덤 롤러, 탠덤 롤러, 탬핑 롤러 등은 물, 모래, 중유 등을 주입한다. 그리고 머캐덤 롤러는 주철로 주조된 롤러 밸러스트를 적재할 때 밸러스트용 철재를 부착한다. 작업이 끝난 다음에는 밸러스트를 떼어내야 하며, 롤 속에 녹이 발생되는 것을 방지하기 위하여 중유나 폐유를 사용하는 것이 바람직하다.

> **참고**
> 롤러의 중량은 자체 중량과 부과 하중(ballast)을 부과하거나 주입하였을 때도 표시한다. 예를 들면 8~12ton이라는 것은 자체 중량 8ton에 부가 하중을 4ton을 가중시킬 수 있으므로 총 12ton이라는 의미이다.

2 콘크리트 살포기와 피니셔 및 배칭 플랜트

1. 콘크리트 살포기(Concrete Spreader)

콘크리트 살포기는 덤프트럭 등에서 공급한 콘크리트를 노면에 깔아주는 건설기계이다.

2. 콘크리트 살포기와 피니셔(Concrete Finisher)

정리 및 사상 장치를 가진 것으로 원동기를 가진 것으로, 주행 차대에 스크리드 및 바이브레이터 등의 작업장치를 장착한 콘크리트 포장기계가 이에 속하며, 규격은 콘크리트를 포설할 수 있는 표준너비(m)로 표시하고 신장 가능한 경우는 최소와 최대너비로 한다.

분단 속도는 23~37m/s이며, 콘크리트 스프레이드 뒤에서 앞고르기, 뒷고르기, 진동 등 3대 작용을 하며 포장 표면을 완성한다.

(1) 작업장치

퍼스트 스크리드, 바이브레터, 피니싱 스크리드의 3개로 되어 구동하는데, 유압에 의한 원격 조작으로 서로 간의 높이 조정과 각각 조정이 되며, 퍼스트 스크리드나 피니싱 스크리드는 핸들에 의서도 조정이 된다. 피니싱 스크리드는 견인되면서 평탄하게 이동하며, 퍼스트 스크리드와 바이브레터는 작업 조건에 따라, 주행각의 개폐에 의해서 상하좌우로 섭동하면서 행정을 자유로이 조정한다.

(2) 콘크리트 피니셔에서 콘크리트의 이동순서

호퍼–스프레드–1차 스크리드–진동기–피니싱 스크리드이다.

① **1차 스크리드(first screed ; 앞면 고르기) :** 콘크리트 표면을 일정한 두께로 포설하며, 매분 50회 정도 좌우로 요동한다.
② **바이브레이터(vibrator) :** 진동과 압력을 주어 다지는 장치이다.
③ **피니싱 스프레드(finishing screed ; 뒤면 고르기) :** 예리한 각도의 칼날로 콘크리트를 평탄하게 절삭한다. 즉 바이브레이터로 다져진 콘크리트 표면을 다듬질해 준다.

▲ 콘크리트 살포기의 구조

2. 콘크리트 배칭 플랜트(Concrete Batching Plant)

콘크리트 배칭 플랜트(concrete batching plant)는 콘크리트의 각 재료를 기계적으로 소정의 배합률로 계량하여 혼합기(mixer)로 보내고, 소요되는 성질의 콘크리트를 능률적이고 경제적으로 제조하는 건설기계이다. 저장빈, 계량장치 및 믹서는 배치 플랜트라 부르는 1개의 설비로 통합 정리되어 있다. 배치 플랜트는 원재료 및 혼합된 콘크리트의 이동을 자연 낙하에 의한다. 높이 30m 이상 되는 탑실식으로 되어 있는 것이 보통이다.

(1) 재료 저장통

재료 저장통은 콘크리트 배칭 플랜트의 가장 윗부분에 있으며 재료별로 구분되어 있는데, 연속 작업할 때의 공급 부분의 기계 능력에 따라 용량이 결정된다. 또 시멘트 사이로 별로 설치하고 계량기를 비치하여 혼합기에 직접 유입하는 방식도 있다.

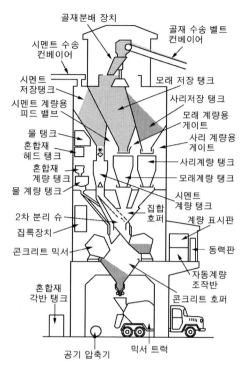

▲ 콘크리트 배칭 플랜트의 구조

(2) 재료공급 장치

재료공급 장치는 저장통 아래쪽 입구 부분에 게이트(gate)에 의한 공급 장치가 마련되어 있는데, 재료의 종류에 따라 공급 방법이 다르다. 일반적으로 골재는 컷오프(cut-off)형이 사용되며, 시멘트 등은 특수한 수송기 또는 밀폐 밸브를 사용한다. 계량의 정확성을 높이기 위해서는 공급 장치의 우열이 가장 중요하며, 공급 게이트는 사람의 힘, 공기력 또는 전력에 의해 조작된다.

(3) 계량장치

계량장치는 계량 호퍼, 계량기 및 지시계 등으로 되어 있다.

(4) 배칭 플랜트의 구비 조건

① 계량장치가 정확해야 한다.
② 계량, 작동 조작이 간편해야 한다.
③ 계량치 수정이 쉽고 조작은 중앙 집중식이어야 한다.
④ 구조가 견고하고 고장이 적도록 조립식이 좋다.
⑤ 내구성이 있어야 한다.

3 아스팔트 피니셔 · 믹싱 플랜트 및 살포기

1. 아스팔트 피니셔(Asphalt Finisher)

아스팔트 피니셔는 아스팔트 피니셔는 아스팔트 플랜트로부터 덤프트럭에 운반된 혼합재를 노면 위에 일정한 규격과 두께로 깔아주는 것으로, 기관, 호퍼, 피더, 스크루, 스프레더, 댐퍼, 스크리드 등의 작업 장치를 설치하고, 살포, 진동, 고르기 작업을 할 수 있는 아스팔트 포장 건설기계이다.

아스팔트 피니셔의 건설기계 범위는 정리 및 사상 장치를 가진 것으로 원동기를 가진 것이며, 크기는 아스팔트를 부설할 수 있는 표준 포장 폭(m)으로 표시한다. 소형은 호퍼 용량 1~2톤, 대형은 호퍼 용량이 5~6톤 정도이며, 자체 중량은 13~14톤 정도이다.

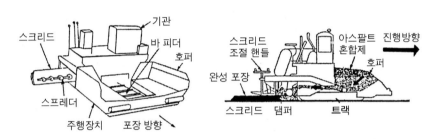

▲ 아스팔트 피니셔의 구조

(1) 아스팔트 피니셔의 구조

① **리시빙 호퍼(receiving hopper)** : 리시빙 호퍼는 덤프트럭으로 운반된 혼합재(아스팔트)를 저장하는 용기이다.

② **피더(reeder)** : 피더는 호퍼 바닥에 설치되며, 혼합재료를 스프레딩 스크루로 보내준다.

③ **스프레딩 스크루(spreading screw)** : 스프레딩 스크루는 스크리드에 설치되어 피더에서 공급받는 혼합재료를 균일하게 살포하는 장치이다.

④ **댐퍼(damper)** : 댐퍼는 스크리드 앞쪽에 설치되며, 노면에 살포된 혼합재료를 요구되는 두께로 포장 면을 85% 정도 다져준다. 포장 두께는 2개의 조정 스크루(두께 조정기)에 의하여 조정된다.

⑤ **스크리드(screed)** : 스크리드는 노면에 살포된 혼합재료를 매끈하게 다듬는 판이다.

⑥ **스크리드 히터(screede heater)** : 스크리드 히터는 스크리드를 가열하기 위해 설치한 것이며, 오일 버너(oil burner)가 스위치 조작으로 점화 및 소화된다.

⑦ **스크리드 자동 조절장치** : 스크리드 자동 조절 장치는 스크리드 기준면에 대한 가로, 세로의 변화를 감지할 수 있게 되어 있으며, 서보기구에 의해 스크리드 암을 자동적으로 조절하여 평탄한 포장 노면을 얻을 수 있고, 설정 포장 두께를 유지할 수 있다. 자동조절 장치에는 그레이드 센서(grade sensor)와 슬로프 센서(slop sensor)가 있으며, 그레이드 센서는 와이어나 막대를 이용하여 높이를 검출한다. 또 레벨링 암

(leveling arm)의 피벗을 상하로 진동시키는 조절 기구가 있다.

⑧ **고정 장치** : 고정 장치는 4개의 전자 바이브레이터(vibrator)에 의해 스크리드에 전동을 가하면 고정 장치가 작동하여 균일한 포장을 할 수 있다.

⑨ **혼합재료 이송량 자동제어 장치** : 혼합재료 이송량 자동제어 장치는, 좌우 2개의 컨베이어와 스크리드가 각각 자동적으로 정지되므로 일정한 높이가 유지된다.

⑩ **주행 장치** : 주행 장치는 좌우의 트랙에는 요동 롤러를 설치하여 노반의 요철에 의하여 스크리드에 미치는 악영향을 제거하여 포장 면의 불균일을 방지해 준다.

(2) 아스팔트 피니셔에서 혼합재(아스콘)가 작업장치를 통과하는 순서

호퍼 - 피이더 - 스프레딩 스크류 - 스크리드

2. 아스팔트 믹싱 플랜트(Asphalt mixing plant)

아스팔트 믹싱 플랜트는 아스팔트 도로공사에 사용되는 포장재료를 혼합·생산하는 건설기계로서 골재 공급장치, 건조 가열장치, 혼합장치, 아스팔트 공급장치와 원동기를 가진 것을 말하며, 트럭식과 정치식이 있고, 장비 규격은 시간당 생산량(m³/h)으로 표시한다.

아스팔트 믹싱 플랜트는 골재 저장통의 골재가 피더를 통해 엘리베이터를 타고 드라이어(건조기)에 공급된다. 드라이어는 3~7° 경사로 회전하며, 투입된 골재는 중유 버너로 가열하여 골재를 건조시킨다. 건조된 골재는 핫 엘리베이터(hot-elevator)를 통해 진동 스크린에 저장되며 각 입자 크기별로 선별되어 계량장치에 공급된다.

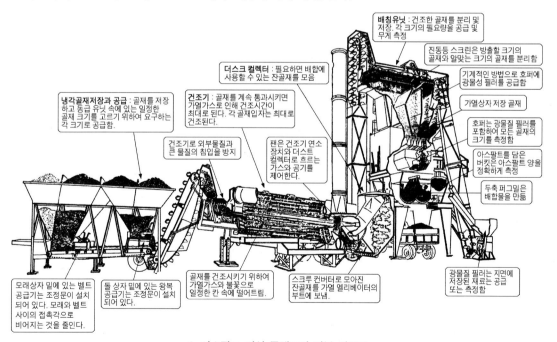

▲ 아스팔트 믹싱 플랜트의 각부 작동도

① **피드 호퍼**(feed hopper) : 호퍼는 골재를 저장하며, 벨트 컨베이어를 통해 건조 드럼으로 향하는 엘리베이터로 운반된다. 이때의 골재는 건조 가열되지 않은 상태이므로 콜드 엘리베이터(cold elevator)라고도 한다.

② **버너**(burner) : 버너는 연소실, 받침대, 송풍기, 연료 펌프, 파이프 등으로 구성되어 있으며 연료를 20μ 정도의 미립자로 무화(안개화)시켜 분사하면서 연소시키며, 1차 공기는 연료를 분사시키고 2차 공기는 연소를 일으켜 유입되는 연료량과 공기를 조정하면서 자갈·모래를 건조시키는 장치이다.

③ **혼합기**(mixer) : 혼합기는 2축 퍼그밀 혼합방식이며, 이 형식은 2개의 날개가 서로 반대 방향으로 회전하면서 아스팔트를 끓인 것과 자갈·모래를 신속하게 적당한 비율로 혼합하여 준다.

④ **골재 가열 건조장치**(드라이어 : dryer) : 골재 가열 건조장치는 아스팔트 믹싱 플랜트의 능력(용량·기구 및 형상)에 적합한 열효율을 얻을 수 있도록 설계 제작되어 있다. 버너는 특수 장화염 방식을 사용하는데, 이것은 열효율을 측정함과 동시에 건조용 드럼의 손상을 방지할 수 있다.

⑤ **핫 엘리베이터**(hot elevator) : 핫 엘리베이터는 골재 가열 건조장치에서 건조된 골재를 믹싱 타워(mixing tower)로 운반하기 위하여 원심 배출형의 버킷 엘리베이터를 사용한다.

⑥ **진동 스크린**(screen) : 진동 스크린은 골재를 입자별로 선별하는 장치이다. 즉 가열된 골재를 스크린으로 쳐 분류하며, 믹싱 타워의 가장 위쪽에 설치된다.

⑦ **아스팔트 캐틀**(asphalt kettle) : 아스팔트 캐틀은 아스팔트 용해용 솥이다. 아스팔트 용해 장치에는 직접 가열 방식과 간접 가열 방식이 있다.

⑧ **계량장치** : 계량장치는 골재를 계량할 때는 누적 계량 방식을 사용하며, 석분이나 아스팔트는 개별계량 방식을 사용한다.

⑨ **배풍기와 집진장치** : 건조기 드럼 내에서 발생한 수증기, 먼지, 연소가스, 진동 스크린에서 발생한 분진 등은 배풍기에 의해 배출된다. 또 배기가스 중에는 골재의 세립과 티끌 등이 포함되어 있기 때문에 이들이 굴뚝에서 대기 중으로 방출되지 않도록 집진장치를 두고 있다.

3. 아스팔트 살포기(Asphalt distributor)

아스팔트 살포기는 아스팔트 공사장에서 최초로 지층 위에 역청을 뿌려주는 것이다. 타이어형 차대 위에 기관, 아스팔트 탱크, 가열장치, 분배장치, 연료탱크 등을 탑재하고 있다.

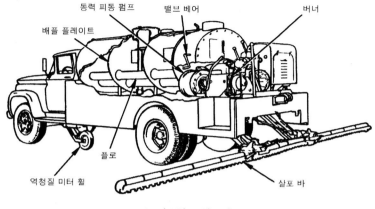

▲ 아스팔트 살포기

(1) 탱크(tank)

탱크는 역청재료를 담아두는 것이며, 판(plate), 맨홀(manhole), 오버플로(overflow), 탱크 게이지 등을 구비하고 있다. 또 가열용 버너(burner)의 연도를 설비하고 있다.

(2) 펌프(pump)

밸브 실에는 기관에 의해 구동되는 기어 펌프가 있으며, 역청재료를 싣고 순환, 살포, 색백(sack back)을 하기 위해 변환 밸브를 두고 있다. 또 이것들은 저온에서 재료의 굳어짐을 방지하기 위해 보온되어 있다.

(3) 살포 바(distributor bar)와 노즐(nozzle)

살포 바에 부착된 여러 개의 노즐이며 재료를 뿌리는 일을 한다.

(4) 제 5바퀴

아스팔트 살포기 자체의 주행속도를 알기 위한 것이며, 속도계와 연동된다. 살포기에 의해 역청재료를 살포할 경우는 미리 적당한 역청재료의 살포 온도에서 펌프의 회전속도와 토출량의 관계를 조사하여 두어야 한다.

공기압축기와 천공기 및 쇄석기

1 공기압축기

공기압축기는 압축 공기의 압력을 이용하여 천공 작업(바위구멍 뚫기), 콘크리트 파괴, 진동, 다지기, 연마, 페인트 분무, 드릴링, 체인톱, 타이어 공기 주입 등의 작업을 할 수 있는 건설기계이다.

그리고 효율적으로 사용하기 위한 압축 공기의 압력은 4.9~6.3 kgf/cm²이다. 압축 공기의 생산과정은 공기청정기→1단계 압축기(저압 실린더)→→인터쿨러(중간 냉각기)→고압 실린더→아프터 쿨러→공기 탱크이다.

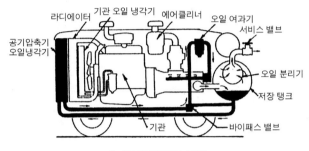

▲ 공기압축기의 구조

2 천공기

천공기는 지면이나 바위 등에 구멍을 뚫는 건설기계를 말하며, 천공 방식에 따라 충격식(타격식)과 회전식으로 구분되고, 충격식은 유압을 추진력으로 하는 THD(Top Hammer Drilling)와 공기압을 추진력으로 하는 DHD(Down the Hole Hammer Drilling)로 구분한다.

① **THD(Top Hammer Drilling)** : 유압을 추진력으로 사용하며, 유압 부품인 드리프터에서 발생되는 회전력과 타격력이 로드와 드릴 비트를 통해 암반면에 전달되어 암반을 파쇄하는 방식

② **DHD(Down the Hole Hammer Drilling)** : 압축공기 피스톤이 비트를 직접 타격하는 방식으로 추진력, 회전력, 타격력을 모두 이용한다. 공압 해머가 로드 하부에 장착되어 비트 직상부에서 비트 드릴을 직접 타격하여 천공 깊이와 관계없이 비교적 일정한 타격력을 암반에 전달할 수 있다.

③ **RD(Rotary Drilling)** : 3가지 천공법 중 가장 규모가 큰 형태로 타격력 없이 회전력과 추진력만으로 천공작업을 수행하는 방식. 추진력과 회전력은 지상의 드릴 리그의 자중과 대형 유압장비를 통해 제공된다.

(1) 회전식 천공기의 특징
① 천공속도가 느리다.
② 보링기계, 어스 오거, 어스드릴 등이 이에 속한다.
③ 비트에 강력한 회전력과 압력을 주어 마모·천공한다.

(2) 천공기의 작업장치

① **락 드릴**(rock drill) : 주행 장비에 대형의 유압 드리프터가 장착되어, 여러 각도로 암반 천공이 가능하고 소음이나 분진의 발생이 적어 광산이나 채석장 등에서 사용한다.

② **어스 드릴**(earth drill) : 기중기에 부착되어 어스 드릴을 탑재한 상태로 사용되고 있다. 작업 장치로는 구동기어, 캐리바, 드릴링 버킷으로 구성되어 있다. 진동과 소음이 거의 없고 굴착 능력이 우수하여 공사비가 저렴하나, 표층의 토질이 연약하고 지하 수위가 높은 사질의 지반일 경우 천공시 천공 벽이 무너질 염려가 있다.

③ **어스 오거**(earth auger) : 크롤러식 차대에 오거 등 천공 작업장치를 부착한 구조로, 여러 형태의 스크루 비트를 끝에 설치하고, 스크루 로드를 유압 모터 또는 전기 모터로 회전시켜 지중을 천공하면서 흙을 배출하는 장치이다.

④ **점보 드릴**(jumbo drill) : 이동식 주행 차대에 다수의 천공기를 부착하여 한 번에 많은 구멍을 뚫는 기계이다. 다수의 붐 선단에 착암기인 드리프터가 장착되어, 유압 또는 공기압 등에 의해 자유자재로 빠르게 필요한 위치로 이동할 수 있어, 터널 등의 협소한 작업 공간에서 고속 천공이 가능하다.

⑤ **실드 머신**(실드 굴진기 ; shiele shirld machine) : 터널을 커터 헤드로 굴착하면서 굴착된 갱부를 실드로 복공하는 굴착기계이다. 실드 굴진기 전면에 절삭 할 수 있는 커터 헤드를 설치하고 회전하면서 전진시켜, 접촉되는 앞면을 절삭하고 절삭된 토사를 실드 굴진기로 끌어내며, 벨트 컨베이어 등의 운반기계를 이용하여 배출시킨다. 커터 헤드로 접촉되는 부분이 밀착하여 절삭되므로, 굴착 속도가 빨라 공기 단축과 공사 비용을 절감시킬 수 있으며, 연약 지반 등의 굴착에 우수한 성능을 발휘한다.

⑥ **터널 보링 머신**(TBM ; tunnel boring machine) : 직접 암벽에 접촉 회전시켜 전단면을 연속적으로 절삭 파쇄하여 쇄석을 연속적으로 굴착, 기계의 뒤쪽으로 반출하면서 굴진하는 장비이다. 전단면 굴착에는 터널 보링 머신을 사용하고, 자유 단면 굴착에는 암보링 머신을 사용한다.

⑦ **로드 헤더**(road header) : 부분 단면 굴착기 또는 자유 단면 굴착기로 불리며, TBM과 달리 단면 형상에 따른 큰 제약이 없이 터널을 굴착할 수 있는 기계이다. 로드 헤더는 압축 강도가 최대 170Mpa인 경암 굴착도 가능하지만, 일반적으로 픽커터의 절삭 성능과 내마모성의 한계로 인하여 100Mpa 이하인 연암 조건에서 효과적이다.

3 쇄석기(crusher)

쇄석기는 도로공사 및 콘크리트 공사에 사용되는 골재를 생산하기 위해 원석을 부수어 자갈을 만드는 건설기계이다. 일반적으로 1차, 2차로 나누어 쇄석을 하며, 1, 2차 모두 조 크러셔(jaw crusher)를 사용하거나 1차는 조 크러셔, 2차는 콘 크러셔나 롤 크러셔(roll crusher)를 사용하는 경우도 있다. 쇄석기의 쇄석 과정은 투입구→1차 크러셔→전달 컨베이어→선별기→2차 크러셔→컨베이어→선별 산적이다.

1. 쇄석기의 종류

(1) 조 쇄석기(Jaw Crusher)

① 고정된 수동판과 요동하는 구동판을 마주 보게 설치되어 있다.

② 싱글 토글형(Single toggle type)과 더블 토글형(Double toggle type)이 있다.

③ 투입구(Feed hopper)가 몸체이 비하여 크다.

④ 파쇄 용량과 파쇄 비율이 커서 1차 파쇄에 적합하다.

⑤ 조쇄석기 투입구의 크기는 조 사이의 최대거리(mm) × 쇄석판의 폭(mm)으로 표시한다.

(2) 콘 쇄석기(Cone Crusher),

① 고속으로 선회운동을 시켜 파쇄하는 방식

② 2차 파쇄작업에 적합하며, 잘게 파쇄하는 작업에 효과적이다.

③ 균일한 크기의 쇄석으로 만들 수 있다.

④ 무부하 운전을 할 때는 귀환 오일의 온도, 매틀 자유 회전상태 등에 대하여 점검한다.

(3) 임팩트 쇄석기(Impact Crusher),

① 타격판을 부착한 로터를 고속으로 회전시켜서 충격적으로 파쇄작용을 한다.

② 생산물이 입방체로 생성된다.

③ 파쇄 비율이 다른 쇄석기에 비하여 크다.

(4) 로드 밀 쇄석기(Road mill Crusher),

로드 밀 쇄석기는 회전형 쇄석기로 원통형 드럼 내부에서 여러 개의 강봉(Steel rod)이나 볼을 회전시켜서 파쇄를 하며, 가는 골재 생산에 적합하다. 로드 밀에서 트러니언(Trunion)의 중앙을 통하여 자갈이나 모래를 배출하는 형식을 오버 플로형(Over floe type)이라고 한다.

(5) 자이로터리 쇄석기(Gyratory Crusher),

이 형식은 고정된 도립 원추형 용기 내부에 원뿔형의 머리를 주축에 부착하여 파쇄실을 형성하고, 편심축의 회전에 의하여 원뿔형의 머리가 편심 선회하면서 파쇄하는 형식이다. 투입구의 크기는 콘 케이브와 맨틀 사이의 간격(mm) × 맨틀 지름(mm)이다.

2. 쇄석 과정

투입구(피드 호퍼) → 1차 쇄석기 → 전단 컨베이어 → 선별기 → 2차 쇄석기 → 컨베이어 → 선별 산적

3. 쇄석기의 구조

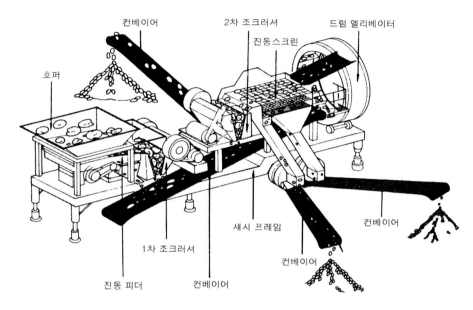

호퍼   컨베이어   2차 조크러셔   드럼 엘리베이터   진동스크린   1차 조크러셔   섀시 프레임   컨베이어   진동 피더   컨베이어   컨베이어

▲ 쇄석기의 구조

(1) 호퍼(feed hopper ; 투입구)

호퍼는 쇄석 하려는 돌을 넣어주는 용기이며, 피드는 조 크러셔에서 왕복 운동하며, 돌을 조(jaw)로 보내주는 장치이다.

(2) 딜리버리 컨베이어(전달 컨베이어 : delivery conveyer)

딜리버리 컨베이어는 1차 크러셔에서 쇄석된 골재를 2차 크러셔로 운반하거나 골재 선별장으로 운반한다.

(3) 진동 스크린(vibration screen)

진동 스크린은 일종의 체이며, 진동을 주어서 골재를 크기별로 분류하는 선별 작용을 하며, 스크린의 크기는 메시(mesh : $inch^2$ 당 구멍수)로 표시한다.

(4) 승강기(엘리베이터)

승강기는 골재를 수직으로 이동시키는 장치이다.

(5) 컨베이어 벨트(conveyer belt)

컨베이어 벨트에는 피드 컨베이어(공급용), 롤 컨베이어(이송용), 딜리버리 컨베이어(분류용), 샌드 컨베이어 등이 있으며 골재를 이동시킨다. 그리고 컨베이어 벨트의 장력 조정은 테일 풀리(tail pulley)와 플로팅 풀리(floating pulley) 하중으로 한다. 벨트의 속도는 단위 시간당의 벨트의 원주속도로 표시한다.

준설선이란 수중의 토사·암반 등을 파내는 것이다. 이 건설기계는 선박 대형화에 따른 항로, 항만, 선착장 및 수심 증가, 하천, 수로 안벽, 방파제 등의 축항 및 기초공사 등에 사용된다. 준설선의 건설기계 범위는 펌프 방식, 버킷 방식, 디퍼 방식 또는 그래브 방식으로 비자항식인 것이다.

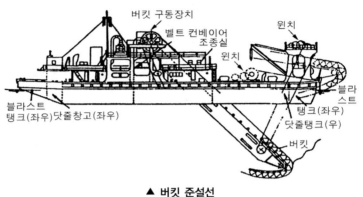

▲ 버킷 준설선

1 준설선의 형식

① **그래브 방식** : 바지(barge) 위에 크레인의 운전 장치를 탑재하여 붐 끝에 훅 대신 개폐가 자유로운 그래브 버킷을 매달아 조립한 장비로 버킷으로 물속의 단단한 토양이나 돌덩이들을 파 올려 양현에 계류 중인 토운선에 담아 가득 차면 예인선을 이용하여 정해진 일정 구역에 버린다.

② **펌프 방식** : 바지(barge) 위에 강력한 원심펌프와 선수 래더 끝에는 커터를 장착하며, 커터 축 하단부에 흡입구와 주 펌프를 관으로 연결하여 커터를 회전시킨다. 해저로 래더를 내려 토사와 물을 혼합하고 흡입하여 원형 관을 통해 토사를 배출한다.

③ **디퍼 방식** : 바지 위에 파워 셔블(power shovel) 장치를 탑재한 작업선이며, 회전이 자유로운 기중기 운전부에 용량이 1~8m³인 디퍼(주걱)를 장착하여 해저 토사를 굴착하여 토운선에 적재하는 비자항식 준설선으로 큰 힘을 내고 빠른 속도로 굴착력이 크다.

④ **쇄암 방식** : 일반 준설선으로는 암반 같은 단단한 지반을 준설 할 수 없기 때문에, 특수방식으로 암반을 깨트리고 이것을 준설선으로 인양하는 것을 쇄암선이라 한다. 이렇게 쇄암 목적으로 건조된 선박을 말하며, 중추방식과 충격방식이 있다.

2 준설선의 종류

(1) 버킷 준설선

이 형식은 래더(ladder) 상의 딤블러를 중심으로 한 버킷 라인이 회전하여 굴착하는 건설기계로서, 양쪽에 앵커(anchor)에 의해 좌우로 스윙하며 작업한다. 버킷 용량은 0.5 ~ 0.8m³ 정도이며, 굴착된 토사는 슈트를 통하여 적재하고, 예인선에 의해 이동하며 선박 방해에 지장이 없는 위치에 투기한다.

(2) 그래브 준설선

이 형식은 대부분 소형이고, 개폐가 자연스러운 드래브를 붐 끝에 설치하여 기관과 조립되어 있으며, 비자항식과 자항식이 있다. 퍼 올린 토사는 양현에 계류한 토사 운반용 선박에 적재한 후, 만재된 토사 운반용 선박을 예인선으로 예인하고, 선박 항해에 지장이 없는 위치에 투기한다. 전후좌우 이동은 4개의 앵커를 조정하여 작업한다.

(3) 디퍼 준설선

이 형식은 굳은 지반을 준설하기 위해 고안된 것으로, 육상에서 사용하는 셔블을 대선에 설치한 것이다. 구조가 복잡하고 건조 비용이 높으며, 작업 능력이 비교적 낮기 때문에 특수한 목적 이외에는 사용하지 않는다. 굴착할 때 선체의 동요를 방지하기 위하여, 선미 좌우와 선수 중앙에 합계 3개의 스퍼드를 사용한다.

(4) 드래그 셕션(drag suction) 준설선

이 형식은 대규모 항로 준설 등에 사용하는 것으로, 선체 중앙에 진흙 창고를 설치하고 항해하면서 해저의 토사를 준설 펌프로 빨아올려 진흙 창고에 적재한다.

만재된 경우에는 배토장으로 운반하거나 창고의 흙을 배토 또는 매립지에 자체의 준설 펌프를 사용하여 배송한다. 토사를 빨아올리는 드래그 암(drag arm)의 배치에 따라 센터 드래그, 사이드 드래그 등으로 분류한다.

(5) 펌프 준설선

이 형식은 주로 매립공사에 사용하고, 해저의 토사를 물을 매체로 하여 절단기로 절단하며, 이것을 펌프로 빨아올려 파이프 라인으로 장거리 배송하는 것이다.

펌프는 샌드 펌프(sand pump)를 설치하여 흡입관을 물 밑에 두고, 물과 함께 토사를 빨아올려 배출관에서 불어내어 토사를 흙 운반선에 받거나 호퍼에 받아 저장하며, 배토 펌프로 흡출하고 송토관에 연결하여 매립지에 압송한다.

펌프 준설에서 작업 요소를 결정하는 주요소는, 흙을 퍼 올리고 보내는 거리 및 준설 깊이 등이다.

01 아스팔트 포장 공사의 마무리 작업에 많이 사용하는 롤러는?(단, 2축 2륜이다.)

① 진동 롤러　　② 탠덤 롤러
③ 타이어 롤러　　④ 머캐덤 롤러

해설 탠덤 롤러는 롤러 2개가 일렬로 배치된 2륜 탠덤 롤러와 롤러가 3개가 일렬로 된 롤러가 있는데, 역청포장의 완성 다짐이나 차가운 아스팔트 다짐에 사용되며, 골재층을 다져서는 안 된다.

02 머캐덤 롤러에서 차동장치의 역할은 무엇인가?

① 좌우 후륜의 접지압을 같게 한다.
② 좌우 후륜의 회전속도를 일정하게 한다.
③ 선회할 때 원활한 회전이 가능하게 한다.
④ 연약지반에서 구동륜의 공회전을 방지한다.

해설 머캐덤 롤러에는 조향할 때 좌·우측 바퀴의 회전수를 다르게 하여, 선회할 때 원활한 회전을 가능하게 하는 차동장치를 두고 있다.

03 타이어 롤러의 타이어 공기압에 대한 설명 중 맞는 것은?

① 앞타이어보다 뒤타이어의 공기압이 약간 높은 것이 좋다.
② 중앙의 타이어보다 양측의 타이어의 공기압이 약간 높은 것이 좋다.
③ 타이어의 공기압은 되도록 높게 하는 것이 좋다.
④ 타이어의 공기압은 앞·뒤 모두 동일하게 하는 것이 좋다.

해설 타이어 롤러의 타이어의 공기압은 앞·뒤 모두 동일하게 하는 것이 좋다.

04 아스팔트 포장 롤러 다짐 작업 방법 중 틀린 것은?

① 건조한 노면은 물을 약간 뿌려서 다짐한다.
② 같은 위치에서 정지되지 않도록 작업한다.
③ 다짐 작업은 조인트부터 시작한다.
④ 구배 노면의 경우 높은 쪽에서 낮은 쪽으로 작업한다.

해설 롤러의 다짐 작업 방법은 ①②③항 외에 구배 노면의 경우 낮은 쪽에서 높은 쪽으로 작업한다.

05 콘크리트 펌프에서 붐의 상승 속도가 느려지는 원인이 아닌 것은?

① 붐에 균열이 있다.
② 붐 체크밸브의 오리피스가 오염되었다.
③ 유압유 탱크 내의 오일이 부족하다.
④ 붐 실린더의 실이 파손되었다.

해설 붐의 상승 속도가 느린 원인은 ②③④항 외에 컨트롤 밸브의 손상이나 마모가 있다.

정답 01.② 02.③ 03.④ 04.④ 05.①

06 아스팔트 믹싱 플랜트의 구성 장치가 아닌 것은?

① 배기 집진장치
② 건조기 버너
③ 크로싱 롤 장치
④ 골재 가열 건조장치

해설 아스팔트 믹싱 플랜트 장치의 기능
· **엘리베이터**(elevator) : 드라이어에서 건조된 골재를 믹싱 타워(mixing tower)로 운반
· **드라이어**(dryer) : 골재의 수분을 완전히 제거하고 가열
· **믹서**(mixer) : 아스팔트와 자갈·모래를 신속하게 적당한 비율로 혼합
· **저장통** : 골재를 저장

07 건설기계로 사용되는 콘크리트 배칭 플랜트의 작업 능력을 산정하는 요소가 아닌 것은?

① 최대 인양 능력
② 재료의 저장용량
③ 믹서의 용량과 대수
④ 단위 시간당 혼합능력

해설 콘크리트 배칭 플랜트의 작업 능력은 재료의 저장용량, 믹서의 용량과 대수, 단위 시간당 혼합능력으로 산정한다.

08 다음 중 아스팔트 피니셔의 크라운율을 바르게 설명한 것은?

① 포장 가능한 횡단 구배를 백분율로 나타낸 것
② 댐퍼의 다짐 압력을 다짐 면적으로 나눈 값을 백분율로 나타낸 것
③ 호퍼의 용량을 작업속도로 나눈 값을 백분율로 나타낸 것

④ 슈 플레이트의 면적에 피니셔의 중량을 나눈 값을 백분율로 나타낸 것

해설 아스팔트 피니셔의 크라운율은 포장 가능한 횡단 구배를 백분율로 나타낸 것이다.

09 건설공사용 공기압축기의 사용 분야가 아닌 것은?

① 그라인딩 작업
② 톱을 이용한 목재의 절단
③ 골재 운반 작업
④ 타설된 콘크리트의 진동 혹은 치핑 작업

해설 공기압축기는 압축공기의 압력을 이용하여 천공작업(바위구멍 뚫기), 콘크리트 파괴, 진동, 다지기, 연마, 페인트 분무, 드릴링, 체인톱, 목재 절단, 그라인딩, 콘크리트의 진동 혹은 치핑 작업, 타이어 공기주입 등의 작업을 할 수 있는 건설기계이다.

10 공기압축기에서 언로더(unloader) 밸브의 역할은?

① 공기의 압력을 높이는 역할을 한다.
② 자동차의 에어클리너 역할을 한다.
③ 공기의 양을 조절하여 탱크로 보내는 역할을 한다.
④ 압축된 공기의 열을 냉각시켜 고압 실린더로 보내는 역할을 한다.

해설 공기압축기의 언로더 밸브는 공기압축기에서 공기의 압축이 이루어지지 않도록 하여 압축기의 부하를 경감시키는 장치로, 공기의 양을 조절하여 탱크로 보내는 역할을 한다.

11 회전식 천공기에 대한 설명이 아닌 것은?

① 천공속도가 느리다.
② 보링기계, 어스오거, 어스드릴 등이 이에 속한다.
③ 비트에 강력한 회전력과 압력을 주어 마모·천공한다.
④ 깊은 천공이나 대구경의 천공은 기술적으로 곤란하다.

해설 타격식의 경우는 구경 30~45mm의 것이 많이 사용되고, 회전식 및 타격 회전식의 경우는 구경 약 60~100mm의 것이 사용된다.

12 다음 중 진동 스크린의 역할은?

① 골재 선별　　② 골재 조절
③ 골재 쇄석　　④ 골재 공급

해설 진동 스크린은 일종의 체로써 진동을 주어서 골재를 크기별로 분류하는 선별 작용을 하며, 스크린의 크기는 메시(mesh : in² 당 구멍의 수)로 표시한다.

13 쇄석기에 사용되는 골재이송용 컨베이어 벨트가 쏠리는 경우가 아닌 것은?

① 벨트가 늘어졌을 때
② 각종 롤러가 마모되었을 때
③ 리턴 롤러가 고정되었을 때
④ 흙이나 오물이 끼었을 때

해설 골재이송용 컨베이어 벨트가 쏠리는 경우는, 벨트가 늘어졌을 때, 각종 롤러가 마모되었을 때, 흙이나 오물이 끼었을 때 등이다.

14 버킷 준설선의 장점으로 틀린 것은?

① 악천후나 조류 등에 강하다.
② 토질의 질에 영향을 작게 받는다.
③ 준설단가가 저렴하다.
④ 암반 준설에 좋다.

해설 버킷 준설선의 특징은 ①②③항 외에 암반 준설에는 부적당하다.

Part
03

유압장치 정비

Part 03 유압장치 정비

1 유압의 원리

1. 파스칼의 원리(Pascal's Principle)

① 밀폐된 용기 속의 유체 일부에 가해진 압력은 각 부분에 똑같은 세기로 전달된다.
② 각 점의 압력은 모든 방향으로 같다.
③ 유체의 압력은 면에 대하여 직각(수직)으로 작용한다.

2. 유압장치의 장점 및 단점

(1) 유압장치의 장점

① 윤활 성능, 내마멸성, 부식 방지성(방청성)이 좋다.
② 속도제어와 힘의 연속적 제어가 용이하다.
③ 작은 동력원으로 큰 힘을 낼 수 있다. 즉, 소형장치로 큰 출력을 발생한다.
④ 과부하에 대한 안전장치가 간단하고 정확하다.
⑤ 운동 방향을 쉽게 변경할 수 있다.
⑥ 전기·전자의 조합으로 자동제어가 용이하다.
⑦ 에너지 축적이 가능하며, 힘의 전달 및 증폭이 용이하다.
⑧ 무단변속이 가능하고, 정확한 위치제어를 할 수 있다.
⑨ 미세조작 및 원격조작이 가능하다.
⑩ 진동이 작고, 작동이 원활하다.

(2) 유압장치의 단점

① 고압 사용으로 인한 위험성 및 이물질에 민감하다.
② 유온(작동유의 온도)의 영향에 따라 정밀한 속도와 제어가 곤란하다.
③ 폐유에 의한 주변 환경이 오염될 수 있다.
④ 작동유는 가연성이 있어 화재에 위험하다.

⑤ 회로 구성이 어렵고 누설되는 경우가 있다.

⑥ 작동유의 온도에 따라서 점도가 변하므로 기계의 속도가 변한다.

⑦ 에너지의 손실이 크다.

3. 유량

유량이란 단위시간에 이동하는 유체의 체적이며, 단위는 LPM(ℓ /min)이나 GPM (gallon per minute)이다.

$$Q = AV \; [Q : 유량, \; A : 단면적, \; V : 유속]$$

4. 압력

압력이란 단위면적에 작용하는 힘, 즉 유압 $= \dfrac{힘}{면적}$ 이다. 압력의 단위에는 PSI, kgf/㎠, Pa(kPa, MPa), mmHg, bar, atm, mAq 등이 있다.

5. 채터링 현상

직동형 릴리프 밸브에서 포핏이 밸브시트를 두드려서 비교적 높은 음을 발생시키는 일종의 자력진동 현상이다.

2 작동유

1. 작동유의 점도 및 점도지수

① **작동유의 점도** : 점도는 점성의 정도를 나타내는 척도이며, 작동유의 성질 중 가장 중요하다. 점도는 온도가 상승하면 저하되며, 온도가 내려가면 높아진다.

② **점도지수** : 작동유에서 온도에 따른 점도 변화 정도를 표시하는 것을 점도지수라 하며, 온도변화에 따라 점도 변화가 큰 오일은 점도지수는 낮다.

③ **작동유 첨가제** : 작동유 첨가제에는 마모방지제, 소포제(거품 방지제), 유동점 강하제, 산화방지제(부식방지제), 점도지수 향상제 등이 있다.

2. 작동유의 구비조건

① 강인한 유막(oil film)을 형성할 것

② 적당한 점도와 유동성이 있을 것

③ 비압축성이어야 하며, 비중이 적당할 것

④ 인화점 및 발화점이 높을 것

⑤ 점도지수가 크고, 점도가 알맞을 것

⑥ 내부식성(방청성)이 크고 윤활성이 있을 것

⑦ 기포 발생이 적고 실(seal) 재료와의 적합성이 좋을 것

⑧ 물·공기·먼지 등을 신속하게 분리할 수 있을 것

⑨ 체적탄성계수가 크고, 밀도는 적을 것

⑩ 유압장치에 사용되는 재료에 대하여 불활성일 것

⑪ 냄새 및 독성과 휘발성이 없을 것

3. 작동유의 온도가 상승하는 원인

① 작동유가 부족할 때

② 작동유가 노화되었을 때

③ 작동유의 점도가 부적당할 때

④ 릴리프밸브가 과도하게 작동할 때

⑤ 유압펌프의 효율이 불량할 때

⑥ 오일냉각기의 냉각핀이 오손되었을 때

⑦ 냉각팬의 회전속도가 느릴 때

⑧ 유압펌프에서 내부 누설이 증가할 때

⑨ 밸브의 누유가 많고 무부하 시간이 짧을 때

4. 작동유의 기포 발생에 의한 영향

① 체적효율이 감소한다.

② 저압 부분의 기포가 과포화 상태로 된다.

③ 최고압력이 발생하여 급격한 압력파가 일어난다.

④ 유압장치 내부에 국부적인 고압이 발생하여 소음과 진동이 발생한다.

⑤ 공동현상(캐비테이션)이 발생된다.

⑥ 오일 탱크의 오버플로가 발생된다.

5. 작동유의 열화를 점검하는 방법

① 색깔의 변화 및 수분

② 침전물의 유무 및 점도

③ 흔들었을 때 거품이 없어지는 양상

④ 자극적인 악취

6. 작동유 교환방법

① 기관의 가동을 완전히 멈춘 후에 교환한다.

② 화기가 있는 곳에서 교환 작업을 하지 않는다.

③ 작동유는 약 1,500시간 가동 후 교환하며, 작동유가 냉각되기 전에 교환하여야 한다.

④ 서로 다른 종류의 작동유를 혼합해서 사용하지 않는다.

7. 유압유(작동유) 첨가제

① 산화 방지제
② 점도지수 향상제
③ 소포제
④ 유성 향상제
⑤ 유동점 강하제
⑥ 부식 방지제
⑦ 청정제

8. 작동유 점도가 높을 때의 영향

① 기계 효율의 저하
② 소음 및 캐비테이션 발생 원인
③ 유동저항의 증대, 압력손실의 증대 초래
④ 내부 마찰 증대로 인한 온도의 상승
⑤ 유압기 작동 부정확 및 유효 일의 감소

9. 작동유 점도가 너무 낮을 때의 영향

① 유압펌프, 모터 등의 용적 효율 저하
② 각종 기기의 마모 증대
③ 오일의 내부 누설 증대
④ 일정한 압력 유지 및 조절의 곤란

10. 유압유 교환 시기

① 정기적인 교환시 새 유압유를 주입
② 오일탱크에 먼지 및 이물질 혼입시
③ 오일탱크에 수분 혼입시(우유빛 변질)
④ 유압펌프에 공기가 흡입시
⑤ 오일에서 악취가 발생한 경우
⑥ 오일의 열화로 인한 변질시

01 유압기기의 작동원리는 어떤 원리를 이용한 것인가?

① 베르누이의 원리
② 파스칼의 원리
③ 보일−샤를의 원리
④ 아르키메데스의 원리

해설 파스칼의 원리는 "밀폐된 용기 속의 유체 일부에 가해진 압력은 각 부분에 똑같은 세기로 전달된다."는 원리이다.

02 압력의 단위에 속하지 않는 것은?

① kgf/cm^2　　② bar
③ ps　　　　　④ mmHg

해설 압력의 단위는 kgf/cm^2, bar, mmHg, PSI, pa 등을 사용한다. ps(마력)은 엔진의 출력을 나타내는 단위이다.

03 유압장치의 단점이 아닌 것은?

① 속도를 무단으로 변속할 수 있다.
② 온도에 따라 기계의 속도가 변한다.
③ 배관이 까다롭고 누유가 발생되기 쉽다.
④ 유압유는 연소성이 있어 화재의 위험이 있다.

해설 유압장치의 단점은 ②③④항 외에 고압 사용으로 인한 위험성과 이물질에 민감하다.

04 유압 작동유가 갖추어야 할 구비조건에 대한 설명이 아닌 것은?

① 방청성이 좋을 것
② 온도에 대한 점도 변화가 작을 것
③ 인화점이 낮을 것
④ 화학적으로 안정될 것

해설 작동유의 구비조건
· 강인한 유막을 형성할 것
· 적당한 점도와 유동성이 있을 것
· 비압축성이어야 하며, 비중이 적당할 것
· 인화점 및 발화점이 높을 것
· 점도지수가 크고, 점도가 알맞을 것
· 내부식성(방청성)이 크고 윤활성이 있을 것
· 기포 발생이 적고 실 재료와의 적합성이 좋을 것
· 물·공기·먼지 등을 신속하게 분리할 수 있을 것

05 유압 작동유의 특성 중 틀린 것은?

① 운전, 온도에 따른 점도 변화를 최소로 줄이기 위하여 점도지수는 높아야 한다.
② 겨울철의 낮은 온도에서 충분한 유동을 보장하기 위하여 유동점은 높아야 한다.
③ 마찰 손실을 최대로 줄이기 위한 점도가 있어야 한다.
④ 펌프, 실린더, 밸브 등의 누유를 최소로 줄이기 위한 점도가 있어야 한다.

해설 유동점이 가장 낮은 온도를 응고점이라 한다. 따라서 겨울철의 낮은 온도에서 충분히 유동성을 보장하기 위하여 유동점이 낮아야 한다.

정답 01.② 02.③ 03.① 04.③ 05.②

06 건설기계에서 유압 작동유의 점도가 높을 때 가장 크게 발생되는 현상은?

① 동력손실이 커진다.
② 유동저항이 작아진다.
③ 유온이 낮아진다.
④ 마찰열이 작아진다.

해설 작동유의 점도가 높으면 유동저항이 커져 동력손실이 커지고, 마찰열이 발생하며, 유압이 높아진다.

07 유압 작동유의 점도가 너무 높을 경우 유압장치에 발생하는 문제로 맞는 것은?

① 내부 누설 및 외부 누설
② 내부 마찰의 증대와 온도 상승
③ 펌프 효율 저하에 따른 온도 상승
④ 정밀한 조절과 제어 곤란 등의 현상 발생

08 유압장치에 사용되는 작동유의 점도가 지나치게 낮은 경우 나타나는 현상이 아닌 것은?

① 시동 저항의 증가
② 유압펌프의 효율 저하
③ 작동유 누출 현상
④ 계통 내의 압력 저하

해설 유압유의 점도가 낮을 때의 영향
· 펌프의 효율 저하
· 오일 누설 증가
· 회로 내의 압력 저하
· 실린더 및 컨트롤 밸브에서 누출 발생

09 유압 오일 내에 거품이 형성되는 가장 큰 이유는?

① 오일의 누설
② 오일 속의 수분 혼입
③ 오일의 열화
④ 오일 속의 공기 혼입

해설 오일 속에 공기가 혼입되면 거품이 발생한다.

10 유압회로 내에 기포가 발생되고 있을 때 생기는 현상 중 잘못된 것은?

① 소음증가
② 공동현상
③ 오일탱크의 오버플로
④ 작동유 누설

해설 기포가 발생될 때의 영향은 소음증가, 공동현상, 오일 탱크의 오버플로 등이다.

11 유압 작동유에 수분이 혼입되었을 때의 영향이 아닌 것은?

① 작동유의 윤활성이 저하시킨다.
② 작동유의 방청성을 저하시킨다.
③ 작동유의 산화를 방지한다.
④ 작동유의 열화를 촉진시킨다.

해설 작동유에 수분이 혼입되었을 때의 영향은 ①②④항 외에 작동유의 산화를 촉진한다.

12 유압 작동유의 교환 시 주의사항으로 옳지 않은 것은?

① 장비 가동을 완전히 멈춘 후에 교환한다.
② 화기가 있는 곳에 교환 작업을 하지 않는다.
③ 유압 작동유의 온도가 고온일 때 유압유를 교환한다.
④ 서로 다른 종류의 유압 작동유를 혼합해서 사용하지 않는다.

해설 작동유를 교환할 때 주의사항은 ①②④항 외에 작동유는 약 1,500시간마다 교환하며, 작동유가 냉각되기 전에 교환하여야 한다.

13 다음 중 난연성 유압유의 첨가제가 아닌 것은?

① 마모 방지제
② 유동점 강하제
③ 산화 방지제
④ 점도지수 방지제

해설 난연성 유압유의 첨가제는 마모 방지제, 유동점 강하제, 산화 방지제, 소포제, 청정 분산제 등이 있다.

14 유압 작동유의 대한 설명으로 틀린 것은?

① 작동유는 유압기기 중의 마찰 부분의 윤활 및 냉각 작용을 한다.
② 작동유와 같이 공기가 혼입되면 유압기기의 성능은 저하한다.
③ 작동유는 낮은 점도지수를 가진 것이 바람직하다.
④ 점도는 압력 손실에 영향을 미치게 한다.

해설 작동유의 특성 중 온도에 따른 점도 변화가 적은 즉, 점도 지수가 큰 오일을 사용하여야 한다.

15 유압 작동유의 온도가 상승하는 원인이 아닌 것은?

① 탱크의 작동유 부족
② 릴리프밸브가 개방된 채로 고장
③ 작동유의 노화 또는 점도 부적당
④ 오일 쿨러의 성능 불량

해설 유압 작동유의 온도가 상승되는 원인은 릴리프밸브가 닫힌 채로 고장일 때, 오일냉각기의 불량, 유압 작동유의 점도 부적당 및 작동유가 부족할 때 등이다.

유압기기의 구성 요소는 유압 발생장치(유압 펌프), 유압 제어장치, 유압 작동기(실린더, 모터), 부속기기 등으로 구성되어 있다.

1 **작동유 탱크**(hydraulic oil tank)

작동유 탱크는 적정 유량을 확보하고, 작동유의 기포 발생 방지 및 기포의 소멸 작용과 적정 유온을 유지한다. 탱크의 크기는 유압유 용량의 3~5배 정도로 한다.

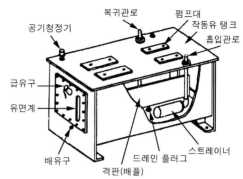
▲ 작동유 탱크의 구조

　① 유압장치에 필요한 양의 기름을 저장
　② 적정 온도의 유지(오일을 냉각해서 온도 조정)
　③ 오일중에 혼입한 불순물(공기, 물, 먼지)을 분리해서 오일을 정화
　④ 작동유 중의 기포 발생의 방지와 기포의 소멸

2 **유압펌프**(hydraulic pump)

유압펌프는 기관의 기계적 에너지를 받아서 유압 에너지로 변환시키는 장치이며, 그 종류에는 기어펌프, 플런저펌프, 베인펌프, 나사(스크루)펌프 등이 있다.

1. 유압펌프의 종류와 특징

(1) 기어펌프(Gear Pump)

　① **작동원리** : 구동 기어가 회전을 하면 이것과 맞물린 피동 기어도 회전을 하며, 이때 펌프실 내의 부압 발생으로 작동유가 흡입되어, 기어 이(齒)사이에 끼여서 출구로 운반되어 토출되는 정용량형 펌프이다. 기어펌프는 회전속도에 따라 토출량이 변화한다.

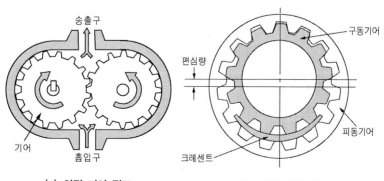

(a) 외접 기어 펌프　　　　(b) 내접 기어 펌프
▲ 기어펌프의 구조

② **기어펌프의 장점 및 단점**

기어펌프의 장점	기어펌프의 단점
① 구조가 간단하다. ② 흡입 저항이 작아 공동현상 발생이 적다. ③ 고속 회전이 가능하다. ④ 가혹한 조건에 잘 견딘다.	① 토출량의 맥동이 커 소음과 진동이 크다. ② 수명이 짧은 편이다. ③ 대용량의 펌프로 하기가 곤란하다.

> **참고** **폐입현상**
>
> 외접 기어펌프에서 토출된 유량의 일부가 입구 쪽으로 되돌려지므로 토출량 감소, 축 동력의 증가, 케이싱 마모 등의 원인을 유발하는 현상이다.

(2) 플런저펌프(Plunger Pump : 피스톤 펌프)

① **작동원리** : 펌프실 내의 플런저가 실린더 내를 왕복운동을 하면서 펌프작용을 하며, 맥동적인 출력을 하나 다른 펌프에 비하여 일반적으로 최고 압력의 토출이 가능하고, 펌프효율에서도 전체 압력 범위가 높아 최근에 많이 사용되고 있다.

② **플런저펌프의 종류** : 플런저펌프의 종류에는 액시얼(축방향)형 플런저펌프와 레이디얼(반지름 방향)형 플런저펌프가 있다. 액시얼형 플런저펌프는 플런저가 펌프 축과 평행하게 설치되어 있으며, 레이디얼형 플런저펌프는 플런저가 펌프 축에 직각으로, 즉 반지름 방향으로 배열되어 있다.

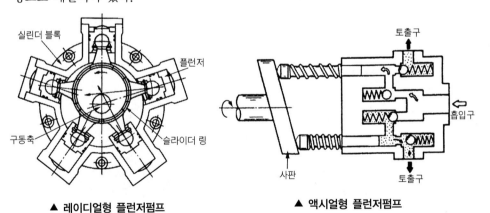

▲ 레이디얼형 플런저펌프   ▲ 액시얼형 플런저펌프

③ **플런저펌프의 장점 및 단점**

플런저펌프의 장점	플런저펌프의 단점
① 고압에서 누설이 작아 펌프 효율이 가장 좋다. ② 가변용량에 적합하다. ③ 수명이 길고, 고압에서 작동유의 누출이 적다.	① 흡입성능이 가장 낮다. ② 소음이 크고 최고 회전속도가 약간 낮다. ③ 구조가 복잡하고 가격이 비싸다. ④ 작동유의 오염에 매우 민감하다.

(3) 베인펌프(Vane Pump)

① **작동원리**: 둥근 캠링(cam ring) 속에 로터(rotor)가 들어 있으며, 이 로터에는 여러 개의 베인(vane : 날개)이 있어, 로터가 회전할 때 펌프작용을 한다.

② **베인펌프의 장점 및 단점**

베인펌프의 장점	베인펌프의 단점
① 맥동이 작아 소음과 진동이 작다. ② 고속 회전이 가능하다. ③ 균형이 잘 잡혀있다. ④ 자체 보상 기능이 있다.	① 최고 압력이 낮다. ② 흡입성능이 낮다.

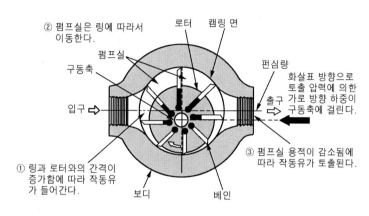

▲베인 프의 구조

2. 유압펌프의 구동 및 크기 표시 방법

건설기계의 유압펌프는 대부분 기관의 플라이휠에 의해 구동되며, 크기는 주어진 속도(또는 압력)와 그때의 토출량(LPM or GPM)으로 표시한다.

3. 유압펌프에서 소음이 발생되는 원인

① 스트레이너 용량이 너무 작다.
② 흡입관 접합부로부터 공기가 유입된다.
③ 기관과 펌프 축 사이의 편심 오차가 크다.
④ 작동유의 점도가 너무 높다.
⑤ 작동유의 양이 부족하다.
⑥ 유압펌프 구동축의 베어링이 마모되었다.
⑦ 유압펌프 상부 커버의 볼트가 풀려 있다.

4. 유압펌프의 토출이 안되거나 적은 원인

① 펌프 회전 방향이 다르다.
② 기름 탱크의 유면이 낮다.
③ 흡입관이 막혀있다.
④ 펌프의 회전수가 너무 느리다.
⑤ 작동유의 점도가 너무 낮다.

Section 3-3 ## 유압제어밸브(Control Valve)

제어밸브에는 압력 제어밸브(일의 크기를 결정), 유량 제어밸브(일의 속도를 결정), 방향 제어밸브(일의 방향 결정) 등 3가지가 있다.

1 압력 제어밸브

압력 제어밸브의 종류에는 릴리프밸브, 리듀싱 밸브, 시퀀스 밸브, 언로더 밸브, 카운터밸런스 밸브 등이 있다.

(1) 릴리프밸브(relief valve)

릴리프밸브는 유압회로에서 유압이 규정 값에 도달하면 밸브가 열려서, 작동유의 일부 또는 전량을 작동유 탱크로 복귀시켜 회로 압력을 일정하게 하고, 최고 압력을 규제하여 각부 기기를 보호하는 역할을 한다. 즉 유압기기의 과부하 방지를 위한 것이며, 릴리프밸브는 유압펌프와 제어밸브(방향제어밸브) 사이에 설치되어 있다. 그리고 릴리프밸브 등에서 밸브 스프링이 약해서 밸브시트를 때려 비교적 높은 소음을 내는 진동 현상을 채터링이라 한다.

(2) 리듀싱 밸브(감압밸브 : reducing valve)

리듀싱 밸브는 유압회로에서 일부 회로의 압력을 감압·제어하여 유지한다. 즉 유압회로에서 입구 압력을 감압하여 출구를 설정 유압으로 유지한다. 즉 분기회로에서 2차 쪽의 압력을 낮게 할 때 사용한다.

(3) 시퀀스 밸브(sequence valve)

시퀀스 밸브는 순차작동 밸브라고도 부르며, 복수의 유압실린더 등이 2개 이상의 분기회로를 갖는 회로에서 각 유압실린더나 모터의 작동순서를 결정하는 자동제어 밸브이다.

(4) 언로드 밸브(unload valve, 무부하 밸브)

언로드 밸브는 유압회로의 압력이 설정 압력에 도달하였을 때, 유압펌프로부터 전체 유량을 작동유 탱크로 복귀시키는 밸브이다. 즉 유압장치에서 2개의 유압펌프를 사용할 때 펌프의 전체 송출량을 필요로 하지 않을 경우, 동력의 절감과 유온 상승을 방지하는 밸브이다.

(5) 카운터밸런스 밸브(counter balance valve)

카운터밸런스 밸브는 역류가 자유로이 흐르도록 되어 있으며, 유압실린더 등이 중력에 의한 자유낙하를 방지하기 위하여 배압을 유지한다.

2 방향 제어밸브

방향 제어밸브의 종류에는 스풀 밸브, 체크밸브, 디셀러레이션 밸브 등이 있으며, 방향 제어밸브를 동작시키는 방식에는 수동방식, 전자 방식, 전자·유압 파일럿 방식이 있다.

(1) 스풀 밸브(spool valve)

스풀 밸브는 액추에이터의 방향 전환 밸브이며, 원통형 슬리브 면에 내접하여 축 방향으로 이동하여 유로를 개폐하는 형식의 밸브이다.

(2) 체크밸브(check valve)

체크밸브는 한쪽 방향으로의 흐름은 자유로우나 역방향의 흐름을 허용하지 않는 밸브이다.

(3) 디셀러레이션 밸브(deceleration valve)

디셀러레이션 밸브는 유압실린더를 행정 최종 단에서 실린더의 속도를 감속하여 서서히 정지시키고자 할 때 사용되는 밸브이다.

(4) 셔틀밸브(Shuttle Valve)

셔틀밸브는 3포트 밸브이며, 자체 압력에 의해 자동적으로 관로를 선택하는 밸브로, 2개의 입구 중에서 어느 쪽이든 유압이 높은 부분이 토출구와 통하고 낮은 부분은 포핏 밸브에 의해 자동적으로 닫힌다.

3 유량 제어밸브

유량 제어밸브는 액추에이터의 운동 속도를 조정하기 위하여 사용되는 밸브이며, 종류에는 속도제어 밸브, 급속배기 밸브, 분류 밸브(dividing valve), 니들 밸브(needle valve), 오리피스 밸브(orifice valve), 교축 밸브(스로틀 밸브), 스로틀 체크 밸브(throttle check valve), 스톱 밸브(stop valve) 등이 있다.

(1) 유량제어밸브의 종류

① **교축밸브** : 유로의 단면적을 작게하여 오일 흐름에 저항을 주어 통과 유량을 제어한다.

② **압력보상형 유량조정밸브** : 부하의 변동이 되어도 교축부 전후의 압력차를 항상 일정하게 유지하는 압력보상기구가 비치되어 일정한 유량을 얻을 수 있다.

③ **온도압력보상 유량조정밸브** : 온도와 압력을 동시에 보상해주는 밸브

④ **분류밸브** : 하나의 통로를 통해 들어온 유압유를 2개의 액추레이터에 비례 배분적으로 분류 또는 집류하는 작용을 하는 밸브 (2개의 작동기에 동등한 유량을 분배하여 그의 속도를 동기시키는 경우에 사용)

(2) 유량제어 방식에서 속도제어 방식

① 미터인 방식

② 미터아웃 방식

③ 블리드 오프 방식

Section 3-4 **액추에이터(Actuator)**

액추에이터는 유압펌프에서 보내준 작동유의 압력 에너지를, 직선운동(유압실린더)이나 회전운동(유압모터)을 하여 기계적인 일로 바꾸는 기구이다.

1 유압실린더

① 직선 왕복운동을 하는 액추에이터이다.

② 종류에는 단동 실린더 피스톤(piston)형, 단동 실린더 램(ram)형, 복동 실린더 양 로드(double rod)형, 차동 실린더 등이 있다.

③ 복동 실린더는 피스톤의 양쪽에 작동유를 교대로 공급하여 양방향의 운동을 유압으로 작동시킨다.

④ 쿠션 기구는 실린더의 피스톤이 고속으로 왕복 운동할 때 행정의 끝에서 피스톤이 커버에 충돌하여 발생하는 충격을 흡수하고, 그 충격력에 의해서 발생하는 유압회로의 악영향이나 유압기기의 손상을 방지하기 위해서 설치한다.

⑤ 실린더 자연 하강 현상(cylinder drift)의 발생 원인은 작동압력이 낮은 때, 실린더 내부 마모, 컨트롤 밸브의 스풀 마모, 릴리프밸브의 불량 등이다.

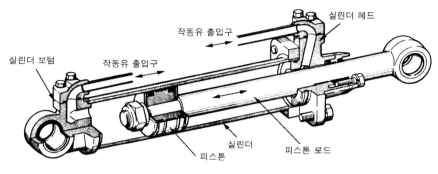

실린더 헤드
작동유 출입구
실린더 보텀
작동유 출입구
실린더
피스톤
피스톤 로드

▲ 유압실린더의 구조

2 유압모터

유압모터는 회전운동을 하는 액추에이터이며, 종류에는 기어 모터, 베인 모터, 플런저 모터, 요동 모터 등이 있다. 용량은 입구 압력(kgf/cm^2)당 토크로 나타낸다.

1. 유압모터의 장점

① 무단변속이 용이하다.
② 소음이 적고 작동이 신속정확하고 경쾌하다.
③ 출력 당 소형·경량이다.
④ 관성력이 적고, 정회전 및 역회전에 강하다.
⑤ 작동할 때 응답성(추종성)이 빠르다.
⑥ 토크에 대한 관성 모멘트가 적다.
⑦ 과부하에 대한 안전장치가 간단하다.

2. 유압모터의 단점

① 누설의 문제점
② 온도에 영향을 많이 받는다
③ 오일 자체가 오염되기 쉽다
④ 오일이 연소 및 비등되므로 위험하다
⑤ 작동유의 점도 변화에 따라 모터의 사용이 제한된다
⑥ 원동기의 마력이 커진다

1 어큐뮬레이터(축압기 ; Accumulator)

어큐뮬레이터는 유압펌프에서 발생한 유압을 저장하고, 맥동을 소멸시키는 장치이며, 그 기능은 압력 보상, 체적변화 보상, 에너지 축적, 유압회로의 보호, 맥동 감쇄, 충격압력 흡수, 일정 압력 유지 등이다. 기체 압축형 어큐뮬레이터에서 사용하는 가스는 질소이다.

2 오일 실(Oil seal)

유압회로에서 유체의 누설 또는 외부로부터 이물질 침입을 방지하기 위하여 사용되는 기구로 실은 밀봉장치라고 총칭하고, 고정되는 부분에 사용되는 실을 개스킷이라 하고, 운동 부분에 사용되는 실을 패킹이라 한다. 종류에는 O-링, U패킹, 금속패킹, 더스트 실, 백업 링 등이 있다. 오일 실의 구비조건은 다음과 같다.

① 내압성과 내열성이 클 것
② 피로 강도가 크고, 비중이 적을 것
③ 내마모성이 적당할 것
④ 정밀가공 면을 손상시키지 않을 것
⑤ 설치하기가 쉬울 것

> (1) 백업 링(back up ring)은 고압이 O-링에 작용할 때 돌출을 방지하기 위하여 유압이 작용하는 뒤쪽(O-링 뒤쪽)에 넣는 링이다.
> (2) 더스트 실(dust seal)은 외부로부터 먼지 등의 이물질이 유압실린더 내로 들어가지 않도록 한다.

3 고무호스

(1) 고무호스의 특징
① 고무호스를 사용하는 곳은 금속관의 사용이 곤란한 곳, 두 금속관의 중심이 일치하지 않는 곳, 상태 위치가 변화하는 곳 등이다.
② 플렉시블 호스는 주로 링크 연결부위의 움직이는 부분에 안전을 위하여, 고압의 내구성이 강한 것으로 많이 사용하는 호스이다.
③ 플렉시블 호스는 작업할 때 구부러짐이 생기고 유압에 의해 진동이 발생되기 때문에, 프레임과 마찰이 되지 않도록 하고, 직각으로 구부리거나 충격을 가해서는 안 되며, 호스를 보호하기 위해 외부에 보호 코일을 감아야 한다.

④ 릴리프밸브가 불량하면 유압라인에서 고압호스가 자주 파열된다.

⑤ 플레어 이음(flared joint)의 원뿔 각도는 45°이다.

(2) 유압호스 보관 방법 5가지

① 호스에는 반드시 방진 플러그를 씌워 보관한다.

② 나사부, 테이프 시트부에 상처가 나지 않게 한다.

③ 냉암소에 보관하고 오래된 것부터 순서대로 사용한다.

④ 호스를 굽힘이 없게 보관한다.

⑤ 호스 위에 물건을 얹거나 모난 곳에 닿지 않게 한다.

⑥ 땅에 닿지 않게 운반한다.

(3) 유압호스 설치(조립) 방법 5가지

① 직선 연결시 약간 느슨하게 설치한다.

② 호스가 다른 물체와 접촉되지 않도록 한다.

③ 호스의 심한 굴곡이나 직각으로의 설치는 피한다.

④ 호스가 꼬인 상태로 설치하지 않도록 한다.

⑤ 호스 외부에 보호 코일을 감아서 사용한다.

(4) 유압호스 노화 판정

① 호스가 굳어 있거나 표면에 균열이 있는 경우

② 코킹 부분에서 오일의 누유가 있는 경우

③ 정상적인 압력에도 오일의 누설이 있는 경우

(5) 유압호스 교환 시기

① 커버 고무가 부풀어져 있는 호스

② 호스가 열화 등으로 구부리기 어려운 호스

③ 호스와 이음쇠 꼭지쇠와의 접합부에서 누유가 발생되는 호스

④ 커버의 고무가 마모되었든가, 보강층이 노출되어있는 호스

⑤ 외력 등에 의해 호스의 외형이 망가진 호스

01 다음 중 유압회로의 구성부품이 아닌 것은?

① 유압배관　　　② 원심펌프
③ 유압펌프　　　④ 유압제어밸브

해설 유압회로의 주요 구성부품은 유압펌프, 제어밸브, 유압작동기, 부수기기 등으로 구분한다. 원심펌프는 개방형 펌프로 유압회로에 사용하지 않는다.

02 정용량형 유압펌프에서 토출되지 않거나 토출량이 적은 원인으로 틀린 것은?

① 펌프의 회전 방향이 틀리다.
② 회전속도가 빠르다.
③ 작동유가 부족하다.
④ 벨트 구동식에서 V벨트가 헐겁다.

해설 정용량형 유압펌프는 회전속도가 빨라지면 토출량이 많아지기 때문에, 유량제어밸브에서 필요한 양으로 조절하여 유압회로로 공급한다.

03 기어식 유압펌프에서 두 치형이 서로 접촉하지 않고 회전하므로 소음이 적고 배출량이 많은 펌프는?

① 로브펌프
② 스크루 펌프
③ 정현곡선 기어펌프
④ 내접식 기어펌프

해설 로브 펌프의 작동원리는 외접기어 펌프와 같으나 연속적으로 회전하므로 소음이 적으며, 기어펌프보

다 1회전당 토출량은 많으나 토출량의 변동이 크다.

04 유압펌프 중 가장 고압용은?

① 기어펌프　　　② 베인펌프
③ 나사펌프　　　④ 피스톤 펌프

해설 피스톤 펌프는 펌프실 내의 플런저가 실린더 내를 왕복운동을 하면서 펌프작용을 하며, 맥동적인 출력을 하나 다른 펌프에 비하여 일반적으로 최고 압력의 토출이 가능하고, 펌프 효율에서도 전체 압력 범위가 높아 최근에 많이 사용되고 있다.

05 유압펌프의 여러 가지 성능 중 전체효율이 가장 높은 펌프 형식은?

① 원식펌프　　　② 내접기어펌프
③ 피스톤펌프　　　④ 외접기어펌프

해설 유압펌프의 성능 중 전체효율이 가장 높은 펌프는 피스톤(플런저) 펌프이다.

06 유압펌프 중 가변용량에 가장 적합한 펌프는?

① 기어식　　　② 로터리식
③ 피스톤식　　　④ 베인식

해설 피스톤(플런저) 펌프는 가변용량에 적합하며, 각종 토출량 제어장치가 설치되어 있어 목적 및 용도에 따라 조정할 수 있다.

정답 01.② 02.② 03.① 04.④ 05.③ 06.③

07 다음 중 베인펌프의 장점으로 맞는 것은?

① 맥동과 소음이 적다.
② 수리와 관리가 용이하다.
③ 구조가 간단하고 값이 싸다.
④ 초고압의 발생이 가능하다.

해설 베인펌프의 장점은 맥동이 작아 소음 및 진동이 적으며, 고속 회전이 가능하다. 또, 밸런스가 좋으며, 자체 보상 기능이 있다.

08 유압펌프에서의 토출량에 대해서 바르게 설명한 것은?

① 단위 시간당 토출해 낼 수 있는 유량이다.
② 단위 체적당 토출해 낼 수 있는 유량이다.
③ 최단 시간당 토출 가능한 최대 유량이다.
④ 최장 시간당 토출 가능한 유량이다.

해설 유압펌프에서의 토출량이란 단위 시간당 토출해 낼 수 있는 유량(LPM 또는 GPM)이다.

09 플런저펌프에서 펌프의 토출량을 제어하는 방법이 아닌 것은?

① 유량제어   ② 마력제어
③ 압력제어   ④ 회전수제어

해설 플런저펌프에서 펌프의 토출량을 제어하는 방법은 유량제어, 마력제어, 압력제어가 있다.

10 유압펌프의 압력이 규정보다 높은 원인이 아닌 것은?

① 유압조정 스프링의 장력이 클 때
② 바이패스 통로가 막혔을 때
③ 유압회로의 단면적이 작을 때
④ 유압유의 점도가 낮을 때

해설 유압펌프의 압력이 규정보다 높은 원인
· 유압조정 스프링의 장력이 클 때
· 바이패스 통로가 막혔을 때
· 유압회로의 단면적이 작을 때
· 유압유의 점도가 높을 때

11 유압펌프 점검을 위해 측정의 조건 중 틀린 것은?

① 건설기계를 평탄한 곳에 주차한다.
② 난기운전이 끝난 후에 실시한다.
③ 측정 시 유압 작동유 온도는 0~20℃ 범위가 적당하다.
④ 규정된 회전수에서 측정한다.

해설 유압펌프 점검을 위한 측정조건은 ①②④항 외에 유압 작동유 온도는 40~60℃ 범위가 적당하다.

12 유압제어밸브 중에서 일의 크기를 결정하는 밸브는?

① 압력제어밸브   ② 유량조정밸브
③ 방향전환밸브   ④ 교축밸브

해설 제어밸브의 종류
· **압력제어밸브** : 일의 크기 결정
· **유량제어밸브** : 일의 속도 결정
· **방향제어밸브** : 일의 방향 결정

13 유압펌프 정비 시 주의사항으로 틀린 것은?

① 반드시 안전화를 착용한다.
② 조립 시에는 내부의 주요 부품에 그리스를 바른 후 조립한다.
③ 작업장 바닥에는 유압 작동유 또는 세척액이 없도록 깨끗이 닦는다.
④ 부품이 누락되지 않도록 하고 분해한 부품은 분해 순서에 따라 정렬한다.

정답 **07.**① **08.**① **09.**④ **10.**④ **11.**③ **12.**① **13.**②

해설 유압펌프를 정비할 때 주의사항은 ①③④항 외에 조립할 때 내부의 주요 부품에는 작동유를 바른 후 조립한다.

14 유압펌프의 송출압력이 55kgf/cm^2, 송출유량이 30ℓ/min인 경우 펌프 동력은 얼마인가?

① 1.8kW
② 2.69kW
③ 2.04kW
④ 2.97kW

해설 $Hkw = \dfrac{PQ}{612} = \dfrac{55 \times 30}{612} = 2.69kw$

(Hkw: 펌프 동력(kw), P: 송출압력(kgf/㎠,
Q: 송출량(ℓ/min))

15 펌프의 송출압력이 40kgf/cm^2, 송출유량이 48ℓ/min인 경우 유압펌프의 소요 동력은 얼마인가?

① 2.69PS
② 3.13PS
③ 4.27PS
④ 5.67PS

해설 $Hps = \dfrac{PQ}{450} = \dfrac{40 \times 48}{450} = 4.27ps$

(Hps: 펌프 동력(kw), P: 송출압력(kgf/㎠,
Q: 송출량(ℓ/min))

16 펌프의 송출압력이 40kgf/cm^2, 송출유량이 48ℓ/min인 유압펌프의 소요 동력이 3.9kW라면, 이 펌프의 효율은 얼마인가?

① 75%
② 80%
③ 85%
④ 90%

해설 $Hkw = \dfrac{PQ}{612} = \dfrac{40 \times 48}{612} = 3.14kw$

∴효율 $= \dfrac{3.14}{3.9} = 80(\%)$

17 유압용 제어밸브는 어느 목적에 사용하는가?

① 압력조정, 유량조정, 방향전환
② 유량조정, 유급조정, 방향조정
③ 압력조정, 유급조정, 역지조정
④ 유량조정, 방향조정, 작동조정

해설 제어밸브의 종류
· 압력제어밸브 : 일의 크기 결정
· 유량제어밸브 : 일의 속도 결정
· 방향제어밸브 : 일의 방향 결정

18 유압회로의 제어밸브 종류로 볼 수 없는 것은?

① 방향제어밸브
② 압력제어밸브
③ 유량제어밸브
④ 속도제어밸브

19 유압장치의 회로에서 최대 압력을 제어하여 회로를 보호하기 위해 설치되어 있는 안전밸브는?

① 릴레이 밸브
② 릴리프 밸브
③ 리듀싱 밸브
④ 리턴 밸브

해설 릴리프밸브는 유압회로에서 오일의 최대 압력을 조정하는 밸브이다.

20 릴리프밸브의 오리피스 작동압력 중 전유량 압력과 크랭킹 압력과의 차는?

① 압력 오버라이드
② 핑거보드
③ 탠덤압력
④ 서클 드로우바

해설 릴리프밸브의 오리피스 작동압력 중 전유량 압력과 크랭킹 압력과의 차이를 압력 오버라이드라고 한다.

21 유압회로에서 어느 부분의 압력이 설정치 이상이 되면 압력에 의하여 밸브를 전개하고, 압력유를 1차 측에서 2차 측으로 통하게 하는 밸브는?

① 시퀀스 밸브   ② 유량조절 밸브
③ 릴리프 밸브   ④ 감압밸브

해설 시퀀스 밸브는 압력제어 밸브로 순차작동 밸브라고도 부르며, 2개 이상의 분기회로를 갖는 회로에서 각 유압실린더나 모터의 작동순서를 결정한다.

22 유압장치에서 두 개 이상 분기회로의 실린더나 모터에 작동순서를 부여하는 밸브는?

① 시퀀스 밸브   ② 안전밸브
③ 릴리프 밸브   ④ 감압밸브

23 유압회로에서 일부 회로의 압력을 감압제어 하여 유지하는 기능을 가진 밸브는?

① 릴리프 밸브   ② 시퀀스 밸브
③ 밸런스 밸브   ④ 리듀싱 밸브

해설 리듀싱(감압) 밸브는 유압회로에서 일부 회로의 압력을 감압·제어하여 유지한다.

24 한쪽 방향의 흐름에 설정된 배압을 부여하고 붐의 낙하 방지 등에 사용되는 밸브는?

① 시퀀스 밸브
② 언로드 밸브
③ 카운터밸런스 밸브
④ 감압 밸브

해설 카운터밸런스 밸브는 한쪽 방향의 흐름에 설정된 배압을 부여하고 붐의 낙하 방지 등에 사용된다.

25 유압실린더 등이 중력에 의한 자유낙하를 방지하기 위하여 배압을 유지하는 압력제어밸브는?

① 카운터밸런스 밸브
② 언로드 밸브
③ 감압 밸브
④ 시퀀스 밸브

해설 카운터 밸런스 밸브는 유압실린더가 중력으로 인하여 제어 속도 이상으로 낙하하는 것을 방지하는 밸브이다.

26 유압실린더에서 실린더의 과도한 자연낙하 현상이 발생되는 원인이 아닌 것은?

① 작동압력이 높을 때
② 실린더 내의 피스톤 실링의 마모
③ 컨트롤 밸브 스풀의 마모
④ 릴리프밸브의 조정 불량

해설 실린더의 과도한 자연 낙하는 압력이 너무 낮거나, 유압 구성품의 마모나 누설에 의해 발생된다.

27 유압회로에서 역류를 방지하고 회로 내의 잔류 압력을 유지하는 밸브는?

① 체크 밸브
② 셔틀 밸브
③ 매뉴얼 밸브
④ 스로틀 밸브

해설 체크밸브는 유압회로에서 역류를 방지하고 회로 내의 잔류 압력을 유지하는 밸브로, 유량이 한쪽 방향으로는 흐르고, 반대 방향으로는 흐름을 제어한다.

정답 21.① 22.① 23.④ 24.③ 25.① 26.① 27.①

28 유압 컨트롤 밸브 내에서 스풀이 회전하는 형식의 밸브는?

① 분류 밸브　　② 서보 밸브
③ 스풀 밸브　　④ 로터리 밸브

해설 로터리 밸브는 유압 컨트롤 밸브 내에서 스풀이 회전하는 형식의 밸브이다.

29 유압장치에서　액추에이터(Actuator)란?

① 유압 에너지를 기계적 에너지로 변환시키는 작동체의 총칭을 말한다.
② 압력 에너지를 발생시켜 일의 크기를 결정하는 유압원의 총칭을 말한다.
③ 종류로는 압력 제어밸브, 방향 제어밸브, 유량 제어밸브가 있다.
④ 일의 크기와 방향과 속도를 결정하는 총칭을 말한다.

해설 액추에이터(Actuator)란 유압 에너지를 기계적 에너지로 변환시키는 작동체의 총칭을 말한다.

30 유압실린더의 종류가 아닌 것은?

① 단동형 실린더　　② 복동형 실린더
③ 차동식 실린더　　④ 부동식 실린더

해설 유압실린더의 종류에는 단동 실린더 피스톤(piston)형, 단동 실린더 램(ram)형, 복동 실린더 양 로드(double rod)형, 차동 실린더 등이 있다.

31 유압실린더 정비사항과 관련이 없는 것은?

① 피스톤 실 교환
② 베어링 교환
③ 피스톤 로드 교환

④ 로드 실 교환

해설 유압실린더의 구성품에 베어링은 포함되지 않는다.

32 유압실린더의 피스톤 로드 표면이 붉은색을 띠게 되는 현상은 무엇인가?

① 오일량의 부족
② 오일의 점도 불량
③ 오일의 열화
④ 오일의 공기 혼합

해설 유압실린더의 피스톤 로드 표면이 붉은색을 띠게 되는 현상은 오일의 열화 때문이다.

33 유압실린더의 피스톤 로드가 가하는 힘이 5000kgf, 피스톤 속도가 3.8m/min인 경우, 실린더 내경이 8cm라면 소요되는 마력은 얼마인가?

① 66.67PS　　② 33.78PS
③ 8.89PS　　④ 4.22PS

해설 $PS = \dfrac{FV}{75 \times 60} = \dfrac{5{,}000 \times 3.8}{75 \times 60} = 4.22ps$

PS: 마력, F: 피스톤 로드가 가하는 힘,
　V: 피스톤 속도

34 안지름 60mm의 유압실린더에서 450kgf의 추력을 발생시키려면 최소 유압은 약 얼마인가?

① 16kgf/㎠　　② 18kgf/㎠
③ 20kgf/㎠　　④ 23kgf/㎠

해설 $F = PA, \quad P = \dfrac{F}{A}, \quad A = \dfrac{\pi D^2}{4} = 0.785D^2$

(F: 힘(kgf), P:압력(kgf/㎠, A: 단면적(㎠))

$\therefore P = \dfrac{450}{0.785 \times 6^2} = 15.92 ≒ 16kgf/㎠$

정답　28.④　29.①　30.④　31.②　32.③　33.④　34.①

35 유압모터의 형식에 따른 분류가 아닌 것은?

① 기어 모터　　　② 베인 모터
③ 피스톤(플런저) 모터　④ 실린더 모터

해설 유압모터는 기어 모터, 베인 모터, 플런저 모터, 요동 모터 등으로 분류한다.

36 피스톤 형식 유압모터 정비 시 주의해야 할 사항 중 틀린 것은?

① 모든 O링은 교환한다.
② 분해조립 시 무리한 힘을 가하지 않는다.
③ 볼트·너트 체결시에는 규정 토크로 조인다.
④ 크랭크축의 베어링 조립은 냉간 상태에서 망치로 때려 넣는다.

해설 크랭크축의 베어링 조립은 지그를 사용하여 조립한다.

37 일반적인 유압장치 구성상 필요한 부속기기가 아닌 것은?

① 오일탱크　　　② 필터
③ 오일냉각기　　④ 블리드 오프

해설 유압장치 구성에 필요한 부속기기는, 오일 탱크, 오일여과기, 오일냉각기, 유압호스 및 배관, 축압기 등이 있다.

38 유압회로의 구성요소 중에서 회로를 보호하기 위한 것이 아닌 것은?

① 릴리프밸브　　② 피스톤
③ 필터　　　　　④ 스트레이너

해설 피스톤은 실린더에서 힘을 전달하는 구성품이다.

39 굴삭기의 오일 스트레이너가 일부 막히거나 너무 조밀하면 어떤 현상이 생기는가?

① 베이퍼록 현상　② 페이드 현상
③ 숨돌리기 현상　④ 공동현상

해설 오일 스트레이너(Strainer)가 일부 막히거나 너무 조밀하면 공동현상이 발생된다.

40 유압장치에 사용되는 오일 실이다. 운동용 실은?

① 실 테이프　　　② 금속 실
③ 메카니컬 실　　④ 유체 실

해설 유압장치에서 마찰이 많이 발생되는 곳에는 메카니컬 실을 사용한다.

41 다음 중 유압장치에서 축압기의 기능이 아닌 것은?

① 에너지의 저장　② 유압의 맥동 형성
③ 충격 흡수　　　④ 일정 압력 유지

해설 어큐뮬레이터(축압기)는 유압펌프에서 발생한 유압을 저장하고, 맥동을 소멸시키는 장치이며, 그 기능은 압력 보상, 체적변화 보상, 에너지 축적, 유압회로의 보호, 맥동 감쇄, 충격압력 흡수, 일정한 압력 유지 등이다.

42 유압회로에 발생되는 맥동 방지를 위해 어큐뮬레이터를 설치하는 경우 가장 효과적인 설치 위치는?

① 펌프와 가까운 쪽
② 컨트롤 밸브와 가까운 쪽
③ 릴리프밸브와 가까운 쪽
④ 흡입 필터와 가까운 쪽

해설 어큐뮬레이터는 유압펌프 가까운 쪽에 설치한다.

정답 35.④　36.④　37.④　38.②　39.④　40.③　41.②　42.①

43 축압기(어큐뮬레이터) 취급상의 주의 사항으로 틀린 것은?

① 충격 흡수용 축압기는 충격 발생원에 가까이 설치한다.
② 유압펌프 맥동 방지용 축압기는 펌프의 입구 측에 설치한다.
③ 축압기에 봉입하는 가스는 폭발성 기체를 사용하면 안 된다.
④ 축압기에 용접하거나 가공, 구멍 뚫기 등을 해서는 안 된다.

해설 축압기를 취급할 때 주의사항은 ①③④항 외에 축압기는 유압펌프의 출구쪽 가까이에 설치한다.

44 오일 쿨러의 점검항목이 아닌 것은?

① 오일의 누유 여부
② 냉각관의 막힘
③ 파이프라인의 변색
④ 바이패스 밸브의 작동 확인

해설 오일 쿨러의 점검항목은 오일의 누유 여부, 냉각관의 막힘, 바이패스 밸브의 작동 확인 등이다.

45 다음 중 O-링의 구비조건이 아닌 것은?

① 내압성과 내열성이 클 것
② 피로강도가 적을 것
③ 내마모성이 적당할 것
④ 설치하기가 쉬울 것

해설 O-링의 구비조건
· 내압성과 내열성이 클 것
· 피로 강도가 크고, 비중이 적을 것
· 내마모성이 적당할 것
· 정밀가공 면을 손상시키지 않을 것
· 설치하기가 쉬울 것

46 다음 중 패킹의 재질로 갖추어야 할 조건이 아닌 것은?

① 마찰계수가 클 것
② 오래 사용하여도 변화가 적을 것
③ 오일의 누설이 적을 것
④ 압력에 대한 저항력이 클 것

해설 패킹 재질의 구비조건
· 마찰계수가 적을 것
· 내열성이 클 것
· 피로 강도가 크고 비중이 적을 것
· 압력에 대한 저항력이 클 것

47 O-링을 설치할 때 주의사항에 해당되지 않는 것은?

① 실을 꼬이지 않도록 한다.
② 실의 상태를 검사한다.
③ 실에 윤활유를 바른다.
④ 실의 운동 면을 손상시키지 않는다.

해설 O-링을 설치할 때 주의사항은 ①②④항 외에 실(seal)에 작동유를 바른다.

48 백업 링을 사용하는 목적에 알맞은 것은?

① O-링의 움직임을 원활하게 하기 위하여
② O-링에 고압이 작용시 돌출을 방지하기 위해
③ O-링의 간극을 적게 하기 위해
④ O-링의 간극을 크게 하기 위해

해설 백업 링은 고압이 O-링에 작용할 때 돌출을 방지하기 위하여 유압이 작용하는 O-링 뒤쪽에 설치하는 링이다.

49 유압 작동유 탱크의 크기는 일반적으로 펌프 토출량의 어느 정도인가?

① 1배   ② 3배
③ 5배   ④ 7배

해설 유압 작동유 탱크의 크기는 일반적으로 펌프 토출량의 3배를 기준으로 한다.

50 그림에서 유압호스 설치가 가장 옳은 것은?

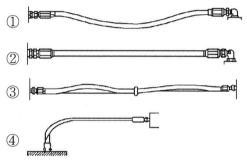

해설 유압호스는 너무 팽팽하거나 늘어지게 설치하면 안되며, 굽혀지지 않도록 설치한다.

51 유압용 고무호스 설명 중 틀린 것은?

① 진동이 있는 곳에는 사용하지 않는다.
② 고무호스는 저압, 중압, 고압용의 3종류가 있다.
③ 고무호스를 조립할 때는 비틀림이 없도록 한다.
④ 고무호스 사용 내압은 적어도 5배의 안전계수를 가져야 한다.

해설 유압용 고무호스에 대한 설명은 ②③④항 외에 진동이 있는 곳에서도 사용이 가능하다.

52 건설기계에서 유압 배관을 정비 및 탈거하는 경우 주의사항 중 틀린 것은?

① 회로의 잔압이 없는 것을 확인하고 작업한다.
② 버킷을 땅 위에 내려놓고 작업하다.
③ 배관은 마찰이 있을 때 직각으로 구부려 조립한다.
④ 복잡한 배관은 꼬리표를 붙인다.

해설 플렉시블 호스는 작업할 때 구부러짐이 생기고 유압에 의해 진동이 발생되기 때문에 프레임과 마찰이 되지 않도록 하고, 직각으로 구부리거나 충격을 가해서는 안 되며, 호스를 보호하기 위해 외부에 보호 코일을 감아야 한다.

53 유압호스 보관 방법으로 적합하지 않은 것은?

① 건조한 장소에 보관한다.
② 햇볕이 잘 드는 실외에 보관한다.
③ 장기간(1년 이상) 보관하지 않는다.
④ 호스 양단에는 이물질이 들어가는 것을 막기 위해 캡을 씌운다.

해설 유압호스 보관 방법
· 건조한 장소에 보관한다.
· 햇볕이 잘 들지 않는 실내에 보관한다.
· 장기간(1년 이상) 보관하지 않는다.
· 호스 양단에는 이물질이 들어가는 것을 막기 위해 캡을 씌운다.

정답 **49.②　50.③　51.①　52.③　53.②**

1　기본 유압회로

유압 제어의 기본 회로는 오픈(개방) 회로, 클로즈(밀폐) 회로, 속도제어 회로, 감속 회로, 차동 회로 등이 있다.

(1) 오픈(개방) 회로

오픈 회로는 작동유가 탱크에서 유압펌프로 흡입되어 유압펌프에서 제어밸브를 거쳐 액추에이터에 이르고, 액추에이터에서 다시 제어밸브를 거쳐 작동유 탱크로 되돌아오는 회로이다.

(2) 클로즈(밀폐) 회로

클로즈 회로는 작동유가 탱크에서 유압펌프로 흡입되어 펌프에서 제어밸브를 거쳐 액추에이터에 이르고, 액추에이터에서 다시 제어밸브를 거쳐 유압펌프로 되돌아가는 회로이다

(3) 탠덤 회로

탠덤 회로는 제어밸브 2개를 동시에 조작할 때, 뒤에 있는 제어밸브의 액추에이터는 작동되지 않도록 하는 회로이다.

(4) 시리즈 회로

시리즈 회로는 유압모터가 직렬로 연결되어 있기 때문에, 단독으로 정방향 및 역방향으로의 회전과 정지가 가능한 유압모터 제어회로이다.

(5) 최대 압력 제한 회로

최대 압력 제한 회로는 일을 하는 행정에서는 고압 릴리프밸브로, 일을 하지 않을 때는 저압 릴리프밸브로 압력제어를 하여, 작동목적에 알맞은 압력을 얻는 제어회로이다.

(6) 카운터밸런스 회로

카운터밸런스 회로는 유압실린더의 부하가 급감하더라도, 피스톤이 급격히 작동하는 것을 방지하거나 자유낙하 하는 것을 방지하기 위해, 유압실린더의 복귀 쪽에 일정한 배압을 유지하는 제어회로이다.

(7) 시퀀스 회로

시퀀스 회로는 동일한 유압원을 이용하여 유압실린더가 정해진 순서에 따라 작동하도록 하는 제어회로이다.

(8) 어큐뮬레이터 회로

어큐뮬레이터 회로는 압력 유지, 서지 압력의 흡수, 유압 에너지를 축적하여 동력 절약, 사이클 시간을 단축시키는 제어회로이다.

(9) 언로드 회로

언로드 회로는 일하던 도중에 유압펌프 유량이 필요하지 않게 되었을 때 작동유를 저압으로 탱크에 귀환시킨다. 즉 저압 대용량 유압펌프와 고압 소용량 유압펌프를 동시에 사용하는 것으로, 공작기계나 프레스 등에서 급속 이송을 위하여 응용되는 제어회로이다.

2 속도(유량) 제어회로

(1) 미터 인 회로(meter-in circuit)

미터 인 회로는 액추에이터의 입구 쪽 관로에 설치한 유량 제어밸브로 흐름을 제어하여 속도를 제어하는 회로이다.(압력 변동이 큰 회로에 적합)

(2) 미터 아웃 회로(meter-out circuit)

미터 아웃 회로는 액추에이터의 출구 쪽 관로에 설치한 유량 제어밸브로 흐름을 제어하여 속도를 제어하는 회로이다.(압력 변동이 큰 회로에 적합)

(3) 블리드 오프 회로(bleed off circuit)

블리드 오프 회로는 유량조절 밸브를 바이패스 회로에 설치하고, 유압실린더에 공급되는 작동유 이외의 작동유는, 작동유 탱크로 복귀시키는 회로이다.(부하 압력의 변동이 없는 유량제어에 적합)

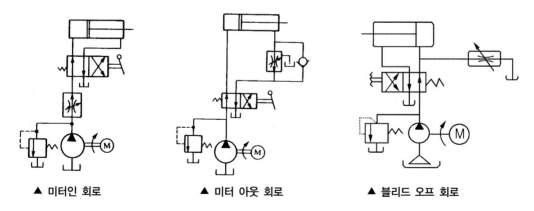

▲ 미터인 회로   ▲ 미터 아웃 회로   ▲ 블리드 오프 회로

(4) 감속 회로

감속 회로는 고속으로 작동하며, 비교적 관성력이 큰 피스톤의 작동에서 충격적인 변환 동작을 완화하고 원활히 정지시키는 회로이다.

(5) 차동 회로

차동 회로는 유압실린더의 좌우 양쪽의 포트로 동시에 작동유를 공급하고, 피스톤이 양쪽에서 받는 힘의 차이로 작동하는 것을 이용하는 회로이다.

Section 3-7 유압기기에서 발생하는 이상 현상

1 캐비테이션(공동현상 : cavitation)

캐비테이션(공동현상)은 유동하고 있는 액체의 압력이 국부적으로 저하되어, 포화 증기나 기포가 발생하고, 이것들이 터지면서 소음이 발생하는 현상이다.

(1) 캐비테이션(공동현상) 발생원인
① 흡입 필터(스트레이너)가 막힌 경우
② 흡입관의 굵기가 펌프 본체 흡입구보다 가는 경우
③ 유압펌프를 규정 속도 이상으로 고속 회전을 시키는 경우

(2) 캐비테이션이 발생했을 때 유압펌프에서 나타나는 고장 현상
① 유압 토출량이 감소한다.
② 유압펌프의 효율이 급격히 저하한다.
③ 유압펌프에서 소음과 진동이 발생한다.
④ 날개차 등에 부식을 일으켜 수명을 단축시킨다.
⑤ 유압회로 내에 캐비테이션이 생기면 압력변화를 없앤다. 즉 일정한 압력을 유지한다.

(3) 캐비테이션 방지 방법
① 작동유 탱크의 작동유 점도는 적정 점도가 유지되도록 한다.
② 흡입구멍의 양정을 1m 이하로 한다.
③ 유압펌프의 운전속도는 규정 속도 이상으로 하지 않는다.
④ 흡입관의 굵기는 유압펌프 본체의 연결구 크기와 같은 것을 사용한다.

(4) 유압펌프에서 맥동현상이 발생할 때의 조치
① 유압회로 내의 공기빼기를 한다.
② 캐비테이션(공동현상)을 없앤다.
③ 유압조절 밸브 스프링을 교환한다.
④ 작동유 필터를 교환한다.

2 서지 압력(surge pressure)

유압회로 내에서 과도적으로 발생하는 이상 압력의 최댓값이다. 즉 유량제어 밸브의 가변 오리피스를 급격히 닫거나 방향 제어밸브의 유로를 급히 변환 또는 고속 실린더를 급정지시 키면, 유로에 순간적으로 이상 고압이 발생하게 된다.

3 실린더 숨돌리기 현상

실린더 숨돌리기 현상이란 작동유에 혼입된 공기의 압축 팽창 차이에 따라 피스톤의 동작이 불안정하여지고, 유압이 낮을수록, 작동유 공급량이 적을수록 그 정도가 심해지는 현상을 말한다.

Section 3-8 플러싱

플러싱이란 유압장치 내의 심한 오염이나 불순물 등이 혼입되었을 때 이물질 등을 제거하기 위해 실시하는 배관 청소작업으로, 플러싱은 다음과 같은 경우에 실시한다.

(1) 플러싱을 하는 시기
① 유압기기 파손에 의해 금속가루가 유압계통 전체에 이르렀을 때(작동유 탱크 청소)
② 작동유의 오염이 심할 경우 (작동유 탱크 청소)
③ 작동유 중에 물이 다량 혼입되었을 경우 (산세 후 방청 처리)
④ 배관 계통을 전체 분해했을 경우

(2) 플러싱 작업시 주의할 사항
① 플러싱 용제를 사용시 까다로운 용제를 사용하지 말 것
② 회로내에 잔류하는 플러싱 오일을 충분히 배유할 것
③ 금속, 시일, 패킹, 호스, 페인트 등에 적합성이 있는가 검토한 후 사용할 것
④ 플러싱 오일은 제작사에서 추천하는 오일을 사용할 것.

(3) 건설기계 유압장치에서 플러싱 작업이 끝난 다음 처리 방법
① 플러싱 오일을 완전 배유한다.
② 작동유 탱크 내부를 세척하고, 라인필터를 교체한다.
③ 작동유를 즉시 보충함과 동시에 수 시간 운전한다.
④ 작동유를 즉시 보충하지 못할 경우에는, 공기와 접촉할 수 있는 부위는 방청유를 바르고 밀봉한다.

유압기호

1. 기본적인 유압 기호

표시 사항	기호		표시 사항	기호
관로	L > 10E, L < 5E L : 선의길이, E : 선의 두께		필터, 열교환기, 루브 리케이터, 배수기	
관로, 통로의 접속점	d ≒ 5E		밸브	
축, 레버 로드	D < 5E			총칭하여 부를 경우에는 밸브라 하고, 수식어를 붙일 경우에는 ○○ 밸브라 한다. 例 : 압력제어 밸브
펌프, 압축기, 모터, 압력원		대원 (大圓)	흐름방향	
계측기		중원대 (中圓大)	회전방향	
체크밸브 계수		중원소 (中圓小)	조립유닛	
			조정이 가능할 경우	
링크, 연결부, 롤러		소원 (小圓)	흐름방향, 유체 출입구	▼ 흑색은 액체 ▽ 백색은 기체

2. 관로 및 접속

명칭	기호	명칭	기호
주관로	————————	통기관로	
【비고】 흡입관로, 압력관로, 리턴관로		【비고】 주로 액체 관로의 경우에 사용된다.	
파일럿 관로	– – – – – – – –	출구 닫힘 상태	
【비고】 공기압력 회로에 한하여 혼동할 염려가 없을 때는 간략한 기호로 실선을 사용해도 좋다.		열림(접속)의 상태	
드레인 관로	····················		
관로의 접속		【비고】 출구의 관로←는 기기와 접속되어 있다.	
플렉시블 관로		고정스로틀 초크	
관로의 교차			
【비고】 혼동할 염려가 있을 때는 +의 사용을 꾀하는 것이 바람직하다.		오리피스	
흐름의 방향 유체의 흐름	→ →	금속이음 〈연결되지 않은 상태〉 ① 체크밸브가 없다. ② 체크밸브 부착 (셀프 실 이음)	
기체의 흐름	▷ ▷		
【비고】 기호를 관로에 가깝게 표시해도 좋다. → ▷			
벨브 내의 흐름의 방향		〈연결된 상태〉 ① 체크밸브가 없다. ② 한쪽만 체크밸브가 부착(셀프 실 이음) ③ 양쪽 체크밸브부착 (셀프 실 이음)	
기름 탱크에 연결된 관로 관 끝을 액중에 넣지 않은 관로 관 끝을 액중에 넣은 관로 헤드 탱크에 연결된 관로		회전이음	(1) 일관로의 경우 (2) 이관로의 경우
【비고】 관의 끝에 작동유 탱크에 연결된 선에는 들어가지 않도록 할 것			

명칭	기호	명칭	기호
기계식의 연결 회전축	(1) 1방향일 경우 (2) 양 방향의 경우	신호전달로 전기신호 그 외의 신호	
		기계식연결 연결부	
		고정점부착 연결부	
【비고】 회전 방향을 나타내는 화살표는 그 원호의 중심을 원동기 쪽으로 접속시킨다.		【비고】 연결부는 가동 또는 고정의 어느 것이라도 좋고 또한 직각으로 되지 않아도 좋다.	
레버, 로드	———————		

3. 펌프 및 모터

명칭	기호	비고	명칭	기호	비고

정용량형
유압펌프
	(1)
	(2)
		삼각형은 유체의 출구를 나타낸다. 삼각형의 높이는 원 직경의 약 $\frac{1}{5}$로 한다.
		① 1방향만의
		  흐름일 경우
		② 양방향의
		  흐름일 경우
			정용량형
			유압모터
				(1)
				(2)
					삼각형은 유체의 입구를 나타낸다.
					① 한 방향으로
					  만 흐를 경우
					② 양방향으로
					  흐를 경우

가변용량형 유압펌프	(1) (2)		가변용량형 유압모터	(1) (2)	
유압기 및 송풍기			공기압 모터	(1) (2)	
진공펌프					

4. 실린더 (1)은 상세한 기호, (2)는 간략한 기호를 나타낸다.

명칭	기호	명칭	기호
단동 실린더 스프링 없음	(1) (2)	쿠션이 부착된 실린더편 쿠션형	(1) (2)
스프링 부착	(1) (2)	양 큐션형	(1) (2)
램형 실린더		【비고】 쿠션이 부착된 것을 나타내는 ⌐ 는 실린더의 쿠션 이 듣는 정지 끝에 향하도록 기입한다. ↗는 외부로 부터 조정가능할 경우에 표시한다.	
복동 실린더편 로드형	(1) (2)	텔레스코프형 실린더	단동 복동
양로드형	(1) (2)	다이어프램형 실린더	
차동 실린더	(1) (2)	압력 전달기	
압력 변환기 같은 종류 유체	(1) (2)	압력변환기 다른 종류(異種)유체	(1) (2)
【비고】 이것이 공기압력일 경우			

5. 제어방식

명칭	기호	명칭	기호	명칭	기호
스프링방식		인력방식 페달방식		실린더방식 〈복동형〉	(1)
조정스프링 방식		푸시로드 방식			(2)
파일럿방식 직접 작동형 【비고】 이것은 공기압력일 경우	(1) (2)	스프링 방식			【비고】 ① 상세기호 ② 간략기호
		롤러방식		유압모터방식 1방향형	
간접작동식	(1) (2) (3)	편작동 롤러 방식		2방향형	
		【비고】 푸시로드 방식의 기호를 기계 방식의 기본 기호로서 사용해 도 좋다.		전동기방식 1방향형	M
【비고】 ① 가압하여 제어할 경우 ② 감압하여 제어할 경우		실린더방식 〈단동형〉 스프링 없음	(1) (2)	2방향형	M
인력방식 인력방식 〈기본기호〉		스피링 부착	(1) (2)	전자방식 단코일형 복코일형	
레버방식					
푸시버튼방식					

명칭	기호	비고
조합시킨 방식 〈순차 작동방식〉 전자 – 유압제어 전자 – 공기압제어		2개 이상의 제어 방식을 사용하여 기기를 제어하더라도 기기의 기호에서 한번 작동한 장방형에는 외부로부터 받는 제1차의 제어 기호를 기입하고 기기에 인접하는 장방형에는 최종적으로 기기를 작동시키는 제2차 제어 기호를 기입한다.
〈선택작업방식〉 전자 또는 유압제어 전자 또는 공기압제어		2개 이상의 제어방식 어느 것이라도 좋고 기기를 제어시키는 것으로서 열기(列記)된 장방형에는 여러 가지 기호를 기입한다.
보조방식 위치정지방식		
록 방식		세로가 짧은 선은 위치가 멈춰진 것을 나타낸다. *표의 개소에는 록을 떼어낸 제어방식을 표시하는 임의의 기호를 기입한다. 중간 위치에 멈춰지지 않고 그 양끝 위치에 기기를 멈춘다.
오버센터 방식		

6. 압력 제어밸브

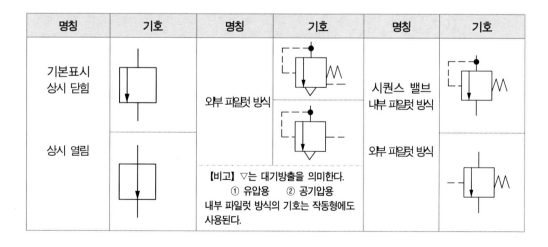

명칭	기호	명칭	기호	명칭	기호
기본표시 상시 닫힘 상시 열림		외부 파일럿 방식 【비고】 ▽는 대기방출을 의미한다. ① 유압용　② 공기압용 내부 파일럿 방식의 기호는 작동형에도 사용된다.		시퀀스 밸브 내부 파일럿 방식 외부 파일럿 방식	

명칭	기호	명칭	기호	명칭	기호
릴리프 밸브 및 안전밸브 내부 파일럿		정비(定比) 릴리프 밸브		감압밸브 〈릴리프 없음〉 내부 파일럿 방식	
		언로드 밸브		외부 파일럿 방식	
외부 파일럿 방식		정차감압 밸브		〈릴리프부착〉 내부 파일럿 방식	
〈릴리프부착〉 외부 파일럿 방식		정비감압 밸브		간이표시	
【비고】 ① 유압용 ② 공기압용				【비고】 정방형의 ★는 숫자, 문자를 기입하고 밸브의 사양을 별기(別記)한 색인으로 할 수 있다.	

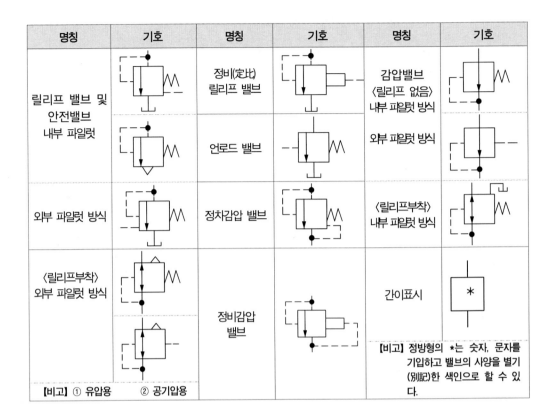

7. 유량 제어밸브

명칭	기호	명칭	기호	명칭	기호
가변 교축 밸브 인력방식	(1) (2)	【비고】 기본 표시는 전항(前項)의 비고 1에 준하지만 가변 교축 밸브에서는 관로를 나타내는 실선과 흐름의 방향을 나타내는 화살표를 이동시켜 기입하는 것으로 하고 흐름이 교차되는 것을 표시한다. (1) 상세기호 (2) 간략기호		〈가변형〉 가변형 (기본기호)	
				릴리프 부착	
기계 방식	(이것은 롤러 방식의 예에 있음)	유량조정밸브 〈고정형〉		온도보상 부착	

명칭	기호	명칭	기호	명칭	기호
분류 밸브		간이표시		정방형의 *표는 숫자, 문자를 기입하고 밸브의 사양을 별기(別記)한 색인으로 할 수 있다.	

8. 방향 제어밸브

명칭	기호	명칭	기호
기본 표시 2포트 2위치 변환 밸브		4포트 2위치 변환 밸브 스프링 오프세트 전자 내부 파일럿 방식	(1) 상세기호 (2) 간이기호
4포트 3위치 변환 밸브			
4포트 교축 변환 밸브			
2포트 2위치 변환 밸브 인력방식 스프링오프셋 전자방식		5포트 2위치 변환 밸브 외부 파일럿방식	
3포트 2위치 변환 밸브 외부파일럿 방식 스프링 오프셋 전자 방식		교축변환밸브 2포트 교축 변환 밸브 (트레이서 밸브) 3포트 교축 변환 밸브 4포트 교축 변환 밸브 (트레이서 밸브) 전기압축서보 밸브 일단식 자동식	
【비고】 변환의 과도적인 중간 위치를 나타낼 필요가 있을 경우에는 점선의 절선(切線)을 사용하고 그것을 표시한다.			
간이표시			
【비고】 정방형의 *표는 숫자, 문자를 기입하고 밸브의 사양을 별기(別記)한 색으로 할 수 있다.		2중 코일형 전자 방식의 기호에 부착된 화살표는 작동의 연속성을 나타낸다.	

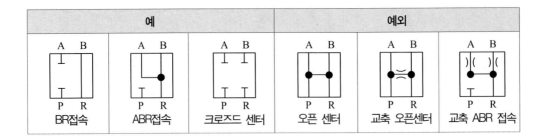

	예			예외	
A B ⊤ ⊤ P R BR접속	A B ● P R ABR접속	A B ⊤ ⊤ P R 크로즈드 센터	A B ● ● P R 오픈 센터	A B ● ● P R 교축 오픈센터	A B)( )(● ● ⊤ P R 교축 ABR 접속

9. 체크밸브

명칭	기호	명칭	기호
체크밸브		고정교축 체크밸브	
파일럿 조작 체크밸브	① 제어신호에 따라 열릴 경우 ② 제어신호에 따라 닫힐 경우	셔틀밸브	
		급속배기 밸브	

10. 부속기기

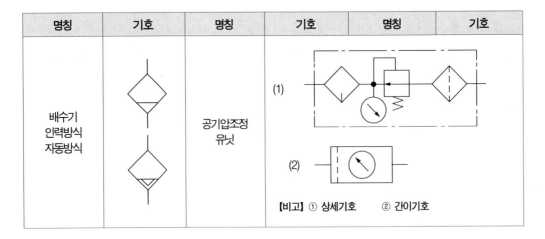

명칭	기호	명칭	기호	명칭	기호
배수기 인력방식 자동방식		공기압조정 유닛	(1) (2) 【비고】 ① 상세기호　② 간이기호		

명칭	기호	명칭	기호	명칭	기호
작동유 탱크 개방탱크 예압탱크		필터 〈배수기 없음〉 〈배수기 부착〉 인력방식 자동방식		가열기	
체크 또는 콕				루브리게이터	
압력스위치				방음기	
어큐뮬레이터	【비고】유압용	【비고】 공기압력의 흡입 필터 및 작동 유 탱크 내에 설치된 탱크용 필 터에 대해 간략한 기호를 사용 해도 좋다.		압력계	
				접점부착 압력계	
공기탱크	【비고】 공기압용			온도계	
전동기	M	에어드라이어		유량계 순간지시방식 적산지시방식	
내연기관 그외의열기관	M	온도조절기			
압력원	(1) (2)	냉각기		계측기의 간이표시	※
				【비고】 원내의 ※표에는 본 규격에서 정한 이외의 계측기 내용을 나 타내는 임의의 기호를 기입하 여 사용한다. 또한 숫자, 문자 를 기입하고 계측기의 사양을 별기(別記)한 색인으로 할 수 있다.	
【비고】 ① 유압용 ② 공기압용		【비고】 냉각용 배관을 표시한 경우			

01 유압회로에 사용되는 기본적인 회로가 아닌 것은?

① 개방회로 ② 압력제어회로
③ 속도제어회로 ④ 밸브제어회로

해설 유압 제어의 기본 회로는 개방(오픈) 및 폐쇄(클로즈)회로, 압력 제어회로, 속도 제어회로, 방향 제어회로, 유압모터 제어회로가 있다.

02 유압 작동유 탱크에서 펌프에 흡입되어 펌프에서 제어밸브를 거쳐 액추에이터에 이르고, 액추에이터에서 다시 제어밸브를 거쳐 탱크로 되돌아오는 유압회로는?

① 오픈회로 ② 클로즈회로
③ 텐덤회로 ④ 시리즈회로

해설 오픈 회로(개방 회로)는 작동유가 탱크에서 유압펌프로 흡입되어 펌프에서 제어밸브를 거쳐 액추에이터에 이르고, 액추에이터에서 다시 제어밸브를 거쳐 탱크로 복귀하는 회로이다.

03 펌프에서 토출된 유압 작동유가 제어밸브를 경유하여 작동기에서 일을 한 다음 다시 제어밸브를 통하여 펌프 입구측으로 이동하는 유압회로는?

① 클로즈회로 ② 탠덤회로
③ 미터아웃회로 ④ 오픈회로

해설 클로즈 회로(밀폐회로)는 작동유가 탱크에서 유압펌프로 흡입되어 펌프에서 제어밸브를 거쳐 액추에이터에 이르고, 액추에이터에서 다시 제어밸브를 거쳐 유압펌프로 되돌아가는 회로이다.

04 유압회로 중 일을 하는 행정에서는 고압 릴리프밸브로, 일을 하지 않을 때는 저압 릴리프밸브로 압력제어를 하여 자동 목적에 알맞은 압력을 얻는 회로는?

① 클로즈 회로
② 최대 압력 제한 회로
③ 미터인 회로
④ 블리드 오프 회로

해설 최대 압력 제한 회로는 일을 하는 행정에서는 고압 릴리프밸브로, 일을 하지 않을 때는 저압 릴리프밸브로 압력제어를 하여, 작동목적에 알맞은 압력을 얻는다.

05 유량조정 밸브에 의한 회로가 아닌 것은?

① 미터인 회로
② 미터 아웃 회로
③ 블리드 오프 회로
④ 동기 회로

해설 유량 조정 밸브(속도 제어 회로)에 의한 회로에는 미터인 회로, 미터아웃 회로, 블리드 오프 회로가 있다.

정답 **01.**④ **02.**① **03.**① **04.**② **05.**④

06 유량제어 밸브를 실린더의 입구측에 설치하였으며, 펌프에서 송출되는 여분의 유압은 릴리프밸브를 통해서 펌프로 방출되는 속도제어 회로는?

① 미터아웃 회로
② 블리드 오프 회로
③ 최대압력제한 회로
④ 미터인 회로

해설 미터인 회로는 유량제어밸브를 실린더의 입구측에 설치하였으며, 유압펌프에서 송출되는 여분의 유압은 릴리프밸브를 통해서 펌프로 방출되는 속도제어 회로이다.

07 유압기기의 제어와 기능을 간단히 표현할 수 있고, 견적, 배관이나 작동의 해석에 사용되는 유압 회로도는?

① 기호회로도   ② 그림 회로도
③ 단면 회로도   ④ 조합 회로도

해설 유압 회로도의 종류
· **기호 회로도** : 유압 기호로 표시한 것
· **그림 회로도** : 구성기기의 외관을 그림으로 표시한 것
· **단면 회로도** : 기기의 내부와 동작을 단면으로 표시한 것
· **조합 회로도** : 그림 회로도와 단면 회로도를 혼합하여 표시한 것

08 유압 구성기기의 외관을 그림으로 표시한 회로도는?

① 기호 회로도   ② 그림 회로도
③ 조합 회로도   ④ 단면 회로도

09 유압 기호중 중 유압펌프를 표시하는 기호는?

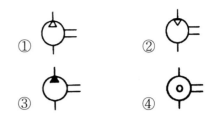

10 다음 중 정용량형 유압펌프의 기호는?

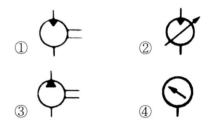

해설 ① 정용량형 유압모터, ② 가변용량형 유압모터
③ 정용량형 유압펌프, ④ 압력계

11 불도저의 유압 회로도에서 리프트 실린더에 해당하는 것은?

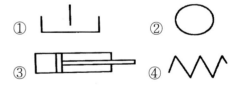

12 유압회로 내에 공기가 혼입되었을 때, 일어나는 현상이 아닌 것은?

① 공동현상   ② 정마찰 현상
③ 열화촉진 현상   ④ 숨돌리기 현상

해설 유압회로 내에 공기가 유입되었을 때 발생되는 현상은 공동현상(캐비테이션), 열화 촉진 현상, 숨돌리기 현상 등이다.

정답 06.④   07.①   08.②   09.③   10.③   11.③   12.②

13 작동유에 공기가 유입되었을 때 발생하는 현상이 아닌 것은?

① 유압실린더의 숨돌리기 현상이 발생된다.
② 작동유의 열화가 촉진된다.
③ 유압장치 내부에 공동현상이 발생한다.
④ 작동유 누출이 심하게 된다.

14 유압펌프가 오일을 토출하지 않는 이유로 맞는 것은?

① 펌프의 회전이 너무 빠를 때
② 유압유의 점도가 낮을 때
③ 흡입관으로부터 공기가 흡입되고 있을 때
④ 릴리프밸브의 설정 압력이 낮을 때

해설 유압펌프의 흡입관으로부터 공기가 혼입되면 오일이 토출되지 않으며, 소음이 발생된다.

15 유압유 속에 용해 공기가 기포로 발생하여 소음과 진동이 발생되는 현상은?

① 블로바이 현상
② 맥동 현상
③ 베이퍼록 현상
④ 캐비테이션 현상

해설 캐비테이션(공동현상)은 유동하고 있는 액체의 압력이 국부적으로 저하되어, 포화 증기나 기포가 발생하고, 이것들이 터지면서 소음과 진동이 발생하는 현상이다.

16 캐비테이션(공동 현상) 발생 원인으로 틀린 것은?

① 흡입 필터가 막혀 있을 경우
② 메인 릴리프밸브의 설정 압력이 낮은 경우
③ 흡입관의 굵기가 펌프 본체 흡입구보

다 가늘 경우
④ 유압펌프를 규정 속도 이상으로 고속 회전시킬 경우

해설 캐비테이션(공동현상) 발생 원인은 흡입 필터가 막힌 경우, 흡입관의 굵기가 펌프 본체 흡입구보다 가늘 경우, 유압펌프를 규정 속도 이상으로 고속 회전시킬 경우 등이다.

17 유압회로에서 공동현상이 발생했을 때 유압펌프에서 나타나는 고장 현상이 아닌 것은?

① 유압 토출량이 증대한다.
② 유압펌프의 효율이 급격히 저하한다.
③ 유압펌프에서 소음과 진동이 발생한다.
④ 날개차 등에 부식을 일으켜 수명을 단축시킨다.

해설 공동현상이 발생했을 때 나타나는 현상
· 유압 토출량 감소
· 유압펌프의 효율이 급격히 저하
· 유압펌프에서 소음과 진동이 발생
· 날개차 등에 부식을 일으켜 수명 단축

18 유압펌프의 캐비테이션 현상을 방지하기 위하여 주의하여야 할 사항으로 틀린 것은?

① 오일탱크의 오일 점도는 적정 점도가 유지되도록 한다.
② 흡입구의 양정을 1m 이상으로 한다.
③ 펌프의 운전속도는 규정 속도 이상으로 해서는 안 된다.
④ 흡입관의 굵기는 유압펌프 본체의 연결구 크기와 같은 것을 사용한다.

해설 캐비테이션 현상을 방지하는 방법은 ①③④항 외에 흡입구의 양정을 1m 이하로 한다.

정답 **13.**③ **14.**③ **15.**④ **16.**② **17.**① **18.**②

19 유압펌프에서 맥동현상이 발생할 경우의 고장 수리 방법 중 틀린 것은?

① 유압회로 내의 공기빼기를 한다.
② 공동현상을 없앤다.
③ 유압조절 밸브 스프링을 교환한다.
④ 작동유를 교환한다.

해설 유압펌프에서 맥동현상이 발생하면 ①②③항 외에 오일필터를 교환한다.

20 유량 제어밸브 또는 방향 제어밸브를 급격히 조작하게 되면, 회로 중에 순간적으로 이상 고압이 발생하게 되는데 이를 무엇이라 하는가?

① 서지 압력
② 크래킹 압력
③ 오버라이드 압력
④ 전개 압력

해설 서지 압력이란 유량 제어밸브의 가변 오리피스를 급격히 닫거나, 방향 제어밸브의 유로를 급격히 절환 또는 고속 실린더를 급정지시키면, 유로에 순간적으로 이상 고압이 발생하는 현상이다.

21 유압 작동유에 혼입된 공기의 압축, 팽창 차에 따라 피스톤의 동작이 불안정하여지고 압력이 낮을수록, 공급량이 적을수록 그 정도가 심한 현상을 무엇이라 하는가?

① 기포 현상
② 캐비테이션 현상
③ 유압유의 열화 촉진
④ 숨돌리기 현상

해설 숨돌리기 현상이란 작동유에 혼입된 공기의 압축 · 팽창 차이에 따라 피스톤의 동작이 불안정해지고, 유압이 낮을수록, 작동유 공급량이 부족할수록 그 정도가 심해지는 현상이다.

22 액체에 공기가 아주 작은 기포 상태에 섞여지는 현상, 또는 섞여져 있는 상태를 유압 용어로 무엇이라 하는가?

① 맥동현상
② 공기혼입
③ 수격현상
④ 채터링

해설 공기혼입이란 액체에 공기가 아주 작은 기포 상태로 섞여지는 현상 또는 섞여져 있는 상태를 말한다.

23 다음 중 관로를 새로 설치하거나 유압장치 내의 이물질이 들어갔을 때, 이물질을 제거하는 작업을 무엇이라 하는가?

① 랩핑 작업
② 플러싱 작업
③ 드로잉 작업
④ 호닝 작업

해설 플러싱을 하는 시기
· **파이프를 조립하는 경우** : 산성 세척제로 세척한 경우 벗겨진 이물질이나 조립할 때, 파이프에 유입된 이물질을 제거한다.
· **작동유를 교환하는 경우** : 장기간 사용 중 유압장치 내에 퇴적된 슬러지 및 부착물 또는 오염된 작동유를 제거한다.

24 유압장치 내의 슬러지 등 이물질을 제거하는 작업을 무엇이라 하는가?

① 랩핑 작업
② 플러싱 작업
③ 드로잉 작업
④ 호닝 작업

해설 유압 관로를 새로 설치하거나 유압장치 내의 이물질이 들어갔을 때, 이물질이나 슬러지 등을 제거하는 작업을 플러싱이라고 한다.

정답 **19.**④ **20.**① **21.**④ **22.**② **23.**② **24.**②

25 유압장치 사용시 고장의 주원인과 거리가 먼 것은?

① 온도의 상승으로 인한 것이다.
② 기기의 용량 선정으로 인한 것이다.
③ 기기의 기계적 고장으로 인한 것이다.
④ 조립과 접속의 불완전으로 인한 것이다.

해설 유압장치 고장의 주원인은 ①③④항 외에 이물질, 공기, 물 등의 유입에 의한 고장 등이 있다.

26 유압장치가 처음부터 작동이 불량할 때 점검해야 할 것이 아닌 것은?

① 유압펌프   ② 메인 릴리프밸브
③ 오일냉각기   ④ 전류식 여과기

해설 오일냉각기는 유압장치가 가동되었을 때 작동되는 구성품이므로, 처음부터 작동 불량과는 관계가 없다.

27 유압장치 정비작업 시 주의해야 할 사항 중 맞지 않는 것은?

① 분해한 배관 등은 걸레 등으로 막아둔다.
② 나사 부분이나 플랜지, O링 등은 접착 테이프로 밀봉한다.
③ 작동유 캡이 열려 있을 때는 비닐로 씌어 둔다.
④ 분해한 배관은 세척 후 압축공기를 세척유를 불어낸다.

해설 분해한 배관은 이물질이 들어가지 않도록 마개로 막아준다. 걸레 등은 이물질이 혼입될 염려가 있다.

28 유압기기 정비작업 시 주의해야 할 사항 중 옳지 않은 것은?

① 유압펌프나 모터를 개조해서 사용한다.
② 펌프, 모터 등을 밟고 올라가지 않는다.
③ 유압 작동유가 바닥에 떨어지지 않게 한다.
④ 유압라인 가까이에서 산소용접이나 전기용접을 하지 않는다.

해설 유압기기를 정비 작업할 때 주의사항은 ②③④항 외에 유압펌프나 모터를 개조해서 사용해서는 안 된다.

29 불도저 유압장치에서 일일점검 정비사항 중 틀린 것은?

① 펌프, 밸브, 유압실린더의 오일 누유 점검
② 작동유의 교환, 스트레이너 세척 또는 필터 교환
③ 이음 부분과 탱크 급유구 등의 풀림 상태 점검
④ 실린더 로드 손상과 호스의 손상 및 접촉면 점검

해설 작동유의 교환은 6개월 정비사항이며, 작동유 필터 교환은 월간 정비사항이다.

Part

04

전기장치 정비

Part 04

전기장치 정비

전기기초 및 반도체

1 전류·전압 및 저항

(1) 전류

전류의 측정 단위는 암페어(A ; Ampere)이며, 전류의 크기는 1A의 전류가 흘렀을 때 이것이 도체 단면의 임의의 한 점을 1초 동안에 1쿨롱의 전하가 이동하고 있을 때이다. 전류는 발열작용(전구, 예열플러그), 화학작용(축전지), 자기작용(발전기, 전동기) 등 3대 작용을 한다.

> **참고** **전류의 3대 작용**
> ① 발열작용 : 도체 중의 저항에 전류가 흐르면 열이 발생된다. ex) 전구, 시가라이터, 예열플러그
> ② 화학작용 : 전해액에 전류가 흐르면 화학작용이 생긴다. ex) 축전지, 전기도금
> ③ 자기작용 : 전선이나 코일에 전류가 흐르면 그 주변에는 자기 현상이 일어난다.
> ex) 전동기, 발전기, 솔레노이드 밸브

(2) 전압(전위차)

전압의 측정 단위는 볼트(V ; Voltage)이다. 1V란 1Ω의 도체에 1A의 전류를 흐르게 할 수 있는 전기적인 압력이다.

(3) 저항

저항의 측정 단위는 옴(Ohm ; Ω)이다. 전류가 도체 속을 흐르기 쉬운지 또는 어려운지의 정도를 표시하는 것이다. 저항은 자유전자의 수, 원자핵의 구조, 물질의 형상, 온도에 따라서 변화한다.

2 전기회로

1. 옴의 법칙

도체에 흐르는 전류는 전압 크기에 비례하고, 전류는 저항 크기에 반비례한다.

$I = \dfrac{E}{R}$ [I : 도체를 흐르는 전류(A), E : 도체에 가해진 전압(V), R : 그 도체의 저항(Ω)]

2. 저항의 접속 방법

(1) 저항의 직렬 접속

몇 개의 저항을 한 줄로 접속하는 것을 직렬 접속이라 한다. 직렬 접속의 특징은 다음과 같다.

① 합성저항은 각 저항의 합과 같다.

② 어느 저항에서나 동일한 전류가 흐른다.

③ 전압이 나누어져 저항 속을 흐른다. 즉, 각 저항에 가해지는 전압의 합은 전원 전압과 같다.

④ 합성저항 $R = R_1 + R_2 + R_3 + \cdots\cdots + Rn$

(2) 저항의 병렬 접속

몇 개의 저항을 접속한 것을 병렬 접속이라 한다. 병렬 접속의 특징은 다음과 같다.

① 어느 저항에서나 동일한 전압이 가해진다.

② 합성저항은 각 저항의 어느 것보다도 작다.

③ 병렬 접속에서 저항이 감소하는 것은 전류가 나누어져 저항 속을 흐르기 때문이다.

④ 각 회로에 흐르는 전류는 다른 회로의 저항에 영향을 받지 않으므로 양 끝에 걸리는 전류는 상승한다.

⑤ 합성저항 $\dfrac{1}{R} = \dfrac{1}{R_1} + \dfrac{1}{R_2} + \dfrac{1}{R_3} + \cdots\cdots + \dfrac{1}{Rn}$

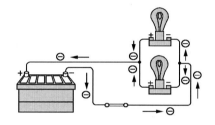

(a) 병렬 접속

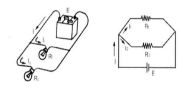

(b) 저항의 병렬 접속 방법

○ 저항의 병렬 접속

3 반도체

1. 반도체의 성질

① 도체와 부도체의 중간 정도 고유저항을 가진 물질이다.

② 온도가 높아지면 저항이 감소하는 부 온도계수 물질이다.

③ 빛, 열, 자력 등의 외력에 의해 다양한 반응을 보인다.

④ 고유저항이 $10^{-3} \sim 10^{6}$(Ω) 정도의 값을 가진 것을 말한다.

⑤ 실리콘, 게르마늄, 셀렌 등이 있다.

2. 반도체의 분류

(1) 진성 반도체

게르마늄(Ge)과 실리콘(Si) 등 결정이 같은 수의 정공(hole)과 전자가 있는 반도체이다.

(2) 불순물 반도체

① **N형 반도체** : 실리콘의 결정(4가)에 5가의 원소[비소(As), 안티몬(Sb), 인(P)]를 혼합한 것으로 전자 과잉 상태인 반도체이다.

② **P형 반도체** : 실리콘의 결정(4가)에 3가의 원소[알루미늄(Al), 인듐(In)]를 혼합한 것으로 정공(홀) 과잉 상태인 반도체이다.

3. 반도체 소자

(1) 다이오드(정류용 다이오드)

① 순방향 접속에서만 전류가 흐르는 특성을 지니고 있으며, 교류발전기, 축전지의 충전기 등에서 사용한다.

② 한쪽 방향에 대해서는 전류를 흐르게 하고, 반대 방향에 대해서는 전류의 흐름을 저지하는 정류작용을 한다.

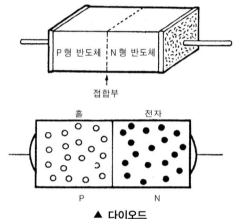

▲ 다이오드

(2) 제너 다이오드

어떤 전압 아래에서는 역방향으로도 전류가 흐르도록 설계된 것이다. 즉 역방향으로 가해지는 전압이 어떤 값에 도달하면 순방향 특성과 같이 급격히 전류가 흐른다. 발전기의 전압조정기 등의 정전압 회로에서 사용하고 있다.

(3) 발광 다이오드(LED)

PN 접합면에 순방향 전압을 걸어 전류를 공급하면, 캐리어가 가지고 있는 에너지의 일부가 빛으로 되어 외부에 방사하는 다이오드이다.

(4) 포토 다이오드

접합 부분에 빛을 받으면 빛에 의해 자유전자가 되어 전자가 이동하며, 역방향으로 전기가 흐르는 다이오드이다.

(5) 트랜지스터(TR)

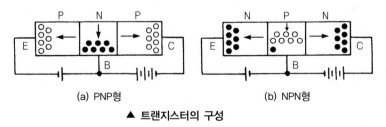

(a) PNP형   (b) NPN형

▲ 트랜지스터의 구성

① PNP, NPN으로 접합한 것으로, 이미터, 베이스, 컬렉터 단자로 구성되어 있고, 스위 칭 작용, 증폭작용, 발진작용 등을 한다.

② PNP형의 순방향 전류는 이미터에서 베이스이며, NPN형은 베이스에서 이미터이다.

(6) 다링톤 트랜지스터

2개의 트랜지스터를 하나로 결합하여 전류 증폭도가 높다.

(7) 포토 트랜지스터

① 외부로부터 빛을 받으면 전류를 흐를 수 있게 하는 감광 소자이다.

② 빛에 의해 컬렉터 전류가 제어되며, 광량 측정, 광 스위치 소자로 사용된다.

(8) 사이리스터(SCR)

PNPN 또는 NPNP 접합으로, 스위치 작용을 한다. 일반적으로 단방향 3단자를 사용하는데 (+)쪽을 애노드, (−)쪽을 캐소드, 제어 단자를 게이트라 부른다.

작용은 다음과 같다.

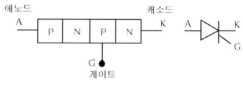

▲ 사이리스터

① A(애노드)에서 K(캐소드)로 흐르는 전류가 순방향이다.

② 순방향 특성은 전기가 흐르지 못하는 상태이다.

③ G(게이트)에 (+), K(캐소드)에 (−)전류를 흘려보내면 A(애노드)와 K(캐소드)사이가 순간적으로 도통된다.

④ A(애노드)와 K(캐소드) 사이가 도통된 것은 G(게이트) 전류를 제거해도 계속 도통이 유지되며, A(애노드) 전위를 0으로 만들어야 해제된다.

(9) 서미스터(thermistor)

① 온도에 따라 저항값 특성이 변화하는 반도체이다. 부특성 서미스터는 온도가 상승하면 저항값이 낮아진다.

② 수온 센서, 흡기온도 센서 등 온도 감지용으로 사용된다.

4. 반도체의 특징

반도체의 장점	반도체의 단점
① 극히 소형이며, 가볍고 기계적으로 강하다. ② 예열시간이 불필요하다. ③ 내부 전력손실이 작다. ④ 내진성이 크고, 수명이 길다. ⑤ 내부의 전압강하가 적다.	① 온도특성이 나쁘다.(온도가 올라가면 특성이 변화한다. 즉 실리콘의 경우 150℃ 이상, 게르마늄은 85℃ 이상 되면 파괴될 우려가 있다. ② 과대 전류 및 전압이 가해지면 파손되기 쉽다. ③ 정격값을 넘으면 곧 파괴되기 쉽다.

축전지(Battery)

1 축전지의 개요

축전지는 전류의 화학작용을 이용한 기구이며, 양극판, 음극판 및 전해액이 가지는 화학적 에너지를 전기적 에너지로 꺼낼 수 있다.

2 납산 축전지의 구조와 작용

1. 납산 축전지의 구조

(1) 납산 축전지의 극판

양극판은 과산화납(PbO_2), 음극판은 해면상납 (Pb)이다. 그리고 양극판이 음극판보다 더 활성적 이므로 양극판과의 화학적 평형을 고려하여 음극판 을 1장 더 둔다.

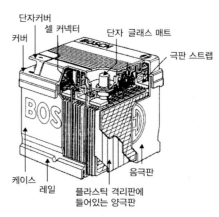

▲ 납 산축전지의 구조

(2) 격리판

격리판은 양극판과 음극판 사이에 끼워져 양쪽 극판의 단락을 방지하는 일을 한다. 구비 조건은 다음과 같다.

① 다공성이어서 전해액의 확산이 잘 될 것
② 기계적 강도가 있고, 전해액에 산화 부식되지 말 것
③ 비전도성일 것
④ 극판에 좋지 않은 물질을 내뿜지 말 것

(3) 극판군

극판군을 1셀(cell)이라 하며, 완전 충전되었을 때 약 2.1V의 기전력을 발생한다. 따라 서 12V 축전지의 경우에는 6개의 셀이 직렬로 연결되어 있다. 그리고 극판의 장수를 늘리 면 축전지 용량이 증가하여 이용 전류가 많아진다.

(4) 커버와 케이스 청소

축전지의 커버와 케이스의 청소는 탄산소다(탄산나트륨)와 물 또는 암모니아수로 한다.

(5) 축전지 단자(terminal) 구별 방법

① 양극은 (+), 음극은 (−)의 부호로 분별한다.
② 양극은 적색, 음극은 흑색의 색깔로 분별한다.

③ 양극은 지름이 굵고, 음극은 가늘다.

④ 양극은 POS, 음극은 NEG의 문자로 분별한다.

또, 축전지 단자에서 케이블을 분리할 경우에는 반드시 접지단자의 케이블을 먼저 분리하고, 설치할 경우에는 나중에 설치하여야 한다. 축전지의 단자에 그리스를 바르는 이유는 녹이 발생하는 것을 방지하기 위함이다.

(6) 전해액(electrolyte)

전해액은 순도가 높은 묽은 황산(H_2SO_4)을 사용한다. 비중은 20℃에서 완전 충전되었을 때 1.280이며. 전해액은 온도가 상승하면 비중이 작아지고, 온도가 낮아지면 비중은 커진다. 전해액 비중은 온도 1℃ 변화에 대하여 0.0007이 변화한다.

$$S_{20} = St + 0.0007 \times (t - 20)$$

여기서, S_{20} : 표준온도 20℃에서의 비중, St : t℃에서 실제 측정한 비중, t : 전해액 온도

그리고 전해액 제조순서는 다음과 같다.

① 용기는 반드시 절연체(질그릇, 고무 그릇 등)인 것을 준비한다.

② 물(증류수)에 황산을 부어서 혼합하도록 한다.

③ 조금씩 혼합하도록 하며, 유리막대 등으로 천천히 저어서 냉각시킨다.

④ 전해액 온도가 20℃에서 1.280이 되게 비중을 조정하면서 작업을 마친다.

> **참고** **축전지 설페이션의 원인**
> ① 축전지를 과방전하였을 때
> ② 축전지의 극판이 단락되었을 때
> ③ 전해액의 비중이 너무 높거나 낮을 때
> ④ 전해액이 부족하여 극판이 노출되었을 때
> ⑤ 전해액에 불순물이 혼입되었을 때
> ⑥ 불충분한 충전을 반복하였을 때
> ⑦ 축전지를 장기간 방치하였을 때

2. 납산 축전지의 화학작용

(1) 방전 중의 화학작용

방전이 진행되면 극판과 황산이 화합하여 양극판의 과산화납과 음극판의 해면상납은 모두 황산납이 되며, 전해액은 물로 변환된다.

(2) 충전 중의 화학작용

방전된 축전지를 충전시키면 양극판은 다시 과산화납으로, 음극판은 해면상납으로 환원된다.

(3) 충방전식

(양극) (전해액) (음극)	방전	(양극) (전해액) (음극)
PbO_2 + $2H_2SO_4$ + Pb	$\rightarrow$ $\leftarrow$	$PbSO_4$ + $2H_2O$ + $PbSO_4$
(과산화납) (묽은황산) (해면상납)	충전	(황산납) (물) (황산납)

3 납산 축전지의 여러 가지 특성

1. 방전 종지 전압(방전 끝 전압)

방전 종지 전압이란 축전지를 어떤 전압 이하로 방전해서는 안 되는 것을 말하며, 1셀당 1.75V이다.

2. 축전지 용량

축전지 용량의 단위는 암페어시 용량(AH ; Ampere Hour rate)으로 표시하며, 이것은 일정 방전전류(A) × 방전종지전압까지의 연속방전 시간(H)이다. 그리고 축전지 용량의 크기를 결정하는 요소에는 극판의 크기(또는 면적), 극판의 수, 황산(전해액)의 양 등이 있다.

(1) 방전율과 용량의 관계

축전지 용량을 표시하는 방법에는 20시간율, 25암페어율, 냉간율 등이 있다.

(2) 축전지 연결에 따른 용량과 전압의 변화

① **직렬 연결의 경우** : 같은 전압, 같은 용량의 축전지 2개 이상을 (+)단자와 다른 축전지의 (-)단자에 서로 연결하는 방식이며, 전압은 연결한 개수만큼 증가되지만 용량은 1개일 때와 같다.

② **병렬 연결의 경우** : 같은 전압, 같은 용량의 축전지 2개 이상을 (+)단자를 다른 축전지의 (+)단자에, (-)단자는 (-)단자에 접속하는 방식이며, 용량은 연결한 개수만큼 증가하지만 전압은 1개일 때와 같다.

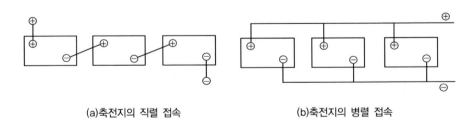

(a)축전지의 직렬 접속　　　　(b)축전지의 병렬 접속

▲ 축전지의 연결 방법

4 납산 축전지의 자기방전(자연 방전)

내부방전이라고도 하며, 축전지를 사용하지 않아도 자연적으로 방전되는 현상으로 기온이 10℃ 상승할 때마다 방전량은 배가된다. 자기 방전량은 24시간 동안 실용량의 0.3~1.5% 정도이며, 자기방전 예방을 위해서는 15~30일마다 보충전을 해야 된다.

1. 자기방전의 원인

① 장기간 축전지를 사용하지 않을 때
② 극판이 황산과의 화학작용으로 황산납화 될 때
③ 전해액에 불순물이 혼합되어 국부전지가 형성될 때
④ 퇴적물에 의한 극판의 단락시

2. 자기 방전량

① 자기 방전량은 전해액의 온도가 높을수록 크다.
② 자기 방전량은 전해액의 비중 및 용량이 클수록 크다.

5 납산 축전지 충전

1. 축전지 충전 방법

(1) 정전류 충전
충전의 시작에서 끝까지 전류를 일정하게 하고, 충전을 실시하는 방법이다.

(2) 정전압 충전
충전의 전체기간을 일정한 전압으로 충전하는 방법이다. 정전압 충전은 축전지에서 가스 발생이 거의 없고 일정한 전압이 유지되며, 충전 효율이 좋으나 충전 초기에 큰 전류가 흘러서 축전지 수명에 크게 영향을 미친다.

(3) 급속충전
급속 충전기를 사용하여 시간적 여유가 없을 때 하는 충전이며, 충전전류는 축전지 용량의 50% 정도로 한다. 가능한 짧은 시간 내에 충전을 실시하여야 하며, 매우 큰 전류로 충전을 실시하므로 축전지 수명을 단축시키는 요인이 된다.

2. 축전지를 충전할 때 주의사항

① 충전하는 장소는 반드시 환기장치를 하여야 한다.
② 축전지는 방전상태로 두지 말고 즉시 충전한다.
③ 충전 중 전해액의 온도를 45℃ 이상으로 상승시키지 않는다.
④ 충전 중인 축전지 근처에서 불꽃을 가까이해서는 안 된다.(수소가스가 폭발성 가스이다.)

⑤ 축전지를 과충전 시켜서는 안 된다.(양극판 격자의 산화가 촉진된다)

⑥ 축전지를 건설기계에서 떼어내지 않고 급속충전을 할 경우는, 반드시 축전지와 기동전동기를 연결하는 케이블을 분리하여야 한다(이것은 발전기 다이오드를 보호하기 위함이다).

6 MF 축전지(Maintenance Free Battery)

MF 축전지는 자기방전이나 화학반응을 할 때 발생하는 가스로 인한 전해액 감소를 방지하고, 축전지 점검·정비를 줄이기 위해 개발된 것이며 다음과 같은 특징이 있다.

① 증류수를 점검하거나 보충하지 않아도 된다.

② 자기방전 비율이 매우 적다.

③ 장기간 보관이 가능하다.

④ 산소와 수소가스를 다시 증류수로 환원시키는 촉매 마개를 사용한다.

Section 4-3 **시동장치**

1 기동전동기의 원리

기동전동기의 원리는 플레밍의 왼손법칙이다. 플레밍의 왼손법칙이란 왼손의 엄지, 인지, 중지를 서로 직각이 되게 펴고 인지를 자력선의 방향으로, 중지를 전류의 방향에 일치시키면 도체에는 엄지의 방향으로 전자력이 작용한다는 법칙이며, 기동전동기, 전류계, 전압계 등에 적용된다.

2 기동전동기의 종류와 특징

1. 직권전동기

직권전동기는 전기자 코일과 계자코일이 직렬로 접속된 것이다. 특징은 기동 회전력이 크고, 부하가 증가하면 회전속도가 낮아지고 흐르는 전류가 커지는 장점이 있으나, 회전속도 변화가 큰 결점이 있다.

2. 분권전동기

분권전동기는 전기자와 계자코일이 병렬로 접속된 것이다.

3. 복권전동기

복권전동기는 전기자 코일과 계자코일이 직·병렬로 접속된 것이다.

3 기동전동기의 구조와 기능

① 회전력을 발생하는 부분
② 회전력을 기관 플라이휠에 전달하는 동력 전달 기구 부분
③ 피니언을 미끄럼 운동시켜 플라이휠 링 기어에 물리게 하는 부분

1. 전동기 부분

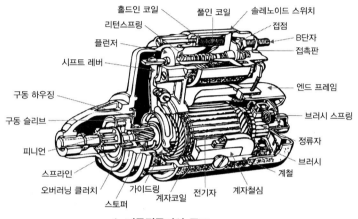

▲ 기동전동기의 구조

(1) 회전운동을 하는 부분

① **전기자(armature)** : 전기자 철심은 자력선을 잘 통과시키고 맴돌이 전류를 감소시키기 위해 얇은 철판을 각각 절연하여 성층 철심으로 하였으며, 바깥둘레에는 전기자 코일이 들어가는 홈(slot)이 파여 있다. 그로울러 시험기로 전기자 코일의 단선, 전기자 코일의 단락, 전기자 코일의 접지를 점검한다.

② **정류자(commutator)** : 정류자는 브러시에서의 전류를 일정한 방향으로만 전기자 코일로 흐르게 한다.

(2) 고정된 부분

① **계철과 계자철심(yoke & pole core)** : 계철은 자력선의 통로와 기동전동기의 틀이 되는 부분이며, 안쪽 면에는 계자코일을 지지하여, 자극이 되는 계자철심이 나사로 고정되어 있다.

② **계자코일(field coil)** : 계자코일은 계자철심에 감겨 자력을 발생시키는 것이다.

③ **브러시와 브러시 홀더(brush & brush holder)** : 브러시는 정류자를 통하여 전기자 코일에 전류를 출입시킨다. 일반적으로 4개가 설치되며, 스프링 장력에 의해 정류자와 접속되어 홀더 내에서 미끄럼 운동을 한다. 브러시는 표준길이의 1/3 이상 마모되면 교환한다.

(3) 마그넷 스위치(솔레노이드 스위치)의 작동

① 풀인 코일에 흐르는 전류는 전기자에 회전력을 발생시킨다.
② 풀인 코일에 전류가 흐르면 피니언이 서서히 회전을 시작한다.
③ 주 스위치가 닫히면 풀인 코일은 단락된다.
④ 풀인 코일의 저항값은 약 0.4Ω, 홀드인 코일의 저항값은 약 1.1Ω 정도이다.
⑤ 마그넷 스위치 풀인 시험을 할 때는 단자 St에(+), 단자 M에(−) 전압을 연결한다.

2. 동력 전달 기구

(1) 벤딕스 방식(관성 섭동 방식)

피니언의 관성과 기동전동기가 무부하에서 고속으로 회전하는 성질을 이용한 것이다.

(2) 피니언 섭동 방식

피니언의 미끄럼 운동과 기동전동기 스위치의 개폐를 전자력으로 작동하는 마그넷(솔레노이드) 스위치를 둔 것이다.

(3) 전기자 섭동 방식

전기자가 미끄럼 운동을 하여 피니언이 플라이휠 링 기어에 물리도록 한다.

3. 기동전동기의 성능시험

기동전동기의 성능시험에는 무부하 시험, 회전력(토크) 시험, 저항(부하) 시험이 있으며, 무부하 시험은 기준전압을 가했을 때 소모전류와 회전수를 점검하는 성능시험이다.

4. 기동전동기 올바른 사용 방법

① 기동전동기 연속사용 시간은 10초 이내로 한다.
② 기관이 기동 된 후에는 시동스위치를 닫아서는(시동 위치로) 안 된다.
③ 기동전동기의 회전속도가 규정 이하이면 장시간 연속 운전시켜도 시동되지 않으므로 회전속도에 유의한다.
④ 배선용 케이블이나 굵기가 규정 이하의 것은 사용하지 않는다.

5. 기동전동기가 작동되지 않는 원인

① 축전지의 과도한 방전
② 전지자 코일의 단선(개회로)
③ 계자 코일의 단선
④ 기동전동기의 브러시 및 정류자의 소손
⑤ 시동스위치 손상 및 배선 결함

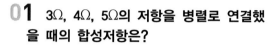

출제예상문제

01 3Ω, 4Ω, 5Ω의 저항을 병렬로 연결했을 때의 합성저항은?

① 0.27Ω   ② 1.27Ω

③ 2.27Ω   ④ 3.27Ω

해설 $\dfrac{1}{R} = \dfrac{1}{R_1} + \dfrac{1}{R_2} + \dfrac{1}{R_3} + \cdots \dfrac{1}{Rn}$

$\therefore \dfrac{1}{3} + \dfrac{1}{4} + \dfrac{1}{5} = \dfrac{20}{60} + \dfrac{15}{60} + \dfrac{12}{60} = \dfrac{47}{60}$

따라서 $R = \dfrac{60}{47} = 1.27\Omega$

02 12V 30W 헤드라이트 한 개를 켰을 때 흐르는 전류는 몇 A인가?

① 2.5A   ② 5A

③ 10A   ④ 36A

해설 P = E I (P: 전력, E: 전압, I: 전류)에서

$I = \dfrac{R}{E} = \dfrac{30}{12} = 2.5A$

03 다음 중 전류의 3대 작용이 아닌 것은?

① 발열작용   ② 자기작용

③ 원심작용   ④ 화학작용

해설 전류의 3대 작용은 발열작용, 자기작용, 화학작용이다.

04 건설기계의 축전지 충전상태를 측정할 수 있는 것은?

① 압격계   ② 저항시험기

③ 비중계   ④ 그로울러 테스터

해설 비중계는 축전지의 충전상태와 부동액의 농도를 측정할 수 있다.

05 20℃에서 전해액 비중이 1.280이다. 0℃일 때의 비중은?

① 1.266   ② 1.273

③ 1.287   ④ 1.294

해설 S_{20} = st + 0.0007(t−20)

S_{20}: 표준온도(20℃)로 환산한 비중,

st: t℃에서 실제 측정한 비중, t: 전해액의 온도(℃)

∴1.280 = st + 0.0007(0−20) = 1.294

06 축전지의 용량 단위는?

① Ah   ② A   ③ W   ④ VA

해설 축전지 용량의 단위는 암페어시 용량(AH ; Ampere Hour rate)으로 표시한다.

07 납산 축전지의 용량 설명으로 맞는 것은?

① 극판의 수 × 단자의 수

② 극판의 수 × 셀의 수

③ 극판의 크기 × 충전 능력

④ 방전 전류 × 방전 시간

해설 축전지 용량은 일정 방전전류(A) × 방전종지전압까지의 연속방전 시간(H)이다.

정답   **01.**②   **02.**①   **03.**③   **04.**③   **05.**④   **06.**①   **07.**④

08 납산 축전지에서 전해액이 자연 감소 되었을 때 보충에 사용되는 것은?

① 증류수　　　② 소다수
③ 소금물　　　④ 수돗물

해설 납산 축전지에서 전해액이 자연 감소 되었을 때는 증류수만 보충한다.

09 축전지의 단자에 그리스를 바르는 이유는?

① 녹이 발생하는 것을 방지한다.
② 전류의 흐름을 양호하게 한다.
③ 단자에 연결된 선이 잘 움직이도록 한다.
④ 전류의 방전을 방지한다.

해설 축전지의 단자(Terminal)에 그리스를 바르는 이유는, 녹이 발생하는 것을 방지하기 위함이다.

10 건설기계 차량에서 축전지를 분리시킬 때 가장 먼저 해야 되는 것은?

① 양 케이블을 동시에 푼다.
② 절연선을 먼저 푼다.
③ 접지단자를 먼저 푼다.
④ 순서에 관계없다.

해설 차량에서 축전지를 분리시킬 때에는 접지단자의 케이블을 먼저 푼다.

11 12V, 100Ah의 축전지 2개를 직렬로 접속할 때 전압과 용량은?

① 12V, 100Ah　　② 12V, 200Ah
③ 24V, 100Ah　　④ 24V, 200Ah

해설 축전지에서 직렬 연결이란 [+]와 [−]를 연결하는 것이며, 전압은 연결한 개수만큼 증가하나 용량은 1개일 경우와 같다.

12 12(V), 100(Ah)의 축전지 2개를 병렬로 접속할 때 전압과 용량은?

① 24(V), 100(AH)가 된다.
② 12(V), 100(AH)가 된다.
③ 24(V), 200(AH)가 된다.
④ 12(V), 200(AH)가 된다.

해설 축전지의 병렬 접속이란 [+]와 [+], [−]와 [−]를 연결하는 것이며, 전압은 1개일 때와 같고, 용량은 개수의 배가된다.

13 충전시 축전지에서 가스 발생이 거의 없고 일정한 전압이 유지되며, 충전 효율이 좋으나 충전 초기에 큰 전류가 흘러서 축전지 수명에 크게 영향을 미치는 충전법은?

① 정전압 충전법　　② 단별전류 충전법
③ 정전위 충전법　　④ 급속저항 충전법

해설 정전압 충전은 축전지에서 가스 발생이 거의 없고, 일정한 전압이 유지되며, 충전 효율이 좋으나 충전 초기에 큰 전류가 흘러서 축전지 수명에 크게 영향을 미친다.

14 축전지 충전작업 시 주의사항으로 맞지 않는 것은?

① 전해액을 혼합할 때는 증류수를 황산에 천천히 붓는다.
② 축전지 단자가 단락하여 스파크가 일어나지 않게 한다.
③ 축전지를 충전하는 곳은 환기장치가 필요하다.
④ 축전지를 차량에 설치할 때 접지선은 제일 나중에 연결한다.

해설 전해액을 혼합할 때는 증류수에 황산을 천천히 부으면서 저어주어야 폭발의 위험이 없다.

정답　08.①　09.①　10.③　11.③　12.④　13.①　14.①

15 축전지 취급상 주의해야 할 점으로 틀린 것은?

① 전해액은 극판 상 10~13mm 유지할 것
② 직사광선을 받는 곳을 피할 것
③ 한랭시에는 충전을 돕기 위해 버너로 가열하면서 충전할 것
④ 단자에는 산화 방지를 위하여 그리스를 바를 것

해설 축전지 취급상 주의사항
· 전해액은 극판 상 10~13mm 유지할 것
· 직사광선을 받는 곳을 피할 것
· 단자에는 산화 방지를 위하여 그리스를 바를 것
· 충전시 환기를 철저히 하고, 화기를 멀리할 것

16 충전 중 화기를 가까이하면 축전지가 폭발할 수 있는데 무엇 때문인가?

① 산소 가스
② 전해액
③ 수소 가스
④ 수증기

해설 축전지를 충전할 때는 양극판에서는 산소 가스가 발생되고, 음극판에서는 수소가스가 발생되기 때문에 환기장치가 있어야 한다.

17 직류 직권전동기의 전기자 코일과 계자 코일은 어떻게 연결되는가?

① 직렬로 연결되어 있다.
② 병렬로 연결되어 있다,
③ 직·병렬로 연결되어 있다.
④ 각각 단자에 연결되어 있다.

해설 직류 직권전동기의 전기자 코일과 계자코일은 직렬로 연결되어 있다.

18 기동전동기의 전기자를 시험하는데 사용되는 시험기는?

① 전압계
② 전류계
③ 저항시험기
④ 그로울러 시험기

해설 기동전동기의 전기자를 시험할 때는 그로울러 (전기자) 시험기를 사용한다.

19 기동전동기의 전기자 시험에 사용되는 그로울러 시험기는 전기자의 무엇을 점검하는가?

① 단락, 단선, 접지 시험
② 다이오드의 단선 시험
③ 저항시험
④ 절연저항 시험

해설 그로울러(전기자) 시험기로 측정할 수 있는 것은 전기자 코일의 단선, 전기자 코일의 단락, 전기자 코일의 접지 시험이다.

20 기동전동기에 대한 시험과 관계가 없는 것은?

① 무부하 시험
② 부하시험
③ 중부하 시험
④ 회전력 시험

해설 기동전동기에 대한 시험은 부하시험, 무부하 시험, 회전력 시험을 실시한다.

21 기동전동기의 고장 유무 또는 정비 및 상태 확인을 하기 위하여 쉽게 하는 시험으로 기준전압을 가했을 때 소모전류와 회전수를 점검하는 성능시험은?

① 무부하 시험
② 부하 시험
③ 회전력 시험
④ 정격 시험

해설 기동전동기의 무부하 시험은, 기준전압을 가했을 때 소모전류와 회전수를 점검하는 성능시험이다.

---

22 시동전동기를 무리하게 사용하면 과방전된다. 가장 알맞은 시간은?

① 30초 이하　　② 1분
③ 2분　　　　　④ 3분

해설 시동전동기 연속사용 시간은 10~15초 이내가 적당하며, 최대 30초를 초과하면 안된다.

23 엔진의 회전력이 기동전동기에 전달되지 않도록 하는 장치는?

① 전기자　　　　② 전자석 스위치
③ 브러시　　　　④ 오버런닝 클러치

해설 오버런닝 클러치(일방향 클러치)는 엔진이 시동되었을 때, 엔진의 회전력이 시동전동기에 전달되지 않도록 하기 위한 안전장치이다.

24 건설기계 엔진에 사용되는 시동모터가 회전이 안되거나 회전력이 약한 원인이 아닌 것은?

① 시동스위치 접촉 불량이다.
② 배터리 단자와 터미널의 접촉이 나쁘다.
③ 브러시가 정류자에 잘 밀착되어 있다.
④ 배터리 전압이 낮다.

해설 브러시가 정류자에 잘 밀착되어야 전류가 잘 전달되기 때문에 시동전동기도 원활하게 회전이 이루어진다.

1 발전기의 원리

① **플레밍의 오른손 법칙** : 엄지는 운동 방향, 인지는 기전력의 방향, 중지는 자력선의 방향을 나타낸다. 도체와 자력선과의 상대운동에 의해 기전력의 방향을 가장 간단히 구할 수 있는 법칙이다.

② **렌쯔의 법칙** : 유도기전력은 코일 내의 자속의 변화를 방해하는 방향으로 발생된다는 법칙이다. 즉, 도체에 영향을 주는 자력선을 변화시켰을 경우 유도기전력의 방향을 알 수 있는 법칙이다.

2 교류(AC) 충전장치

1. 교류발전기의 특징

① 저속에서도 충전이 가능하다.
② 회전 부분에 정류자가 없어 허용 회전속도 한계가 높다.
③ 실리콘 다이오드로 정류하므로 전기적 용량이 크다.
④ 소형·경량이며, 브러시의 수명이 길다.
⑤ 전압조정기만 필요하다.

2. 교류발전기의 구조

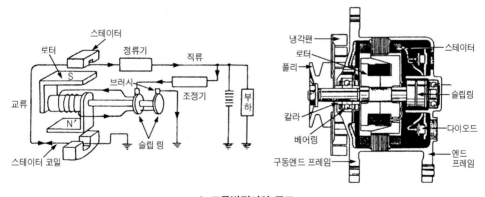

▲ 교류발전기의 구조

(1) 스테이터(stator, 고정자)

스테이터는 독립된 3개의 코일이 감겨져 있고 여기에서 3상 교류가 유기된다. 스테이터 코일의 결선 방법에는 Y 결선과 Δ 결선이 있다.

① Y 결선(스타 결선)의 특징

　㉮ 각 코일의 한끝을 중성점에 접속하고 다른 한 끝 셋을 끌어낸 것이다.

　㉯ 선간전압은 각 상 전압의 $\sqrt{3}$ 배가 된다.

　㉰ 선간전압이 높기 때문에 저속 회전에서도 높은 전압 발생과 중성점의 전압을 이용할 수 있는 장점이 있다.

　㉱ 전압을 이용하기 위한 결선방식이다.

② △ 결선(삼각 결선)의 특징

　㉮ 각 코일 끝을 차례로 결선하여 접속점에서 하나씩 끌어낸 것이다.

　㉯ 각 상 전압과 선간전압이 같다.

　㉰ 선간 전류는 상 전류의 $\sqrt{3}$ 배 된다.

　㉱ 전류를 이용하기 위한 결선방식이다.

(2) 로터(rotor, 회전자)

　로터의 자극 편은 코일에 전류가 흐르면 전자석이 되는 부분이며, 교류발전기 출력은 로터의 전류를 조정하여 조절한다.

> **참고**
>
> 교류발전기는 스테이터(도체)를 고정하고 로터(자석)를 회전시켜 발전한다. 출력은 자속의 밀도, 도체의 길이, 도체의 회전속도에 비례하여 변화되며, 발생 전압의 조정은 자속의 밀도를 변화시켜 조정한다. 따라서 전압조정기는 로터 코일에 흐르는 전류를 변화시켜 발생 전압을 조정한다.

(3) 정류기(rectifier)

　교류발전기에서는 실리콘 다이오드를 정류기로 사용한다. 다이오드의 기능은 스테이터 코일에서 발생한 교류를 직류로 정류하여 외부로 공급하고, 또 축전지에서 발전기로 전류가 역류하는 것을 방지한다.

　다이오드 수는 (+)쪽에 3개, (−)쪽에 3개씩 6개를 두며, 다이오드의 과열을 방지하기 위해 엔드 프레임에 히트싱크(heat sink)를 두고 있다

(4) 교류발전기 조정기

　교류발전기의 조정기는 전압조정기만 필요하며, 현재는 트랜지스터나 IC 조정기를 사용한다. 교류발전기에서는 실리콘 다이오드를 사용하기 때문에 컷아웃 릴레이(역류 방지기)가 필요 없으며, 전류조정기를 사용하지 않는 이유는, 회전속도 증가에 따라 스테이터 코일에서 전류 제한 작용을 하기 때문이다.

3. 교류발전기의 취급

(1) 충전계통에서 발전기 고장시 고장 가능 부분
① 다이오드 손상
② 스테이터 코일 단선단락
③ 로터코일 단선단락
④ 브러시 마모
⑤ 전압조정기 고장

(2) 발전기의 충전률이 낮거나 불안정하게 충전될 때 고장원인
① 스테이터 코일의 단선 및 단락
② 로터 코일의 단선
③ 다이오드의 불량
④ 발전기 브러시 및 슬립링 불량
⑤ 벨트의 장력이 약할 때

01 현재 사용되고 있는 교류발전기 결선방식은?

① 4상이다.　　② 3상이다.
③ 2상이다.　　④ 단상이다.

해설 교류발전기의 결선방식은 3상이며, 직류 발전기의 결선은 단상이다.

02 교류발전기에 대한 설명으로 틀린 것은?

① 컷아웃 릴레이는 필요하고 전류조정기는 필요없다.
② 소형, 경량이고 출력이 크다.
③ 기계적 내구성이 우수하므로 고속 회전에 견딘다.
④ 저속에 있어서도 충전성능이 우수하다.

해설 교류발전기에 대한 설명은 ②③④항 외에 컷아웃 릴레이와 전류조정기는 필요 없고, 전압조정기만 필요하다.

03 교류발전기의 구성 요소 중 자계를 발생시키는 부품은?

① 로터　　　　② 스테이터
③ 슬립링　　　④ 다이오드

해설 교류발전기의 구조
· **스테이터** : 3상 교류 전류가 유기
· **로터** : 회전하여 자속(자계)을 형성

· 슬립링 : 브러시와 접촉되어 축전지의 여자전류를 로터코일에 공급
· 브러시 : 로터 코일에 축전지 전류를 공급
· 실리콘 다이오드 : 스테이터 코일에 유기된 교류를 직류로 변환시키는 정류작용

04 AC 발전기에서 유도전류는 어디에서 발생되는가?

① 로터 코일　　　② 아마추어 코일
③ 계자 철심　　　④ 스테이터 코일

해설 교류발전기에서 전류가 발생되는 곳은 스테이터이다.

05 교류발전기 로터 코일에 과대한 전류가 흐르는 원인은?

① 슬립링의 불량　② 코일의 단락
③ 코일의 단선　　④ 코일의 높은 저항

해설 교류발전기 로터 코일에 과대한 전류가 흐르는 원인은 코일의 단락 때문이다.

06 교류발전기의 스테이터 코일에서 발생한 교류를 직류로 정류하는 부품은?

① 다이오드　　　② 계자 릴레이
③ 슬립링　　　　④ 정류 조정기

해설 교류발전기의 다이오드는 스테이터 코일에 유기된 교류를 직류로 변환시키는 정류작용을 하여 외부로 내보낸다.

정답 　01.② 　02.① 　03.① 　04.④ 　05.② 　06.①

07 교류발전기의 출력은 무엇을 변화시켜 조정하는가?

① 로터 전류   ② 스테이터 전류
③ 회전속도   ④ 다이오드의 용량

해설 교류발전기는 스테이터(도체)를 고정하고 로터(자석)를 회전시켜 발전하며, 전압조정기는 로터 코일에 흐르는 전류를 변화시켜 발생 전압을 조정한다.

08 발전기의 전압조정기는 저항을 어디에 넣어 조정하는가?

① 아마추어 코일과 축전지 사이
② 로터 코일과 축전지 사이
③ 브러시와 출력축 사이
④ 충전회로

해설 전압조정기는 저항을 로터 코일과 축전지 사이에 넣어 조정한다.

09 AC 발전기의 정류 다이오드는 열이 발생되는데, 냉각을 위해 설치하는 곳은?

① 냉각 튜브   ② 유체클러치
③ 히트 싱크   ④ 오일 장치

해설 정류 다이오드에서 발생되는 열이 발생시키기 위해 히트 싱크를 설치한다.

10 교류발전기 분해 시 필요 없는 기구 및 공구는?

① 바이스   ② 오픈엔드렌치
③ 토크렌치   ④ 소켓렌치

해설 토크렌치를 구성품을 조립할 때 규정 토크로 조임을 확인할 때 사용한다.

1 계기 장치

(1) 유압계 및 유압 경고등

유압계는 기관의 윤활 회로 내의 유압을 측정하기 위한 계기이며, 유압경고등은 윤활 회로에 이상이 있으면 경고등을 점등하는 방식이다. 유압계의 종류에는 부든 튜브 방식(bourdon tube type), 평형코일 방식, 바이메탈 방식(bimetal type) 등이 있다.

(2) 연료계

연료계는 연료탱크 내의 연료 보유량을 표시하는 계기이며, 일반적으로 전기방식을 사용한다. 연료계에는 계기 방식인 평형코일 방식, 서모스탯 바이메탈 방식, 바이메탈 저항방식과 연료면 표시기 방식이 있다.

(3) 온도계(수온계)

온도계는 실린더 헤드 물재킷 내의 냉각수 온도를 표시하는 것이며, 온도계의 종류에는 부든 튜브 방식, 평형코일 방식, 서모스탯 바이메탈 방식, 바이메탈 저항방식 등이 있다.

(4) 전류계와 충전경고등

전류계는 축전지의 충·방전상태와 크기를 알려주는 계기이며, 영구자석과 전자석으로 조립되어 있다. 충전경고등은 경고등의 점멸상태로 충·방전상태를 표시한다. 충전계통이 정상이면 소등되고, 이상이 발생하면 점등된다.

2 등화 장치

1. 조명의 용어

① **광속** : 광속이란 광원에서 나오는 빛의 다발이며, 단위는 루멘(lumen, 기호는 lm)이다.
② **광도** : 광도란 빛의 세기이며 단위는 칸델라(candle, 기호는 cd)이다.
③ **조도** : 조도란 빛을 받는 면의 밝기이며, 단위는 룩스(lux, 기호는 Lx)이다.

2. 전조등(head light or head lamp)과 그 회로

(1) 실드 빔 방식

반사경에 필라멘트를 붙이고 여기에 렌즈를 녹여 붙인 후 내부에 불활성 가스를 넣어 그 자체가 1개의 전구가 되도록 한 것이다. 즉, 반사경·렌즈 및 필라멘트가 일체로 된 것이며, 특징은 다음과 같다.

① 대기의 조건에 따라 반사경이 흐려지지 않는다.

② 사용에 따르는 광도의 변화가 적다.

③ 필라멘트가 끊어지면 렌즈나 반사경에 이상이 없어도 전조등 전체를 교환하여야 한다.

(2) 세미 실드 빔 방식

렌즈와 반사경은 녹여 붙였으나 전구는 별개로 설치한 것으로 필라멘트가 끊어지면 전구만 교환하면 된다.

(3) 전조등 회로

양쪽의 전조등은 하이 빔(high beam)과 로우 빔(low beam)별로 병렬로 접속되어 있다.

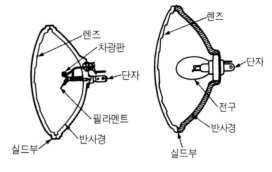

▲ 전조등의 분류

(4) 전조등의 광도 부족 원인

① 반사경이 흐려졌을 때

② 반사경의 부식

③ 렌즈 안이나 밖에 물기나 습기의 부착

④ 전구 설치 위치의 부정확시

⑤ 전구의 장시간 사용으로 열화

Section 4-6 **난·냉방장치**

1 난방장치

열원의 분류에 따른 난방장치의 종류이다.

① **온수식 히터** : 기관의 열을 흡수하는 냉각수가 열교환기를 순환하고 블로어에 의해서 실내의 공기 또는 신선한 바깥 공기가 열교환기의 주위로 유입되어 흐를 때 공기가 가열되기 때문에 온풍으로 변환되어 실내에 송출된다.

② **연소식 히터** : 연료가 공기와 혼합하여 연소실 내에서 착화 연소되므로 열교환기가 가열되며, 실내의 공기 또는 신선한 바깥 공기는 송풍기에 의해서 열교환기의 주위를 통과하여 가열되기 때문에, 온풍으로 변환되어 온풍 덕트를 통하여 실내에 송출된다.

③ **배기식 히터** : 기관의 연소열이 배기관을 통하여 30~35%가 방열되는 것을 이용하는 방법으로, 차량의 실내에 배기관을 통과시키는 형식의 난방장치이다.

2 냉방장치

(1) 냉매의 구비조건
① 비등점이 적당히 낮고, 기화(증발)잠열이 클 것
② 응축압력이 적당히 낮고, 증기의 비체적이 적을 것
③ 압축기에서 배출되는 가스의 온도가 낮을 것
④ 임계온도가 충분히 높고, 부식성이 적을 것
⑤ 화학적 안전성이 크고, 전기절연성이 좋을 것
⑥ 누설 여부를 쉽게 찾을 수 있을 것

(2) 신 냉매(R-134a)의 특징
① 오존층을 파괴하는 염소(CI)가 없다.
② 다른 물질과 반응하지 않는다.
③ 분자구조가 화학적으로 안정되어 있다.
④ 무색, 무취, 무미, 불연성이며, 독성이 없다.
⑤ R-12와 유사한 열역학적 성질을 가지고 있다.

(3) 에어컨의 구성부품
에어컨의 순환과정은 압축기 → 응축기 → 건조기 → 팽창밸브 → 증발기이며, 그 구성부품의 기능은 다음과 같다.
① **압축기(Compressor)** : 크랭크축에 의해 V-벨트로 구동되며 저온, 저압 기체의 냉매를 고온, 고압의 기체로 만들어 응축기로 보낸다.
② **응축기(Condenser)** : 라디에이터 앞에 설치되며 차량 주행속두와 냉각팬에 의해 고온, 고압 기체 상태의 냉매를 응축시켜 고온, 고압의 액체 상태 냉매로 만든다.
③ **건조기(Receiver Drier)** : 냉매 속에 들어있는 수분을 흡수하여 냉매를 원활하게 공급할 수 있도록 냉매를 저장한다.
④ **팽창밸브(Expansion Valve)** : 고압의 액체 냉매를 저압으로 감압시켜 냉각된 공기를 차량 실내로 보낸다.
⑤ **증발기(Evaporator)** : 안개 상태의 냉매가 기체로 변하는 동안 냉각팬의 작동으로, 증발기 핀을 통과하는 공기 중의 열을 빼앗는다.

(4) 전자동 에어컨 입력 요소
① **실내온도 센서** : 실내온도를 감지하여 FATC-ECU로 입력시키는 역할을 하며, 냉·난방 자동제어를 위한 주 입력신호이다.
② **외기온도 센서** : 외부 공기의 온도를 감지하여 FATC-ECU로 입력시키는 역할을 하며, FATC ECU의 자동제어를 위한 주 입력신호이다.
③ **일사 센서(SUN 센서)** : 차량의 실내로 내리쬐는 빛의 양을 감지하여 FATC-ECU로 입

력시키는 역할을 하며, FATC-ECU가 일사량에 따른 냉방보정 제어를 위한 주 입력 신호이다.

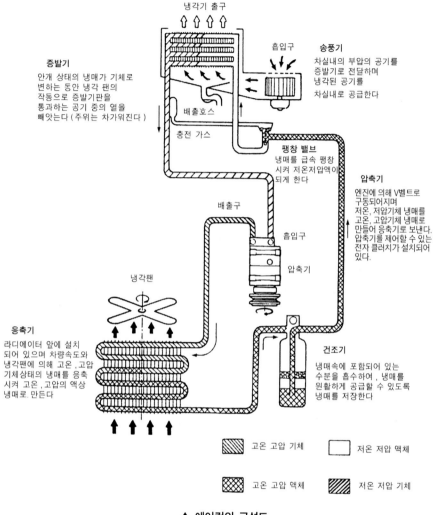

증발기
안개 상태의 냉매가 기체로 변하는 동안 냉각 팬의 작동으로 증발기판을 통과하는 공기 중의 열을 빼앗는다 (주위는 차가워진다)

냉각기 출구

흡입구

송풍기
차실내의 부압의 공기를 증발기로 전달하며 냉각된 공기를 차실내로 공급한다

배출호스
충전 가스

팽창 밸브
냉매를 급속 팽창 시켜 저온저압액이 되게 한다

압축기
엔진에 의해 V벨트로 구동되어지며 저온, 저압기체 냉매를 고온, 고압기체 냉매로 만들어 응축기로 보낸다. 압축기를 제어할 수 있는 전자 클러치가 설치되어 있다.

배출구

흡입구

압축기

냉각팬

응축기
라디에이터 앞에 설치 되어 있으며 차량속도와 냉각팬에 의해 고온 ,고압 기체상태의 냉매를 응축 시켜 고온 ,고압의 액상 냉매로 만든다

건조기
냉매속에 포함되어 있는 수분을 흡수하여 , 냉매를 원활하게 공급할 수 있도록 냉매를 저장한다

▨ 고온 고압 기체   ☐ 저온 저압 액체

▨ 고온 고압 액체   ▨ 저온 저압 기체

▲ 에어컨의 구성도

④ **핀 서모센서 :** 증발기 코어 핀의 온도를 감지하여 FATC-ECU로 입력시키는 역할을 하며, FATC-ECU는 신호를 기준으로 증발기의 빙결을 방지하기 위하여 압축기 클러치의 전원을 ON/OFF 시키기 위한 주 입력신호이다.

⑤ **수온 센서 :** 실내의 히터 코어로 공급되는 기관의 냉각수 온도를 감지하여 FATC-ECU로 입력시키는 역할을 하며, FATC-ECU가 난방 기동 제어를 하기 위한 주 입력신호이다.

⑥ **온도조절 액추에이터 위치 센서 :** 온도조절 액추에이터의 위치를 감지하여 FATC-ECU로 입력시키는 역할을 하며, FATC-ECU는 온도조절 액추에이터 위치 센서의 값을 피드백 받아 온도조절 액추에이터를 목표 위치로 작동시킨다.

01 15,000cd를 갖는 광원에서 8m 떨어진 위치의 광원에 수직된 면의 밝기는?

① 198Lx   ② 213Lx

③ 228Lx   ④ 234Lx

해설 $Lx = \dfrac{cd}{r^2} = \dfrac{15,000}{8^2} = 234Lx$

(Lx: 조도, cd: 광도, r: 거리)

02 헤드라이트 형식 중 내부에 불활성 가스가 들어 있고, 대기조건에 때라 반사경이 흐려지지 않는 등의 장점이 많은 헤드라이트의 형식은?

① 세미 실드빔식   ② 실드빔식

③ 환구식   ④ 로우빔식

해설 실드빔 헤드라이트는 형식 중 내부에 불활성 가스가 들어 있고, 대기조건에 따라 반사경이 흐려지지 않는 등의 장점이 있다.

03 정비작업 중 갑자기 전조등이 꺼졌을 경우와 관계가 없는 것은?

① 퓨즈의 단선

② 배선의 접촉 불량

③ 축전지 용량 과다

④ 필라멘트 단선

해설 전조등이 갑자기 꺼지는 원인은 퓨즈의 단선, 배선의 부착 불량, 필라멘트 단선 등이다.

04 도로를 주행하는 장비에서 차선을 변경하고자 할 때 사용하는 등화 장치는?

① 번호판등   ② 제동등

③ 방향지시등   ④ 전조등

해설 건설기계 운전자는 좌회전, 우회전, 횡단, 유턴, 서행, 정지 또는 후진을 하거나, 같은 방향으로 진행하면서 진로를 바꾸려고 하는 때에는, 손이나 방향지시기 또는 등화로써 그 행위가 끝날 때까지 신호를 하여야 한다.

05 냉방 회로에서 응축 효과를 증대시키는 방법이 아닌 것은?

① 엔진 냉각팬의 직경을 작게 한다.

② 라디에이터 시라우드를 설치한다.

③ 응축기 외부표면에 먼지 등의 이물질을 제거한다.

④ 응축기 냉각용 핀이 막히거나 찌그러지지 않게 한다.

해설 응축 효과는 냉각이 원활하게 이루어질 수 있도록 하는 방법이므로, 응축기의 냉각팬의 직경을 크게 하여야 한다.

06 건설기계 에어컨의 순환과정으로 맞는 것은?

① 압축기-팽창밸브-건조기-응축기-증발기

② 압축기-건조기-응축기-팽창밸브-증발기

③ 압축기-응축기-건조기-팽창밸브-증발기

④ 압축기-건조기-팽창밸브-응축기-증발기

정답   **01.**④   **02.**②   **03.**③   **04.**③   **05.**①   **06.**③

해설 에어컨의 순환과정은 압축기–응축기–건조기–
팽창밸브–증발기 순이다.

07 에어컨 장치의 증발기에 설치되고, 증
발기 출구 측의 온도를 감지하여 증발기의
빙결을 예방할 목적으로 설치한 것은?

① 핀 서모센서   ② AQS
③ 일사량 센서   ④ 외기온도 센서

해설 핀 서모센서는 증발기 출구 측의 온도를 감지하
여, 증발기의 빙결을 예방할 목적으로 설치한 것이다.

08 전자제어 에어컨을 통과하여 나오는 공
기의 온도를 제어하기 위한 센서가 아닌 것
은?

① 엔진 흡기온도 센서
② 건설기계 실내온도센서
③ 건설기계 외부 온도센서
④ 증발기 온도센서

해설 전자제어 에어컨을 통과하여 나오는 공기의 온
도를 제어하기 위한 센서는 실내 온도센서, 외부 온도센
서, 증발기 온도센서 등이다.

09 냉난방장치에 사용되고 있는 수동식 송
풍기 모터 회전수 제어는 주로 무엇을 이용
하는가?

① 센서   ② 저항
③ 반도체   ④ 릴레이

해설 수동식 송풍기 모터 회전수 제어는 주로 저항을
이용한다.

10 냉방장치를 점검할 때 조건이 아닌 것
은?

① 엔진을 1,500rpm으로 2~3분간 작동
시킬 것
② 에어컨의 송풍기 스위치는 최대속도로
할 것
③ 온도 컨트롤 스위치는 최소 냉방으로
할 것
④ 콘덴서 전면에 보조 팬을 설치할 것

해설 냉방장치를 점검할 때는 ①②④항 외에 온도 컨
트롤 스위치는 최대 냉방으로 해야 한다.

Part

05

용접

Part
05　용접

Section 5-1　**용접의 개요**

용접이란 접합할 부분을 부분적으로 가열 용융하거나 반용융 상태가 되도록 하여 접합시키는 방법이며, 용접의 종류는 다음과 같다.

① **융접** : 가스용접, 피복 금속 아크용접, 이산화탄소 아크용접, 테르밋 용접
② **압접** : 가스압접, 점용접, 심용접, 프로젝션 용접, 맞대기 용접
③ **납땜** : 연납땜, 경납땜

용접의 장점	용접의 단점
① 기밀 유지성이 좋으며, 재료를 절감할 수 있다.	① 용접 부분의 결함 검사가 어렵다.
② 공정수가 감소되며, 가공모양을 자유롭게 할 수 있다.	② 응력집중에 대해 매우 민감하다.
③ 제품의 성능과 수명 및 이음 효율이 향상된다.	③ 모재의 재질에 따라 용접성능이 좌우된다.
	④ 모재가 열 영향을 받아 변형된다.

Section 5-2　**피복 아크용접**

피복 아크용접은 피복제를 바른 용접봉과 모재 사이에 직류 또는 교류전압을 인가하여 아크(arc)를 발생시켜 모재의 일부분을 용융시킴과 동시에 용접봉을 첨가하여 접합시키는 작업이다.

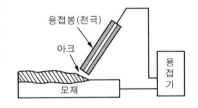

▲ 아크용접

1 피복 아크용접의 특징

① 용접에 직접 이용되는 열효율이 높다.
② 가스용접에 비해 용접 부분의 변형이 적고 기계적 강도가 크다.
③ 열의 집중이 좋아 효율적인 용접이 가능하다.
④ 폭발의 위험성이 없다.

⑤ 감전의 위험성이 있으며, 유해 광선 발생이 많다.

2 피복 아크 용접기의 구비 조건

① 아크 발생이 잘되도록 무부하 전압이 유지되어야 한다.
② 구조 및 취급이 간단하고 위험성이 적어야 한다.
③ 값이 싸고 유지비가 적게 들어야 한다.
④ 전류조정이 쉽고 일정한 전류가 흘러야 한다.
⑤ 단락(접촉)되었을 때 전류의 흐름이 적어야 한다.
⑥ 아크 발생 및 유지가 쉽고 아크가 안정되어야 한다.
⑦ 사용 중에 온도 상승이 작아야 한다.
⑧ 역률 및 효율이 좋아야 한다.

3 피복 아크 용접기의 종류

1. 직류 아크 용접기

직류 아크 용접기는 아크가 안정되며, 모재의 재질이나 두께에 따라 극성을 바꾸어서 용접할 수 있다.

(1) 직류 아크 용접기의 특징

① 아크가 안정된다.
② 극성을 바꾸면 열 분배가 잘 되어 얇은 판의 용접이 가능하다.
③ 역률이 양호하며, 무부하 전류가 낮아 전격의 위험이 적다.
④ 비피복 용접봉의 사용이 가능하다.

(2) 직류 아크 용접기의 종류

직류 아크 용접기의 종류에는 전동 발전 형식, 정류기 형식, 엔진 구동 형식 등이 있다.

① **전동 발전 형식** : 3상 교류전동기로 직류발전기를 구동시켜 발전되는 전류를 이용하는 형식으로 현재는 별로 사용하지 않는다.
② **정류기 형식** : 셀렌이나 실리콘을 이용하여 교류를 직류로 정류하여 사용하는 형식으로 소음이 적고, 정비가 쉬우며, 무부하 손실이 적은 장점이 있으나 교류 아크 용접기보다 값이 비싸다.
③ **엔진 구동 형식** : 엔진으로 발전기를 구동시켜 직류 전류를 얻는 형식이다. 전원의 설비가 없는 장소나 이동용으로 사용된다.

(3) 직류 아크용접의 극성

① 직류 아크용접에서는 전류의 흐르는 방향이 일정하므로 전자의 충격을 받는 (+)극의

발열량이 전체열량의 60~70%가 된다.

② **정극성(DCSP ; direct current straight polarity)** : 모재에 (+)극, 용접봉에 (−)극을 연결하는 용접으로 모재가 두꺼울 때 이용된다.

③ **역극성(DCRP ; direct current reverse polarity)** : 모재에 (−)극, 용접봉에 (+)극을 연결하는 용접으로 모재가 얇을 때 이용된다.

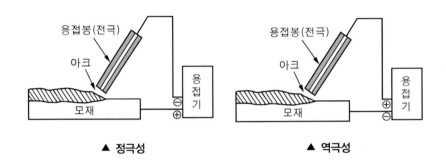

▲ 정극성　　　　　　　　　▲ 역극성

2. 교류 아크 용접기

교류 아크 용접기는 일반적으로 많이 사용하고 있으며, 용접기 본체의 주요 부분을 차지하는 변압기는 입력 전원을 아크용접에 적합한 전압으로 조정하여 전류를 높이는 작용을 한다.

(1) 교류 아크 용접기의 종류

교류 아크 용접기의 종류에는 가동 철심형, 가동 코일형, 탭 전환형, 가포화 리액터형 등이 있다.

① **가동 철심형** : 1차 코일과 2차 코일 중간에 가동 철심을 설치한 것으로 가동 철심이 앞뒤로 이동하여 출력을 조정한다. 미세한 전류조정이 가능하다.

② **가동 코일형** : 1차 코일과 2차 코일이 같은 철심에 감겨져 있으며, 2차 코일을 고정시키고 1차 코일을 이동시켜, 1차와 2차 코일간의 거리를 변화시켜 누설 리액턴스를 가감하여 용접전류를 조정한다.

③ **탭 전환형** : 탭의 전환으로 전류를 조정하므로 미세전류 조정이 어렵다.

④ **가포화 리액터형** : 원격제어가 가능하며, 가변저항의 변화로 전류를 조정한다.

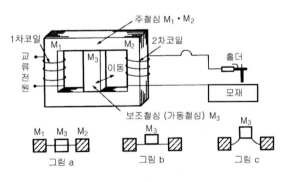

▲ 가동철심형

(2) 피복 아크용접에 관련된 공식

① 용접입열 $H = \dfrac{60EI}{V}$

② 사용률 $= \dfrac{\text{아크시간}}{\text{아크시간} + \text{휴식시간}} \times 100$

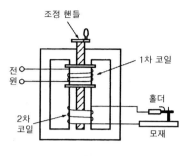

▲ 가동코일형

4 피복제의 역할 및 종류

1. 피복제의 역할

① 중성 또는 환원성 분위기를 만들어 대기 중의 산소나 질소의 침입을 방지하고 용융 금속을 보호한다.

② 아크를 안정시킨다.

③ 용융점이 낮은 가벼운 슬래그를 만든다.

④ 용접금속의 탈산 및 정련 작용을 한다.

⑤ 용접금속에 적당한 합금원소를 첨가한다.

⑥ 용적을 미세화하고 용착효율을 높인다.

⑦ 용융 금속의 응고와 냉각 속도를 지연시킨다.

⑧ 모든 자세의 용접을 가능하게 한다.

⑨ 슬래그의 제거가 쉽고 파형이 고운 비드를 만든다.

⑩ 모재 표면의 산화물을 제거하여 완전한 용접이 되도록 한다.

⑪ 전기절연 작용을 한다.

2. 피복 용접봉의 피복제 계통

① E4301 : 일미나이트계 ② E4303 : 이산화티탄계 ③ E4311 : 고셀룰로스계

④ E4313 : 고산화티탄계 ⑤ E4316 : 저수소계 ⑥ E4324 : 철분산화티탄계

⑦ E4326 : 철분저수소계 ⑧ E4327 : 철분산화철계

5 아크용접 부분의 결함

1. 오버랩(over lap)

오버랩이란 용융된 금속이 모재와 잘 융합되지 않고 표면에 덮여 있는 상태를 말하며, 모재에 대해 용접봉이 굵을 때, 용접 전류가 약할 때, 용접 속도가 늦을 때 발생한다.

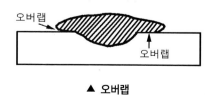

▲ 오버랩

2. 언더 컷(under cut)

언더컷이란 용접 경계 부분에서 생기는 흠이며, 용접 전류가 크고, 용접 속도가 빠를 때 일어난다. 언더컷을 방지하는 방법은 다음과 같다.

① 용접 전류와 용접 속도를 낮춘다.
② 정확한 용접 각도를 유지한다.
③ 아크 길이가 적당하게 한다.
④ 모재의 두께 및 폭에 대하여 적합한 용접봉을 선택한다.

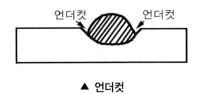

▲ 언더컷

3. 용입 불량

용입 불량이란 모재의 용융 속도가 용접봉의 용융 속도보다 느릴 때 일어나며 낮은 전압, 낮은 속도일 때 발생한다. 용입 불량의 원인은 다음과 같다.

① 용접 속도가 너무 빠를 때
② 용접 전류가 낮을 때
③ 홈(groove)의 각도가 좁을 때

▲ 용입불량

4. 스패터(spatter)

스패터란 용접 중에 비산되는 슬래그 및 금속 입자가 모재에 부착된 것을 말하며, 높은 전압, 용융 속도가 빠를 때, 아크의 길이가 길 때 일어난다.

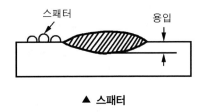

▲ 스패터

5. 기공(blow hole)

기공은 용착금속 속에 남아 있는 가스로 인한 구멍을 말하며, 기공이 발생하는 원인은 다음과 같다.

① 습기가 있는 용접봉을 사용한 경우
② 모재에 불순물이 포함되어 있는 경우
③ 용접 전류가 과대한 경우
④ 용착금속의 냉각 속도가 빠른 경우

6. 크레이터(crater)

용접 끝부분의 용융지가 정상적인 비드를 형성하지 못하고 흠이 패인 상태로 남는 것을 말한다. 용접 끝부분에서 아크의 압력으로 비드가 밀려 발생한다. 끝부분에서는 아크 길이를 짧게 하고, 용접봉을 약간 후진하여 비드를 완성한다.

7. 아크 쏠림(Arc blow) 방지대책

① 긴 용접선의 경우 엔드 탭(End tap)을 사용한다.
② 접지점의 위치를 용접부로부터 멀리한다.
③ 아크 길이를 짧게 유지한다.
④ 접지점 2개를 연결한다.
⑤ 용접봉 끝을 아크 쏠림 반대 방향으로 기울인다.
⑥ 직류 용접으로 하지 말고, 교류 용접으로 한다.

6 용접 방법

1. 전진법

전진법은 융착 금속이 아크보다 앞서기 쉬우므로 용입이 얕아지며, 용접선이 잘 보이기 때문에 운봉을 정확하게 하기 쉽다. 또한 비드 높이가 낮고 평탄한 비드가 형성된다.

2. 후진법

후진법은 비드 형상이 잘 보이므로 비드 폭, 높이를 조절할 수 있다.

Section 5-3 가스용접 및 절단

1 가스용접

가스용접은 용접의 일종이며, 가연성 가스와 산소를 혼합 연소시켜 고온의 불꽃을 용접 부분에 대어 용접 부분을 용융시켜 접합하는 방법이다.

가연성 가스에는 아세틸렌가스, 프로판가스, 수소 등이 있으나 아세틸렌가스를 가장 많이 사용한다. 그 이유는 산소-아세틸렌 불꽃이 다른 가스 불꽃보다 온도가 높아 경제적이기 때문이다.

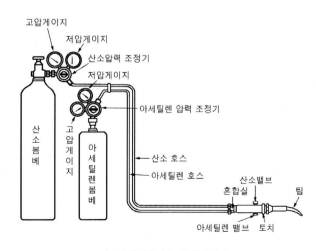

▲ 아세틸렌가스 용접장치

1. 아세틸렌 발생기의 종류

① **투입식** : 다량의 물속에 카바이드를 소량 투입하여 아세틸렌을 발생시키는 형식
② **주수식** : 카바이드에 물을 작용시켜 아세틸렌을 발생시키는 형식
③ **침지식** : 통에 들어 있는 카바이드를 물에 잠겨 아세틸렌을 발생시키는 형식

2. 아세틸렌가스의 위험성

① **온도** : 405~408℃에서 자연 발화하며, 505~515℃가 되면 폭발한다.
② **압력** : 1.5기압 이상이 되면 폭발할 위험이 있고 2기압 이상으로 압축하면 폭발한다.
③ **혼합가스** : 공기 또는 산소와 혼합되면 폭발성이 격렬하며, 아세틸렌 15%, 산소 85% 부근이 가장 위험하다.
④ **진동 충격** : 구리와 아세틸렌 화합물은 120℃로 가열하거나 가벼운 충격을 주면 폭발한다.

3. 산소 용기

① 최고 충전 압력(FP)은 35℃에서 150kgf/cm²으로 한다.
② 산소병 또는 봄베(bomb)는 에르하르트법 또는 만네스만법으로 제조하며, 인장강도 57(kgf/cm²) 이상, 연신율 18% 이상의 강재가 사용된다.
③ 산소 용기에는 충전가스의 명칭, 용기 제조번호, 용기중량, 내압시험 압력, 최고 충전 압력 등이 각인되어 있다.

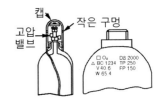

④ 용기의 내압시험 압력(TP)은 최고 충전 압력의 $\frac{5}{3}$로 한다.
⑤ 산소 용기는 보통 5,000ℓ, 6,000ℓ, 7,000ℓ의 3종류가 있다. 즉, 기압으로 나누어 내용적으로 환산하면, 33.7ℓ, 40.7ℓ, 46.7ℓ가 있다.
⑥ 용기의 색은 녹색이다. 단, 의료용은 백색이다.

4. 산소-아세틸렌 불꽃의 종류

① **표준(중성) 불꽃** : 혼합비율이 1 : 1인 불꽃으로 일반용접에 사용된다.
② **탄화불꽃** : 아세틸렌이 많은 불꽃으로 스테인리스강, 니켈강 용접 등에 사용된다.
③ **산화불꽃** : 산소가 많은 불꽃으로 황동 용접 등에 사용된다.

5. 역류·역화의 원인

① 토치의 팁에 석회 분말이 끼었을 때
② 가스 압력과 유량이 부적당할 때
③ 산소의 공급이 과다할 때
④ 토치의 팁이 과열되었을 때

⑤ 토치의 성능이 불량할 때

6. 역류·역화가 발생되었을 때 조치사항

① 산소를 차단한다.　　　　② 아세틸렌을 차단한다.
③ 팁을 깨끗이 청소한다.　　　④ 즉시 토치를 냉각한다.

2 가스절단(gas cutting)

　금속의 절단 부분을 산소–아세틸렌 불꽃으로 가열하여 850~900℃로 되었을 때, 갑자기 많은 양의 산소를 불어 넣으면 금속은 산소 때문에 연소하고, 용융점이 낮은 산화철이 되어 용해됨과 동시에 산소의 압력으로 날려서 절단된다. 가스절단에 영향을 주는 요소는 절단 속도, 산소의 순도, 팁의 크기와 모양 등이다. 금속이 절단되는 정도는 다음과 같다.

① **절단이 잘되는 금속 :** 연강, 순철, 주강
② **절단이 조금 어려운 금속 :** 경강, 합금강, 고속도강
③ **절단이 어느 정도 곤란한 금속 :** 주철
④ **절단이 되지 않는 금속 :** 구리, 황동, 청동, 알루미늄, 납, 주석, 아연, 스테인리스강

Section 5-4 ┃ **특수용접 종류 및 특성**

1 탄산(CO_2)가스용접

　MGA 용접(metal active gas welding)이라고도 부르며, 용접 부분에 탄산가스(이산화탄소)를 분사시켜 전극봉(금속 와이어)과 모재와의 사이에 발생하는 아크를 공기와 차단시킨 상태에서 열에 의해 모재를 가열 융합시켜 용접하는 방법이다.

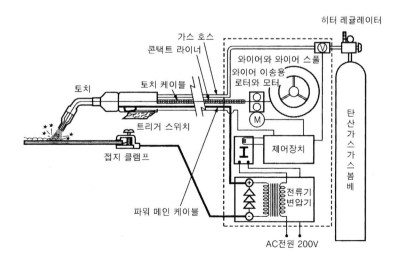

▲ 탄산가스 용접기의 구조

1. 탄산가스 아크용접의 특징

① 용착금속의 기계적, 야금적 성질이 우수하다.

② 모든 자세 용접이 가능하다.

③ 가는 와이어로 고속 용접이 가능하다.

④ 가시 아크이므로 시공이 편리하다

⑤ MIG 용접에 비해 용착금속의 기공이 적다.

⑥ 서브머지드 용접에 비해 모재 표면의 녹과 거칠기에 둔감하다.

⑦ 전류밀도가 커 용입이 깊고, 용접봉 절약 및 제품무게가 경감된다.

⑧ 수동용접에 비해 용접 비용이 싸다.

2. 용극식의 분류

① 솔리드 와이어 CO_2법

② 솔리드 와이어 혼합 가스법 : $CO_2 + O_2$법, $CO_2 + Ar$법, $CO_2 - Ar - O_2$법

③ 용제가 들어 있는 와이어 CO_2법

> **참고**
>
> 탄산가스 아크용접의 용접조건에는 용접 홈의 모양에 대한 와이어의 지름, 비드, 아크 전압 등이 있다. 탄산가스 아크용접에서 반자동 용접의 용접속도는 30~50cm/min가 적당하며, 허용되는 바람의 한계속도는 2m/sec이다.

2 불활성가스 아크용접

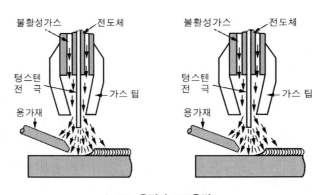

▲ TIG 용접과 MIG용접

1. TIG 용접(Tungsten insert gas arc welding) – 불활성가스 텅스텐 아크용접

텅스텐 봉을 전극으로 사용하여 가스용접과 비슷한 조작 방법으로 용가제를 아크로 융해하면서 용접한다. 이 방법에서 텅스텐은 거의 소모하지 않으므로 비용극식 아크용접 또는 비소모식 불활성가스 아크용접이라고도 한다.

2. MIG 용접(Metal insert gas arc welding) - 불활성가스 금속 아크용접

금속선을 전극과 용접봉으로 동시에 사용하는 소모식 방법이다. MIG 용접의 특징은 직류 역극성을 주로 사용하며 전류밀도가 매우 커 용접 속도가 빠르고 비드 표면이 아름답고, 아크가 안정되고 스패터가 적으며, TIG 용접보다 모재의 두께가 약 3mm 이상 두꺼운 판의 용접에 이용된다.

3 서브머지드 아크 용접

서브머지드 아크 용접(submerged arc welding)은 이음의 표면에 쌓아 올린 미세한 입상의 용제 속에 비피복 전극 와이어를 넣고, 모재와의 사이에서 발생하는 아크열로 용접하는 방법을 말한다. 이것을 잠호 용접 또는 유니언 멜트 용접이라고도 한다. 피복제에는 용융법, 소결형, 본드 플럭스형 등이 있다.

4 플라스마 제트 용접(plasma jet welding)

기체를 가열하면 기체 원자는 전리되어 양이온과 음이온으로 나누어진다. 이와 같이 양이온과 음이온이 혼합하여 도전성을 띤 가스체를 플라스마라 한다. 10,000~30,000℃의 고온 플라스마를 한쪽 방향으로만 분출시키는 것을 플라스마 제트라고 부르고 이것을 각종 금속의 용접, 절단 등의 열원으로 이용하는 용접 방법이다.

5 전기저항 용접

전기저항 용접을 압접이라 부르며, 그 종류에는 점(spot)용접, 심(seam) 용접, 맞대기 용접, 플래시 용접 등이 있다.

1. 전기저항 용접의 원리

저항 용접은 접합하고자 하는 용접 부분을 맞대거나 겹쳐놓고 다량의 전류를 흐르게 하면 접촉 저항열에 의해 용접부가 용융될 때 압력을 가하여 접합시키는 용접이며, 줄의 법칙을 이용한다.

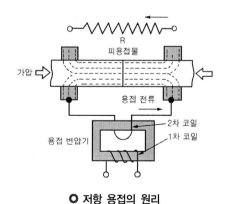

O 저항 용접의 원리

2. 전기저항 용접의 종류

(1) 점용접(spot welding)

점용접(스폿 용접)은 접합하려는 2개의 모재를 겹쳐서 고정된 전극 사이에 끼워 놓고 가동

전극을 판에 접촉시켜 전류를 통하면 전기 저항에 의해 열이 집중 발생하며 용접 온도에 도달하였을 때 전극으로 압력을 가해 용접하는 방법이다. 용접 전류, 통전시간, 전극의 가압력 등 3요소가 필요하다. 점용접의 장점은 다음과 같다.

① 표면이 평평하고 외관이 아름답다.
② 재료가 절약되며, 변형발생이 작다.
③ 구멍을 가공할 필요가 없다.
④ 로봇을 이용한 자동화가 용이하다.

(2) 심 용접(seam welding)

심 용접은 원판상(롤러)의 전극에 재료를 끼워 압력을 가하면서 전류를 공급하여 접합하는 방법이다.

(3) 맞대기 용접

맞대기 용접은 2개의 모재를 용접기에 설치하여 맞대고 전류를 공급하여 접촉 부분을 용융시켜 접합하는 방법이다.

(4) 프로젝션 용접(돌기 용접, projection welding)

프로젝션 용접은 용접 부분에 돌기를 설치하고 돌기에 전류를 집중시켜 압력을 가하여 접합시키는 방법이다.

6 테르밋 용접(Thermit Welding)

테르밋 혼합재료(산화철[Fe_3O_4] 분말과 알루미늄(Al) 분말을 3 : 1로 혼합)와 그 위에 점화 재료(마그네슘, 과산화바륨 분말)를 놓고 점화하면 테르밋 반응(금속 산화물이 알루미늄에 의하여 산소를 빼앗기는 반응)으로 약 2,800℃의 열이 발생하며, 용융상태의 순철로 되면 이것을 주형틀에 부어 접합하는 방법이다.

Part 05 출제예상문제

01 용접의 장점으로 알맞은 것은?

① 잔류응력 증가
② 공수의 절감
③ 변형과 수축
④ 저온취성 파괴

해설 용접의 장점은 자재의 절약, 작업의 공수 절감, 제품의 성능과 수명향상 등이다.

02 건설기계 작업 장치의 제작, 수리 및 보수 작업으로 용접을 많이 이용하는데, 용접을 선택한 장점으로 거리가 먼 것은?

① 자재의 절약
② 중량의 경감
③ 공정수의 감소
④ 성능과 수명의 향상

03 가스용접에 사용되는 가스의 종류 중 불꽃 온도가 가장 높은 것은?

① 아세틸렌
② 수소
③ 프로판
④ 부탄

해설 가스용접에 사용되는 가스의 종류 중 불꽃 온도가 가장 높은 것은 아세틸렌이다.

04 불꽃심과 겉불꽃 사이에 있는 백색의 불꽃으로 아세틸렌가스의 양이 많을 때 생기며, 스테인리스강, 니켈강 등의 용접에 이용되는 것은?

① 탄화불꽃
② 중성불꽃
③ 산화불꽃
④ 수소불꽃

해설 산소-아세틸렌 불꽃의 종류
· 표준(중성) 불꽃 : 혼합비율이 1:1인 불꽃으로 일반 용접에 사용
· 탄화불꽃 : 아세틸렌이 많은 불꽃으로 스테인리스강, 니켈강 용접 등에 사용
· 산화불꽃 : 산소가 많은 불꽃으로 황동 용접 등에 사용

05 아세틸렌 발생기의 종류와 관계가 없는 것은?

① 투입식
② 주수식
③ 확장식
④ 침지식

해설 아세틸렌 발생기의 종류
● 투입식 : 다량의 물속에 카바이드를 소량 투입하여 아세틸렌을 발생시키는 형식
● 주수식 : 카바이드에 물을 작용시켜 아세틸렌을 발생시키는 형식
● 침지식 : 통에 든 카바이드를 물에 잠겨 아세틸렌을 발생시키는 형식

정답 **01.**② **02.**② **03.**① **04.**① **05.**③

06 산소 용기에 윗부분에 각인 되어 있는 TP는 무엇을 의미하는가?

① 안전 시험압력(kgf/㎠)
② 정격 시험압력(kgf/㎠)
③ 최고 충전 시험압력(kgf/㎠)
④ 내압 시험압력(kgf/㎠)

해설 용기의 내압 시험압력(TP)은 최고 충전 압력의 5/3로 한다.

07 가스용접에서 용제를 사용하는 이유는?

① 용접봉의 용융 속도를 느리게 하기 위하여
② 침탄이나 질화작용을 돕기 위하여
③ 용접 중 산화물 등의 유해물을 제거하기 위하여
④ 모재의 용융 속도를 낮게 하기 위하여

해설 가스용접에서 용제를 사용하는 이유는 용접 중 산화물 등의 유해물을 제거하기 위함이다.

08 토치 작업시 발생하는 역화의 원인으로 거리가 먼 것은?

① 가스의 압력이 부적합하다.
② 팁 끝이 과냉되어 있다.
③ 팁의 조임이 완전하지 않다.
④ 팁 끝에 오물이 묻어있다.

해설 역류 · 역화의 원인은 ①③④항 외에 산소의 공급 과다, 토치의 팁이 과열되었을 때, 토치의 성능이 불량할 때 등이다.

09 가스절단 중 예열불꽃이 강할 때 절단 결과에 미치는 영향은?

① 모서리가 용융되어 둥글게 된다.
② 드래그가 증가한다.
③ 슬래그 성분 중 철 성분의 박리가 쉬워진다.
④ 절단 속도가 늦어지고 절단이 중단되기 쉽다.

해설 가스절단 중 예열불꽃이 강하면 모서리가 용융되어 둥글게 된다.

10 가스절단 작업을 위한 불꽃 조정 방법으로 옳은 것은?

① 절단 토치의 산소 밸브를 약간 열고 아세틸렌 밸브를 열어 점화한다.
② 절단 토치의 산소 밸브를 약간 열고 절단 산소를 분출시켜 압력을 조절한다.
③ 탄화불꽃 상태에서 산소의 분출량을 서서히 증가시켜 중성불꽃으로 만든다.
④ 탄화불꽃 상태에서 아세틸렌을 서서히 증가시켜 중성불꽃으로 만든다.

해설 가스절단 작업을 위한 불꽃 조정 방법은 탄화불꽃 상태에서 산소의 분출량을 서서히 증가시켜 중성불꽃으로 만든다.

11 절단 가스의 설명 중 맞는 것은?

① 드래그가 가능한 클 것
② 슬래그 이탈이 양호할 것
③ 절단면 표면이 거칠 것
④ 절단면이 평활하며 드래그 홈이 높고 노치가 많을 것

12 아크 용접기의 구비조건이 아닌 것은?

① 아크 발생이 잘 되도록 무부하 전압이 유지되어야 한다.
② 전류조정이 용이하고 일정한 전류가 흘러야 한다.
③ 사용 중 용접기 온도가 계속 상승하여야 한다.
④ 역률 및 효율이 좋아야 한다.

해설 피복 금속 아크 용접기의 구비조건은 ①②④항 외에 사용 중 용접기의 온도 상승이 작아야 하며, 아크가 안정되고, 역률 및 효율이 좋아야 한다.

13 교류아크 용접기와 비교한 직류 아크 용접기의 특징 설명 중 잘못된 것은?

① 아크의 안정성이 우수하다.
② 역률이 양호하다.
③ 비피복 봉의 사용이 가능하다.
④ 전격의 위험이 많다.

해설 직류 아크 용접기의 특징은 ①②③항 외에 무부하 전류가 낮아 전격의 위험이 적다.

14 다음 중 직류 아크 용접기에서 정극성 설명으로 맞는 것은?

① 모재에 (+)극, 용접봉에 (−)극을 연결하는 용접으로, 모재가 두꺼울 때 이용한다.
② 모재에 (−)극, 용접봉에 (+)극을 연결하는 용접으로, 모재가 두꺼울 때 이용한다.
③ 모재에 (+)극, 용접봉에 (−)극을 연결하는 용접으로, 모재가 얇을 때 이용한다.
④ 모재에 (−)극, 용접봉에 (+)극을 연결

하는 용접으로, 모재가 얇을 때 이용한다.

해설 직류 아크용접의 극성
• **정극성** : 모재에 (+)극, 용접봉에 (−)극을 연결하는 용접으로 모재가 두꺼울 때 이용된다.
• **역극성** : 모재에 (−)극, 용접봉에 (+)극을 연결하는 용접으로 모재가 얇을 때 이용된다.

15 교류아크 용접기의 종류별 특성으로 맞는 것은?

① 가동 철심형은 미세한 전류조정이 가능하다.
② 가동 코일형은 코일의 감긴 수에 따라 전류를 조정한다.
③ 탭 전환형은 탭 철심으로 누설 자속을 가감하여 전류를 조정한다.
④ 가포화 리액터형은 가변전압 변화로 전류를 조정한다.

해설 • **가동 코일형** : 2차 코일을 고정시키고 1차 코일을 이동시켜 1차와 2차 코일간의 거리를 변화시킴으로써 누설 리액턴스를 가감하여 용접 전류를 조정한다.
• **탭 전환형** : 탭의 전환으로 전류를 조정하므로 미세전류 조정이 어렵다.
• **가포화 리액터형** : 원격제어가 가능하며, 가변저항의 변화로 전류를 조정한다.

16 연강을 0℃ 이하에서 용접시 예열온도로 알맞은 것은?

① 10~40℃   ② 40~75℃
③ 75~105℃   ④ 105~135℃

해설 연강을 0℃ 이하에서 용접할 때 예열온도는 40~75℃ 정도가 좋다.

17 다음 중 피복재 역할을 맞게 설명한 것은?

① 스패터의 발생을 적게 한다.
② 용착금속의 냉각속도를 빠르게 하여 급랭시킨다.
③ 슬래그 생성을 돕고, 파형이 고운 비드를 만든다.
④ 대기 중으로부터 산화, 질화 등을 방지하여 용착금속을 보호한다.

해설 피복재 역할은 대기 중으로부터 산화, 질화 등을 방지하여 용착금속을 보호한다.

18 연강용 피복 아크 용접봉의 종류, 피복제, 용접자세를 바르게 연결한 것은?

① E4301 – 고산화티탄계 – F, V, O, H
② E4303 – 저수소계 – F, V, O, H
③ E4311 – 철분저수소계 – F, H-Fill
④ E4327 – 철분 산화철계 – F, H-Fill

해설 용접봉의 종류
• E4301 : 일미나이트계 – F, V, O, H
• F4303 : 이산화티탄계 – F, V, O, H
• E4311 : 고셀룰로스계 – F, V, O, H
• E4316 : 저수소계 – F, V, O, H

19 연강 피복 아크 용접봉인 E4316의 계열은 어느 것인가?

① 저수소계
② 고산화티탄계
③ 철분저수소계
④ 일미나이트계

20 용접자세에 관한 기호와 뜻으로 잘못 짝지어진 것은?

① 아래 보기 자세 : F
② 수평자세 : H
③ 수직자세 : V
④ 위보기 자세 : H-Fil

해설 위보기 자세의 기호는 OH이며, 수평자세 필릿의 기호는 H-Fil 이다.

21 피복 아크 용접시 용접봉과 용접선이 이루는 각도를 무엇이라고 하는가?

① 작업각도   ② 용접각도
③ 진행각도   ④ 자세각도

해설 • **작업 각도** : 용접봉과 이음 방향에 나란하게 세워진 수직 평면과의 각도로 표시

• **진행 각도** : 용접봉과 용접선이 이루는 각도로, 용접봉과 수직선 사이의 각도로 표시한다.

22 피복 금속 아크용접의 아크 쏠림 방지책 중 틀린 것은?

① 교류 용접으로 하지 말고, 직류 용접으로 할 것
② 용접봉 끝을 아크 쏠림 반대 방향으로 기울일 것
③ 접지점 2개를 연결할 것
④ 짧은 아크를 사용할 것

해설 아크 쏠림(Arc blow) 방지대책은 ②③④항 외에 직류 용접으로 하지 말고, 교류 용접으로 한다.

23 아크용접에서 발생하는 용접결함의 종류가 아닌 것은?

① 오버랩　　　　② 용입 부족
③ 언더컷　　　　④ 이면비드

해설 아크용접에서 발생하는 용접결함에는 오버랩, 언더컷, 용입 부족, 스패터 등이 있다.

24 용접결함의 종류와 결함의 모양을 바르게 연결한 것은?

① 언더컷 -
② 용입 불량 -
③ 오버랩 -
④ 피트 -

25 용접에서 모재와 용착금속의 경계 부분에 오목하게 파여 들어간 것을 무엇이라 하는가?

① 스패터　　　　② 슬래그
③ 오버랩　　　　④ 언더컷

해설 • 스패터(spatter) : 용접 중에 비산되는 슬래그 및 금속입자가 모재에 부착된 것으로 높은 전압, 용융속도가 빠를 때, 아크의 길이가 길 때 발생한다.
• 오버랩(over lap) : 용융된 금속이 모재와 잘 융합되지 않고 표면에 덮여 있는 상태이며, 용접 전류가 낮고 용접 속도가 늦을 때 발생한다.
• 언더컷(under cut) : 모재와 용착금속의 경계 부분에 오목하게 파여 들어간 것을 말한다.

26 용접부 결함 중 오버랩이 생기는 주된 원인은?

① 운봉 속도가 느릴 때
② 용접봉에 습기가 많을 때
③ 모재에 불순물이 부착될 때
④ 용접 전류가 너무 높을 때

해설 오버랩은 모재에 대해 용접봉이 굵을 때, 운봉 속도가 느릴 때, 용접 전류가 너무 적을 때 발생한다.

27 아크용접에서 용입 불량의 원인이 아닌 것은?

① 용접 속도가 너무 빠를 때
② 용접 전류가 낮을 때
③ 루트 간격이 넓을 때
④ 홈의 각도가 좁을 때

해설 용입 불량은 용접 속도가 너무 빠를 때, 용접 전류가 낮을 때, 홈의 각도가 좁을 때 발생한다.

28 탄산가스 아크용접의 장점이 아닌 것은?

① 전류밀도가 대단히 높으므로 용입이 깊고 용접 속도를 빠르게 할 수 있다.
② 전 자세 용접이 가능하다.
③ 용접 진행의 양부 판단이 가능하고 사용이 편리하다.
④ 적용 재질이 다양하다.

해설 탄산가스 아크용접의 특징은 용착 금속의 기계적 성질이 우수하고, 전류밀도가 커서 용입이 깊으며, 용접봉 절약 및 제품무게가 경감된다. 또 전 자세 용접이 가능하며, MIG 용접에 비해 용착금속의 기공이 적다.

정답 **23.**④　**24.**③　**25.**④　**26.**①　**27.**③　**28.**④

29 탄산가스 용접기의 토치 부품에 해당하지 않는 것은?

① 노즐　　　　② 인슐레이터
③ 팁　　　　　④ 유량계

30 탄산가스 아크용접 장치에서 보호가스 설비에 해당되지 않는 것은?

① 컨텍트 튜브　② 히터
③ 조정기　　　④ 유량계

해설 컨택트 튜브는 용접봉의 역할을 하는 금속선을 공급해 주는 튜브이다.

31 이산화탄소 아크용접에서 반자동 용접의 용접속도(위빙 및 토치 이동)로 가장 적합한 것은?

① 10~20cm/mim
② 30~50cm/mim
③ 60~70cm/mim
④ 70~80cm/mim

해설 이산화딘소 아크용접에서 빈자동 용접의 용접속도는 30~50cm/mim가 적당하다.

32 탄산가스 아크용접에서 허용되는 바람의 한계속도는?

① 0.5m/s　　　② 2m/s
③ 4m/s　　　　④ 6m/s

해설 탄산가스 아크용접에서 허용되는 바람의 한계속도는 2m/s이다.

33 이산화탄소 아크용접 결합에서 일반적으로 다공성의 원인이 되는 가스가 아닌 것은?

① 질소　　　　② 수소
③ 일산화탄소　④ 산소

34 불활성 가스용접 중 텅스텐 봉을 전극으로 하는 용접 방법은?

① 피복금속 아크용접
② MIG 용접
③ 저항 용접
④ TIG 용접

해설 • MIG용접 : 금속 봉을 전극으로 하여 모재와의 사이에서 아크를 발생시켜 접합시키는 용접

• TIG용접 : 텅스텐 봉을 전극으로 하여 모재와의 사이에서 아크를 발생시켜 접합시키는 용접

35 MIG 용접과 TIG 용접의 공통적인 특징이 아닌 것은?

① 아르곤 또는 헬륨과 같은 가스를 써서 산화를 방지한다.
② 아크를 이용한 용접법이다.
③ 알루미늄, 구리와 같은 특수 금속을 용접할 수 있다.
④ 비용극식 용접법이다.

해설 불활성가스 아크용접은 아르곤, 헬륨 등 고온에서도 금속과 반응을 하지 않는 불활성가스의 분위기 속에서, 텅스텐(TIG 용접)이나 금속선(MIG 용접)을 전극으로 하여 모재와의 사이에서 아크를 발생시켜 용접하는 방법으로, 알루미늄, 구리합금과 같은 특수 금속을 용접할 수 있다.

36 점용접의 3대 요소로 적합한 것은?

① 전압의 세기, 통전시간, 용접전극
② 전압의 세기, 통전속도, 가압력
③ 전류의 세기, 통전시간, 가압력
④ 전류의 세기, 통전속도, 용접전극

해설 점용접의 3대 요소는 용접 전류, 전극의 가압력, 통전시간이다.

37 용접하려고 하는 금속판의 한쪽 또는 양쪽에 돌기 부분을 만들어 놓고 압력을 가하면서 전류를 통하게 하는 용접법은?

① 버트 용접
② 스폿 용접
③ 심 용접
④ 프로젝션 용접

해설 저항 용접의 종류
- **버트 용접**(butt welding) : 맞대기 저항 용접으로 업셋 용접(upset welding)이라고도 하며, 선이나 봉을 맞대어 큰 전류를 흐르게 하면 저항 열에 의해 접합부분이 용융될 때 압력을 가하여 접합하는 용접 방법
- **스폿 용접**(spot welding ; 점용접) : 2개의 모재를 겹쳐놓고 큰 전류를 흐르게 하면 접촉 저항 열에 의해 용융될 때 압력을 가하여 접합하는 용접으로서 자동차, 항공기에 많이 사용
- **심 용접**(seam welding) : 스폿 용접의 전극봉 대신에 롤러 모양의 전극을 이용하여 접합시키는 저항 용접

38 다음 중 산화철의 분말과 알루미늄 분말을 혼합하여 연소할 때 발생하는 열을 이용하여 접합시키는 용접법은?

① 전자빔 용접
② 일렉트로 슬래그 용접
③ 플라즈마 용접
④ 테르밋 용접

39 다음 중 용착효율이 가장 높은 용접법은?

① 서브머지드 용접법
② FCAW 용접
③ TIG, MIG 용접
④ 피복 아크 용접

해설 서브머지드 아크 용접(submerged arc welding) : 이음의 표면에 쌓아 올린 미세한 입상의 용제 속에 비피복 전극 와이어를 넣고, 모재와의 사이에서 발생하는 아크열로 용접하는 방법

40 주철의 용접에 대한 설명으로 적합하지 않은 것은?

① 가능한 한 가는 지름의 용접봉을 사용한다.
② 용입을 깊게 하지 않는다.
③ 직선 비드를 배치한다.
④ 용접비드를 길게 배치한다.

해설 주철의 용접은 가능한 한 가는 지름의 용접봉을 사용하고, 용입을 깊게 하지 않아야 하며, 직선 비드를 배치한다.

41 가스용접 작업시 안전에 관한 설명으로 옳은 것은?

① 토치를 고무호스에 연결 시 아세틸렌은 녹색호스, 산소는 적색 또는 황색에 연결한다.
② 산소 용기는 화기에서 1m 정도 거리를 둔다.
③ 산소 용기는 40℃ 이하의 온도에 보관한다.
④ 토치 점화시는 성냥불과 담뱃불을 사용한다.

해설 산소 용기는 40℃ 이하의 온도에 보관하여야 한다.

42 아세틸렌 용접용 가스의 특징과 관리 방법에 대한 설명으로 틀린 것은?

① 용기는 진동이나 충격을 가하지 말고 신중히 취급한다.
② 저장실의 전기 스위치, 전등 등은 방폭 구조여야 한다.
③ 아세틸렌 충전구가 동결되어 온수로 녹일 때는 35℃ 이하의 온수로 녹여야 한다.
④ 용해 아세틸렌은 발생기를 사용할 때보다 순도가 낮다.

43 용입이 완전한 용접부의 이음 효율은?

① 100%   ② 90%
③ 80%   ④ 70%

해설 용입이란 모재 표면에서부터 모재의 용융한 부분의 밑바닥까지를 뜻하며, 용입이 완전한 용접부의 이음 효율은 100%이다.

44 산소와 아세틸렌 병에서 화기엄금의 최소거리는?

① 5m   ② 10m
③ 15m   ④ 20m

45 고압가스 용기의 도색 중 옳게 표시된 것은?

① 산소-적색
② 수소-흰색
③ 아세틸렌-노란색
④ 액화 암모니아-파란색

해설 고압가스 용기의 도색
• 산소 : 의료용은 백색, 그 밖의 가스용기는 녹색

• 수소 : 주황색
• 아세틸렌 : 노란색
• 액화 암모니아 : 백색

46 가스용접에서 역류 발생 시 조치 방법으로 맞는 것은?

① 토치를 물에 담근다.
② 산소를 먼저 차단시킨다.
③ 토치를 비눗물에 담근다.
④ 배출되는 산소의 압력을 높게 한다.

해설 가스용접에서 역류가 발생시 조치 방법
•산소를 먼저 차단한다.   •아세틸렌을 차단한다.
•탭을 깨끗이 청소한다.   •즉시 토치를 냉각한다.

47 피복 아크 용접 시 안전 홀더를 사용하는 이유로 가장 옳은 것은?

① 자외선과 적외선 차단
② 유해가스 중독방지
③ 고무장갑 대용
④ 용접작업 중 전격 방지

해설 피복 아크 용접 시 안전 홀더를 사용하는 이유는 용접작업 중 발생하는 전격을 방지하기 위함이다.

48 이산화탄소 아크용접과 관련이 없는 것은?

① 탄산가스 용기
② 용접기
③ 산소
④ 와이어 송급장치

정답   42.④   43.①   44.①   45.③   46.②   47.④   48.③

49 용접 중 아크를 중단시키면 중단된 부분이 오목하거나 납작하게 파진 모습이 되는데, 이것을 무엇이라고 하는가?

① 용융상태
② 스패터
③ 아크 쏠림
④ 크레이터

50 용해 아세틸렌 가스충전 압력으로 가장 알맞은 것은?

① 160kgf/㎠
② 150kgf/㎠
③ 30kgf/㎠
④ 15kgf/㎠

해설 용해 아세틸렌은 15℃에서 15kgf/㎠으로 충전되어 있고, 아세틸렌 용기는 30ℓ 가 가장 많이 사용된다.

51 가스절단 시 양호한 절단면을 얻기 위한 품질 기준과 거리가 먼 것은?

① 슬래그 이탈이 양호할 것
② 절단면의 표면 각이 예리할 것
③ 절단면이 평활하며 노치 등이 없을 것
④ 드래그 홈이 높고 가능한 클 것

해설 가스절단 시 양호한 절단면을 얻기 조곤
• 절단면이 평활하며 노치 등이 없을 것
• 드래그 홈이 가능한 작고 홈이 낮을 것
• 절단면의 표면 각이 예리할 것
• 슬래그 이탈이 양호할 것

52 피복 금속 아크용접의 아크 길이에 대한 설명으로 맞는 것은?

① 긴 아크 길이는 용융 금속의 산화 및 질화의 우려가 있다.
② 긴 아크 길이는 양호한 용접부를 형성한다.
③ 긴 아크 길이는 발열량이 감소하고 비드 폭이 좁아진다.

④ 긴 아크 길이는 스패터 발생을 감소시킨다.

해설 아크 길이가 길어질 때 발생 현상
• 용접부가 불량하다.
• 용융 금속이 산화 및 질화될 가능성이 크다.
• 스패터가 잘 발생한다.
• 비드 폭이 넓어지고 발열량이 증가한다.

53 다음 용접작업의 결함 중 보기에 해당되는 것은?

> - 용접 전류가 너무 높을 때
> - 부적합한 용접봉을 사용했을 때
> - 용접 속도가 너무 빠를 때
> - 용접봉의 각도가 부적당할 때

① 피드
② 언더컷
③ 용락
④ 용입 부족

54 다음 중 가스용접의 장점은?

① 열효율이 낮다.
② 열의 집중력이 어렵다
③ 금속이 탄화 또는 산화될 우려가 많다.
④ 열량 조절이 자유롭다.

55 가스 자동 절단 시 팁과 강판과의 간격은 예열불꽃의 백심으로부터 가장 적당한 거리는?

① 약 1.5∼2.5 mm
② 약 3.5∼4.5 mm
③ 약 5.5∼6.5 mm
④ 약 7.5∼8.5 mm

해설 자동절단시 팁과 강판과의 간격은 백심의 끝에서 1.5∼2.5mm 정도 유지하며, 예열시는 팁을 약간 경사지게 하고, 절단시는 직각으로 세워서 한다.

정답 49.④ 50.④ 51.④ 52.① 53.② 54.④ 55.①

56 용접법을 크게 융접, 압접, 납땜으로 분류할 때, 압접에 해당되는 것은?

① 전자빔용접
② 초음파용접
③ 원자수소용접
④ 일렉트로 슬래그 용접

해설 압접의 종류에는 초음파용접, 마찰용접, 폭발용접, 전기저항용접, 겹치기 용접, 냉간압접, 업셋 용접, 플래시 용접, 맞대기 저항용접, 프로젝션 용접이 있다.

57 용접 이음부의 홈 형상 중 틀린 것은?

① I형 　　　　② V형
③ W형 　　　　④ X형

해설 용접 이음부의 홈 형상에는 V형, I형, X형, U형, H형, K형이 있다.

58 가스용접기 설치 방법 중 틀린 것은?

① 산소와 아세틸렌 용기의 고압 밸브를 열어 밸브내의 먼지를 불어내어 조정기 설치부를 깨끗이 한다.
② 압력용기는 가스누설이 없도록 정확하게 설치한다.
③ 적색 또는 황색 호스는 산소 조정기에 검은색, 또는 녹색 호스는 아세틸렌 조정기에 밴드를 사용하여 단단히 접속한다.
④ 적색 또는 황색 호스는 아세틸렌 조정기에, 검은색 또는 녹색 호스는 산소 조정기에 밴드를 사용하여 단단히 접속한다.

Part

06

안전관리

Part 06 안전관리

산업안전

1 안전기준 및 재해

(1) 사고 예방대책 5단계
① **1단계** : 안전관리 조직
② **2단계** : 사실의 발견(현장 파악)
③ **3단계** : 분석평가
④ **4단계** : 시정 방법의 선정(대책의 선정)
⑤ **5단계** : 시정책의 적용(목표 달성)

(2) 재해예방의 4원칙
① 예방 가능의 원칙
② 손실 우연의 원칙
③ 원인 계기(연계)의 원칙
④ 대책 선정의 원칙

(3) 재해율의 정의
① **연천인율** : 평균 재적 근로자 1,000명에 대하여 발생한 재해자 수를 나타내는 것
② **도수율** : 연 근로시간에 대한 재해 발생 건수를 1,000,000시간당 발생한 재해의 빈도를 나타내는 것
② **강도율** : 연 근로 1,000시간당 재해로 인하여 근무하지 못한 총 근로 손실일수를 나타내는 것

2 안전 · 보건 표지

(1) 안전 · 보건 표지의 종류와 형태
① **금지표지** : 흰색 바탕에 기본모형은 빨강, 관련 부호 및 그림은 검정색이다.
② **경고표지** : 노란색 바탕에 기본모형 · 관련 부호 및 그림은 검정색이다.
③ **지시표지** : 파란색 바탕에 그 관련 그림은 흰색이다.
④ **안내표지** : 흰색 바탕에 기본모형 및 관련 부호는 녹색 또는 녹색 바탕에 관련 부호 및 그림은 흰색이다.

(2) 산업안전 보건표지

1. 금지표시	출입금지	보행금지	차량통행금지	사용금지
	탑승금지	금연	화기금지	물체이동금지
2. 경고표지	인화성물질 경고	산화성물질 경고	폭발물 경고	독극물 경고
	부식성물질 경고	방화성물질 경고	고압전기 경고	메달린물체 경고
2. 경고표지	낙하물 경고	고온 경고	저온 경고	몸균형상실 경고
	레이저광선 경고	유해물질 경고	위험장소 경고	
3. 지시표지	보안경 착용	방독마스크 착용	방진마스크 착용	보안면 착용
	안전모 착용	귀마개 착용	안전화 착용	안전장갑 착용
4. 안내표지	녹십자 표지	응급구호 표지	들것	세안 장치
	비상구	좌측 비상구	우측 비상구	

3 안전표지 색채

① **빨강색** : 방화, 정지, 금지
② **주황색** : 위험
③ **노란색** : 주의, 경고
④ **녹색** : 안전, 비상구, 구급, 구호, 대피장소 안내
⑤ **파랑색** : 조심, 지시, 수리 중, 송전 중 표시
⑥ **보라색** : 방사능
⑦ **흰색** : 통로, 정리
⑧ **검정색** : 보라ㆍ노랑ㆍ흰색을 돋보이게 하기 위한 보조

4 화재의 분류

① **A급 화재** - 목재, 종이, 석탄 등의 일반화재
② **B급 화재** - 휘발유, 벤젠 등의 유류화재
③ **C급 화재** - 전기화재
④ **D급 화재** - 금속화재

5 작업장에서의 복장

① 작업복은 몸에 맞는 것을 입는다.
② 상의의 옷자락이 밖으로 나오지 않도록 한다.
③ 기름이 밴 작업복은 될 수 있는 한 입지 않는다.
④ 작업복은 몸에 맞는 것을 착용할 것
⑤ 작업에 따라 보호구 및 기타 물건을 착용할 수 있을 것
⑥ 소매나 바짓가랑이가 조여질 수 있을 것
⑦ 작업장에서 작업복을 착용하는 이유는 재해로부터 작업자의 몸을 지키기 위함이다.

01 다음 중 사고 예방대책의 5단계 중 그 대상이 아닌 것은?

① 사실의 발견
② 분석평가
③ 시정방법의 선정
④ 엄격한 규율의 책정

해설 사고 예방대책 5단계 : 안전관리 조직→사실의 발견(현상파악)→분석평가→시정방법의 선정(대책의 선정)→시정책의 적용(목표달성)

02 다음 중 재해예방의 4원칙에 해당되지 않는 것은?

① 예방가능의 원칙   ② 사고발생의 원칙
③ 손실우연의 원칙   ④ 원인연계의 원칙

해설 재해예방의 4원칙은 예방가능의 원칙, 손실우연의 원칙, 원인계기(연계)의 원칙, 대책선정의 원칙이다.

03 연 근로시간 1,000시간 중에 발생한 재해로 인하여 손실일수로 나타낸 것은?

① 연천인율   ② 강도율
③ 도수율   ④ 손실율

해설 강도율은 연 근로 1,000시간당 재해로 인하여 근무하지 못한 총 근로 손실일수를 나타내는 것이다.

04 산업재해 분석을 위한 다음식은 어떤 재해율을 나타낸 것인가?

$$\frac{재해자수}{평균근로자수} \times 1000$$

① 연천인율   ② 도수율
③ 강도율   ④ 하인리히율

해설 연천인율 : 평균근로자수 1,000명에 대하여 발생한 재해자수를 나타내는 것이다.

05 산업재해는 직접 원인과 간접 원인으로 구분되는데, 다음 직접 원인 중에서 인적 불안전 행위가 아닌 것은?

① 작업태도 불안전
② 위험한 장소의 출입
③ 기계공구의 결함
④ 작업복의 부적당

해설 인적 불안전 행위에는 작업태도 불안전, 위험한 장소의 출입, 작업복의 부적당 등이다.

06 재해사고 발생원인 중 직접 원인에 해당되는 것은?

① 사회적 환경
② 유전적 요소
③ 안전교육의 불충분
④ 불안전한 행동

해설 재해사고 발생원인 중 직접 원인은 불안전한 행동이다.

정답 **01.**④ **02.**② **03.**② **04.**① **05.**③ **06.**④

07 산업현장에서 안전을 확보하기 위해 인적 문제와 물적 문제에 대한 실태를 파악하여야 한다. 다음 중 인적 문제에 해당하는 것은??

① 기계자체의 결함
② 안전교육의 결함
③ 보호구의 결함
④ 작업환경의 결함

08 작업 중 안전사고 발생의 가장 큰 원인은?

① 작업자의 과실
② 공장설비 부족
③ 사용공구 잘못
④ 사용 장비 잘못

해설 작업 중 안전사고 발생의 가장 큰 원인은 작업자의 과실이다.

09 재해의 원인 중 생리적인 원인은?

① 작업자의 피로
② 작업복의 부적당
③ 안전장치의 불량
④ 안전수칙의 미준수

해설 재해의 원인 중 생리적인 원인은 작업자의 피로이다.

10 사고의 원인으로서 불안전한 행위는?

① 안전조치 불이행
② 고용자의 능력부족
③ 물적 위험상태
④ 기계의 결함상태

11 다음 중 작업환경 조건에 포함되지 않는 것은?

① 채광   ② 조명
③ 작업자   ④ 소음

해설 작업환경 조건은 채광, 조명, 소음이다.

12 작업 시작 전의 안전 점검에 관한 사항으로 잘못 짝지어진 것은?

① 인적인 면-건강 상태, 기능 상태
② 물적인 면-기계기구 설비, 공구
③ 관리적인 면-작업내용, 작업 순서
④ 환경적인 면-작업 방법, 안전수칙

13 중량물을 들어 올리거나 내릴 때 손이나 발이 중량물과 지면 등에 끼어 발생하는 재해는?

① 파열   ② 충돌
③ 전도   ④ 협착

해설 협착이란 왕복운동을 하는 동작 부분과 움직임이 없는 고정부분 사이에 끼어 발생하는 위험으로, 사업장의 기계설비에서 많이 볼 수 있다.

14 안전 점검을 실시할 때의 유의사항 중 맞지 않는 것은?

① 점검한 내용은 상호 이해하고 협조한 시정책을 강구할 것
② 안전 점검이 끝나면 강평을 실시하고 사소한 사항은 묵인할 것
③ 과거에 재해가 발생한 곳에는 그 요인이 없어졌는지 확인할 것
④ 점검자의 능력에 적응하는 점검내용을 활용할 것

해설 안전점검을 실시할 때의 유의 사항은 ①③④항 외에 안전점검이 끝나면 강평을 실시하고, 사소한 사항이라도 묵인해서는 안 된다.

15 안전보건 표지의 종류와 형태에 안전표지의 종류가 아닌 것은?

① 금지표지   ② 허가표지
③ 경고표지   ④ 지시표지

해설 안전표지의 종류에는 금지표지, 경고표지, 지시표지, 안내표지 등이 있다.

16 안전·보건 표지의 종류별용도·사용 장소·형태 및 색채에서 바탕은 노란색, 기본모형 관련 부호 및 그림은 검정색으로 된 것은?

① 금지표지   ② 지시표지
③ 경고표지   ④ 안내표지

해설 안전 · 보건표지의 종류와 형태
 - **금지표지** : 흰색 바탕에 기본모형은 빨강, 관련부호 및 그림은 검정색이다.
 - **경고표지** : 노란색 바탕에 기본모형 · 관련부호 및 그림은 검정색이다.
 - **지시표지** : 파란색 바탕에 그 관련 그림은 흰색이다.
 - **안내표지** : 흰색 바탕에 기본모형 및 관련부호는 녹색 또는 녹색 바탕에 관련 부호 및 그림은 흰색이다.

17 안전·보건 표지의 종류별용도·사용 장소·형태 및 색채에서 바탕은 흰색, 기본모형 관련 부호 및 그림은 녹색, 바탕은 녹색, 기본모형 관련 부호 및 그림은 흰색으로 된 것은?

① 금지표지   ② 경고표지
③ 지시표지   ④ 안내표지

18 산업현장에서 산업재해를 예방하기 위한 안전·보건표지의 종류와 형태이다. 그림이 나타내는 표시는?

① 접촉금지   ② 출입금지
③ 탑승금지   ④ 보행금지

19 방진 마스크 착용은 어떤 표지인가?

① 금지표지   ② 경고표지
③ 지시표지   ④ 안내표지

20 산업현장에서 산업재해를 예방하기 위한 안전·보건표지의 종류와 형태에서 다음 그림이 나타내는 표시는?

① 지게차 사용금지
② 수화물 적하금지
③ 차량운전 주의표지
④ 차량 통행금지

21 안전·보건표지의 종류와 형태에서 그림이 나타내는 것은?

① 출입금지　　② 보행금지
③ 차량통행금지　④ 사용금지

22 안전보건 표지의 종류와 형태에서 그림이 가리키는 것은?

① 금연　　　　② 인화성물질 경고
③ 방사능 위험표시　④ 화기금지

23 안전보건 표지의 종류와 형태에서 그림이 나타내는 것은?

① 보행금지　　② 비상구
③ 일방통행　　④ 안전복착용

24 다음 중 안전표지 색채의 연결이 맞는 것은?

① 주황색-화재의 방지에 관계되는 물건에 표시
② 흑색-방사능 표시
③ 노란색-충돌, 추락 주의표시
④ 청색-위험, 구급장소 표시

해설 안전표지 색채
－주황색 : 위험표시
－흑색 : 보라 · 노랑 · 흰색을 돋보이게 하기 위한 보조
－노란색 : 충돌, 추락 주의표시
－청색 : 조심, 지시, 수리 중, 송전 중 표시

25 작업 현장의 안전표시 색채에서 재해나 상해가 발생하는 장소의 위험표시로 사용되는 색채는?

① 녹색　　　　② 파랑색
③ 주황색　　　④ 보라색

26 안전표지의 색채 중에서 대피장소 또는 비상구 등의 표지에 사용되는 색깔은 무엇인가?

① 빨간색　　　② 주황색
③ 녹색　　　　④ 청색

해설 녹색은 대피장소 또는 비상구, 응급치료 센터 안전표시 등의 표지에 사용된다.

27 응급치료 센터 안전표시 등에 사용되는 색으로 가장 알맞은 것은?

① 흑색과 백색　② 적색
③ 황색과 흑색　④ 녹색

정답　**21.**④　**22.**④　**23.**②　**24.**③　**25.**③　**26.**③　**27.**④

28 연소의 3요소에 해당되지 않는 것은?

① 물
② 공기(산소)
③ 점화원
④ 가연물

29 작업장 내에서의 화재분류로 알맞은 것은?

① A급 화재 - 전기화재
② B급 화재 - 휘발유, 벤젠 등의 화재
③ C급 화재 - 금속화재
④ D급 화재 - 목재, 종이, 석탄화재

해설 화재의 분류
-A급 화재 : 목재, 종이, 석탄화재
-B급 화재 : 휘발유, 벤젠 등의 유류화재
-C급 화재 : 전기화재
-D급 화재 : 금속화재

30 화재의 분류기준에서 휘발유로 인해 발생한 화재는?

① A급 화재
② B급 화재
③ C급 화재
④ D급 화재

31 소화설비에 적용하여야 할 사항이 아닌 것은?

① 작업의 성질
② 작업장의 환경
③ 화재의 성질
④ 작업자의 성격

해설 소화설비에 적용하여야 할 사항은 작업의 성질, 작업장의 환경, 화재의 성질 등이다.

32 소화 작업의 기본요소가 아닌 것은?

① 가연 물질을 제거하면 된다.
② 산소를 차단하면 된다.

③ 점화원을 냉각시키면 된다.
④ 연료를 기화시키면 된다.

해설 소화 작업의 기본요소는 가연물질 제거, 산소 차단, 점화원 냉각이다.

33 소화 작업에 대한 설명 중 틀린 것은?

① 산소의 공급을 차단한다.
② 유류화재 시 표면에 물을 부른다.
③ 가연물질의 공급을 차단한다.
④ 점화원을 발화점 이하의 온도로 낮춘다.

34 기관 가동시 화재가 발생하였다. 다음 중 소화 작업으로 가장 안전한 방법은?

① 기관을 가속하여 팬의 바람으로 끈다.
② 물을 붓는다.
③ 자연적으로 모두 연소 될 때까지 기다린다.
④ 점화원을 차단한 후 소화기를 사용한다.

35 화재진화 작업시 소화 방법으로 틀린 것은?

① 화재가 일어나면 먼저 인명구조를 해야 한다.
② 전기배선이 있는 곳을 소화할 때는 전기가 흐르는지 먼저 확인해야 한다.
③ 가스 밸브를 잠그고 전기 스위치를 끈다.
④ 카바이드 및 유류에는 물을 끼었는다.

정답 28.① 29.② 30.② 31.④ 32.④ 33.② 34.④ 35.④

36 다음 중 인화성 물질이 아닌 것은?

① 아세틸렌가스　② 가솔린
③ 프로판가스　　④ 산소

37 감전되거나 전기화상을 입을 위험이 있는 작업시 작업자가 착용하여야 할 것은?

① 구명구　　　② 보호구
③ 구명조끼　　④ 비상벨

해설 감전되거나 전기화상 사고를 미연에 방지하기 위하여 작업자는 보호구를 착용한다.

38 자동차 정비공장에서 폭발의 우려가 있는 가스, 증기, 또는 분진을 발산하는 장소에서 금지해야 할 사항에 속하지 않는 것은?

① 화기의 사용
② 과열함으로써 점화의 원인이 될 우려가 있는 기계
③ 사용도중 불꽃이 발생하는 공구
④ 불연성 재료의 사용

해설 폭발의 우려가 있는 가스, 증기, 또는 분진을 발산하는 장소에서 금지해야 할 사항은, ①②③항 외에 가연성 재료의 사용이다.

39 보호구는 반드시 한국산업안전보건공단으로부터 보호구 검정을 받아야 한다. 감정을 받지 않아도 되는 것은?

① 안전모　　　② 방한복
③ 안전장갑　　④ 보안경

40 건설기계 및 자동차 정비 작업장에 준비해야 될 것 중 안전과 관계가 먼 것은?

① 응급용 의약품
② 붕산수
③ 소화기 및 소화용구
④ 방청용 오일

41 건설기계 공장에서 직원에게 헬멧. 작업화. 작업복을 일정하게 착용시키는 이유는?

① 직원의 복장을 통일하기 위하여
② 공장의 미관을 위하여
③ 직원의 안전을 위하여
④ 직원의 정신통일을 위하여

42 안전 작업은 복장의 착용 상태에 따라 달라진다. 다음에서 권장 사항이 되지 않는 것은?

① 땀을 닦기 위한 수건이나 손수건을 허리나 복에 걸고 작업해서는 안된다.
② 옷소매는 되도록 폭이 좁게 된 것이나, 단추가 달린 것은 되도록 피한다.
③ 물체 추락의 우려가 있는 작업장에서는 아무리 덥더라도 작업모를 착용해야 한다.
④ 복장을 단정하게 하기 위해 넥타이를 꼭 매야 한다.

43 안전한 작업을 하기 위하여 작업 복장을 선정할 때의 유의사항 중 맞지 않는 것은?

① 화기사용 직장에서는 방염성, 불연성의 것을 사용하도록 한다.
② 착용자의 취미, 기호 등을 감안하여 적절한 스타일을 선정한다.
③ 작업복은 몸에 맞고 동작이 편하도록 제작한다.
④ 상의의 끝이나 바짓가랑이 등이 기계에 말려 들어갈 위험이 없도록 한다.

44 다음 중 사고로 인한 재해가 가장 많이 발생하는 기계장치는?

① 기관 　　　② 벨트 풀리
③ 래크 　　　④ 동력전달장치

해설 사고로 인한 재해가 가장 많이 발생하는 기계장치는 벨트 풀리이다.

45 정비작업시 벨트를 풀리에 걸 때는 어떤 상태에서 거는 것이 좋은가?

① 고속상태 　　　② 중속상태
③ 저속상태 　　　④ 정지상태

46 일반기기를 사용하여 작업시 준수해야 할 사항 중 틀리는 것은?

① 원동기의 기동 및 정지는 서로 신호에 의거한다.
② 고장중의 기기에는 반드시 표식을 할 것
③ 정전 시는 반드시 스위치를 끊을 것
④ 다른 볼일이 있을 때는 기기 작동을 자동으로 조정하고 자리를 비워도 좋다.

47 작업시 안전수칙에 해당하지 않는 것은?

① 중량물을 상승시킨 후 오랫동안 방치하지 않는다.
② 중량물 운반 시에는 경종을 울린다.
③ 흔들리는 화물은 사람이 붙잡도록 한다.
④ 기중장치는 규정 용량을 초과하지 않도록 한다.

48 옷에 묻은 먼지를 털 때 사용해서는 안 되는 것은?

① 털이개 　　　② 손수건
③ 솔 　　　④ 압축공기

해설 옷에 묻은 먼지를 털 때 압축공기는 사용해서는 안 된다.

49 화상으로 수포가 발생되어 응급조치가 필요한 경우 대책으로 가장 옳은 것은?

① 수포를 터뜨리지 않도록 하며, 소독 가제로 덮어준 다음 의사에게 치료를 받도록 한다.
② 수포를 터뜨려서 응급조치 후, 의사에게 치료를 받도록 터뜨려 치료한다.
③ 수포를 터뜨려 응급조치 후 화상을 입었을 때는 바르는 기름을 바르고, 의사에게 치료를 받도록 한다.
④ 수포를 터뜨려 응급조치 후 화상을 입었을 때는 바르는 기름을 바르고, 의사에게 치료를 받도록 한다.

해설 화상으로 수포가 발생되어 응급조치가 필요한 경우 대책은, 수포를 터뜨리지 않도록 하며, 소독 가제로 덮어준 다음 의사에게 치료를 받도록 한다.

정답 43.② 44.② 45.④ 46.④ 47.③ 48.④ 49.①

50 적외선 전구에 의한 화재 및 폭발할 위험성이 있는 경우와 거리가 먼 것은?

① 용제가 묻은 헝겊이나 마스킹 용지가 접촉한 경우
② 적외선전구와 도장 면이 필요 이상으로 가까운 경우
③ 상당한 고온으로 열량이 커진 경우
④ 상온의 온도가 유지되는 장소에서 사용한 경우

51 화물용 승강기 안전에 관한 내용 중 틀린 것은?

① 운전책임자 이외 절대 운전을 금한다.
② 사용 전 작업 방법 및 비상조치 요령을 숙지하여야 한다.
③ 화물용 승강기에는 2인 이내의 인원이 탑승한다.
④ 승강기 문이 완전히 닫힌 후 운행한다.

해설 화물용 승강기는 화물의 수송을 주목적으로 하기 때문에 사람이 탑승하여서는 안 된다.

1 사고 발생의 원인

① 적합한 공구를 사용하지 않을 때
② 안전장치 및 보호 장치가 잘되어 있지 않을 때
③ 정리 정돈 및 조명 장치가 잘되어 있지 않을 때
④ 기계장치가 좁은 장소에 설치되어 있을 때

2 선반 작업을 할 때 안전사항

① 장갑을 끼고 작업하지 않는다.
② 회전 중 측정을 해서는 안 된다.
③ 바이트 대를 짧게 한다.
④ 회전 중 칩은 손으로 제거해서는 안 된다.
⑤ 돌리개(dog) 고정나사는 되도록 짧게 나오게 한다.
⑥ 회전체에는 안전 커버를 씌우도록 한다.
⑦ 바이트, 계측기는 정해진 일정한 장소에 놓고 베드(bed) 위에는 놓지 않는다.
⑧ 주축에 센터가 고정되어 있는지를 검사한다.
⑨ 양 센터 중심이 일치되었는지를 검사한다.

3 연삭 작업을 할 때의 안전사항

① 연삭숫돌 설치 전 나무 해머로 가볍게 두들겨 균열 유무를 점검한다.
② 연삭숫돌의 측면에 서서 연삭한다.
③ 연삭기의 커버를 벗긴 채 사용하지 않는다.
④ 연삭숫돌의 주위와 연삭 지지대 사이의 간격은 3mm 이하로 한다.
⑤ 보안경을 반드시 착용한다.
⑥ 연삭숫돌의 정면을 사용한다.
⑦ 규정된 회전속도에서 연삭을 시작한다.
⑧ 연삭하기 전에 공전 상태를 확인 후 작업한다.

4 드릴 작업에서의 안전수칙

① 장갑을 끼고 작업해서는 안 된다.
② 머리가 긴 사람은 안전모를 쓴다.
③ 작업 중 쇳가루를 입으로 불어서는 안 된다.
④ 공작물을 단단히 고정시켜 따라 돌지 않게 한다.
⑤ 드릴 작업을 할 때 칩(쇳밥) 제거는 회전을 중지시킨 후 솔로 제거한다.
⑥ 공작물에 구멍을 뚫을 때 공작물을 바이스에 물리고 작업한다.
⑦ 드릴머신 테이블의 조정은 드릴의 회전을 중지시킨 후 실시한다.
⑧ 드릴 프레스로 얇은 판에 구멍을 뚫을 때 얇은 판 밑에 나무판을 받친다.

5 다이얼게이지를 취급할 때의 안전사항

① 다이얼게이지의 스핀들에 주유하거나 그리스를 발라서는 안 된다.
② 분해 소제나 조정은 하지 않는다.
③ 다이얼인디케이터에 어떤 충격이라도 가해서는 안 된다.
④ 측정할 때는 측정물에 스핀들을 직각으로 설치하고 무리한 접촉은 피한다.
⑤ 다이얼게이지를 설치할 때는 지지대의 암을 될 수 있는 대로 짧게 하고 확실하게 고정
   해야 한다.

6 마이크로미터를 취급할 때의 주의사항

① 건조한 곳에 보관한다.
② 녹 방지를 위해 방청유를 발라둔다.
③ 보관할 때 앤빌과 스핀들을 붙여 놓지 않는다.
④ 사용 전 0점 조정이 되었는지를 확인한다.
⑤ 사용 중 떨어뜨리거나 큰 충격을 주지 않도록 한다.
⑥ 온도변화가 심하지 않은 곳에 보관한다.
⑦ 눈금은 시차를 작게 하기 위하여 수직 위치에서 읽는다.

7 운반 작업

(1) 인력으로 운반 작업을 할 때 안전사항
① 드럼통, 봄베 등을 굴려서 운반해서는 안 된다.
② 공동운반에서는 서로 협조하여 작업한다.
③ 긴 물건은 앞쪽을 위로 올린다.
④ 무리한 몸가짐으로 물건을 들지 않는다.

⑤ 신체적으로 키가 고르게 조를 짠다.

⑥ 보행자는 물품을 운반하고 있는 사람과 마주치면 방해하지 않게 피한다.

⑦ 물품이 운반자 전방의 시야를 방해하지 않아야 한다.

(2) 운반 차량(또는 기계)로 운반할 때의 안전사항

① 여러 가지 물건을 쌓을 때는 가벼운 물건을 위에 올린다.

② 차량의 동요로 안정이 파괴되기 쉬울 때는 비교적 무거운 물건은 아래에 쌓는다.

③ 화물 위나 운반차에 사람의 탑승은 절대 금한다.

④ 구르기 쉬운 짐은 로프로 반드시 묶는다.

⑤ 안전기준을 넘는 화물의 적재허가를 받은 사람은, 그 길이 또는 폭의 양끝에 너비 30cm, 길이 50cm 이상의 빨간 헝겊으로 된 표지를 달아야 한다.

8 전동공구를 사용할 때 감전 사고 예방대책

① 전기 감전의 경우 사전 감지가 어렵다.

② 전기에 감전되면 사망할 수 있다.

③ 감전으로 인한 2차 재해가 발생할 수 있다.

④ 고압의 전류가 흐르는 부분은 표시하여 주의를 준다.

⑤ 전기 작업을 할 때는 절연용 보호구를 착용한다.

⑥ 정전이 되면 가장 먼저 스위치를 OFF로 한다.

⑦ 스위치의 개폐는 오른손으로 하고 물기가 있는 손으로 전기장치나 기구에 손을 대지 않는다.

9 공기 기구를 사용할 때의 주의사항

(1) 일반적인 주의사항

① 반드시 보호구를 착용하고 작업한다.

② 에어 그라인더를 사용할 때는 소음과 진동의 상태를 확인한 후 사용한다.

③ 규정 공기압력을 유지한다.

④ 압축공기 중의 수분을 제거하여 준다.

⑤ 공기 기구의 활동 부위에는 윤활유나 그리스를 주유한다.

⑥ 공기 기구를 사용할 때는 보호안경을 착용한다.

⑦ 고무호스가 꺾여 공기가 새는 일이 없도록 한다.

⑧ 공기 기구의 반동으로 생길 수 있는 사고를 미연에 방지한다.

⑨ 공기 공구를 사용할 때는 밸브를 천천히 열고 닫는다.

(2) 공기압축기 안전수칙

① 안전밸브는 배관 중간에 설치하여 규정 이상의 압력에 달하면 작동하여 배출시키는 장치이다.

② 전기배선, 터미널 및 전선 등에 접촉될 경우 전기쇼크의 위험이 있으므로 주의한다.

③ 분해할 때 공기압축기, 공기탱크 및 관로 안의 압축공기를 완전히 배출한 뒤 실시한다.

④ 하루에 한 번씩 공기탱크에 고여 있는 응축수를 제거한다.

⑤ 작업 중 작업자의 땀이나 열을 식히기 위해 압축공기를 이용해서는 안 된다.

⑥ **공기압축기 점검 사항**

㉮ 압력계, 안전밸브 등의 이상 유무

㉯ 이상 소음 및 진동

㉰ 이상 온도 상승

10 수공구를 사용할 때의 안전수칙

(1) 일반적인 수공구를 사용할 때

① 해머 자루의 해머 고정부분에는 그 끝에 쐐기를 박는다.

② 렌치를 사용할 때 자기 쪽으로 당겨서 사용하도록 한다.

③ 스크루드라이버를 사용할 때 공작물을 손으로 잡지 말아야 한다.

④ 스크레이퍼를 사용할 때 한 손은 공작물, 다른 손은 스크레이퍼를 잡아서는 안 된다.

(2) 기관 정비용 수공구를 사용할 때

① 용도 이외의 수공구는 사용하지 않는다.

② 수공구를 사용한 후에는 정해진 장소에 보관한다.

③ 수공으로 적당히 만든 공구를 사용해서는 안 된다.

④ 작업대 위에서 떨어지지 않게 안전한 곳에 둔다.

(3) 렌치를 사용할 때 주의사항

① 복스 렌치가 오픈 엔드 렌치보다 더 많이 사용되는 이유는 볼트·너트 주위를 완전히 접촉하게 되어 있어 사용 중에 미끄러지지 않기 때문이다.

② 스패너 등을 해머 대신에 써서는 안 된다.

③ 스패너에 파이프 등 연장대를 끼워서 사용해서는 안 된다.

④ 스패너 렌치는 올바르게 끼우고 앞으로 잡아당겨 사용한다.

⑤ 볼트 및 너트에 맞는 것을 사용한다.

⑥ 파이프 렌치는 정지 장치를 확인하고 사용한다.

(4) 해머 작업에서의 안전수칙

① 장갑을 끼고 작업을 하지 말 것

② 작업 중에는 수시로 해머 상태(자루의 헐거움)를 점검할 것

③ 공동으로 작업을 할 때는 호흡을 맞출 것

④ 열처리된 재료(담금질한 재료)는 해머 작업을 하지 말 것

⑤ 타격할 때는 처음과 마지막에는 힘을 많이 가하지 말 것

⑥ 타격 가공하려는 곳에 시선을 고정시킬 것

⑦ 타격면에 기름을 바르지 말 것

⑧ 녹슨 것을 때릴 때는 반드시 보안경을 쓸 것

⑨ 대형 해머로 작업할 때는 자기 역량에 알맞은 것을 사용할 것

⑩ 타격면이 찌그러진 것은 사용하지 말 것

⑪ 손잡이가 튼튼한 것을 사용할 것

⑫ 작업 전에 주위를 살필 것

⑬ 기름 묻은 손으로 작업하지 말 것

⑭ 해머를 사용하여 상향작업을 할 때는 반드시 보호안경을 착용할 것

(6) 정 작업의 안전수칙

① 마주 보고 작업해서는 안 된다.

② 시작과 끝에 특히 조심한다.

③ 열처리한 재료는 정으로 작업하지 않는다.

④ 버섯 머리가 된 정은 그라인더로 갈아서 사용한다.

⑤ 정의 머리가 찌그러진 것은 수정해서 사용한다.

⑥ 쪼아내기(chipping) 작업 때는 방진안경을 착용한다.

⑦ 정의 공구 날은 중심부에 닿게 사용한다.

⑧ 따낸 자리를 손으로 만져서는 안 된다.

⑨ 정의 생크나 해머에 오일이 묻지 않도록 한다.

⑩ 정의 날을 몸 바깥쪽으로 하고 해머로 타격한다.

⑪ 보관할 때는 날이 부딪쳐서 무디어지지 않도록 한다.

(7) 줄 작업의 안전수칙

① 사용 전 균열 유무를 점검한다.

② 전신을 이용할 수 있게 하여야 한다.

③ 줄에 오일을 칠하여 작업해서는 안 된다.

④ 작업대 높이는 작업자의 허리높이로 한다.

⑤ 앞으로 밀 때만 힘을 가한다.

⑥ 공작물을 바이스에 확실히 고정한다.

⑦ 날이 메워지면 와이어 브러시로 털어낸다.

⑧ 절삭 가루는 솔로 쓸어 낸다.

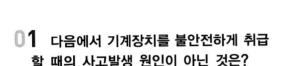

01 다음에서 기계장치를 불안전하게 취급할 때의 사고발생 원인이 아닌 것은?

① 적합한 공구를 사용하지 않을 때
② 안전장치 및 보호 장치가 잘되어 있지 않을 때
③ 정리정돈 및 조명장치가 잘되어 있지 않을 때
④ 기계장치가 넓은 장소에 설치되어 있을 때

해설 사고발생 원인은 ①②③항 외에 기계장치가 좁은 장소에 설치되어 있을 때이다.

02 기계작업에 대한 설명 중 적합하지 않은 것은?

① 치수 측정은 기계 회전 중에 하지 않는다.
② 구멍 깎기 작업 시에는 기계 운전 중에도 구멍 속을 청소해야 한다.
③ 기계의 회전 중에는 다듬면 검사를 하지 않는다.
④ 베드 및 테이블의 면을 공구대 대용으로 쓰지 않는다.

03 선반작업 시 안전수칙이다. 틀린 것은?

① 선반 위에 공구를 올려놓은 채 작업하지 않는다.

② 돌리개는 적당한 크기의 것을 사용한다.
③ 공작물을 고정한 후 렌치류는 제거해야 한다.
④ 날 끝의 칩 제거는 손으로 한다.

해설 선반작업의 안전수칙은 ①②③항 외에 날 끝의 칩 제거를 손으로 해서는 안 된다.

04 공작물 가공 및 절삭에서 사용하는 절삭제의 목적이 아닌 것은?

① 공구의 경도 저하를 막는다.
② 공작물의 냉각을 돕는다.
③ 공구와 칩의 친화력을 돕는다.
④ 공구의 냉각을 돕는다.

해설 절삭제의 사용목적은 공구의 경도저하 방지, 공작물의 냉각, 공구의 냉각 등이다.

05 기계와 기계 사이 또는 기계와 다른 설비와의 사이에 설치하는 통로는 최소 몇 cm 이상이어야 하는가?

① 40cm　　　② 60cm
③ 80cm　　　④ 100cm

해설 기계와 기계 사이 또는 기계와 다른 설비와의 사이에 설치하는 통로는, 최소 80cm 이상이어야 한다.

정답 01.④　02.②　03.④　04.③　05.③

06 작업자가 기계 작업시의 일반적인 안전 사항으로 틀린 것은?

① 급유시 기계는 운전을 정지시키고 지정된 오일을 사용한다.
② 고장 수리, 청소 및 조정 시에는 동력을 끊고 다른 사람이 작동시키지 않도록 표시해 둔다.
③ 운전 중 기계로부터 이탈한 때는 운전을 정지시킨다.
④ 기계 운전 중 정전이 발생되었을 때는 각종 모터의 스위치를 켜둔다.

07 작동 기계의 정지상태에서 점검할 사항이 아닌 것은?

① 안전장치의 점검
② 동력전달 장치 점검
③ 기어의 이상음 점검
④ 볼트, 너트 풀림 점검

해설 기어의 이상음은 운전 중에 점검한다.

08 작업 중 기계장치에서 이상한 소음이 발생할 경우 가장 적절한 대응책은 어느 것인가?

① 작업 종료 후 이상 유무를 확인한다.
② 즉시 작동을 멈추고 점검한다.
③ 기계장치의 속도를 확인한다.
④ 잠시 작동을 멈추었다가 작업한다.

09 연삭 작업 시 안전사항이 아닌 것은?

① 연삭숫돌 설치 전 해머로 가볍게 두들겨 본다.
② 연삭숫돌의 측면에 서서 연삭한다.
③ 연삭기의 커버를 벗긴 채 사용하지 않는다.
④ 연삭숫돌의 주위와 연삭 지지대 간의 간격은 5mm 이상으로 한다.

해설 연삭 작업에서의 안전사항은 ①②③항 외에, 연삭숫돌의 주위와 연삭 지지대 간의 간격은 3mm 이하로 한다.

10 다음 중 재해가 가장 많이 일어날 수 있는 작업은?

① 선반작업
② 용접작업
③ 운반작업
④ 전기작업

해설 재해가 가장 많이 일어날 수 있는 작업은 운반작업이다.

11 연삭 작업에서 안전관리상 적합하지 않은 것은?

① 숫돌차의 회전은 규정 이상을 초월해서는 안 된다.
② 보안경을 반드시 착용해야 한다.
③ 스위치를 넣고 연삭하기 전에 공전상태를 확인 후 작업해야 한다.
④ 숫돌차의 정면에 위치하고 숫돌 파괴 시 파편에 의한 위험을 방지하기 위해 거리를 두어 연삭하는 것이 안전하다.

해설 연삭 작업상 안전지침은 ①②③항 외에 숫돌차의 측면에 서서 작업한다.

정답 06.④ 07.③ 08.② 09.④ 10.③ 11.④

12 드릴머신 작업의 안전 사항으로 맞지 않은 것은?

① 회전하고 있는 주축이나 드릴에 손이나 걸레를 대거나 머리를 가까이 하지 않는다.
② 드릴의 탈부착은 회전이 멈춘 다음 행한다.
③ 가공 중에 드릴에서 이상 음이 들리면 회전상태로 그 원인을 찾아서 수리한다.
④ 작은 물건은 바이스를 사용하여 고정한다.

해설 가공 중에 드릴에서 이상 소음이 들리면 회전을 멈춘 다음 전원 스위치를 OFF시키고, 그 원인을 찾아서 수리한다.

13 드릴링 머신 사용시 안전 수칙으로 틀린 것은?

① 구멍 뚫기를 시작하기 전에 자동 이송 장치를 쓰지 말 것
② 드릴을 회전시킨 후 테이블을 조정하지 말 것
③ 드릴을 끼운 뒤에는 척의 키를 꽂아 놓을 것
④ 드릴 회전 중에는 쇳밥을 손으로 털거나 불지 말 것

해설 드릴링 머신을 사용할 때 안전수칙은 ①②④항 외에 드릴머신에 드릴을 끼운 뒤에는 척 키를 빼놓아야 한다.

14 드릴 프레스로 얇은 판에 구멍을 뚫을 때 얇은 판 밑에 무엇을 받치면 가장 좋은가?

① 나무판   ② 무쇠판
③ 강판   ④ 동판

해설 드릴 프레스로 얇은 판에 구멍을 뚫을 때는 얇은 판 밑에 나무판을 받친다.

15 리머 가공에 관한 설명으로 옳은 것은?

① 직경 10mm 이상의 리머는 없다.
② 드릴 구멍보다 먼저 작업한다.
③ 드릴 구멍보다 더 정밀도가 높은 구멍을 가공 하는데 필요하다.
④ 드릴 구멍보다 더 작게 하는데 사용한다.

해설 리머 가공은 드릴 구멍보다 더 정밀도가 높은 구멍을 가공하는데 필요하다.

16 다음은 작업 중 전기가 정전되었을 때 해야 할 일이다. 해당 없는 것은?

① 주위의 공구를 정리하고 스위치는 그대로 둔다.
② 기계의 스위치를 끊는다.
③ 경우에 따라서는 메인 스위치도 끊는다.
④ 절삭공구는 일감에서 떼어낸다.

해설 작업 중 전기가 정전되면 ②③④항 외에 주위의 공구를 정리하고 스위치는 OFF로 한다.

17 다이얼게이지 취급시 안전사항이다. 잘못 설명한 것은?

① 작동이 불량하면 스핀들에 주유하거나 그리스를 발라서 사용한다.
② 분해 소제나 조정은 하지 않는다.
③ 다이얼인디케이터에 어떤 충격이라도 가해서는 안 된다.
④ 측정시는 측정물에 스핀들을 직각으로 설치하고 무리한 접촉은 피한다.

해설 다이얼게이지의 스핀들에 유압유를 주유하거나 그리스를 발라서는 안 된다.

정답 12.③ 13.③ 14.① 15.③ 16.① 17.①

292 건설기계정비기능사 필기

18 다이얼게이지 취급시 주의사항으로 잘 못된 것은?

① 게이지는 측정 면에 직각으로 설치한다.
② 충격은 절대로 금해야 한다.
③ 게이지 눈금은 0점 조정을 하여 사용한다.
④ 스핀들에는 유압유를 급유하여 둔다.

19 실린더 보어 게이지 취급시 안전 사항과 관련이 없는 것은?

① 스핀들이 잘 움직이지 않을 때 휘발유로 세척한다.
② 스핀들은 공작물에 가만히 접촉하도록 한다.
③ 보관시는 건조된 헝겊으로 닦아서 보관한다.
④ 스핀들이 잘 움직이지 않으면 고급 스핀들유를 바른다.

20 게이지 블록 사용 후 보관 방법으로 가장 옳은 것은?

① 깨끗이 닦은 후 겹쳐 보관한다.
② 먼저, 칩 등을 깨끗이 닦고 방청유를 발라 보관한다.
③ 철제 공구상자에 블록을 하나씩 보관한다.
④ 기름이나 먼지를 깨끗이 닦고 헝겊에 싸서 보관한다.

해설 블록게이지를 사용 후 보관할 때는 먼지, 칩 등을 깨끗이 닦고 방청유를 발라 보관함에 보관한다.

21 마이크로미터 취급시의 주의사항이 아닌 것은?

① 건조한 곳에 보관할 것
② 녹 방지를 위해 절삭유를 발라둘 것
③ 보관시 앤빌과 스핀들을 붙여 놓지 말 것
④ 사용 전 0점 조정이 되었는가를 확인할 것

해설 마이크로미터를 취급할 때 주의사항은 ①③④항 외에, 녹을 방지하기 위해서는 방청유를 발라 보관하여야 한다.

22 마이크로미터의 취급시 안전사항이 아닌 것은?

① 사용 중 떨어뜨리거나 큰 충격을 주지 않도록 한다.
② 온도변화가 심하지 않은 곳에 보관한다.
③ 앤빌과 스핀들을 접촉되어 있는 상태로 보관한다.
④ 눈금은 시차를 작게 하기 위하여 수직 위치에서 읽는다.

해설 마이크로미터를 취급할 때의 안전사항은 ①②④항 이외에 앤빌과 스핀들을 붙여 놓지 않는다.

23 운반 작업을 할 때 틀리는 것은?

① 드럼통, 봄베 등을 굴려서 운반한다.
② 공동운반에서는 서로 협조를 하여 작업한다.
③ 긴 물건은 앞쪽을 위로 올린다.
④ 무리한 몸가짐으로 물건을 들지 않는다.

해설 운반 작업을 할 때 주의사항은 ②③④항 외에 드럼통, 봄베 등을 굴려서 운반해서는 안 된다.

24 인력에 의한 운반 작업 설명으로 틀린 것은?

① 긴 물건은 앞을 조금 낮춰서 든다.
② 신체적으로 키가 고르게 조를 짠다.
③ 보행자는 물품을 운반하고 있는 사람과 마주치면 방해하지 않게 피한다.
④ 물품이 운반자 전방의 시야를 방해하지 않아야 한다.

해설 인력으로 운반 작업을 할 때는 ②③④항 외에, 긴 물건은 앞을 조금 높이 들고 운반한다.

25 운반차를 이용한 운반 작업에 대한 사항 중 잘못 설명한 것은?

① 여러 가지 물건을 쌓을 때는 가벼운 물건을 위에 올린다.
② 차량의 동요로 안정이 파괴되기 쉬울 때는 비교적 무거운 물건을 위에 쌓는다.
③ 화물 위나 운반차에 사람의 탑승은 절대 금한다.
④ 긴 물건을 실을 때는 맨 끝부분에 위험표시를 해야 한다.

해설 차량의 동요로 안정이 파괴되기 쉬울 때는, 비교적 무거운 물건을 아래에 쌓는다.

26 정밀한 부속품을 세척하기 위해 가장 안전한 것은?

① 와이어브러시   ② 걸레
③ 솔   ④ 에어 건

해설 정밀한 부속품을 세척할 때는 에어 건(air gun)을 사용한다.

27 운반기계를 이용하여 운반 작업을 할 경우 틀린 사항은?

① 무거운 것은 밑에, 가벼운 것은 위에 쌓는다.
② 긴 물건을 쌓을 때는 끝애 위험 표시를 한다.
③ 긴 물건이나 높은 화물을 실을 경우 보조자가 편승한다.
④ 구르기 쉬운 짐은 로프로 반드시 묶는다.

28 자동차 적재함 밖으로 물건이 나온 상태로 운반할 경우 위험표시 색깔을 무엇으로 하는가?

① 청색   ② 흰색
③ 적색   ④ 흑색

해설 안전기준을 넘는 화물의 적재허가를 받은 사람은, 그 길이 또는 폭의 양끝에 너비 30cm, 길이 50cm 이상의 빨간 헝겊으로 된 표지를 달아야 한다.

29 전동공구 사용시 발생할 수 있는 감전 사고에 대한 설명으로 틀린 것은?

① 전기 감전의 경우 사전 감지가 어렵다.
② 전기 감전시 사망할 수 있다.
③ 감전으로 인한 2차 재해가 발생할 수 있다.
④ 공장의 전기는 저압교류를 사용함으로 안전하다.

30 감전사고 방지책과 관계가 먼 것은?

① 고압의 전류가 흐르는 부분은 표시하여 주의를 준다.
② 전기 작업을 할 때는 절연용 보호구를 착용한다.
③ 정전 시에는 제일 먼저 퓨즈를 검사한다.
④ 스위치의 개폐는 오른손으로 하고 물기가 있는 손으로 전기장치나 기구에 손을 대지 않는다.

31 저전압 전로에서 누전 차단의 주된 사용 목적과 거리가 먼 것은?

① 전기 감전 예방
② 누전 화재 보호
③ 전기설비 및 전기기기 보호
④ 접지선 보호

해설 누전 차단의 주된 사용 목적은, 전기 감전 예방, 누전 화재 보호, 전기설비 및 전기기기 보호 등이다.

32 자동차정비 작업시 압축공기를 이용한 공구를 사용할 필요가 없는 작업은?

① 타이어 교환 작업
② 클러치 탈거작업
③ 축전지 단자 케이블 연결
④ 엔진분해 · 조립

33 공기를 사용한 동력공구 사용시 주의사항으로 적합하지 않은 것은?

① 간편한 사용을 위하여 보호구는 사용하지 않는다.
② 에어 그라인더는 회전시 소음과 진동의 상태를 확인한 후 사용한다.
③ 규정 공기압력을 유지한다.
④ 압축공기 중의 수분을 제거하여 준다.

해설 동력 공구를 사용할 때 주의사항은 ②③④항 외에 보호구를 착용하고 작업한다.

34 공기기구 사용시 주의사항으로 틀린 것은?

① 공기기구의 활동 부위에는 윤활유가 묻지 않게 할 것
② 공기기구를 사용할 때는 보호안경을 사용할 것
③ 고무호스가 꺾여 공기가 새는 일이 없도록 할 것
④ 공기기구의 반동으로 생길 수 있는 사고를 미연에 방지할 것

35 공기공구 사용에 대한 설명 중 틀린 것은?

① 공구교체 시에는 반드시 밸브를 꼭 잠그고 해야 한다.
② 활동부분을 항상 윤활유 또는 그리스는 급유한다.
③ 사용 시에는 반드시 보호구를 착용해야 한다.
④ 공기공구를 사용할 때에는 밸브를 빠르게 열고 닫는다.

36 다음은 공기압축기의 안전장치이다. 배관 중간에 설치하여 규정 이상의 압력에 달하면 작동하여 배출시키는 장치는 무엇인가?

① 언로더 밸브　　② 체크밸브
③ 압력계　　　　　④ 안전밸브

해설 안전밸브는 공기압축기의 배관 중간에 설치하여, 규정 이상의 압력에 도달하면 작동하여 공기를 배출시키는 장치이다.

37 공기압축기 안전수칙에 맞지 않는 것은?

① 전기배선, 터미널 및 전선 등에 접촉될 경우 전기쇼크의 위험이 있으므로 주의한다.
② 분해시 공기압축기, 공기탱크 및 관로 안의 압축공기를 완전히 배출한 뒤에 실시한다.
③ 하루에 한 번씩 공기탱크에 고여 있는 응축수를 제거한다.
④ 작업 중 작업자의 땀이나 열을 식히기 위해 압축공기를 호흡하면 작업효율이 좋아진다.

38 공기압축기 운전시 점검 사항으로 적합하지 않은 것은?

① 압력계, 안전밸브 등의 이상 유무
② 이상 소음 및 진동
③ 이상 온도 상승
④ 공기탱크 내의 청결 여부

39 작업장에 공기압축기 설치 시 주의사항으로 거리가 먼 것은?

① 설치장소는 온도가 낮고 습도가 높은 곳에 설치한다.
② 설치기반은 견고한 장소를 택한다.
③ 연약한 기반은 설치장소로 선택하지 않는다.
④ 소음·진동으로 주위에 방해가 되지 않는 장소에 설치한다.

40 렌치 사용시 주의사항으로서 틀린 것은?

① 녹이 생긴 볼트나 너트에 오일을 스며들게 한 다음 돌린다.
② 조정 조(jaw)에 잡아당기는 힘이 가해져서는 안된다.
③ 장시간 보관할 때는 방청제를 바르고 건조한 곳에 보관한다.
④ 힘겨울 때는 파이프 등의 연장대를 끼워서 사용하여야 한다.

해설 렌치를 사용할 때의 주의사항은 ①②③항 외에, 힘겨울 때는 파이프 등의 연장대를 끼워서 사용해서는 안 된다.

41 기관 분해·조립 시 스패너 사용 자세 중 옳지 않은 것은?

① 몸의 중심을 유지하게 한 손은 작업물을 지지한다.
② 스패너 자루에 파이프를 끼우고 발로 민다.
③ 너트에 스패너를 깊이 물리고 조금씩 앞으로 당기는 식으로 풀고, 조인다.
④ 몸은 항상 균형을 잡아 넘어지는 것을 방지한다.

정답　**36.**④　**37.**④　**38.**④　**39.**①　**40.**④　**41.**②

42 복스 렌치가 오픈엔드 렌치보다 더 사용되는 가장 중요한 이유는?

① 볼트, 너트 주위를 완전히 싸게 되어 있어서 사용 중에 미끄러지지 않는다.
② 여러 가지 크기의 볼트, 너트에 사용할 수 있다.
③ 값이 싸며, 적은 힘으로 작업할 수 있다.
④ 가볍고, 사용하는데 양손으로 사용할 수 있다.

해설 복스 렌치가 오픈엔드 렌치보다 더 사용되는 이유는, 볼트, 너트 주위를 완전히 싸게 되어 있어서 사용 중에 미끄러지지 않기 때문이다.

43 분사펌프의 고압 파이프나 연료 파이프를 풀거나 조일 때 안전하게 작업할 수 있는 공구는?

① 소켓렌치   ② 파이프 렌치
③ 복스 렌치   ④ 오픈엔드 렌치

44 토크렌치를 사용할 때 안전하지 못한 것은?

① 볼트나 노트를 조일 때 조임력을 측정한다.
② 핸들을 잡고 몸 바깥쪽으로 밀어낸다.
③ 조임력은 규정 값에 정확히 맞도록 한다.
④ 손잡이에 파이프를 끼우고 돌리지 않도록 한다.

해설 토크렌치는 핸들을 잡고 몸 안쪽으로 당긴다.

45 토크렌치 사용법 중 틀린 것은?

① 볼트와 너트는 규정 토크로 조인다.
② 규정 토크를 2~3회 나누어 조인다.

③ 볼트를 푸는 경우에 사용한다.
④ 규정 이상의 토크로 조이면 나사부가 손상된다.

46 다음 중 볼트나 너트를 조이거나 풀 때 부적합한 공구는?

① 복스 렌치
② 소켓 렌치
③ 오픈엔드 렌치
④ 바이스 플라이어 렌치

47 일반 공구 사용에서 안전한 사용법이 아닌 것은?

① 조정 조에 잡아당기는 힘이 가해져야 한다.
② 렌치에 파이프 등의 연장대를 끼워서 사용해서는 안 된다.
③ 언제나 깨끗한 상태로 보관한다.
④ 녹이 생긴 볼트나 너트에는 오일을 넣어 스며들게 한 다음 돌린다.

해설 일반 공구의 사용 방법은 ②③④항 외에 고정 조에 잡아당기는 힘이 가해져야 한다.

48 일반 공구를 사용할 때 안전관리에 적합하지 않는 것은?

① 작업 특성에 맞는 공구를 선택하여 사용할 것
② 공구는 사용 전에 점검하여 불안전한 공구는 사용하지 말 것
③ 공구를 옆 사람에게 넘겨줄 때 일의 능률을 위하여 던져줄 것
④ 손이나 공구에 기름이 묻었을 때는 완전히 닦은 후 사용할 것

49 수공구 사용시 발생할 수 있는 재해 원인으로 거리가 먼 것은?

① 수공구 사용이 미숙하다.
② 수공구의 성능을 잘 알고 선택하였다.
③ 힘에 맞지 않는 공구를 사용하였다.
④ 사용 공구의 점검·정비를 잘하지 않았다.

50 해머 작업시 안전수칙과 거리가 먼 것은?

① 타격면 모양이 찌그러진 것으로 작업하지 않는다.
② 해머와 자루의 흔들림 상태를 점검한다.
③ 타격 시 불꽃이 생기거나 파편이 생길 수 있는 작업에서는 반드시 보호안경을 써야 한다.
④ 열처리된 재료는 열처리된 해머를 사용한다.

51 해머 작업시 안전 사항에 맞지 않는 것은?

① 반드시 장갑을 끼고 작업할 것
② 열처리된 재료는 해머작업을 하지 않는다.
③ 공동으로 해머작업 시 호흡을 맞춘다.
④ 작업 전에 주위를 살핀다.

52 정 작업에 대한 주의사항으로 틀린 것은?

① 정 작업을 할 때는 서로 마주보고 작업하지 말 것
② 정 작업은 반드시 열처리한 재료에만

사용할 것
③ 정 작업은 시작과 끝에 조심할 것
④ 정 작업에서 버섯 머리는 그라인더로 갈아서 사용할 것

해설 열처리한 재료를 정 작업하면 깨지므로 위험하다.

53 정 작업시 주의할 사항이 아닌 것은?

① 금속 깎기를 할 때는 보안경을 착용한다.
② 정의 날을 몸 안쪽으로 하고 해머로 타격한다.
③ 정의 생크나 해머에 오일이 묻지 않도록 한다.
④ 보관시는 날이 부딪쳐서 무디어지지 않도록 한다.

해설 정 작업을 할 때 주의사항은 ①③④항 외에 정의 날을 몸 바깥쪽으로 하고 해머로 타격한다.

54 기계가공 후 일감에 생기는 거스럼을 가장 안전하게 제거하는 것은?

① 정
② 바이트
③ 줄
④ 스크레이퍼

해설 기계가공 후 일감에 생기는 거스럼은 줄로 제거한다.

55 줄 작업시의 주의사항이다. 틀린 것은?

① 사용 전 줄의 균열 유무를 점검한다.
② 줄 작업은 전신을 이용할 수 있게 하여야 한다.
③ 작업의 효율을 높이기 위해 줄에 오일을 칠하여 작업한다.
④ 작업대 높이는 작업자의 허리높이로 한다.

49.② **50.**④ **51.**① **52.**② **53.**② **54.**③ **55.**③

건설기계정비기능사 필기

줄 작업을 할 때 주의사항은 ①②④항 외에, 줄에 오일을 칠하고 작업해서는 안 된다.

56 줄 작업시 주의사항이 아닌 것은?

① 뒤로 당길 때만 힘을 가한다.
② 공작물을 바이스에 확실히 고정한다.
③ 날이 메워 지면 와이어 브러시로 털어 낸다.
④ 절삭가루는 솔로 쓸어 낸다.

해설 줄 작업을 할 때 주의사항은 ②③④항 외에 밀 때 힘을 가한다.

57 쇠톱 작업에 대한 유의 사항으로 맞는 것은?

① 항상 오일을 발라야 한다.
② 전진 행정에서만 절단되게 작업을 한다.
③ 전·후진 양 행정에서 절단되게 작업을 한다.
④ 한 방향으로 사용한 후 다시 바꾸어 끼우고 사용한다.

해설 쇠톱작업은 전진 행정에서만 절단되게 작업을 한다.

58 작업 안전상 드라이버 사용시 유의사항이 아닌 것은?

① 날 끝이 홈의 폭과 길이가 같은 것을 사용한다.
② 날 끝이 수평이어야 한다.
③ 작은 부품은 한손으로 잡고 사용한다.
④ 전기 작업시 금속 부분이 자루 쪽으로 나와 있지 않아야 한다.

해설 드라이버를 사용할 때 주의사항은 ①②④항 외에, 부품을 한 손으로 잡고 사용해서는 안 된다.

59 물체를 잡을 때 사용하고, 조(jaw)에 세레이션이 설치되어 있어서 미끄러지지 않으며 물체의 크기에 따라 조를 조절 할 수 있는 공구는?

① 와이어 스트립퍼
② 알렌 렌치
③ 바이스 플라이어
④ 복스 렌치

해설

– **와이어 스트립퍼** : 전선의 피복을 벗기는데 사용하며 피복 절단 부분에는 전선의 크기가 여러 종류 있기 때문에 규격에 맞는 홈을 이용하도록 되어 있다.
– **알렌 렌치** : 6각 렌치라고도 부르며, 단면이 6각으로 되어 있어 볼트의 머리가 정6각형의 오목하게 되어 있는 볼트(6각 구멍이 있는 볼트)에 사용하는 렌치이며, 소켓형, L형, T형이 있다. 각형 모두 소켓 렌치와 동일하게 볼트의 크기에 대한 크기로 되어 있다.
– **바이스 플라이어** : 물체를 잡을 때 사용하며 조(jaw)에 세레이션이 설치되어 있어 미끄러지지 않으며 물체의 크기에 따라 조를 조정하여 사용한다.

60 자동차용 정비 공구 사용상 안전수칙으로 틀린 것은?

① 정비작업에 맞는 크기의 공구를 선택한다.
② 펀치, 해머, 전동공구를 사용할 때는 보호 장구를 사용한다.
③ 부품의 파손 여부를 확인하기 위해 렌치로 두드려 본다.
④ 복스 렌치, 소켓렌치는 볼트·너트에 정확히 맞추어 사용한다.

1 기관 및 전기 작업 안전

(1) 실린더 헤드를 떼어내는 방법

① 실린더 헤드 볼트를 풀고 연질 해머(플라스틱 해머, 나무 해머, 고무 해머)로 두드려 떼어내는 방법
② 체인블록이나 호이스트를 이용하여 자중에 의해 떼어내는 방법
③ 압축압력을 이용하는 방법

(2) 실린더에 피스톤을 조립하는 방법

피스톤에 설치된 피스톤 링을 피스톤 링 컴프레서를 이용하여 압축시킨 후 밀어 넣어야 하며, 피스톤 링을 피스톤에서 분리하는 경우는 피스톤 링 플라이어(익스펜더)를 이용한다.

(3) 차량에 연료를 공급할 때 주의사항

① 동절기 건설기계의 연료 주입은 작업 후 주유한다.
② 차량의 모든 전원을 OFF로 하고 주유한다.
③ 소화기를 비치한 후 주유한다.
④ 기관의 시동을 끈 후 주유한다.

(4) 과급기가 장착된 기관 사용 방법

① 공회전은 장시간 시기지 말 것
② 기관시동 즉시 가속 시키지 말 것
③ 에어클리너는 항상 청결하게 유지할 것
④ 이물질이 공기흡입 라인에 빨려 들어가지 않게 할 것

(5) 전기장치를 정비할 때 안전수칙

① 절연되어있는 부분을 세척제로 세척해서는 안 된다.
② 전압계는 병렬 접속하고, 전류계는 직렬 접속한다.
③ 축전지 케이블은 전장용 스위치를 모두 OFF 상태에서 분리한다.
④ 배선을 연결할 때는 부하 측으로부터 전원 측으로 접속하고 스위치는 OFF로 한다.
⑤ 계기를 사용할 때는 최대 측정범위를 초과해서 사용하지 말아야 한다.
⑥ 축전지에 케이블을 연결할 때는 단락되지 않도록 유의해야 한다.
⑦ 절연된 전극이 접지되지 않도록 하여야 한다.
⑧ 전기장치의 배선 작업에서 작업 시작 전에 먼저 접지선을 제거한다.

(6) 축전지를 충전할 때 안전수칙

① 충전장소는 반드시 환기장치를 해야 한다.

② 전해액 온도는 45℃ 이상 되지 않게 한다.

③ 각 셀의 벤트 플러그는 열어 둔다.

④ 축전지를 급속충전 할 때는 충전전류가 축전지 용량의 50%로 하므로, 축전지 (+)와 (−) 양쪽 케이블을 분리하여 발전기의 다이오드 손상을 방지하여야 한다.

⑤ 전해액이 부족하면 증류수를 보충한다.

⑥ 중화제는 중탄산소다수나 암모니아수를 사용한다.

⑦ 충전상태는 비중계로 비중을 측정하여 알아본다.

(7) 회로시험기 사용 방법

① 테스트 리드의 적색은 (+)단자에, 흑색은 (−)단자에 꽂는다.

② 전류를 측정할 때는 그 회로에 직렬로 시험기를 연결하여야 한다.

③ 각 측정범위의 변경은 큰 쪽부터 작은 쪽으로 하고 역으로 하지 않는다.

④ 중앙 손잡이 위치를 측정 단자에 일치시켜야 한다.

2 차체 작업 안전

(1) 클러치 커버를 분해하는 방법

① 클러치 커버와 압력판에 맞춤표시를 한다.

② 프레스를 사용하여 스프링을 압축한 다음 커버 조임 볼트를 푼다.

③ 클러치 커버 조임 볼트는 대각선 방향으로 2~3회 걸쳐 푼다.

④ 릴리스 베어링은 영구 주유 방식을 사용하므로 솔벤트로 세척해서는 안 된다.

(2) 변속기 탈착 및 부착 작업 방법

① 변속기는 기관의 가동이 정지된 상태에서 설치한다.

② 건설기계 밑에서 작업할 때는 보안경을 쓴다.

③ 잭과 스탠드를 사용하여 건설기계를 안전하게 고정시킨다.

④ 변속기를 이동시키려고 할 때는 체인블록이나 호이스트를 사용한다.

(3) 차동기어장치 분해 정비 방법

① 브레이크 뒤판 고정 볼트를 풀어 뒤판을 분리한 후 뒤 차축을 빼낸다.

② 차동기어 케이스 커버와 케이스에 맞춤표시를 한다.

③ 사이드 기어를 들어낼 때 심(shim)의 위치, 장수, 두께에 주의한다.

④ 분해 부품을 세척할 때는 실(seal)이 분실되지 않도록 한다.

(4) 차체를 들어 올리고 차체 밑에서 작업할 때 주의사항

① 고정 스탠드로 차체의 4곳을 받치고 작업한다.

② 잭으로 받쳐 놓은 상태에서는 밑 부분에 들어가지 않는 것이 좋다.

③ 바닥이 견고하면서 수평 되는 곳에 놓고 작업하여야 한다.

(5) 축 베어링 설치할 때 작업 방법

① 베어링의 안쪽 레이스에 힘을 가하여 축에 끼운다.

② 베어링 케이지, 회전체, 실드 판 등에 상처를 내지 않도록 취급한다.

③ 베어링을 해머로 타격하여 끼울 경우 받침쇠 및 슬리브를 이용한다.

(6) 동력조향장치 분해 정비작업 방법

① 유압실린더 로드를 움직이면 유압 오일이 흘러나오므로 주의한다.

② 오일 실(seal)은 신품으로 교환하여야 하며, 부품은 반드시 경유로 세척한다.

③ 오일 출입구의 유압호스를 제거할 때 먼지가 들어가지 않도록 한다.

④ 반드시 기관의 시동을 정지 후 탈거 및 조립한다.

3 건설기계 작업 안전

(1) 전압선 부근에서 굴삭기로 나무 이식 작업을 할 때

① 운전자는 고무나 밑창이 가죽으로 만든 작업화를 착용하는 것이 좋다.

② 전선에 접촉한 건설기계 가까이 사람이 접근하지 않도록 한다.

③ 건실기계가 전선에 가까이 가지 않도록 유도자를 배치한다.

(2) 기중기 작업 중 주의사항

① 달아 올릴 화물의 무게를 파악하여 제한하중 이하에서 작업한다.

② 매달린 화물이 불안전하다고 생각될 때는 작업을 중지한다.

③ 항상 신호인의 신호에 따라 작업한다.

④ 수직으로 달아 올린다.

⑤ 주유는 기관의 시동을 끄고 한다.

⑥ 작업장에서는 안전 보호구(안전모, 안전화 등)를 착용한다.

(3) 기중기의 드래그라인 점검·정비작업

① 나무 받침대 위에 버킷을 올려놓고 분해한다.

② 활차의 손상, 마멸을 점검할 때 부싱은 떼지 않은 채로 한다.

③ 활차 핀을 뺄 때 오일 실 파손에 주의한다.

④ 지브에서 로프를 분리한 다음 활차를 분리한다.

4 용접작업 안전

(1) 산소-아세틸렌을 사용할 때 주의사항

① 산소는 산소병에 35℃에서 150기압으로 압축 충전한다.

② 아세틸렌의 사용압력은 1기압이며, 1.5기압 이상이면 폭발할 위험성이 있다.

③ 산소봄베에서 산소의 누출 여부는 비눗물을 사용한다.

④ 산소통의 메인 밸브가 얼었을 때 40℃ 이하의 물로 녹여야 한다.

⑤ 아세틸렌 도관은 적색, 산소 도관은 흑색으로 구별한다.

(2) 가스용접 작업을 할 때 주의사항

① 봄베 주둥이 쇠나 몸통에 오일이나 그리스를 바르면 폭발한다.

② 토치는 반드시 작업대 위에 놓고 오일이나 그리스가 묻지 않도록 한다.

③ 가스를 완전히 멈추지 않거나 점화된 상태로 방치해서는 안 된다.

④ 봄베는 던지거나 넘어뜨리지 않도록 한다.

⑤ 산소 용기의 보관 온도는 40℃ 이하로 하여야 한다.

⑥ 반드시 소화기를 준비한다.

⑦ 아세틸렌 밸브를 먼저 열고 점화한 후 산소 밸브를 연다.

⑧ 점화는 전용 라이터를 사용한다.

⑨ 산소용접을 할 때 역류·역화가 일어나면 빨리 산소 밸브부터 잠가야 한다.

⑩ 운반할 때는 전용 운반 차량을 사용한다.

(3) 전기용접 작업할 때 주의사항

① 용접기 내부에 손을 대지 않도록 한다.

② 용접전류는 용접작업을 하기 전에 조절한다.

③ 용접 준비가 완료된 후 용접기 전원 스위치를 ON시킨다.

④ 용접 케이블의 접속 상태가 양호한지를 확인한 후 작업하여야 한다.

⑤ 접지(어스)선은 큰 것을 사용하고 접촉이 잘되게 붙인다.

⑥ 용접봉 코드는 되도록 짧게 하여야 하며 여기에 맞게 용접기를 놓는다.

⑦ 코드의 피복이 찢어졌으면 곧 수리하며 접속 부분은 절연물을 감는다.

⑧ 차광안경을 반드시 착용하고 작업한다.

⑨ 아크용접을 할 때 발생되는 빛을 가리는 이유는, 빛 속에 강한 자외선과 적외선이 눈의 각막을 손상시키기 때문이다.

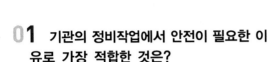
01 기관의 정비작업에서 안전이 필요한 이유로 가장 적합한 것은?

① 공구의 관리를 철저히 할 수 있다.
② 부품손실을 감소시킬 수 있다.
③ 인명피해를 예방할 수 있다.
④ 작업비용을 적게 들일 수 있다.

02 건설기계 정비작업을 하면서 볼트, 너트를 풀거나 조립할 때 신체 부위 중 가장 재해가 많이 발생될 수 있는 곳은?

① 손 ② 다리
③ 머리 ④ 얼굴

03 기관의 헤드커버 볼트를 풀 때 안전상 가장 좋은 공구는?

① 오픈엔드 렌치 ② 복스 렌치
③ 파이프 렌치 ④ 토크 렌치

해설 기관의 헤드커버 볼트를 풀 때 안전상 가장 좋은 공구는 복스 렌치이다.

04 실린더 헤드 볼트를 풀고도 실린더 헤드가 블록으로부터 분리되지 않을 때, 안전하게 떼어 내는 방법으로 틀린 것은?

① 나무망치로 두드려 떼어 내는 방법
② 볼핀 망치로 두드려 떼어 내는 방법

③ 압축압력을 이용해서 떼어 내는 방법
④ 플라스틱 망치로 두드려 떼어 내는 방법

해설 실린더 헤드를 떼어 내는 방법은 실린더 헤드 볼트를 풀고 연질해머(플라스틱 해머, 나무해머, 고무해머)로 두드려 떼어 내는 방법, 호이스트를 이용하여 자중에 의해 떼어 내는 방법, 압축압력을 이용하는 방법이 있다.

05 헤드 볼트를 조일 때 토크렌치를 사용하는 이유로 가장 옳은 것은?

① 신속하게 조이기 위해서
② 작업상 편리하기 위해서
③ 강하게 조이기 위해서
④ 규정 값으로 조이기 위해서

해설 헤드볼트를 조일 때 토크렌치를 사용하는 이유는 규정 값으로 조이기 위함이다.

06 실린더 블록 오일통로 막힘이나 라디에이터 냉각핀의 이물질을 안전하게 청소하는 방법으로 가장 적합한 것은?

① 물을 이용
② 유압을 이용
③ 시너를 이용
④ 압축공기를 이용

정답 **01.**③ **02.**① **03.**② **04.**② **05.**④ **06.**④

07 기관 조립시 실린더 블록에 피스톤을 안전하게 끼우기 위하여 사용하는 공구는?

① 피스톤 링 컴프레서
② 피스톤 링 익스팬더
③ 피스톤 링 얼라이너
④ 피스톤 링 플라이어

해설 실린더에 피스톤을 조립하는 경우에는 피스톤에 설치된 피스톤 링을 피스톤 링 컴프레서를 이용하여 압축시킨 후 밀어 넣어야 하며, 피스톤 링을 피스톤에서 분리하는 경우에는 피스톤 링 플라이어(익스팬더)를 이용한다.

08 피스톤에서 피스톤 링을 탈거하거나 장착할 때 필요한 공구는?

① 피스톤 스냅 링
② 피스톤 링 컴프레서
③ 피스톤 링 플라이어
④ 피스톤 라이너

09 기관의 크랭크축 분해시 주의사항이다. 적합하지 않은 사항은?

① 축받이 캡을 떼었다 결합 시 제자리 방향으로 끼워야 한다.
② 뒤 축받이 캡에는 오일 실이 있으므로 주의를 요한다.
③ 스러스트 판이 있을 때는 변형이나 손상이 없도록 한다.
④ 분해 시에는 반드시 규정 토크렌치를 사용해야 한다.

해설 볼트 및 너트를 조일 때에는 반드시 규정 토크렌치를 사용해야 한다.

10 도로주행용 건설기계의 라디에이터 코어 핀 부분의 이물질을 청소할 때 가장 적합한 방법은?

① 압축공기로 엔진 쪽에서 불어낸다.
② 압축공기로 바깥쪽에서 불러낸다.
③ 압축공기로 엔진 쪽으로 빨아들인다.
④ 압축공기로 바깥쪽으로 빨아들인다.

해설 라디에이터 코어 핀 부분의 이물질을 청소할 때는 압축공기로 엔진 쪽에서 불어낸다.

11 기관이 작동 중 과열되면 가장 먼저 점검을 해야 하는 것은?

① 팬벨트　　　② 수온조절기
③ 냉각수량　　④ 냉각수 펌프

12 다음에서 건설기계 운전 중 점검 사항이 아닌 것은?

① 공기청정기의 청소
② 각 접속부의 누유 점검
③ 유압 계통 이상 유무
④ 이상음 및 배기가스 색 점검

13 겨울철에 건설기계 보관 시 가장 주의해야 할 것은?

① 윤활유 유무를 점검해야 한다.
② 부동액이 채워져 있는지 점검해야 한다.
③ 냉각수가 채워져 있는지 점검해야 한다.
④ 연료 유무를 점검해야 한다.

14 차량에 연료 공급시 주의사항이다. 적당하지 못한 것은?

① 차량의 모든 전원을 off하고 주유한다.
② 소화기를 비치한 후 주유한다.
③ 엔진 시동을 끈 후 주유한다.
④ 엔진을 공회전 시키면서 주유한다.

해설 차량에 연료를 공급할 때 주의사항은 ①②③항 외에 엔진의 시동을 꺼야 한다.

15 건설기계 기관 취급 시 주의사항으로 가장 적합하지 않는 것은?

① 연료탱크의 연료 보급은 작업 시작 직전이 가장 좋다.
② 혹한 시 냉각수가 동결할 우려가 있으면 부동액을 미리 주입한다.
③ 정기적으로 연료여과기 교환과 연료탱크의 수분 처리를 한다.
④ 냉각수는 정기적으로 교환, 세정하며 냉각계통의 물때를 배출한다.

해설 기관을 취급할 때 주의사항은 ②③④항 외에, 연료 보급은 작업 후에 하여야 한다.

16 건설기계 장비에서 작업 및 정비와 관련된 설명으로 적합하지 않은 것은?

① 노즐구멍 근처 카본은 경질의 공구를 사용하여 긁어서 제거한다.
② 과급기가 부착된 기관은 시동 후 워밍업 시킨 후 작업한다.
③ 건식 공기청정기의 엘리먼트를 청소할 때는 압축공기로 안쪽에서 바깥쪽으로 불어낸다.
④ 습식 공기청정기의 엘리먼트는 스틸울 또는 천으로 되어 있고 오일은 엔진오

일을 사용한다.

17 건설기계에서 기관을 조립한 후 가동할 때 준비해야 할 사항으로 가장 거리가 먼 것은?

① 소화기를 반드시 비치하여야 한다.
② 냉각수와 오일을 준비해 둔다.
③ 배터리 전해액을 준비해야 한다.
④ 충전된 배터리를 준비해 둔다.

18 과급기가 장착된 기관을 안전하게 사용하는 방법이 아닌 것은?

① 공회전은 장시간 시키지 말 것
② 시동하여 즉시 가속시켜 볼 것
③ 에어클리너는 항상 청결하게 유지할 것
④ 이물질이 공기흡입 라인에 빨려 들어가지 않게 할 것

해설 과급기가 장착된 기관의 사용 방법은 ①③④항 외에 시동 즉시 가속시켜서는 안된다.

19 정비공장에서 엔진을 이동시키는 방법 가운데 가장 옳은 것은?

① 사람이 들고 이동한다.
② 지렛대를 이용한다.
③ 로프를 묶고 잡아당긴다.
④ 체인블록이나 호이스트를 사용한다.

해설 정비공장에서 엔진을 이동시킬 때에는 체인블록이나 호이스트를 사용한다.

정답 14.④ 15.① 16.① 17.③ 18.② 19.④

20 LPG 충전사업의 시설에서 저장탱크와 가스충전 장소의 사이에 설치해야 되는 것은?

① 역화방화 장치　② 역류방지 장치
③ 방호벽　　　　④ 경계표시

해설 LPG 충전사업의 시설에서 저장탱크와 가스충전 장소의 사이에 설치해야 되는 것은 방호벽이다.

21 전기장치를 정비할 경우 안전수칙으로 바르지 못한 것은?

① 절연되어 있는 부분을 세척제로 세척한다.
② 전압계는 병렬접속하고, 전류계는 직렬접속한다.
③ 축전지 케이블은 전장용 스위치를 모두 OFF 상태에서 분리한다.
④ 배선 연결 시에는 부하 측으로부터 전원 측으로 접속하고 스위치는 OFF로 한다.

22 축전지 충전 시 안전수칙으로 맞지 않는 것은?

① 전해액 온도는 45℃ 이상 되지 않게 한다.
② 충전장소는 반드시 환기장치를 해야 한다.
③ 각 셀의 벤트플러그는 닫아 두지 않는다.
④ 충전 시에는 발전기와 병렬 접속하여 충전한다.

23 다음 중 보안경을 반드시 착용하여야 하는 작업은?

① 기관 탈착작업　② 납땜 작업
③ 변속기 탈착작업　④ 전기배선 작업

해설 차량 밑에서 작업을 할 경우(변속기 탈착 작업 등)에는, 반드시 보안경을 착용하고 작업하여야 한다.

24 축전지 취급시 주의할 사항 중 틀린 것은?

① 충전실은 환기가 잘 되게 한다.
② 전해액의 보충은 증류수를 사용한다.
③ 중화제는 중탄산소다수를 사용한다.
④ 충전상태는 불꽃 방전시켜서 알아본다.

해설 축전지를 취급할 때 주의할 사항은 ①②③항 외에 충전상태는 비중계로 알아본다.

25 차에 설치한 채로 급속충전을 할 경우의 주의사항으로 틀린 것은?

① 벤트 플러그가 있는 배터리는 플러그를 열고 충전한다.
② 배터리에 연결된 접지단자를 떼고 충전한다.
③ 빠른 시간 내에 하기 위해 전류를 가급적 높여 충전한다.
④ 배터리의 온도가 상승되지 않도록 조치한다.

해설 배터리를 급속충전 할 때 주의사항은 ①②④항 외에 충전전류는 배터리 용량의 50%로 한다.

26 축전지를 탈거하지 않고 급속충전을 안전하게 하려면?

① 발전기 L 단자를 분리한다.
② 발전기 R 단자를 분리한다.
③ 점화스위치를 OFF 상태로 놓는다.
④ 축전지의 +, - 케이블을 모두 분리한다.

27 축전지를 급속 충전할 때 축전지의 양쪽 단자를 탈거하지 않고 충전하면?

① 발전기 슬립링이 손상된다.
② 발전기 다이오드가 손상된다.
③ 발전기 로터코일이 손상된다.
④ 발전기 스테이터 코일이 손상된다.

해설 축전지를 급속충전 할 때 축전지 단자의 케이블을 분리하지 않으면 발전기 다이오드가 손상된다.

28 축전지를 급속충전 또는 보충전할 때 안전에 주의하지 않아도 되는 것은?

① 화기　　　　② 스위치
③ 환기장치　　④ 전해액 온도

29 건설기계 점검사항 중 기관시동을 걸고 할 수 있는 작업은?

① 밸브간극 점검
② 엔진 오일량 점검
③ 팬벨트 장력 점검·조정
④ 충전경고등 점검

해설 충전경고등 점검은 기관 가동상태에서 점검한다.

30 축전지의 용량을 시험할 때 안전 및 주

의사항이다. 이들 중 맞지 않는 것은?

① 축전지 전해액이 옷에 묻지 않게 한다.
② 기름이 묻은 손으로 시험기를 조작하지 않는다.
③ 부하시험에서 부하 시간을 15초 이상으로 하지 않는다.
④ 부하시험에서 부하전류는 축전지의 용량에 관계없이 일정하게 한다.

해설 축전지의 용량을 시험할 때 안전 및 주의사항은 ①②③항 외에, 부하시험에서 부하전류는 축전지 용량의 3배의 전류로 한다.

31 축전지의 전해액이 옷에 많이 묻었을 때는 어떻게 하는 것이 가장 좋은가?

① 수돗물로 빨리 씻어 낸다.
② 헝겊에 알코올을 적셔 닦아 낸다.
③ 걸레에 경유를 묻혀 닦아 낸다.
④ 옷을 벗고 몸에 묻은 전해액을 물로 씻는다.

해설 축전지의 전해액이 옷에 많이 묻었을 때는 옷을 벗고 몸에 묻은 전해액을 물로 씻는다.

32 로더에서 기동전동기를 탈착하고자 한다. 안전한 방법으로 가장 적합한 것은?

① 로더 버킷을 들어 올린 다음 배터리 접지선을 떼어낸 후 탈착한다.
② 경사진 곳에서 사이드 브레이크를 잠그고 탈착한다.
③ 버킷을 내려놓은 후 바퀴에 고임목을 받치고 배터리 접지선을 떼어 낸 후 탈착한다.
④ 기관을 가동한 상태에서 사이드 브레이크를 잠그고 탈착한다.

33 건설기계에 장착된 발전기를 탈거할 때 가장 먼저 해야 하는 것은?

① 발전기 L 단자를 분리한다.
② 축전지 – 케이블을 분리한다.
③ 기동전동기 B단자를 분리한다.
④ 발전기에서 전선을 분리한다.

34 다음 중 클러치 부품을 세척유로 세척을 하고자 한다. 세척해서는 안 되는 부품은?

① 클러치 커버   ② 릴리스 레버
③ 클러치 스프링   ④ 릴리스 베어링

해설 릴리스 베어링은 영구 주유 방식을 사용하므로 솔벤트로 세척해서는 안 된다.

35 계기 및 보안장치를 정비할 때 안전사항이 잘못된 것은?

① 엔진이 정지 상태이면 계기판은 점화 스위치 ON 상태에서 분리한다.
② 충격이나 이물질이 들어가지 않도록 한다.
③ 회로 내에 규정 치보다 높은 전류가 흐르면 15초 이내에 릴레이 및 퓨즈가 손상된다.
④ 센서류 단품 점검시 배터리 전원을 직접 연결해서는 안 된다.

36 회로시험기로 전기회로를 측정점검을 하고자 한다. 측정기 취급이 잘못된 것은?

① 테스트 리드의 적색 +단자에, 흑색은 –단자에 꽂는다.
② 전류를 측정 시는 회로를 연결하고 그 회로에 병렬로 테스터를 연결하여야 한다.
③ 각 측정 범위의 변경은 큰 쪽부터 작은 쪽으로 하고 역으로 하지 않는다.
④ 중앙 손잡이 위치를 측정 단자에 합치시켜야 한다.

해설 측정기 취급은 ①③④항 외에 전류를 측정할 때는 그 회로에 직렬로 테스터를 연결하여야 한다.

37 차량 시험기기에 대한 설명으로 틀린 것은?

① 시험기기 전원의 종류와 용량을 확인한 후 전원 플러그를 연결할 것
② 시험기기의 보관은 깨끗한 곳이면 아무 곳이나 좋다.
③ 눈금의 정확도는 수시로 점검해서 0점을 조정해 준다.
④ 시험기기의 누전여부를 확인한다.

38 전기장치에 관한 안전 사항이다. 맞지 않는 것은?

① 계기 사용 시는 최대 측정 범위를 초과해서 사용하지 말아야 한다.
② 전류계는 부하에 병렬로 접속해야 한다.
③ 축전지 결선 시는 단락되지 않도록 유의해야 한다.
④ 절연된 전극이 접지되지 않도록 하여야 한다.

해설 전류계는 부하에 직렬로, 전압계는 부하에 병렬로 접속해야 한다.

정답   33.②   34.④   35.①   36.②   37.②   38.②

39 동력 전동장치의 치차(Gear)로서 통행 또는 작업시에 접촉할 위험이 있는 곳은?

① 덮개판을 덮는다.
② 통행을 금지한다.
③ 조심해서 통행한다.
④ 작업을 중지하고 방치한다.

40 건설기계 차체의 클러치 커버를 안전하게 분해하는 방법 중 틀린 것은?

① 클러치 커버와 압력판에 맞춤표시를 한다.
② 프레스를 사용하여 스프링을 압축한 다음 커버 조임 볼트를 푼다.
③ 클러치 커버 조임 볼트는 대각선 방향으로 2~3회 걸쳐 푼다.
④ 압력판과 커버 조임 볼트를 먼저 풀고 프레스로 스프링을 조인다.

41 건설기계의 변속기 탈착 및 부착 작업시 안전한 방법으로 맞지 않는 것은?

① 크랭킹 하면서 변속기를 설치하지 않는다.
② 건설기계 밑에서 작업시에는 보안경을 쓴다.
③ 잭과 스탠드를 사용하여 장비를 안전하게 고정시킨다.
④ 차체를 로프로 고정시키고 작업한다.

42 건설기계에서 토크컨버터를 탈착하고자 할 때 안전작업 방법 중 틀린 것은?

① 토크컨버터에 아이볼트를 설치한 후 호이스트를 연결한다.
② 플라이휠 하우징과 컨버터 연결 너트와 와셔를 분리한다.
③ 유성캐리어 둘레의 와이어는 토크컨버터를 플라이휠에서 분리한 다음 설치한다.
④ 변속기나 토크컨버터 탈착 시에는 오일 배출라인과 흡입라인을 분리한다.

해설 건설기계에서 토크컨버터를 탈착하고자 할 때 안전작업 방법은 ①②④항이다.

43 토크컨버터가 설치된 건설기계에서 변속기를 안전하게 분리하고자 할 때 틀린 것은?

① 변속기와 토크컨버터의 오일을 빼낸다.
② 시트 프레임 지지대와 걸침대를 분리한다.
③ 변속기와 토크컨버터 오일 공급라인을 분리시킨다.
④ 조향클러치와 브레이크 로드를 분리한 후 길이 별로 분류시켜 놓는다.

44 부품을 분해·정비시 반드시 새것으로 교환해야 할 것이 아닌 것은?

① 오일 실   ② 볼트, 너트
③ 개스킷   ④ O링

해설 부품을 분해 정비를 할 때 반드시 새것으로 교환해야 하는 것은 오일 실, 개스킷, O 링 등이다.

45 작업 현장에서 정비작업을 위하여 변속기를 이동시키려고 할 때 가장 안전한 이동방법은?

① 체인블록이나 호이스트를 사용한다.
② 지렛대를 이용하여 이동한다.
③ 로프로 묶어서 이동한다.
④ 여러 사람이 들고 이동한다.

해설 변속기를 이동시키려고 할 때는 체인블록이나 호이스트를 사용한다.

46 건설기계의 차동기어장치 분해 정비시 안전작업 방법 설명으로 틀린 것은?

① 뒤 차축을 빼낸 후 브레이크 뒤판 고정볼트를 분리한다.
② 차동기어 케이스 커버와 케이스에 맞춤표시를 한다.
③ 사이드 기어를 들어낼 때 시임의 위치, 장수, 두께에 주의한다.
④ 분해 부품의 세척 시에는 실(seal)이 분실되지 않도록 한다,

해설 차동기어장치를 떼어 낼 때는, 먼저 브레이크 뒤판 고정 볼트 풀고 뒤판을 분리한 후 뒤 차축을 빼낸다.

47 하체 작업을 하기 위해 지게차를 들어 올리고 차체 밑에서 작업할 때 주의사항으로 틀린 것은?

① 고정 스탠드로 차체의 4곳을 받치고 작업한다.
② 잭으로 받쳐 놓은 상태에서는 밑 부분에 들어가지 않는 것이 좋다.
③ 바닥이 견고하면서 수평 되는 곳에 놓고 작업하여야 한다.
④ 고정 스탠드로 3곳을 받치고 한 곳은 잭으로 들어 올린 상태에서 작업하면 작업효율이 증대된다.

48 동력 전달장치에서 안전상 주의할 사항이다. 옳지 못한 것은?

① 기어가 회전하고 있는 곳은 뚜껑으로 잘 덮어 위험을 방지한다.
② 천천히 움직이는 벨트라도 손으로 잡지 말 것
③ 회전하고 있는 벨트나 기어에 필요 없는 접근을 금한다.
④ 동력 전달을 빨리 전달하기 위하여 벨트를 회전하는 풀리에 손으로 걸어도 좋다.

해설 동력전달장치에서 안전상 주의할 사항은 ①②③ 항 외에 벨트를 회전하는 풀리에 걸어서는 안 된다.

49 토인 측정시 먼저 하여야 할 점에 들지 않는 것은?

① 스티어링 흔들림 검사
② 타이어 공기압
③ 휠 베어링 검사
④ 차량 무게

해설 토인을 측정할 때는 먼저 스티어링 흔들림 검사, 타이어 공기압, 휠 베어링 검사 등을 한다.

50 건설기계 차체의 축에 사용되는 베어링을 끼울 때 안전한 작업 방법 중 잘못된 것은?

① 축에 베어링을 넣을 때는 안쪽레이스에 힘을 가한다.
② 축에 베어링을 넣을 때는 바깥 레이스에 힘을 가한다.
③ 케이지, 회전체, 실드 판 등에 상처를 내지 않는다.
④ 해머로 타격하여 끼울 때는 받침쇠 및 슬리브를 이용한다.

해설 베어링 설치시 안전한 작업 방법
– 베어링의 안쪽 레이스에 힘을 가하여 축에 끼운다.
– 베어링 케이지, 회전체, 실드 판 등에 상처를 내지 않도록 취급한다.
– 베어링을 해머로 타격하여 끼울 경우 받침쇠 및 슬리브를 이용한다.

51 건설기계의 각종 축에 베어링을 끼우는 방법 중 틀린 것은?

① 정확하게 완전히 밀어 넣는다.
② 끼워 맞춤 면에 엷게 기름을 바른다.
③ 베어링을 히터로 350~480℃까지 가열한다.
④ 직접 베어링을 때리지 않는다.

52 동력조향장치 분해 정비시 작업 안전사항으로 잘못된 것은?

① 유압실린더 로드를 움직이면 유압오일이 흘러나오므로 주의한다.
② 오일실과 부품은 반드시 가솔린으로 세척하도록 한다.

③ 오일 출입구의 유압호스 제거시 먼지가 들어가지 않도록 한다.
④ 반드시 시동시 정지 후 탈거 및 조립한다.

해설 동력조향장치를 분해 정비할 때 안전사항은 ①③④항 외에 오일 실(seal)은 신품으로 교환하여야 하며, 부품은 반드시 경유나 솔벤트로 세척한다.

53 크롤러식 건설기계의 아이들러 점검 및 정비시 안전한 방법으로 볼 수 없는 것은?

① 아이들러의 균열 및 손상을 점검한다.
② 아이들러의 바깥지름과 마멸을 점검한다.
③ 축의 오일구멍을 와이어브러시로 청소한다.
④ 축의 플랜지와 부싱 마멸을 점검한다.

해설 아이들러 점검 및 정비방법은 ①②④항 외에 축의 오일 구멍은 압축공기로 청소한다.

54 차량 정비공장의 안전수칙 중 잘못 표시한 것은?

① 그리스대 및 주유대를 사용치 않을 때 실족하지 않게 보호한다.
② 흡연은 때에 따라 하고 차량에 연료를 넣어서는 안 된다.
③ 엔진에서 배출되는 일산화탄소에 주의하여 통풍장치를 설치한다.
④ 모든 전기장치는 지하선 어스를 묻고 이동식 전기기구는 방호장치를 한다.

---

55 건설기계를 정비 작업시 주의사항 중 틀린 것은?

① 작업 중 다른 부품에 손상 가능성이 있을 경우에는 커버를 씌운다.
② 개스킷, 오일 실은 손상이 없으면 다시 사용한다.
③ 볼트 및 너트는 규정 토크로 조인다.
④ 부품 교환시는 제작회사의 순정품을 사용한다.

해설 개스킷, 오일 실은 손상이 없더라도 반드시 교환한다.

56 다음 설명 중 잘못된 것은?

① 부동액은 차체의 도색 부분을 손상시킬 수 있다.
② 전해액은 차체를 부식시킨다.
③ 냉각수는 경수를 사용하는 것이 좋다.
④ 자동변속기 오일은 제작회사의 추천 오일을 사용한다.

해설 냉각수는 반드시 연수를 사용한다.

57 도저의 하부롤러를 탈거할 때 안전상 제일 먼저 하는 것은?

① 트랙을 먼저 탈거
② 상부롤러를 탈거
③ 하부롤러 볼트를 탈거
④ 아이들러를 먼저 탈거

해설 도저의 하부 롤러를 탈거할 때는 가장 먼저 트랙을 분리한다.

58 다음 중 도저에서 조향클러치가 슬립 되는 원인은?

① 레버유격이 너무 크다.
② 오일압력이 부족하다.
③ 페이싱이 마모되었다.
④ 수동드럼 내치가 마모되었다.

해설 클러치 페이싱이 마모되면 조향클러치가 슬립한다.

59 유압시스템에서 유압유를 깨끗하게 하여 불순물로 인한 장애를 받지 않도록 유지하는 금속필터의 세척 방법으로 틀린 것은?

① 압축공기로 필터 엘리먼트 주위에 모인 이물질을 제거시키는 방법
② 스크레이퍼로 떨어내는 방법
③ 세척액으로 벤젠이나 시너 등을 이용하는 방법
④ 초음파를 이용하여 세척하는 방법

해설 스크레이퍼는 면을 조금씩 절삭하여 더욱 정밀도가 높은 면으로 다듬질하는 공구이므로 ,금속필터를 세척해서는 안 된다.

60 현장에서 용접작업 전에 실시하는 일반적인 준비사항으로 틀린 것은?

① 용접공을 선임한다.
② 용접결함을 보수한다.
③ 용접봉을 선택한다.
④ 모재의 재질을 확인한다.

정답 55.② 56.③ 57.① 58.③ 59.② 60.②

61 다음 그림이 나타내는 작업과 가장 거리가 먼 것은?

① 트랙 주변에 붙어있는 진흙, 자갈 등을 떨어내기 위한 동작이다.
② 들어 올린 트랙 링크를 전,후로 공회전 시키면 청소가 간단히 된다.
③ 붐과 암의 각도는 90°~110°정도가 적당하다.
④ 트랙 링크를 분리하기 위한 동작이다.

62 불가피하게 고전압선 가까이에서 굴삭기로 나무이식 작업을 할 때, 사고방지를 위해 지켜야 할 사항 중 틀린 것은?

① 운전자는 고무나 밑창이 가죽으로 만든 작업화를 착용하는 것이 좋다.
② 만일 작업장치기 전선에 접촉한 경우 운전자는 즉시 운전석에서 떠난다.
③ 전선에 접촉한 장비 가까이 사람이 접근하지 않도록 한다.
④ 장비가 전선에 가까이 가지 않도록 유도자를 배치한다.

63 기중기 작업 중 주의할 점이 아닌 것은?

① 달아 올릴 화물의 무게를 파악하여 제한하중 이하에서 작업한다.

② 매달린 화물이 불안전하다고 생각될 때는 작업을 중지한다.
③ 신호의 규정은 없고 작업은 적당히 한다.
④ 항상 신호인의 신호에 따라 작업한다.

64 크레인 작업장의 안전 수칙으로 맞는 것은?

① 주유는 운전 중에 한다.
② 작업장에서는 안전 보호구를 착용할 필요가 없다.
③ 신호는 지정된 한 사람만 한다.
④ 15% 범위 내에서 제한하중을 초과해도 된다.

65 케이블식 기중기의 드래그라인 점검 · 정비 시 작업안전상 잘못된 것은?

① 나무 받침대 위에 버킷을 올려놓고 분해한다.
② 활차의 손상, 마멸 점검 시 부싱은 떼지 않은 채로 한다.
③ 활차 핀을 뺄 때 오일 실 파손에 주의한다.
④ 지브에서 활차를 분리한 다음 로프를 푼다.

해설 드래그라인 점검 및 정비를 할 때 주의사항은 ①②③항 외에, 지브에서 로프를 분리한 다음 활차를 분리한다.

66 콘크리트 믹서트럭 작업 장치에서 고장을 초래할 수 있는 경우는?

① 드럼회전식에서 혼합물 배출시 드럼을 역회전 시킨다.
② 반죽, 투입, 배출을 위해 날개를 50~60rpm의 속도로 회전시킨다.
③ 건식의 경우 완전히 혼합된 생 콘크리트 혼합물을 교반하며 수동한다.
④ 습식의 경우 완전히 혼합된 생 콘크리트 혼합물을 교반하여 수동한다.

67 먼지가 많은 토목공사 현장에서 하루 동안 작업을 마친 장비를 보관하기 전에 점검할 사항과 가장 거리가 먼 것은?

① 에어클리너 : 엘리먼트 집진 캡을 청소한다.
② 라디에이터 : 코어가 막히지 않도록 압축공기로 청소한다.
③ 전장품 : 단선, 쇼트 및 느슨한 단자 점검과 청소를 한다.
④ 작동유 : 유압탱크, 오일교환 및 청소한다.

68 가스용접 작업에 있어서 용해 아세틸렌의 취급시 주의사항으로 틀린 것은?

① 동결 부분은 끓는 물로 녹일 것
② 저장소에는 휴대용 손전등 이외는 등화를 갖지 말 것
③ 저장장소는 통풍이 양호 할 것
④ 용기 사용시는 직사광선을 피할 것

해설 용해 아세틸렌의 취급시 주의사항은 ②③④항 외에 동결 부분은 40℃ 정도의 물로 녹일 것

69 용해 아세틸렌 취급시 주의사항이 아닌 것은?

① 저장장소는 통풍이 양호해야 한다.
② 저장소에서는 휴대용 전등을 사용한다.
③ 용기 저장온도는 70℃ 이하로 한다.
④ 용기는 진동이나 충격을 가하지 말아야 한다.

해설 용해 아세틸렌 취급시 주의사항은 ①②④항 외에, 용기 저장온도는 40℃ 이하로 한다.

70 가스용접 작업시 안전관리에 관한 설명으로 틀린 것은?

① 산소 누설시험은 비눗물을 사용한다.
② 토치 끝으로 용접물의 위치를 바꾸거나 재를 제거하면 안 된다.
③ 토치에 점화할 때는 성냥불과 담뱃불로 사용하여도 무방하다.
④ 산소봄베와 아세틸렌 봄베 가까이에서는 불꽃 조정을 피해야 한다.

해설 가스용접 작업을 할 때 주의사항은 ①②④항 외에, 토치에 점화할 때는 전용 라이터를 사용한다.

71 가스용접 작업 시 안전에 관한 설명으로 옳은 것은?

① 토치를 고무호스에 연결 시 아세틸렌은 녹색호스, 산소는 적색 또는 황색에 연결한다.
② 산소용기는 화기에서 1m정도 거리를 둔다.
③ 산소용기는 40℃ 이하의 온도에 보관한다.
④ 토치 점화시는 성냥불과 담뱃불을 사용한다.

72 가스용접 작업시 안전사항으로 틀린 것은?

① 가스용기는 통풍이 잘되고 불연성 재료로 만들어진 장소에 보관한다.
② 토치에 점화할 때는 라이터나 성냥을 사용한다.
③ 팁이 가열될 때는 냉각시키고 산소 가스만을 적게 통하여 서서히 냉각시킨다.
④ 장시간 사용하지 않을 때는 용기밸브를 잠그고 조정핸들을 풀어둔다.

73 산소용접을 할 경우 안전 수칙으로 알맞지 않는 것은?

① 산소병은 뉘어 놓는다.
② 점화는 성냥불로 직접 하지 않는다.
③ 산소병의 꼭지 면에 기름을 묻히지 않는다.
④ 산소병의 밸브는 천천히 열고 닫는다.

해설 산소용접을 할 때 산소병은 반드시 세워둔다.

74 산소용접 작업에 있어서 안전상 옳지 못한 것은?

① 아세틸렌 누출검사는 비눗물로 한다.
② 역화의 위험을 방지하기 위하여 안전기를 사용한다.
③ 역화가 일어났을 때는 즉시 아세틸렌 밸브부터 먼저 잠근다.
④ 점화는 성냥불로 하지 않는다.

해설 산소용접 작업을 할 경우는 ①②④항 외에 역화가 일어났을 때,는 즉시 산소 밸브부터 먼저 잠근다.

75 산소 아세틸렌 용접에서의 역류, 역화의 원인이 아닌 것은?

① 토치의 팁이 과열되었을 때
② 토치의 팁이 석회분에 끼었을 때
③ 아세틸렌 가스 공급이 안전할 때
④ 토치의 성능이 불량할 때

해설 역류 역화의 원인은 ①②④항 외에, 가스 압력과 유량이 부적당하거나 산소의 공급이 과다할 때이다.

76 고압가스 용기의 도색 중 옳게 표시된 것은?

① 산소-적색
② 수소-흰색
③ 아세틸렌-노란색
④ 액화암모니아-파란색

해설 고압가스 용기의 도색
 - 산소 : 의료용은 백색, 그 밖의 가스용기는 녹색
 - 수소 : 주황색
 - 아세틸렌 : 노란색
 - 액화 암모니아 : 백색

77 일반적으로 사용하는 고압가스 용기의 색깔이 틀린 것은?

① 산소-녹색
② 아세틸렌-노란색
③ 수소-주황색
④ 액화 암모니아-파란색

78 용접공이 가스절단 작업에서 안전을 우선으로 고려하여 작업하지 않는 것은?

① 절단부가 예리하고 날카롭게 작업하였다.
② 호스가 꼬여 있어서 풀어 놓고 작업하였다.
③ 절단 토치의 불꽃 방향을 확인 후 작업하였다.
④ 절단진행 중에 시선을 고정하여 작업하였다.

79 전기용접기가 누전이 되었을 때 가장 적절한 행동은?

① 전압이 낮기 때문에 계속 용접하여도 된다.
② 스위치는 손대지 말고 누전된 부분을 절연시킨다.
③ 용접기만 만지지 않으면 된다.
④ 스위치를 끄고 누전된 부분을 찾아 절연시킨다.

해설 전기용접기가 누전되면 스위치를 끄고 누 된 부분을 찾아 절연시킨다.

80 전기용접 작업 시 주의사항으로 틀린 것은?

① 용접 작업자는 용접기 내부에 손을 대지 않도록 한다.
② 용접전류는 아크가 발생하는 도중에 조절한다.
③ 용접 준비가 완료된 후 용접기 전원 스위치를 ON시킨다.
④ 용접 케이블의 접속 상태가 양호한지를 확인한 후 작업하여야 한다.

81 전기 용접작업에 대한 안전사항 중 옳지 않은 것은?

① 어스선은 큰 것을 사용하고 접촉이 잘되게 붙인다.
② 용접봉 코드는 되도록 짧게 하여야 하며 여기에 맞게 용접기를 놓는다.
③ 코드의 피복이 찢어졌으면 곧 수리하며 접속부분은 절연물을 감는다.
④ 차광안경을 사용하지 않고 작업한다.

해설 전기 용접작업에 대한 안전사항은 ① ② ③항 외에 차광안경을 반드시 착용하고 작업한다.

82 아크 용접시 용접에서 발생되는 빛을 가리는 이유는?

① 빛이 너무 밝기 때문에 눈이 나빠질 염려가 있어서
② 빛이 너무 세기 때문에 피부가 탈 염려가 있어서
③ 빛이 자주 깜박거리기 때문에 화재의 위험이 있어서
④ 빛 속에 강한 자외선과 적외선이 눈의 각막을 상하게 하므로

해설 아크용접을 할 때 발생되는 빛을 가리는 이유는, 빛 속에 강한 자외선과 적외선에 의해 눈의 각막을 상하기 때문이다.

83 현장에서 금속 아크 용접을 마쳤는데 시간이 경과 될수록 눈이 따갑고 견디기 어렵다. 예상되는 가장 적합한 원인은?

① 무의식중에 아크 빛에 눈이 노출되었다.
② 작업시간을 초과하여 작업하였다.
③ 적정전류보다 높은 전류를 사용하였다.
④ 스패터가 많이 발생하도록 작업하였다.

정답 78.① 79.④ 80.② 81.④ 82.④ 83.①

84 차체를 용접할 때의 설명으로 틀린 것은?

① 홀더는 항상 파괴되지 않은 것을 사용한다.

② 용접 시에는 소화수 및 소화기를 준비한다.

③ 아세틸렌 누출 검사 시에는 비눗물을 사용하여 검사한다.

④ 전기용접은 반드시 옥외에서만 작업해야 한다.

85 건설기계의 차체에 금이 간 부분을 용접하려고 할 때의 작업 및 안전사항으로 틀린 것은?

① 우천 시에는 옥내 작업장에서 해야 한다.

② 보호 장비를 완전히 갖추고 작업에 임해야 한다.

③ 녹 방지를 위해 페인트 부분 위에 용접한다.

④ 작업장 주변은 소화기를 비치한다.

86 건설기계 정비업체에 근무하는 근무자가 용접작업시 지켜야 하는 일반적인 주의사항으로 옳지 않은 것은?

① 아크의 길이는 가능한 짧게 한다.

② 날씨가 추워서 적당한 예열을 한 후 용접한다.

③ 전류는 언제나 적정전류를 선택하였다.

④ 중요 부분이 비드의 시작점과 끝점에 오도록 하였다.

87 건설기계 작업장치의 붐을 용접 수리하기 위해 이음 부분을 깨끗한 상태로 청소하는 것은 매우 중요하다. 용접부의 이물질 제거 방법으로 가장 거리가 먼 것은?

① 와이어 브러시를 사용한다.

② 스크레이퍼를 사용한다.

③ 쇼트 브라이트를 사용한다.

④ 화학약품을 사용한다.

부록

CBT
출제예상문제

1~8회

국가기술자격검정 필기시험문제

자격종목 및 등급(선택분야)	제1회	시험시간	수험	성명
건설기계기관정비기능사		1시간		

1. 디젤기관이 가솔린 기관보다 압축비가 높은 이유를 설명한 것으로 가장 적합한 것은?

   ① 압축된 공기의 열로 착화 연소시키기 위하여
   ② 연료의 분사 압력을 높게 하여 공기와의 혼합을 잘 시키기 위하여
   ③ 연료의 무화와 관통력을 크게 하기 위하여
   ④ 기관의 과열을 방지하고 진동과 소음을 적게 하기 위하여

2. 표준 안지름 90mm의 실린더에서 0.26mm가 마멸되었을 때 보링 치수는 얼마인가?

   ① 안지름을 90.30mm로 한다.
   ② 안지름을 90.40mm로 한다.
   ③ 안지름을 90.50mm로 한다.
   ④ 안지름을 90.60mm로 한다.

3. 다음 중 피스톤 링의 역할이 아닌 것은?

   ① 기밀 유지 작용   ② 열전달 작용
   ③ 실린더 벽 보호 작용   ④ 오일 제어 작용

4. 분해된 크랭크축에서 점검하지 않아도 되는 것은?

   ① 휨   ② 축방향 유격
   ③ 마모량   ④ 균열과 긁힘

5. 디젤기관 밸브 스프링 직각도 검사 결과 스프링을 교환해야 하는 기준은?

   ① 자유높이 100mm에 대해 3mm 이상
   ② 자유높이 100mm에 대해 5mm 이상
   ③ 자유높이 100mm에 대해 7mm 이상
   ④ 자유높이 100mm에 대해 9mm 이상

6. 엔진의 압축압력 시험시 건식시험에서는 압축압력이 낮으나, 습식시험을 하였더니 압력이 상승하는 원인으로 맞는 것은?

   ① 실린더 라이너의 균열
   ② 크랭크축의 휨
   ③ 피스톤 링의 마모
   ④ 밸브의 접촉 불량

7. 다음 중 윤활유의 작용이 아닌 것은?

   ① 응력집중작용   ② 밀봉작용
   ③ 방청작용   ④ 청정작용

8. 유압이 규정 이상으로 높아지는 경우가 아닌 것은?

   ① 스프링의 장력이 높다.
   ② 윤활 회로의 어느 곳이 막혔다.
   ③ 점도가 지나치게 높다.
   ④ 엔진오일이 경유로 현저하게 희석되었다.

9. 기관에 사용되는 냉각장치 중 방열기의 구비조건으로 틀린 것은?

   ① 단위 면적당 발열량이 적어야 한다.
   ② 공기저항이 적어야 한다.
   ③ 냉각수의 흐름 저항이 적어야 한다.
   ④ 가능한 한 가벼운 것이 좋다.

10. 기관의 시동을 쉽게 하기 위하여 사용되는 보조 기구 및 방법이 아닌 것은?

   ① 감압장치   ② 예열장치
   ③ 연소촉진제 공급   ④ 과급장치

11. 디젤 연료분사펌프에서 분사량을 제어하는 기구가 아닌 것은?

① 제어 허브
② 제어 래크
③ 제어 슬리브
④ 제어 피니언

12. 디젤기관이 잘 시동되지 않거나, 시동되더라도 출력이 약한 원인은?

① 연료분사펌프의 기능 불량
② 연료탱크에 공기가 들어 있을 때
③ 클러치가 과도하게 마모되었을 때
④ 변속 조작이 잘되지 않을 때

13. 전자제어식 분사펌프 장치의 장점과 가장 거리가 먼 것은?

① 각 운전 점에서 최적의 거동
② 가속시 스모그 증가
③ 더 많은 영향변수 고려 가능
④ 분사펌프 설치 공간 절약

14. 다음 그림과 같은 요령으로 너트를 조일 때, 너트에 걸리는 토크는 몇 kgf-m인가?

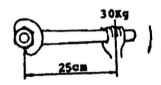

① 5.7
② 6.4
③ 7.5
④ 8.7

15. 디젤기관 운전 중 배기가스의 색이 백색일 경우 예상되는 고장은?

① 피스톤 링의 소손 또는 실린더 간극 과다
② 노즐의 분사 압력 낮음
③ 연료 공급 펌프의 기능 저하
④ 밸브간극 과다

16. 다음 중 인터쿨러의 설치 위치는?

① 배기다기관과 터보차저 사이
② 터보차저와 흡기다기관 사이
③ 에어크리너와 터보차저 사이
④ 터보차저와 배기관 사이

17. 건설기계 작업장치의 제작, 수리 및 보수 작업으로 용접을 많이 이용하는데, 용접을 선택한 장점으로 거리가 먼 것은?

① 자재의 절약
② 중량의 경감
③ 공정수의 감소
④ 성능과 수명의 향상

18. 다음 중 직류 아크 용접기에서 정극성 설명으로 맞는 것은?

① 모재에 (+)극, 용접봉에 (-)극을 연결하는 용접으로, 모재가 두꺼울 때 이용한다.
② 모재에 (-)극, 용접봉에 (+)극을 연결하는 용접으로, 모재가 두꺼울 때 이용한다.
③ 모재에 (+)극, 용접봉에 (-)극을 연결하는 용접으로, 모재가 얇을 때 이용한다.
④ 모재에 (-)극, 용접봉에 (+)극을 연결하는 용접으로, 모재가 얇을 때 이용한다.

19. 용접에서 모재와 용착금속의 경계 부분에 오목하게 파여 들어간 것을 무엇이라 하는가?

① 스패터
② 슬래그
③ 오버랩
④ 언더컷

20. 불활성 가스용접 중 텅스텐 봉을 전극으로 하는 용접 방법은?

① 피복금속 아크용접
② MIG 용접
③ 저항 용접
④ TIG 용접

21. 고압가스 용기의 도색 중 옳게 표시된 것은?

① 산소-적색
② 수소-흰색
③ 수소-주황색
④ 액화 암모니아-파란색

22. 다음 중 가스용접의 장점은?

① 열효율이 낮다.
② 열의 집중력이 어렵다
③ 금속이 탄화 또는 산화될 우려가 많다.
④ 열량 조절이 자유롭다.

23. 클러치 끊어짐이 불량한 이유가 될 수 없는 것은?

① 릴리스 레버의 마멸
② 클러치판의 비틀림
③ 페달 유격 과대
④ 토션 스프링의 파손

24. 구동바퀴 반경을 R, 축의 회전력을 T라 할 때 구동력 F는?

① $F = \dfrac{T}{R}$ ② $F = \dfrac{R}{T}$

③ $F = \dfrac{RT}{2g}$ ④ $F = \dfrac{R}{2g}$

25. 토크컨버터를 옳게 설명한 것은?

① 유체를 사용하여 동력을 전달하는 장치로서 회전력을 증대시킨다.
② 수동변속기에서 동력을 전달하는 장치로서 회전수를 증대시킨다.
③ 수동변속기에서 동력을 전달하는 장치로서 회전력을 증대시킨다.
④ 인히비터 스위치 신호를 받아 컨트롤 밸브를 작동시킨다.

26. 로더의 굴절식 조향장치의 장점으로 맞는 것은?

① 좁은 장소에서의 작업이 어렵다.
② 작업 안정성이 높다.
③ 회전반경이 작다.
④ 연결부분의 고장이 적다.

27. 축거가 1.2m인 지게차의 핸들을 왼쪽으로 완전히 꺾었을 때, 오른쪽 바퀴의 각도가 30°이고 왼쪽 바퀴의 각도가 45°일 때 최소 회전반지름은?

① 1.2m ② 1.68m
③ 2.1m ④ 2.4m

28. 브레이크 장치의 마스터 실린더에서 피스톤 1차 컵이 하는 일은 무엇인가?

① 오일 누출
② 베이퍼록 생성
③ 유압 발생시 유밀 유지
④ 잔압 방지

29. 브레이크에서 라이닝 간격 자동조정장치는 어느 때 조정되는가?

① 라이닝과 드럼과의 간격이 작을 때
② 후진 주행에서 브레이크가 작용할 때
③ 정지에서 브레이크가 작동할 때
④ 전진에서 브레이크가 작동할 때

30. 다음 중 아이들러의 정렬이 불량할 때 발생되는 고장이 아닌 것은?

① 상부롤러의 마모
② 스프로켓의 마모
③ 트랙 링크의 마모
④ 트랙 슈의 마모

31. 건설기계의 동력전달 계통에 많이 사용되는 듀콘 실의 설치 방법 중 맞지 않는 것은?

① 크기에 따라 알맞은 공구를 선택하여 사용한다.
② 설치 시에는 손가락의 힘만을 이용하여 고무링을 삽입한다.
③ 설치 시에는 드라이버 등을 이용하여 고무링을 삽입한다.
④ 금속끼리 접촉되는 부분을 설치 전에 깨끗이 닦는다.

32. 최초 장착된 도자의 장삽날이 규정 이상 마모되었다. 정비 방법으로 가장 알맞은 것은?

① 장삽날을 연삭하여 재사용한다.
② 좌·우 호환성이 있으므로 교체하여 한 번 더 사용한다.
③ 마모량만큼 용접하여 사용한다,
④ 상·하 180도 뒤집어서 한 번 더 사용한다.

33. 불도자의 1회 작업 사이클 시간(Cm)은? [단, L: 평균운반거리(m), V_1 : 전진속도(m/분), V_2 : 후진속도 (m/분), t : 기어 변속시간 (분)]

① $C_m = L/V_1 + L/V_2 \times t$

② $C_m = L/V_1 + L/V_2 \div t$

③ $C_m = L/V_1 + L/V_2 - t$

④ $C_m = L/V_1 + L/V_2 + t$

34. 타이어형 로더의 장점으로 맞는 것은?

① 기동성이 좋다.

② 견인력이 크다.

③ 습지에서 작업성이 좋다.

④ 좁은 공간에서 선회성이 좋다.

35. 지게차의 작업 장치 중 석탄, 소금, 비료 등 비교적 흘러내리기 쉬운 물건의 운반에 이용되는 장치는?

① 로테이팅 포크　　② 사이드 시프트

③ 블록 클램프　　④ 힌지드 버킷

36. 기중기의 붐 교환방법으로 가장 거리가 먼 것은?

① 드럼이나 각목을 이용하는 방법

② 기중기를 사용하는 방법

③ 트레일러를 이용하는 방법

④ 지게차를 이용하는 방법

37. 아스팔트 포장 공사의 마무리 작업에 많이 사용하는 롤러는?(단, 2축 2륜이다.)

① 진동 롤러　　② 탠덤 롤러

③ 타이어 롤러　　④ 머캐덤 롤러

38. 12(V), 100(Ah)의 축전지 2개를 병렬로 접속할 때 전압과 용량은?

① 24(V), 100(AH)가 된다.

② 12(V), 100(AH)가 된다.

③ 24(V), 200(AH)가 된다.

④ 12(V), 200(AH)가 된다.

39. 기동전동기의 전기자를 시험하는데 사용되는 시험기는?

① 전압계　　② 전류계

③ 저항시험기　　④ 그로울러 시험기

40. 교류발전기의 구성 요소 중 자계를 발생시키는 부품은?

① 로터　　② 스테이터

③ 슬립링　　④ 다이오드

41. 건설기계 에어컨의 순환과정으로 맞는 것은?

① 압축기-팽창밸브-건조기-응축기-증발기

② 압축기-건조기-응축기-팽창밸브-증발기

③ 압축기-응축기-건조기-팽창밸브-증발기

④ 압축기-건조기-팽창밸브-응축기-증발기

42. 유압 작동유가 갖추어야 할 구비조건에 대한 설명이 아닌 것은?

① 방청성이 좋을 것

② 온도에 대한 점도 변화가 작을 것

③ 인화점이 낮을 것

④ 화학적으로 안정될 것

43. 정용량형 유압펌프에서 토출되지 않거나 토출량이 적은 원인으로 틀린 것은?

① 펌프의 회전 방향이 틀리다.

② 회전속도가 빠르다.

③ 작동유가 부족하다.

④ 벨트 구동식에서 V벨트가 헐겁다.

44. 유압제어밸브 중에서 일의 크기를 결정하는 밸브는?

① 압력제어밸브　　② 유량조정밸브

③ 방향전환밸브　　④ 교축밸브

45. 유압장치에서 액추에이터(Actuator)란?

① 유압 에너지를 기계적 에너지로 변환시키는 작동체의 총칭을 말한다.

② 압력 에너지를 발생시켜 일의 크기를 결정하는 유압원의 총칭을 말한다.

③ 종류로는 압력 제어밸브, 방향 제어밸브, 유량 제어밸브 등이 있다.

④ 일의 크기와 방향과 속도를 결정하는 총칭을 말한다.

46. 다음 중 패킹의 재질로 갖추어야 할 조건이 아닌 것은?

① 마찰계수가 클 것
② 오래 사용하여도 변화가 적을 것
③ 오일의 누설이 적을 것
④ 압력에 대한 저항력이 클 것

47. 유압 기호중 중 유압펌프를 표시하는 기호는?

①

②

③

④

48. 작동유에 공기가 유입되었을 때 발생하는 현상이 아닌 것은?

① 유압 실린더의 숨돌리기 현상이 발생된다.
② 작동유의 열화가 촉진된다.
③ 유압장치 내부에 공동현상이 발생한다.
④ 작동유 누출이 심하게 된다.

49. 연 근로시간 1,000시간 중에 발생한 재해로 인하여 손실일수로 나타낸 것은?

① 연천인율   ② 강도율
③ 도수율   ④ 손실율

50. 정비작업시 벨트를 풀리에 걸 때는 어떤 상태에서 거는 것이 좋은가?

① 고속상태   ② 중속상태
③ 저속상태   ④ 정지상태

51. 선반작업 시 안전수칙이다. 틀린 것은?

① 선반 위에 공구를 올려놓은 채 작업하지 않는다.
② 돌리개는 적당한 크기의 것을 사용한다.
③ 공작물을 고정한 후 렌치류는 제거해야 한다.
④ 날 끝의 칩 제거는 손으로 한다.

52. 운반차를 이용한 운반 작업에 대한 사항 중 잘못 설명한 것은?

① 여러 가지 물건을 쌓을 때는 가벼운 물건을 위에 올린다.
② 차량의 동요로 안정이 파괴되기 쉬울 때는 비교적 무거운 물건을 위에 쌓는다.
③ 화물 위나 운반차에 사람의 탑승은 절대 금한다.
④ 긴 물건을 실을 때는 맨 끝 부분에 위험 표시를 해야 한다.

53. 공기압축기 운전시 점검 사항으로 적합하지 않은 것은?

① 압력계, 안전밸브 등의 이상 유무
② 이상 소음 및 진동
③ 이상 온도 상승
④ 공기탱크 내의 청결 여부

54. 다음 중 볼트나 너트를 조이거나 풀 때 부적합한 공구는?

① 복스 렌치
② 소켓 렌치
③ 오픈엔드 렌치
④ 바이스 플라이어 렌치

55. 해머 작업 시 안전수칙과 거리가 먼 것은?

① 타격면 모양이 찌그러진 것으로 작업하지 않는다.
② 해머와 자루의 흔들림 상태를 점검한다.
③ 타격 시 불꽃이 생기거나 파편이 생길 수 있는 작업에서는 반드시 보호안경을 써야 한다.
④ 열처리된 재료는 열처리된 해머를 사용한다.

56. 기관의 헤드커버 볼트를 풀 때 안전상 가장 좋은 공구는?

① 오픈엔드 렌치   ② 복스 렌치
③ 파이프 렌치   ④ 토크 렌치

57. LPG 충전사업의 시설에서 저장탱크와 가스충전 장소의 사이에 설치해야 되는 것은?

① 역화방화 장치　　② 역류방지 장치

③ 방호벽　　④ 경계표시

58. 로더에서 기동전동기를 탈착하고자 한다. 안전한 방법으로 가장 적합한 것은?

① 로더 버킷을 들어 올린 다음 배터리 접지선을 떼어 낸 후 탈착한다.

② 경사진 곳에서 사이드 브레이크를 잠그고 탈착한다.

③ 버킷을 내려놓은 후 바퀴에 고임목을 받치고 배터리 접지선을 떼어 낸 후 탈착한다.

④ 기관을 가동한 상태에서 사이드 브레이크를 잠그고 탈착한다.

59. 동력 전달 장치에서 안전상 주의할 사항이다. 옳지 못한 것은?

① 기어가 회전하고 있는 곳은 뚜껑으로 잘 덮어 위험을 방지한다.

② 천천히 움직이는 벨트라도 손으로 잡지 말 것

③ 회전하고 있는 벨트나 기어에 필요 없는 접근을 금한다.

④ 동력 전달을 빨리 전달하기 위하여 벨트를 회하는 풀리에 손으로 걸어도 좋다.

60. 고압가스 용기의 도색 중 옳게 표시된 것은?

① 산소-적색

② 수소-흰색

③ 아세틸렌-노란색

④ 액화암모니아-파란색

제 1 회

01	①	02	③	03	③	04	②	05	①
06	③	07	①	08	④	09	①	10	④
11	①	12	①	13	②	14	③	15	①
16	②	17	②	18	①	19	④	20	④
21	③	22	④	23	④	24	①	25	①
26	③	27	④	28	③	29	②	30	④
31	③	32	④	33	④	34	①	35	④
36	④	37	②	38	④	39	④	40	①
41	③	42	③	43	②	44	④	45	①
46	①	47	③	48	③	49	②	50	④
51	④	52	②	53	④	54	④	55	④
56	②	57	③	58	③	59	④	60	③

				수험	성명
자격종목 및 등급(선택분야) 건설기계기관정비기능사	제2회	시험시간 1시간			

1. 실린더 블록과 헤드 사이에 끼워져 압력가스의 누출을 방지하는 부품은?
   ① 실린더 헤드
   ② 물재킷
   ③ 실린더 로커암
   ④ 헤드 개스킷

2. 엔진의 실린더 표준 안지름이 88mm인 6기통 기관에서 안지름을 측정한 결과, 최대값이 88.43mm인 경우 수정값은?
   ① 0.25 O/S
   ② 0.50 O/S
   ③ 0.75 O/S
   ④ 1.00 O/S

3. 기관의 커넥팅 로드 베어링 위쪽 부분에 오일 분출 구멍을 설치하는 목적으로 가장 옳은 것은?
   ① 오일의 소비를 적게 하려고
   ② 오일의 압력을 낮게 하기 위하여
   ③ 실린더 벽에 오일을 공급하기 위하여
   ④ 커넥팅 로드 비틀림을 방지하기 위하여

4. 캠축의 휨을 측정시 가장 적당한 것은?
   ① 스프링 저울과 브이블록
   ② 버니어캘리퍼스와 곧은 자
   ③ 마이크로미터와 다이얼 게이지
   ④ 다이얼 게이지와 브이블록

5. 기관의 밸브간극이 너무 좁을 때 일어나는 현상 중 틀린 것은?
   ① 압축가스의 누설로 동력이 감소된다.
   ② 실화를 일으킨다.
   ③ 적게 열리고 정확히 닫힌다.
   ④ 역화가 일어나기 쉽다.

6. 기관에서 실린더 내벽의 마모 원인이 아닌 것은?
   ① 희박한 혼합기에 의한 마모
   ② 연소생성물에 의한 마모
   ③ 흡입 공기 중의 먼지, 이물질 등에 의한 마모
   ④ 실린더 벽과 피스톤 및 피스톤 링의 접촉에 의한 마모

7. 다음 중 공랭식 엔진이 과열되는 원인이 아닌 것은?
   ① 냉각팬의 파손
   ② 팬벨트의 파손
   ③ 냉각핀의 오염
   ④ 물펌프의 파손

8. 다음 중 실린더 헤드에 설치된 물재킷의 기능으로 맞는 것은?
   ① 오일 냉각
   ② 기밀 유지
   ③ 열전달
   ④ 연소실 형성

9. 기관 윤활 회로 내의 유압을 높이려면?
   ① 유압 조정기 스프링 장력을 세게 한다.
   ② 유압 조정기 스프링 장력을 약하게 한다.
   ③ 점도가 낮은 오일을 사용한다.
   ④ 오일 간극을 크게 한다.

10. 실드형 예열플러그의 설명 중 틀린 것은?
    ① 병렬로 결선되어 있다.
    ② 히트 코일이 연소실에 직접 노출되어 있다.
    ③ 저항기가 필요치 않다.
    ④ 발열부가 가는 열선으로 되어 있다.

11. 연료분사장치에서 분사펌프의 주요 기능이 아닌 것은?

① 분사량 제어   ② 분사시기 제어
③ 분사각도 제어   ④ 분사율 제어

12. 디젤기관의 연료분사계통에 널리 쓰이는 펌프는?
① 터빈펌프   ② 기어펌프
③ 플런저 펌프   ④ 다이어프램 펌프

13. 전자제어 엔진에서 흡기계통 센서에 포함되지 않는 것은?
① 흡기다기관 압력 센서(MAP센서)
② 흡기온도 센서
③ 대기압 센서
④ 냉각수 온도 센서

14. 기관이 중속 상태에서 2,000rpm으로 회전하고 있을 때, 회전 토크가 7kgf-m라면 회전 마력은?
① 약 9.8PS   ② 약 19.5PS
③ 약 25.5PS   ④ 약 39.5PS

15. 커먼레일 디젤엔진의 배기장치에서 미세먼지(PM)을 제거하는 기능을 가진 부품의 명칭은 무엇인가?
① 3차원 촉매장치
② 선택적 환원 촉매장치
③ 흡착형 촉매장치
④ 매연여과장치

16. 과급기의 장점이 아닌 것은?
① 회전력 증대
② 열효율 증대
③ 엔진의 출력 증대
④ 배기가스 온도 증가

17. 가스용접에 사용되는 가스의 종류 중 불꽃 온도가 가장 높은 것은?
① 아세틸렌   ② 수소
③ 프로판   ④ 부탄

18. 교류아크 용접기의 종류별 특성으로 맞는 것은?
① 가동 철심형은 미세한 전류조정이 가능하다.
② 가동 코일형은 코일의 감긴 수에 따라 전류를 조정한다.
③ 탭 전환형은 탭 철심으로 누설 자속을 가감하여 전류를 조정한다.
④ 가포화 리액터형은 가변전압 변화로 전류를 조정한다.

19. 용접부 결함 중 오버랩이 생기는 주된 원인은?
① 운봉 속도가 느릴 때
② 용접봉에 습기가 많을 때
③ 모재에 불순물이 부착될 때
④ 용접 전류가 너무 높을 때

20. 점용접의 3대 요소로 적합한 것은?
① 전압의 세기, 통전시간, 용접전극
② 전압의 세기, 통전속도, 가압력
③ 전류의 세기, 통전시간, 가압력
④ 전류의 세기, 통전속도, 용접전극

21. 피복 아크 용접 시 안전 홀더를 사용하는 이유로 가장 옳은 것은?
① 자외선과 적외선 차단
② 유해가스 중독방지
③ 고무장갑 대용
④ 용접작업 중 전격 방지

22. 가스 자동절단 시 팁과 강판과의 간격은 예열불꽃의 백심으로부터 가장 적당한 거리는?
① 약 1.5~2.5 mm   ② 약 3.5~4.5 mm
③ 약 5.5~6.5 mm   ④ 약 7.5~8.5 mm

23. 클러치가 미끄러지는 일과 관계가 없는 것은?
① 클러치 페달의 자유 간극이 작을 때
② 스플라인 부의 마멸
③ 클러치 페이싱의 마멸
④ 클러치 페이싱의 오일 부착

24. 로더 토크컨버터에서 출력 부족의 원인을 열거하였다. 옳지 않은 것은?

① 입력축 커플링의 볼트 이완
② 오일량 부족
③ 오일 스트레이너의 막힘
④ 펌프 흡입측 연결 호스의 실 파손

25. 엔진의 회전수가 1,500rpm이고, 변속비가 1.5, 종감속비가 4.0일 때 총감속비는?

① 4.0
② 5.5
③ 6
④ 12

26. 어느 건설기계의 축거가 2.9m, 외측 차륜의 조향각도가 30°, 내측 차륜의 조향각도가 40°, 킹핀과 바퀴 접지면까지의 거리가 0.2m인 경우 최소회전반경은 얼마인가?

① 5.8m
② 6.0m
③ 8.0m
④ 8.2m

27. 휠 구동식 건설기계의 전차륜 정렬에서 캐스터를 두는 이유는?

① 주행중 조향바퀴에 방향성을 부여한다.
② 조향 휠의 조작력을 적게 할 수 있다.
③ 앞바퀴의 시미 현상을 방지할 수 있다.
④ 조향시에 앞바퀴의 직진 성능을 향상시킨다.

28. 덤프트럭의 브레이크 파이프 내에 베이퍼록이 발생하면?

① 제동이 더욱 잘 된다.
② 제동에는 관계없다.
③ 급제동이 된다.
④ 제동에 약하다.

29. 브레이크 페달을 밟았을 때 제동 시작이 늦어지는 원인이 아닌 것은?

① 마스터 실린더의 오일 포트가 막혔을 때
② 브레이크 라이닝과 드럼 사이 간격이 작을 때
③ 브레이크 페달의 유격이 클 때
④ 휠 실린더와 피스톤 사이 간극이 클 때

30. 트랙 프레임이 피봇 핀이나 부싱이 마모되지 않았는데도 평행되지 않는다면 어느 것이 손상된 것인가?

① 트랙 프레임
② 트랙
③ 상부롤러
④ 하부롤러

31. 트랙 장력이 조정시 아이들 롤러는 무엇에 의해 앞쪽으로 밀리는가?

① 리코일 스프링
② 장력 조정 실린더
③ 스프로킷
④ 자력으로

32. 도저의 블레이드 높이가 60mm이고 길이가 2,000mm일 때, 블레이드 용량은?

① 0.72㎥
② 1.2㎥
③ 2.4㎥
④ 3.6㎥

33. 불도저에 그리스를 주입하지 않아도 되는 곳은?

① 링케이지 구분
② 브레이크 페달 링크
③ 블레이드 링크기구
④ 트랙 슈

34. 로더의 붐 레버를 중립 위치에서 상승 위치로 작동시 붐이 순간적으로 내려가는 원인은?

① 작업 장치 링키지의 핀, 부싱에 과도한 부하가 걸렸을 때
② 덤프 실린더의 피스톤 실 불량
③ 덤프 실린더 보텀 쪽의 안전밸브 결함
④ 유압조절 밸브의 밸브시트 또는 붐 로드 체크밸브 결함

35. 지게차의 제원에 대한 설명으로 틀린 것은?

① 전경각 : 마스트의 수직 위치에서 앞으로 기울인 경우의 최대 경사각을 말하며 5~6° 범위이다.
② 최대 올림높이 : 마스트를 수직으로 하고 기준하중의 중심에 최대하중을 적재한 상태에서 포크를 최고 위치로 올렸을 때 지면에서 포크의 윗면까지 높이
③ 기준부하 상태 : 기준하중의 중심에 최대하중을 적재하고 마스트를 수직으로 하여 포크를 지상 300mm까지 올린 상태
④ 최소회전반경 : 무부하 상태에서 최대 조향각으로서 행한 경우

36. 드래그라인 작업에서 드래그 로프가 드럼 래깅에 확실하게 감기도록 안내해 주는 것은?
   ① 페어리드　　　　② 태그라인
   ③ 새들 블록　　　　④ 피치 브레이스

37. 타이어 롤러의 타이어 공기압에 대한 설명 중 맞는 것은?
   ① 앞타이어보다 뒤타이어의 공기압이 약간 높은 것이 좋다.
   ② 중앙의 타이어보다 양측의 타이어의 공기압이 약간 높은 것이 좋다.
   ③ 타이어의 공기압은 되도록 높게 하는 것이 좋다.
   ④ 타이어의 공기압은 앞·뒤 모두 동일하게 하는 것이 좋다.

38. 12V 30W 헤드라이트 한 개를 켰을 때 흐르는 전류는 몇 A인가?
   ① 2.5A　　　　　② 5A
   ③ 10A　　　　　④ 36A

39. 기동전동기에 대한 시험과 관계가 없는 것은?
   ① 무부하 시험　　② 부하시험
   ③ 중부하 시험　　④ 회전력 시험

40. AC 발전기에서 유도전류는 어디에서 발생되는가?
   ① 로터 코일　　　② 아마추어 코일
   ③ 계자 철심　　　④ 스테이터 코일

41. 전자제어 에어컨을 통과하여 나오는 공기의 온도를 제어하기 위한 센서가 아닌 것은?
   ① 엔진 흡기온도 센서
   ② 건설기계 실내온도센서
   ③ 건설기계 외부 온도센서
   ④ 증발기 온도센서

42. 유압 작동유에 수분이 혼입되었을 때의 영향이 아닌 것은?
   ① 작동유의 윤활성이 저하시킨다.
   ② 작동유의 방청성을 저하시킨다.
   ③ 작동유의 산화를 방지한다.
   ④ 작동유의 열화를 촉진시킨다.

43. 유압펌프의 여러 가지 성능 중 전체효율이 가장 높은 펌프 형식은?
   ① 원식펌프　　　　② 내접기어펌프
   ③ 피스톤펌프　　　④ 외접기어펌프

44. 유압펌프의 송출압력이 55kgf/cm^2, 송출유량이 30ℓ/min인 경우 펌프 동력은 얼마인가?
   ① 1.8kW　　　　　② 2.69kW
   ③ 2.04kW　　　　　④ 2.97kW

45. 유압 실린더 정비사항과 관련이 없는 것은?
   ① 피스톤 실 교환　　② 베어링 교환
   ③ 피스톤 로드 교환　④ 로드 실 교환

46. 백업 링을 사용하는 목적에 알맞은 것은?
   ① O-링의 움직임을 원활하게 하기 위하여
   ② O-링에 고압이 작용시 돌출을 방지하기 위해
   ③ O-링의 간극을 적게 하기 위해
   ④ O-링의 간극을 크게 하기 위해

47. 다음 중 정용량형 유압펌프의 기호는?

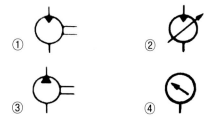

48. 캐비테이션(공동 현상) 발생 원인으로 틀린 것은?
   ① 흡입 필터가 막혀 있을 경우
   ② 메인 릴리프밸브의 설정 압력이 낮은 경우
   ③ 흡입관의 굵기가 펌프 본체 흡입구보다 가늘 경우
   ④ 유압펌프를 규정 속도 이상으로 고속 회전시킬 경우

49. 산업현장에서 산업재해를 예방하기 위한 안전·보건표지의 종류와 형태이다. 그림이 나타내는 표시는?

① 접촉금지   ② 출입금지
③ 탑승금지   ④ 보행금지

50. 화상으로 수포가 발생되어 응급조치가 필요한 경우 대책으로 가장 옳은 것은?

① 수포를 터뜨리지 않도록 하며, 소독 가제로 덮어준 다음 의사에게 치료를 받도록 한다.
② 수포를 터뜨려서 응급조치 후, 의사에게 치료를 받도록 터뜨려 치료한다.
③ 수포를 터뜨려 응급조치 후 화상을 입었을 때는 바르는 기름을 바르고, 의사에게 치료를 받도록 한다.
④ 수포를 터뜨려 응급조치 후 화상을 입었을 때는 바르는 기름을 바르고, 의사에게 치료를 받도록 한다.

51. 공작물 가공 및 절삭에서 사용하는 절삭제의 목적이 아닌 것은?

① 공구의 경도 저하를 막는다.
② 공작물의 냉각을 돕는다.
③ 공구와 칩의 친화력을 돕는다.
④ 공구의 냉각을 돕는다.

52. 작업자가 기계작업시의 일반적인 안전사항으로 틀린 것은?

① 급유시 기계는 운전을 정지시키고 지정된 오일을 사용한다.
② 고장수리, 청소 및 조정 시에는 동력을 끊고 다른 사람이 작동시키지 않도록 표시해 둔다.
③ 운전 중 기계로부터 이탈한 때는 운전을 정지시킨다.
④ 기계운전 중 정전이 발생되었을 때는 각종 모터의 스위치를 켜둔다.

53. 운반기계를 이용하여 운반 작업을 할 경우 틀린 사항은?

① 무거운 것은 밑에, 가벼운 것은 위에 쌓는다.
② 긴 물건을 쌓을 때는 끝에 위험 표시를 한다.
③ 긴 물건이나 높은 화물을 실을 경우 보조자가 편승한다.
④ 구르기 쉬운 짐은 로프로 반드시 묶는다.

54. 렌치 사용시 주의사항으로서 틀린 것은?

① 녹이 생긴 볼트나 너트에 오일을 스며들게 한 다음 돌린다.
② 조정 조(jaw)에 잡아당기는 힘이 가해져서는 안된다.
③ 장시간 보관할 때에는 방청제를 바르고 건조한 곳에 보관한다.
④ 힘겨울 때는 파이프 등의 연장대를 끼워서 사용하여야 한다.

55. 정 작업에 대한 주의사항으로 틀린 것은?

① 정 작업을 할 때는 서로 마주보고 작업하지 말 것
② 정 작업은 반드시 열처리한 재료에만 사용할 것
③ 정 작업은 시작과 끝에 조심할 것
④ 정 작업에서 버섯 머리는 그라인더로 갈아서 사용할 것

56. 도로주행용 건설기계의 라디에이터 코어 핀 부분의 이물질을 청소할 때 가장 적합한 방법은?

① 압축공기로 엔진 쪽에서 불어낸다.
② 압축공기로 바깥쪽에서 불러낸다.
③ 압축공기로 엔진 쪽으로 빨아들인다.
④ 압축공기로 바깥쪽으로 빨아들인다.

57. 축전지를 탈거하지 않고 급속충전을 안전하게 하려면?

① 발전기 L 단자를 분리한다.
② 발전기 R 단자를 분리한다.
③ 점화스위치를 OFF 상태로 놓는다.
④ 축전지의 +, − 케이블을 모두 분리한다.

58. 건설기계 차체의 클러치 커버를 안전하게 분해 하는 방법 중 틀린 것은?

① 클러치 커버와 압력판에 맞춤표시를 한다.

② 프레스를 사용하여 스프링을 압축한 다음 커버 조임 볼트를 푼다.

③ 클러치 커버 조임 볼트는 대각선 방향으로 2~3회 걸쳐 푼다.

④ 압력판과 커버 조임 볼트를 먼저 풀고 프레스로 스프링을 조인다.

59. 도저의 하부롤러를 탈거할 때 안전상 제일 먼저 하는 것은?

① 트랙을 먼저 탈거

② 상부롤러를 탈거

③ 하부롤러 볼트를 탈거

④ 아이들러를 먼저 탈거

60. 건설기계의 차체에 금이 간 부분을 용접하려고 할 때의 작업 및 안전사항으로 틀린 것은?

① 우천 시에는 옥내 작업장에서 해야 한다.

② 보호 장비를 완전히 갖추고 작업에 임해야 한다.

③ 녹 방지를 위해 페인트 부분 위에 용접한다.

④ 작업장 주변은 소화기를 비치한다.

			수험	성명
자격종목 및 등급(선택분야) 건설기계기관정비기능사	제3회	시험시간 1시간		

1. 실린더 헤드가 심하게 변형되면 나타나는 현상은?
   ① 실린더 내로 냉각수 유입
   ② 압축 압력의 증가
   　연료 분사 압력의 증가
   ④ 피스톤 행정의 변화

2. 피스톤 종류에서 스플리트 피스톤에 홈(slot)을 설치한 목적으로 가장 적합한 것은?
   ① 피스톤의 강도를 크게 하기 위해서
   ② 헤드에서 스커트부로 흐르는 열을 차단하기 위하여
   ③ 피스톤의 무게를 적게 하기 위하여
   ④ 헤드부의 열을 스커트부로 빨리 전달하기 위하여

3. 크랭크축의 오버랩을 설명할 것 중 맞는 것은?
   ① 핀 저널과 메인저널이 겹치는 부분
   ② 핀 저널과 메인저널과의 직경 차
   ③ 핀 저널과 메인저널과의 길이 차
   ④ 크랭크 암의 메인저널이 겹치는 부분

4. 표준지름이 65mm인 크랭크축 저널의 외경을 측정한 결과 64.65mm이었다. 크랭크축을 연마해야 할 언더사이즈는 얼마인가?
   ① 0.25mm
   ② 0.50mm
   ③ 0.75mm
   ④ 1.00mm

5. 기관에서 밸브간극이 너무 클 때 일어나는 현상이 아닌 것은?

① 기관 상부에서 소리가 난다.
② 늦게 열리고 빨리 닫힌다.
③ 밸브가 많이 열려 흡입량이 증가한다.
④ 흡입공기량이 감소되고 배기가 잘 안 된다.

6. 다음 중 타이밍기어의 백래시가 클 때 발생하는 현상이 아닌 것은?
   ① 밸브의 개폐 시기가 늦어진다.
   ② 연료의 분사가 늦어진다.
   ③ 엔진의 출력이 증가한다.
   ④ 엔진의 소음이 증가한다.

7. 윤활유 소비증대의 가장 큰 원인이 되는 것은?
   ① 비산과 압력
   ② 비산과 누설
   ③ 연소와 누설
   ④ 희석과 혼합

8. 엔진 오일량 점검에서 오일게이지 상한선(Full)과 하한선(Low) 표시가 되어 있을 때 가장 적합한 것은?
   ① Low 표시에 있어야 한다.
   ② Low와 Full 사이에서 Low에 가까우면 좋다.
   ③ Low와 Full 사이에서 Full에 가까우면 좋다.
   ④ Full 표시 이상이 되어야 한다.

9. 기관이 과열되는 원인과 가장 거리가 먼 것은?
   ① 팬벨트가 헐거울 때
   ② 물펌프의 작동이 불량할 때
   ③ 크랭크축의 타이밍기어가 마모되었을 때
   ④ 방열기 코어가 규정 이상으로 막혔을 때

10. 예열플러그 점검 사항이 아닌 것은?

① 예열플러그 단선 점검

② 예열플러그 양부 점검

③ 중심 전극 점검

④ 예열플러그 파일럿 및 예열플러그 저항값 점검

11. 분사펌프의 테스트 결과가 아래와 같을 때 수정을 요하는 실린더는?(단, 불균율 한계는 ± 4%이다.)

실린더 번호	1	2	3	4
분사량(CC)	15	18	19	17

① 1, 2번 실린더　　② 2, 3번 실린더

③ 3, 4번 실린더　　④ 1, 2, 3번 실린더

12. 다음 중 연료분사펌프의 플런저와 배럴 사이의 윤활은 무엇으로 하는가?

① 엔진오일　　② 기어오일

③ 유압유　　④ 경유

13. 커먼레일식 디젤엔진의 연료 장치에서 시동시 초기연료 압력을 조정하는 부품은?

① 연료 압력 센서

② 인렛미터링 밸브(IMV)

③ 축압기(어큐뮬레이터)

④ 딜리버리 밸브

14. 연소실 체적이 50cc, 실린더 직경이 80mm, 피스톤 행정이 80mm인 엔진의 압축비는 얼마인가?

① 9 : 1　　② 8.5 : 1

③ 8 : 1　　④ 7.5 : 1

15. 행정체적을 Vs, 연소실 체적을 Vc라 하면 이때 기관의 압축비 ε를 바르게 표시한 것은?

① $\varepsilon = (Vc + Vs)/Vc$

② $\varepsilon = (Vc + Cs)/Vs$

③ $\varepsilon = Vs/(Vc + Vs)$

④ $\varepsilon = Vc/(Vc + Vs)$

16. 기관에 필요한 공기의 무게와 운전상태에서 실제로 흡입되는 공기의 무게비를 무엇이라 하는가?

① 배기효율　　② 압축효율

③ 체적효율　　④ 열효율

17. 불꽃심과 겉불꽃 사이에 있는 백색의 불꽃으로 아세틸렌가스의 양이 많을 때 생기며, 스테인리스강, 니켈강 등의 용접에 이용되는 것은?

① 탄화불꽃　　② 중성불꽃

③ 산화불꽃　　④ 수소불꽃

18. 연강을 0℃ 이하에서 용접시 예열온도로 알맞은 것은?

① 10~40℃　　② 40~75℃

③ 75~105℃　　④ 105~135℃

19. 아크용접에서 용입 불량의 원인이 아닌 것은?

① 용접 속도가 너무 빠를 때

② 용접 전류가 낮을 때

③ 루트 간격이 넓을 때

④ 홈의 각도가 좁을 때

20. 다음 중 산화철의 분말과 알루미늄 분말을 혼합하여 연소할 때 발생하는 열을 이용하여 접합시키는 용접법은?

① 전자빔 용접

② 일렉트로 슬래그 용접

③ 플라즈마 용접

④ 테르밋 용접

21. 이산화탄소 아크용접과 관련이 없는 것은?

① 탄산가스 용기　　② 용접기

③ 산소　　④ 와이어 송급장치

22. 용접법을 크게 용접, 압접, 납땜으로 분류할 때, 압접에 해당되는 것은?

① 전자빔용접

② 초음파용접

③ 원자수소용접

④ 일렉트로 슬래그 용접

23. 클러치 페달의 자유 간극 조정은?
① 클러치 페달을 움직여서
② 클러치 스프링의 장력을 조정하여
③ 클러치 페달 리턴 스프링의 장력을 조정하여
④ 클러치 링키지의 길이를 조정하여

24. 자동변속기 유압제어 회로에 작용하는 유압은 어디서 발생하는가?
① 기관의 오일펌프
② 변속기 내의 오일펌프
③ 흡기다기관의 부압
④ 배기다기관의 부압

25. 구동기어의 잇수 $Z_1 = 10$, 피동기어의 잇수 $Z_2 = 25$, 구동기어 회전수 $N_1 = 100rpm$일 때, 피동기어의 회전수 N_2는?
① 60rpm   ② 40rpm
③ 120rpm   ④ 180rpm

26. 모터그레이더의 조향 핸들이 무겁게 되는 원인이 아닌 것은?
① 펌프의 토출량이 부족하다.
② 파일럿 체크밸브가 누설된다.
③ 제어밸브가 고착되었다.
④ 유압장치의 설정압이 낮다.

27. 덤프트럭이 평탄한 도로를 주행시 방향 안정성이 없을 경우의 수정 방법으로 알맞은 것은?
① 정의 캐스터로 조정한다.
② 부의 캐스터로 조정한다.
③ 캠버를 0으로 조정한다.
④ 토인을 조정한다.

28. 유압식 브레이크의 마스터 실린더 푸시로드에 작용하는 힘이 200kgf이고 피스톤의 단면적이 4㎠이다. 이때 발생하는 유압은 몇 kgf/㎠인가?
① 20   ② 30
③ 40   ④ 50

29. 휠 구동식 건설기계에서 브레이크 페달을 밟았을 때 브레이크가 잘 작동되지 않는다. 원인이 아닌 것은?
① 브레이크 회로에 누유가 있을 때
② 라이닝에 이물질이 묻어있을 때
③ 브레이크액에 공기가 들어있을 때
④ 브레이크 드럼과 라이닝 간격이 작을 때

30. 리코일 스프링에 대한 설명으로 틀린 것은?
① 안 스프링과 바깥 스프링의 2중으로 된 구조이다.
② 주행 중 프런트 아이들러가 받는 충격을 완화시켜 트랙 장치의 파손을 방지한다.
③ 리코일 스프링 장력보다 큰 충격이 발생하면 압축되면서 프런트 아이들러가 약간 후퇴하여 완충된다.
④ 리코일 스프링의 장력이 강하면 트랙이 벗겨지는 원인이 된다.

31. 트랙이 주행 중 벗겨지는 원인 중 맞지 않는 것은?
① 급 선회시
② 트랙의 유격이 너무 클 때
③ 전·후부 트랙의 중심 거리가 같을 때
④ 트랙 정렬이 잘되어 있지 않을 때

32. 굴삭기의 전부장치에서 좁은 도로의 배수로 구축 등 특수 조건의 작업에 용이한 붐은?
① 원피스 붐   ② 투피스 붐
③ 오프셋 붐   ④ 로터리 붐

33. 굴삭기의 버킷용량이 0.8㎥이고 1회 작업시간이 20초인 경우 시간당 이론 작업량은?
① 124㎥   ② 134㎥
③ 144㎥   ④ 154㎥

34. 로더의 메이크업 밸브(make-up valve)에 대한 설명이 아닌 것은?
① 진공의 발생을 막아준다.
② 탱크로 오일을 귀환시켜준다.

③ 부족한 오일을 공급한다.

④ 체크밸브와 같은 역할이다.

35. 지게차의 전ㆍ후방 안전 경사 각도는 무엇으로 조정하는가?

① 리프트 실린더 브래킷

② 리프트 실린더 로드

③ 틸트 실린더 로드

④ 틸트 실린더 브래킷

36. 기중기의 작업장치 중 붐 기복이 심하게 흔들리거나 로프가 꼬이면 어느 작업 안전장치가 고장이라고 볼 수 있는가?

① 크람셀　　　② 태그라인

③ 훅 블록　　　④ 페어리드

37. 콘크리트 펌프에서 붐의 상승 속도가 느려지는 원인이 아닌 것은?

① 붐에 균열이 있다.

② 붐 체크밸브의 오리피스가 오염되었다.

③ 유압유 탱크 내의 오일이 부족하다.

④ 붐 실린더의 실이 파손되었다.

38. 충전 중 화기를 가까이하면 축전지가 폭발할 수 있는데 무엇 때문인가?

① 산소가스　　　② 전해액

③ 수소가스　　　④ 수증기

39. 기동전동기의 고장 유무 또는 정비 및 상태 확인을 하기 위하여 쉽게 하는 시험으로, 기준전압을 가했을 때 소모전류와 회전수를 점검하는 성능 시험은?

① 무부하 시험　　　② 부하 시험

③ 회전력 시험　　　④ 정격 시험

40. 교류발전기 로터 코일에 과대한 전류가 흐르는 원인은?

① 슬립링의 불량　　　② 코일의 단락

③ 코일의 단선　　　④ 코일의 높은 저항

41. 냉방장치를 점검할 때 조건이 아닌 것은?

① 엔진을 1,500rpm으로 2~3분간 작동시킬 것

② 에어컨의 송풍기 스위치는 최대속도로 할 것

③ 온도 컨트롤 스위치는 최소 냉방으로 할 것

④ 콘덴서 전면에 보조 팬을 설치할 것

42. 유압 작동유의 점도가 너무 높을 경우, 유압장치에 발생하는 문제로 맞는 것은?

① 내부 누설 및 외부 누설

② 내부 마찰의 증대와 온도 상승

③ 펌프 효율 저하에 따른 온도 상승

④ 정밀한 조절과 제어 곤란 등의 현상 발생

43. 유압펌프의 압력이 규정보다 높은 원인이 아닌 것은?

① 유압조정 스프링의 장력이 클 때

② 바이패스 통로가 막혔을 때

③ 유압회로의 단면적이 작을 때

④ 유압유의 점도가 낮을 때

44. 유압용 제어밸브는 어느 목적에 사용하는가?

① 압력조정, 유량조정, 방향전환

② 유량조정, 유급조정, 방향조정

③ 압력조정, 유급조정, 역지조정

④ 유량조정, 방향조정, 작동조정

45. 안지름 60mm의 유압 실린더에서 450kgf의 추력을 발생시키려면 최소 유압은 약 얼마인가?

① 16kgf/㎠　　　② 18kgf/㎠

③ 20kgf/㎠　　　④ 23kgf/㎠

46. 그림에서 유압호스 설치가 가장 옳은 것은?

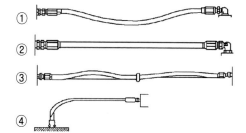

47. 유압회로에 사용되는 기본적인 회로가 아닌 것은?

① 개방회로
② 압력제어회로
③ 속도제어회로
④ 밸브제어회로

48. 유압펌프의 캐비테이션 현상을 방지하기 위하여 주의하여야 할 사항으로 틀린 것은?

① 오일탱크의 오일 점도는 적정 점도가 유지되도록 한다.
② 흡입구의 양정을 1m 이상으로 한다.
③ 펌프의 운전속도는 규정 속도 이상으로 해서는 안 된다.
④ 흡입관의 굵기는 유압펌프 본체의 연결구 크기와 같은 것을 사용한다.

49. 산업현장에서 산업재해를 예방하기 위한 안전·보건 표지의 종류와 형태에서 다음 그림이 나타내는 표시는?

① 지게차 사용금지
② 수화물 적하금지
③ 차량운전 주의표지
④ 차량 통행금지

50. 적외선 전구에 의한 화재 및 폭발할 위험성이 있는 경우와 거리가 먼 것은?

① 용제가 묻은 헝겊이나 마스킹 용지가 접촉한 경우
② 적외선전구와 도장 면이 필요 이상으로 가까운 경우
③ 상당한 고온으로 열량이 커진 경우
④ 상온의 온도가 유지되는 장소에서 사용한 경우

51. 작업 중 기계장치에서 이상한 소음이 발생할 경우 가장 적절한 대응책은 어느 것인가?

① 작업 종료 후 이상 유무를 확인한다.
② 즉시 작동을 멈추고 점검한다.
③ 기계장치의 속도를 확인한다.
④ 잠시 작동을 멈추었다가 작업한다.

52. 리머 가공에 관한 설명으로 옳은 것은?

① 직경 10mm 이상의 리머는 없다.
② 드릴 구멍보다 먼저 작업한다.
③ 드릴 구멍보다 더 정밀도가 높은 구멍을 가공 하는데 필요하다.
④ 드릴 구멍보다 더 작게 하는데 사용한다.

53. 자동차 적재함 밖으로 물건이 나온 상태로 운반할 경우 위험 표시 색깔을 무엇으로 하는가?

① 청색
② 흰색
③ 적색
④ 흑색

54. 기관 분해 · 조립 시 스패너 사용 자세 중 옳지 않은 것은?

① 몸의 중심을 유지하게 한 손은 작업물을 지지한다.
② 스패너 자루에 파이프를 끼우고 발로 민다.
③ 너트에 스패너를 깊이 물리고 조금씩 앞으로 당기는 식으로 풀고, 조인다.
④ 몸은 항상 균형을 잡아 넘어지는 것을 방지한다.

55. 줄 작업시의 주의사항이다. 틀린 것은?

① 사용 전 줄의 균열 유무를 점검한다.
② 줄 작업은 전신을 이용할 수 있게 하여야 한다.
③ 작업의 효율을 높이기 위해 줄에 오일을 칠하여 작업한다.
④ 작업대 높이는 작업자의 허리높이로 한다.

56. 실린더 헤드 볼트를 풀고도 실린더 헤드가 블록으로부터 분리되지 않을 때 안전하게 떼어내는 방법으로 틀린 것은?

① 나무망치로 두드려 떼어내는 방법
② 볼핀 망치로 두드려 떼어내는 방법
③ 압축압력을 이용해서 떼어내는 방법
④ 플라스틱 망치로 두드려 떼어내는 방법

57. 기관이 작동 중 과열되면 가장 먼저 점검을 해야 하는 것은?

① 팬벨트
② 수온조절기
③ 냉각수량
④ 냉각수 펌프

58. 축전지를 급속 충전할 때 축전지의 양쪽 단자를 탈거하지 않고 충전하면?

① 발전기 슬립링이 손상된다.

② 발전기 다이오드가 손상된다.

③ 발전기 로터코일이 손상된다.

④ 발전기 스테이터 코일이 손상된다.

59. 건설기계의 변속기 탈착 및 부착 작업시 안전한 방법으로 맞지 않는 것은?

① 크랭킹 하면서 변속기를 설치하지 않는다.

② 건설기계 밑에서 작업시에는 보안경을 쓴다.

③ 잭과 스탠드를 사용하여 장비를 안전하게 고정시킨다.

④ 차체를 로프로 고정시키고 작업한다.

60. 유압시스템에서 유압유를 깨끗하게 하여 불순물로 인한 장애를 받지 않도록 유지하는 금속필터의 세척 방법으로 틀린 것은?

① 압축공기로 필터 엘리먼트 주위에 모인 이물질을 제거시키는 방법

② 스크레이퍼로 떨어내는 방법

③ 세척액으로 벤젠이나 시너 등을 이용하는 방법

④ 초음파를 이용하여 세척하는 방법

제 3 회

01	①	02	②	03	①	04	③	05	③
06	③	07	③	08	③	09	③	10	③
11	④	12	④	13	②	14	①	15	①
16	③	17	①	18	②	19	③	20	④
21	③	22	②	23	④	24	②	25	③
26	②	27	①	28	④	29	④	30	④
31	③	32	③	33	③	34	②	35	③
36	②	37	①	38	③	39	①	40	②
41	③	42	②	43	④	44	①	45	①
46	③	47	④	48	②	49	④	50	④
51	②	52	③	53	③	54	②	55	③
56	②	57	③	58	②	59	④	60	②

	수험	성명
자격종목 및 등급(선택분야) **건설기계기관정비기능사** 제4회 시험시간 1시간		

1. 기관 실린더의 점검 사항에 들지 않는 것은?
① 실린더 내벽의 균열
② 실린더 윗면의 변형
③ 실린더 내벽의 마모
④ 실린더 내벽의 강도

2. 피스톤의 측압과 직접적인 관계가 있는 것은?
① 피스톤의 무게와 실린더 수
② 배기량과 실린더의 직경
③ 혼합비와 실린더 수
④ 커넥팅 로드의 길이(행정)

3. 기관 정비시 크랭크축의 점검 사항이 아닌 것은?
① 오일 구멍 상태 점검
② 휨 상태 점검
③ 무게 점검
④ 마모 상태 점검

4. 크랭크축 베어링에 스프레드(spread)를 두는 이유가 아닌 것은?
① 베어링과 하우징과의 완전한 밀착을 위해서
② 베어링 조립시 베어링이 캡에 끼워진 채로 있어 작업하기 편리하므로
③ 베어링 조립시 크러시가 압축됨에 따라 안쪽으로 찌그러지는 것을 방지하기 위해서
④ 작은 힘으로 눌러 끼워 베어링이 제자리에 밀착 되도록 하기 위해서

5. 기관에서 밸브 오버랩은 무엇을 나타내는가?
① 흡 · 배기밸브가 동시에 열려있는 시기
② 흡기밸브만 열려있는 시기
③ 배기밸브만 열려있는 시기
④ 흡 · 배기밸브가 동시에 닫혀있는 시기

6. 습식라이너를 사용하는 엔진에서 냉각수가 엔진오일로 유입되는 원인이 아닌 것은?
① 실린더 라이너의 상부에 턱이 크게 생겼다.
② 헤드 개스킷이 손상되었다.
③ 실린더 라이너 실이 손상되었다.
④ 오일 쿨러가 손상되었다.

7. 기관의 윤활장치에서 유압이 저하되는 원인이 아닌 것은?
① 오일의 점도가 높을 때
② 크랭크축 오일 간극이 클 때
③ 오일 스트레이너가 막혔을 때
④ 오일펌프의 릴리프밸브 접촉이 불량할 때

8. 냉각수 양이 정상인데도 기관이 과열할 때 그 원인은?
① 에어클리너의 불량
② 팬벨트의 헐거움
③ 온도계가 고장
④ 워터펌프의 고속 회전

9. 압력식 라디에이터 캡의 규정 압력은 일반적으로 게이지 압력으로 몇 kg/㎠ 정도인가?
① 0.2~0.9 ② 2.0~9.0
③ 1.2~1.9 ④ 12~19

10. 디젤기관의 진동이 심한 원인이 아닌 것은?
① 크랭크축과 밸런스 웨이트의 불균형

② 윤활유 펌프의 유압 불량

③ 피스톤과 커넥팅 로드의 중량차가 크다

④ 연료 분사량 및 노즐 분사 압력의 차이가 크다.

11. 딜리버리 밸브의 구조에 속하지 않는 것은?

① 딜리버리 스프링   ② 딜리버리 밸브 홀더

③ 밸브시트   ④ 슬리브

12. 디젤기관의 시동이 꺼져버렸을 때, 고장원인이 연료 계통에 있다면 가장 먼저 점검해야 할 것은?

① 분사 시기를 점검한다.

② 프라이밍 펌프를 작동하며 에어브리더를 풀어 공기혼입을 점검한다.

③ 고압노즐 파이프를 풀고 프라이밍 펌프를 작동하며 공기혼입을 점검한다.

④ 연료필터를 풀고 불순물의 유무를 점검한다.

13. 다음 중 커먼레일 엔진의 장점이 아닌 것은?

① 제작비가 비싸다.

② 환경오염 배출가스 저공해 실현 및 연비 최적화

③ 속도와 출력 전 영역의 유연한 전자제어 기능

④ 소음과 연소, 출력성능 최적화

14. 실린더 총체적이 1,000cc이고 행정체적이 850cc인 엔진의 압축비는?

① 5.60 : 1   ② 6.67 : 1

③ 5.67 : 1   ④ 7.52 : 1

15. 과급기에서 금속성의 소리가 나는 것은?

① 베어링이 마모되었다.

② 웨이스트 게이트 밸브가 마모되었다.

③ 흡입 파이프에서 공기가 샌다.

④ 몸체에 녹이 나 있다.

16. 흡·배기 계통에 대한 설명 내용 중 틀린 것은?

① 배기가스가 충분히 통과할 수 있는 통로 면적이 필요하다.

② 배기가스의 흐름저항을 적게 한다.

③ 터보 과급기 부착 엔진에서 작업 종료시 엔진은 가능한 빨리 시동을 끈다.

④ 웨이스트 게이트 밸브는 터보 과급기에 설치되어 있다.

17. 산소 용기에 윗부분에 각인 되어 있는 TP는 무엇을 의미하는가?

① 안전 시험압력(kgf/㎠)

② 정격 시험압력(kgf/㎠)

③ 최고 충전 시험압력(kgf/㎠)

④ 내압 시험압력(kgf/㎠)

18. 연강용 피복 아크 용접봉의 종류, 피복제, 용접 자세를 바르게 연결한 것은?

① E4301 - 고산화티탄계 - F, V, O, H

② E4303 - 저수소계 - F, V, O, H

③ E4311 - 철분저수소계 - F, H-Fill

④ E4327 - 철분 산화철계 - F, H-Fill

19. 탄산가스 아크용접의 장점이 아닌 것은?

① 전류밀도가 대단히 높으므로 용입이 깊고 용접속도를 빠르게 할 수 있다.

② 전 자세 용접이 가능하다.

③ 용접 진행의 양부 판단이 가능하고 사용이 편리하다.

④ 적용 재질이 다양하다.

20. 다음 중 용착효율이 가장 높은 용접법은?

① 서브머지드 용접법

② FCAW 용접

③ TIG, MIG 용접

④ 피복 아크 용접

21. 용접 중 아크를 중단시키면 중단된 부분이 오목하거나 납작하게 파진 모습이 되는데, 이것을 무엇이라고 하는가?

① 용융상태   ② 스패터

③ 아크 쏠림   ④ 크레이터

22. 용접 이음부의 홈 형상 중 틀린 것은?

① I형   ② V형
③ W형   ④ X형

23. 클러치를 연결하고 기어를 변속하면 어떻게 되는가?

① 기어에서 소리가 나고 기어가 마모된다.
② 변속레버가 마모된다.
③ 기관이 정지된다.
④ 클러치 디스크가 마모된다.

24. 유성기어 장치의 구성품으로 맞는 것은?

① 선 기어, 링 기어, 유성기어(캐리어)
② 링 기어, 선 기어 솔레노이드 기어
③ 선 기어, 링 기어, 가이드 링
④ 링 기어, 유성기어(캐리어), 가이드 링

25. 변속기의 1속 기어의 감속비가 4:1, 종감속비가 5:1인 덤프트럭의 기관이 2,600rpm으로 회전하며 1속으로 주행하고 있을 때, 바퀴의 회전수는 얼마인가?

① 130rpm   ② 260rpm
③ 520rpm   ④ 1,000rpm

26. 덤프트럭의 토인은 무엇으로 조정하는가?

① 타이어 공기 압력   ② 현가 스프링
③ 타이로드 엔드   ④ 조향핸들

27. 덤프트럭이 주행 중 조향 핸들이 한쪽으로 쏠리는 원인과 가장 거리가 먼 것은?

① 뒤차축이 차의 중심선에 대하여 직각이 되지 않는다.
② 좌우 타이어의 압력이 같지 않다.
③ 조향 핸들의 축 방향 유격이 크다.
④ 앞차축 한쪽의 현가 스프링이 절손되었다.

28. 지게차의 유압실린더의 직경이 65mm이고, 최대 작동압력이 210kgf/㎠라면, 이 유압실린더에 작용하는 힘은 얼마인가?

① 약 1,071kgf   ② 약 1,365kgf

③ 약 6,965kgf   ④ 약 13,650kgf

29. 유압식 브레이크에서 제동력을 증대시키기 위해 기관의 흡입행정에서 발생하는 진공과 대기압의 차를 이용한 배력장치는?

① 하이드로 백   ② 하이드로 에어백
③ 마스터 실린더   ④ 하이드로릭 실린더

30. 불도저의 상부롤러를 탈착할 때 간략하게 작업하여 경제적이고 시간을 단축하는 방법으로 가장 적합한 것은?

① 아이들러를 분리하고 탈거한다.
② 트랙의 장력을 없애고 탈거한다.
③ 트랙 프레임과 트랙 링크 사이에 유압잭을 사용하여 트랙을 들어 올린 다음 탈거한다.
④ 트랙 하부에 돌이나 강철판을 넣어 트랙 장력을 만들어서 탈거한다.

31. 무한궤도식 도저가 일직선 운행이 되지 않는다. 그 원인은?

① 메인 클러치가 나쁘다.
② 변속기가 나쁘다.
③ 스티어링 클러치가 나쁘다.
④ 스파이럴 드라이브 기어가 나쁘다.

32. 건설기계의 동력 전달 순서가 틀린 것은?

① 굴삭기의 굴삭 작업시: 기관-유압펌프-컨트롤 밸브 유압 실린더-작업 장치
② 굴삭기의 주행 작업시: 기관-유압펌프-센터 조인트-트랙모터
③ 굴삭기의 스윙 작업시: 기관-유압펌프-피니언기어-링기어-스윙 모터
④ 크롤러형 로더: 기관-토크 컨버터-변속기-조향클러치 및 브레이크-감속기어-스프로킷

33. 굴삭기 1시간당 굴삭 작업량이 $40m^2/h$, 일일 운전시간이 10시간일 때 굴삭기 1대가 5000 m^2를 파는데 소요되는 시간은?

① 10.5일   ② 12.5일
③ 14.5일   ④ 20.5일

34. 모터그레이더의 회전반경을 작게 하기 위해서 앞바퀴를 좌·우로 기울이는 장치는?

① 리닝 장치　　　　② 아티귤레이트 장치
③ 스캐리 파이어 장치　④ 파워 컨트롤 장치

35. 지게차 마스트 전경각이 6° 후경각이 12°로 조정되어 제작된 지게차의 전경각을 4°로 조정하였다면, 후경각은 몇 도까지 조정될 수 있는가?

① 10°　　　　　② 12°
③ 8°　　　　　④ 14°

36. 크레인용 와이어 로프의 고임 중 스트랜드를 왼쪽 방향으로 꼰 것은?

① Z 꼬임　　　　② 랭 꼬임
③ S 꼬임　　　　④ 보통 꼬임

37. 건설기계로 사용되는 콘크리트 배칭 플랜트의 작업 능력을 산정하는 요소가 아닌 것은?

① 최대 인양 능력
② 재료의 저장용량
③ 믹서의 용량과 대수
④ 단위 시간당 혼합능력

38. 축전지 충전작업 시 주의사항으로 맞지 않는 것은?

① 전해액을 혼합할 때는 증류수를 황산에 천천히 붓는다.
② 축전지 단자가 단락하여 스파크가 일어나지 않게 한다.
③ 축전지를 충전하는 곳은 환기장치가 필요하다.
④ 축전지를 차량에 설치할 때 접지선은 제일 나중에 연결한다.

39. 시동전동기를 무리하게 사용하면 과방전된다. 가장 알맞은 시간은?

① 30초 이하　　　② 1분
③ 2분　　　　　④ 3분

40. 교류발전기의 출력은 무엇을 변화시켜 조정하는가?

① 로터 전류　　　② 스테이터 전류
③ 회전속도　　　④ 다이오드의 용량

41. 정비작업 중 갑자기 전조등이 꺼졌을 경우와 관계가 없는 것은?

① 퓨즈의 단선　　② 배선의 접촉 불량
③ 축전지 용량 과다　④ 필라멘트 단선

42. 유압 오일 내에 거품이 형성되는 가장 큰 이유는?

① 오일의 누설　　② 오일 속의 수분 혼입
③ 오일의 열화　　④ 오일 속의 공기 혼입

43. 유압펌프에서의 토출량에 대해서 바르게 설명한 것은?

① 단위 시간당 토출해 낼 수 있는 유량이다.
② 단위 체적당 토출해 낼 수 있는 유량이다.
③ 최단 시간당 토출 가능한 최대 유량이다.
④ 최장 시간당 토출 가능한 유량이다.

44. 유압장치의 회로에서 최대 압력을 제어하여 회로를 보호하기 위해 설치되어 있는 안전밸브는?

① 릴레이 밸브　　② 릴리프밸브
③ 리듀싱 밸브　　④ 리턴 밸브

45. 유압회로의 구성요소 중에서 회로를 보호하기 위한 것이 아닌 것은?

① 릴리프밸브　　② 피스톤
③ 필터　　　　　④ 스트레이너

46. 건설기계에서 유압 배관을 정비 및 탈거하는 경우 주의사항 중 틀린 것은?

① 회로의 잔압이 없는 것을 확인하고 작업한다.
② 버킷을 땅 위에 내려놓고 작업하다.
③ 배관은 마찰이 있을 때 직각으로 구부려 조립한다.
④ 복잡한 배관은 꼬리표를 붙인다.

47. 불도저의 유압 회로도에서 리프트 실린더에 해당하는 것은?

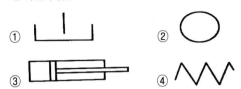

48. 유량 제어밸브 또는 방향 제어밸브를 급격히 조작하게 되면 회로 중에 순간적으로 이상 고압이 발생하게 되는데, 이를 무엇이라 하는가?
① 서지 압력
② 크래킹 압력
③ 오버라이드 압력
④ 전개 압력

49. 안전·보건 표지의 종류별용도·사용 장소·형태 및 색채에서 바탕은 노란색, 기본모형 관련부호 및 그림은 검정색으로 된 것은?
① 금지표지 　　② 지시표지
③ 경고표지 　　④ 안내표지

50. 안전표지의 색채 중에서 대피장소 또는 비상구 등의 표지에 사용되는 색깔은 무엇인가?
① 빨간색 　　② 주황색
③ 녹색 　　④ 청색

51. 드릴 프레스로 얇은 판에 구멍을 뚫을 때 얇은 판 밑에 무엇을 받치면 가장 좋은가?
① 나무판 　　② 무쇠판
③ 강판 　　④ 동판

52. 다이얼 게이지 취급시 안전사항이다. 잘못 설명한 것은?
① 작동이 불량하면 스핀들에 주유하거나 그리스를 발라서 사용한다.
② 분해 소제나 조정은 하지 않는다.
③ 다이얼인디케이터에 어떤 충격이라도 가해서는 안 된다.
④ 측정시는 측정물에 스핀들을 직각으로 설치하고 무리한 접촉은 피한다.

53. 감전사고 방지책과 관계가 먼 것은?
① 고압의 전류가 흐르는 부분은 표시하여 주의를 준다.
② 전기 작업을 할 때는 절연용 보호구를 착용한다.
③ 정전 시에는 제일 먼저 퓨즈를 검사한다.
④ 스위치의 개폐는 오른손으로 하고 물기가 있는 손으로 전기장치나 기구에 손을 대지 않는다.

54. 복스 렌치가 오픈엔드 렌치보다 더 사용되는 가장 중요한 이유는?
① 볼트, 너트 주위를 완전히 싸게 되어 있어서 사용 중에 미끄러지지 않는다.
② 여러 가지 크기의 볼트, 너트에 사용할 수 있다.
③ 값이 싸며, 적은 힘으로 작업할 수 있다.
④ 가볍고, 사용하는데 양손으로 사용할 수 있다.

55. 쇠톱 작업에 대한 유의 사항으로 맞는 것은?
① 항상 오일을 발라야 한다.
② 전진 행정에서만 절단되게 작업을 한다.
③ 전·후진 양 행정에서 절단되게 작업을 한다.
④ 한 방향으로 사용한 후 다시 바꾸어 끼우고 사용한다.

56. 겨울철에 건설기계 보관 시 가장 주의해야 할 것은?
① 윤활유 유무를 점검해야 한다.
② 부동액이 채워져 있는지 점검해야 한다.
③ 냉각수가 채워져 있는지 점검해야 한다.
④ 연료 유무를 점검해야 한다.

57. 다음 중 클러치 부품을 세척유로 세척을 하고자 한다. 세척해서는 안 되는 부품은?
① 클러치 커버 　　② 릴리스 레버
③ 클러치 스프링 　　④ 릴리스 베어링

58. 토인 측정시 먼저 하여야 할 점에 들지 않는 것은?

① 스티어링 흔들림 검사
② 타이어 공기압
③ 휠 베어링 검사
④ 차량 무게

59. 불가피하게 고전압선 가까이에서 굴삭기로 나무이식 작업을 할 때, 사고방지를 위해 지켜야 할 사항 중 틀린 것은?

① 운전자는 고무나 밑창이 가죽으로 만든 작업화를 착용하는 것이 좋다.
② 만일 작업장치가 전선에 접촉한 경우 운전자는 즉시 운전석에서 떠난다.
③ 전선에 접촉한 장비 가까이 사람이 접근하지 않도록 한다.
④ 장비가 전선에 가까이 가지 않도록 유도자를 배치한다.

60. 기중기 작업 중 주의할 점이 아닌 것은?

① 달아 올릴 화물의 무게를 파악하여 제한하중 이하에서 작업한다.
② 매달린 화물이 불안전하다고 생각될 때는 작업을 중지한다.
③ 신호의 규정은 없고 작업은 적당히 한다.
④ 항상 신호인의 신호에 따라 작업한다.

제 4 회

01	④	02	④	03	③	04	①	05	①
06	①	07	①	08	②	09	①	10	②
11	④	12	②	13	①	14	②	15	①
16	③	17	③	18	④	19	④	20	①
21	④	22	③	23	①	24	①	25	①
26	③	27	③	28	③	29	①	30	③
31	③	32	③	33	②	34	①	35	④
36	①	37	①	38	①	39	①	40	①
41	③	42	④	43	①	44	②	45	②
46	③	47	③	48	①	49	③	50	③
51	①	52	①	53	③	54	①	55	②
56	②	57	④	58	④	59	②	60	③

국가기술자격검정 필기시험문제

자격종목 및 등급(선택분야)	제5회	시험시간	수험	성명
건설기계기관정비기능사		1시간		

1. 다음 중 내경 측정이 가능한 게이지를 모두 나열한 것은?

> A : 외경 마이크로미터
> B : 텔레스코핑 게이지
> C : 공기 마이크로미터
> D : 실린더 보어 게이지

① A, B   ② B, C
③ B, C, D   ④ A, B, C, D

2. 피스톤 실린더 사이의 간격이 크면 어떤 현상이 생기게 되는가?
① 레이싱 현상이 생긴다.
② 블로바이 현상이 생긴다.
③ 스틱 현상이 생긴다.
④ 런-온 현상이 생긴다.

3. 폭발순서가 1-3-4-2-인 기관에서 3번 피스톤이 압축행정을 할 때, 2번 피스톤은 무슨 행정을 하는가?
① 폭발행정   ② 배기행정
③ 압축행정   ④ 흡입행정

4. 밸브 배열에 따른 실린더 헤드 형식이 아닌 것은?
① I형   ② L형
③ F형   ④ G형

5. S·O BTDC 8°, S·C ABDC 40° 일 때의 설명으로 맞는 것은?
① 흡기밸브가 상사점 전 8°에서 열리고 하사점

후 40°에서 닫힌다.
② 흡기밸브가 상사점 전 40°에서 열리고 하사점 후 8°에서 닫힌다.
③ 배기밸브가 상사점 전 8°에서 열리고 하사점 후 40°에서 닫힌다.
④ 배기밸브가 상사점 전 40°에서 열리고 하사점 후 8°에서 닫힌다.

6. 기관에서 폭발행정 말기에 배기가스가 실린더 내의 압력에 의해 배기가스가 배출되는 현상은?
① 바이패스 현상   ② 오버 플로우 현상
③ 블로우 다운 현상   ④ 채터링 현상

7. 윤활유의 점도지수를 설명한 것이다. 틀린 것은?
① 점도지수란 온도에 따라 점도가 변하는 정도를 나타내는 척도이다.
② 일반적으로 파라핀계는 온도에 따른 점도 변화가 나프텐계의 윤활유에 비해 많다.
③ 온도에 따른 점도 변화가 적은 경우를 '점도지수가 높다'라고 정의한다.
④ 윤활유는 점도지수가 높은 것이 바람직스럽다.

8. 기관의 윤활유 소비가 많은 원인이 아닌 것은?
① 피스톤 및 실린더의 마멸과 손상
② 오일펌프의 불량
③ 밸브 가이드 및 밸브 스템의 마멸
④ 외부로부터 누설

9. 냉각장치에서 밀봉 압력식 라디에이터 캡을 사용하는 것으로 가장 적합한 것은?
① 엔진 온도를 높일 때

② 엔진 온도를 낮게 할 때

③ 압력밸브가 고장일 때

④ 냉각수의 비점을 높일 때

10. 독립식 연료분사장치(열형펌프)의 연료공급순서로 맞는 것은?

① 연료탱크→열형 연료 분사펌프→연료여과기→연료 공급펌프→분사노즐

② 연료탱크→열형 연료 분사펌프→연료 공급펌프→연료여과기→분사노즐

③ 연료탱크→연료 공급펌프→연료여과기→열형 연료 분사펌프→분사노즐

④ 연료탱크→분사노즐→연료여과기→연료 공급펌프→열형 연료 분사펌프

11. 디젤기관에서 연료 분사에 대한 요건에서 적합하지 않은 것은?

① 관통력   ② 조정
③ 분포   ④ 무화

12. 연료 분사 파이프의 조건과 거리가 먼 것은?

① 분사 파이프의 길이는 가능한 길수록 좋다.

② 분사 파이프의 길이는 모두 같아야 한다.

③ 분사 파이프는 외부 진동의 영향을 거의 받지 않도록 일정한 간격으로 고정한다.

④ 각 분사 파이프의 굽힘부의 반경은 최소 50mm 이상으로 한다.

13. 디젤기관에서 연료가 정상적으로 공급되지 않아 시동이 꺼지는 현상이 발생되었다. 그 원인이 아닌 것은?

① 연료필터의 막힘

② 연료 파이프 손상

③ 프라이밍 펌프 고장

④ 연료탱크 내의 오물 과다

14. 디젤기관의 실린더가 4개, 총배기량은 14,000cc, 각 실린더당 연소실 용적이 220cc일 때 압축비는?

① 15.9 : 1   ② 16.9 : 1
③ 18.5 : 1   ④ 19.5 : 1

15. 디젤기관에서 시동을 돕기 위한 예열장치로 맞는 것은?

① 과급 장치   ② 발전기
③ 디퓨저   ④ 흡기히터

16. 디젤기관에서 배기가스 중 검은 연기를 내는 원인이 아닌 것은?

① 압축압력이 낮아 압축온도가 낮을 때

② 노즐에서 관통력과 무화가 강할 때

③ 분사 시기가 나쁠 때

④ 노즐로부터 분사 상태가 나쁠 때

17. 토치 작업시 발생하는 역화의 원인으로 거리가 먼 것은?

① 가스의 압력이 부적합하다.

② 팁 끝이 과냉되어 있다.

③ 팁의 조임이 완전하지 않다.

④ 팁 끝에 오물이 묻어있다.

18. 용접자세에 관한 기호와 뜻으로 잘못 짝지어진 것은?

① 아래 보기 자세 : F

② 수평자세 : H

③ 수직자세 : V

④ 위보기 자세 : H-Fil

19. 이산화탄소 아크용접에서 반자동 용접의 용접속도(위빙 및 토치 이동)로 가장 적합한 것은?

① 10~20cm/mim

② 30~50cm/mim

③ 60~70cm/mim

④ 70~80cm/mim

20. 가스용접 작업시 안전에 관한 설명으로 옳은 것은?

① 토치를 고무호스에 연결 시 아세틸렌은 녹색호스, 산소는 적색 또는 황색에 연결한다.

② 산소 용기는 화기에서 1m 정도 거리를 둔다.

③ 산소 용기는 40℃ 이하의 온도에 보관한다.

④ 토치 점화시는 성냥불과 담뱃불을 사용한다.

21. 용해 아세틸렌 가스충전 압력으로 가장 알맞은 것은?

① 160kgf/㎠ ② 150kgf/㎠

③ 30kgf/㎠   ④ 15kgf/㎠

22. 가스용접기 설치 방법 중 틀린 것은?

① 산소와 아세틸렌 용기의 고압밸브를 열어 밸브내의 먼지를 불어내어 조정기 설치부를 깨끗이 한다.

② 압력용기는 가스누설이 없도록 정확하게 설치한다.

③ 적색 또는 황색 호스는 산소조정기에 검은색, 또는 녹색 호스는 아세틸렌 조정기에 밴드를 사용하여 단단히 접속한다.

④ 적색 또는 황색 호스는 아세틸렌 조정기에, 검은색 또는 녹색 호스는 산소조정기에 밴드를 사용하여 단단히 접속한다.

23. 다음 중 변속기를 분해할 때 가장 먼저 해야 할 작업은 무엇인가?

① HB 제거   ② GAA 제거

③ OE 제거   ④ GO 제거

24. 유성기어장치에서 유성기어 캐리어를 고정하고 선기어의 구동하면 링기어의 회전은 어떻게 되는가?

① 증속   ② 감속

③ 직결   ④ 역전 감속

25. 엔진의 회전수가 2,400rpm이고, 변속비가 6:1일 때 추진축의 회전수는 얼마인가?

① 400rpm   ② 600rpm

③ 900rpm   ④ 1,200rpm

26. 덤프트럭에 동력 조향장치를 설명하였다. 맞는 것은?

① 조향 각도가 크게 된다.

② 조향 핸들에 유격이 생기지 않는다.

③ 다기관의 부압으로 조향장치를 작동시킬 수 있다.

④ 유압계통에 고장이 있어도 조향조작을 할 수 있다.

27. 지게차에서 토인 조정 방법으로 맞는 것은?

① 앞차축에서 타이로드 엔드로 조정

② 앞차축에서 피트먼 암으로 조정

③ 뒤차축에서 벨 크랭크로 조정

④ 뒤차축에서 타이로드 엔드로 조정

28. 하이드로 백의 릴레이 밸브를 작동시키는 것은?

① 릴레이 스프링   ② 릴레이 유압

③ 릴레이 막   ④ 릴레이 피스톤

29. 하이드로백의 동력 피스톤의 지름이 20cm이고, 대기압과 부압의 차이가 0.5kgf/㎠이라면 이 하이드로백의 작용력은?

① 약 157kgf   ② 약 193kgf

③ 약 224kgf   ④ 약 353kgf

30. 도자에서 트랙을 분리해서 정비해야 할 경우가 아닌 것은?

① 아이들러 교환시   ② 상부롤러 교환시

③ 스프로켓 교환시   ④ 트랙 링크 교환시

31. 무한궤도(크롤러)형 굴삭기 주행속도가 정상보다 느릴 경우의 원인을 열거하였다. 옳지 않은 것은?

① 피스톤펌프의 사판 경사각이 작게 조정되어 있다.

② 릴리프밸브의 압력이 높게 조정되어 있다.

③ 유압유 점도가 너무 낮다.

④ 교축밸브의 출구가 작게 열려 있다.

32. 굴삭기에서 붐과 암의 각도가 몇 도일 때 가장 굴삭력이 좋은가?

① 45° ∽55°   ② 50° ∽70°

③ 70° ∽100°   ④ 80° ∽110°

33. 무한궤도식 굴삭기에서 접지면적이 4.5㎡, 장비 중량이 21톤일 때, 접지압은?

① $0.47 kgf/cm^2$ ② $0.57 kgf/cm^2$

③ $0.67 kgf/cm^2$ ④ $0.77 kgf/cm^2$

34. 모터그레이더에서 리닝 장치의 설치 목적은?

① 작업의 직진성을 방지하기 위하여

② 회전방향을 크게 하여 직진을 돕기 위하여

③ 앞바퀴를 회전하려고 하는 쪽으로 기울여서 작은 반지름으로 회전이 가능하게 하기 위하여

④ 작업의 원활성을 유지하여 산포작업을 돕기 위하여

35. 지게차의 리프트 실린더가 상승력이 부족하다. 그 원인으로 틀린 것은?

① 리프트 실린더의 누유

② 다운 컨트롤 밸브의 개폐 부족

③ 유압유 필터가 막혔을 때

④ 스풀의 기밀 불량시

36. 크레인 와이어의 지름이 3cm, 들어 올릴 하중이 100kgf 일 때의 인장강도(kgf/cm^2)는?

① 14.2 ② 15.2

③ 16.2 ④ 17.2

37. 회전식 천공기에 대한 설명이 아닌 것은?

① 천공속도가 느리다.

② 보링기계, 어스오거, 어스드릴 등이 이에 속한다.

③ 비트에 강력한 회전력과 압력을 주어 마모ㆍ천공한다.

④ 깊은 천공이나 대구경의 천공은 기술적으로 곤란하다.

38. 20℃에서 전해액 비중이 1.280이다. 0℃일 때의 비중은?

① 1.266 ② 1.273

③ 1.287 ④ 1.294

39. 엔진의 회전력이 기동전동기에 전달되지 않도록 하는 장치는?

① 전기자 ② 전자석 스위치

③ 브러시 ④ 오버런닝 클러치

40. 발전기의 전압조정기는 저항을 어디에 넣어 조정하는가?

① 아마추어 코일과 축전지 사이

② 로터 코일과 축전지 사이

③ 브러시와 출력축 사이

④ 충전회로

41. 헤드라이트 형식 중 내부에 불활성 가스가 들어 있고, 대기조건에 때라 반사경이 흐려지지 않는 등의 장점이 많은 헤드라이트의 형식은?

① 세미 실드빔식 ② 실드빔식

③ 환구식 ④ 로우빔식

42. 유압 작동유의 교환 시 주의사항으로 옳지 않은 것은?

① 장비 가동을 완전히 멈춘 후에 교환한다.

② 화기가 있는 곳에 교환 작업을 하지 않는다.

③ 유압 작동유의 온도가 고온일 때 유압유를 교환한다.

④ 서로 다른 종류의 유압 작동유를 혼합해서 사용하지 않는다.

43. 기어식 유압펌프에서 두 치형이 서로 접촉하지 않고 회전하므로 소음이 적고 배출량이 많은 펌프는?

① 로브펌프 ② 스크루 펌프

③ 정현곡선 기어펌프 ④ 내접식 기어펌프

44. 유압회로에서 어느 부분의 압력이 설정치 이상이 되면 압력에 의하여 밸브를 전개하고, 압력유를 1차 측에서 2차 측으로 통하게 하는 밸브는?

① 시퀀스 밸브 ② 유량조절 밸브

③ 릴리프 밸브 ④ 감압밸브

45. 굴삭기의 오일 스트레이너가 일부 막히거나 너무 조밀하면 어떤 현상이 생기는가?

① 베이퍼록 현상 ② 페이드 현상

③ 숨돌리기 현상 ④ 공동현상

46. 유압호스 보관 방법으로 적합하지 않은 것은?

　① 건조한 장소에 보관한다.

　② 햇볕이 잘 드는 실외에 보관한다.

　③ 장기간(1년 이상) 보관하지 않는다.

　④ 호스 양단에는 이물질이 들어가는 것을 막기 위해 캡을 씌운다.

47. 유압회로 중 일을 하는 행정에서는 고압 릴리프밸브로, 일을 하지 않을 때는 저압 릴리프밸브로 압력제어를 하여 자동 목적에 알맞은 압력을 얻는 회로는?

　① 클로즈 회로

　② 최대 압력 제한 회로

　③ 미터인 회로

　④ 블리드 오프 회로

48. 액체에 공기가 아주 작은 기포 상태에 섞어지는 현상 또는 섞여져 있는 상태를 유압 용어로 무엇이라 하는가?

　① 맥동현상　　　　② 공기혼입

　③ 수격현상　　　　④ 채터링

49. 안전·보건 표지의 종류와 형태에 안전표지의 종류가 아닌 것은?

　① 금지표지　　　　② 허가표지

　③ 경고표지　　　　④ 지시표지

50. 작업장 내에서의 화재분류로 알맞은 것은?

　① A급 화재 - 전기화재

　② B급 화재 - 휘발유, 벤젠 등의 화재

　③ C급 화재 - 금속화재

　④ D급 화재 - 목재, 종이, 석탄화재

51. 연삭작업에서 안전관리상 적합하지 않은 것은?

　① 숫돌차의 회전은 규정 이상을 초월해서는 안된다.

　② 보안경을 반드시 착용해야 한다.

　③ 스위치를 넣고 연삭하기 전에 공전상태를 확인 후작업해야 한다.

　④ 숫돌차의 정면에 위치하고 숫돌 파괴시 파편에 의한 위험을 방지하기 위해 거리를 두어 연삭하는 것이 안전하다.

52. 실린더 보어 게이지 취급시 안전 사항과 관련이 없는 것은?

　① 스핀들이 잘 움직이지 않을 때 휘발유로 세척한다.

　② 스핀들은 공작물에 가만히 접촉하도록 한다.

　③ 보관시는 건조된 헝겊으로 닦아서 보관한다.

　④ 스핀들이 잘 움직이지 않으면 고급 스핀들유를 바른다.

53. 자동차정비 작업시 압축공기를 이용한 공구를 사용할 필요가 없는 작업은?

　① 타이어 교환 작업

　② 클러치 탈거작업

　③ 축전지 단자 케이블 연결

　④ 엔진분해·조립

54. 토크 렌치를 사용할 때 안전하지 못한 것은?

　① 볼트나 노트를 조일 때 조임력을 측정한다.

　② 핸들을 잡고 몸 바깥쪽으로 밀어낸다.

　③ 조임력은 규정 값에 정확히 맞도록 한다.

　④ 손잡이에 파이프를 끼우고 돌리지 않도록 한다.

55. 물체를 잡을 때 사용하고, 조(jaw)에 세레이션이 설치되어 있어서 미끄러지지 않으며, 물체의 크기에 따라 조를 조절 할 수 있는 공구는?

　① 와이어 스트립퍼　　② 알렌 렌치

　③ 바이스 플라이어　　④ 복스 렌치

56. 차량에 연료공급시 주의사항이다. 적당하지 못한 것은?

　① 차량의 모든 전원을 off하고 주유한다.

　② 소화기를 비치한 후 주유한다.

　③ 엔진 시동을 끈 후 주유한다.

　④ 엔진을 공회전 시키면서 주유한다.

57. 건설기계 기관 취급 시 주의사항으로 가장 적합하지 않는 것은?

① 연료탱크의 연료 보급은 작업시작 직전이 가장 좋다.
② 혹한 시 냉각수가 동결할 우려가 있으면 부동액을 미리 주입한다.
③ 정기적으로 연료여과기 교환과 연료탱크의 수분 처리를 한다.
④ 냉각수는 정기적으로 교환, 세정하며 냉각 계통의 물때를 배출한다.

58. 동력 전동장치의 치차(Gear)로서 통행 또는 작업시에 접촉할 위험이 있는 곳은?

① 덮개판을 덮는다.
② 통행을 금지한다.
③ 조심해서 통행한다.
④ 작업을 중지하고 방치한다.

59. 크롤러식 건설기계의 아이들러 점검 및 정비시 안전한 방법으로 볼 수 없는 것은?

① 아이들러의 균열 및 손상을 점검한다.
② 아이들러의 바깥지름과 마멸을 점검한다.
③ 축의 오일구멍을 와이어브러시로 청소한다.
④ 축의 플랜지와 부싱 마멸을 점검한다.

60. 먼지가 많은 토목공사 현장에서 하루 동안 작업을 마친 장비를 보관하기 전에 점검할 사항과 가장 거리가 먼 것은?

① 에어클리너 : 엘리먼트 집진 캡을 청소한다.
② 라디에이터 : 코어가 막히지 않도록 압축공기로 청소한다.
③ 전장품 : 단선, 쇼트 및 느슨한 단자 점검과 청소를 한다.
④ 작동유 : 유압탱크, 오일교환 및 청소한다.

제 5 회

01	③	02	②	03	②	04	④	05	①
06	③	07	②	08	②	09	④	10	③
11	②	12	①	13	③	14	②	15	④
16	②	17	②	18	④	19	②	20	④
21	④	22	③	23	④	24	④	25	①
26	④	27	④	28	④	29	①	30	②
31	②	32	④	33	①	34	③	35	②
36	①	37	③	38	④	39	④	40	②
41	②	42	③	43	①	44	①	45	④
46	②	47	②	48	②	49	②	50	②
51	④	52	①	53	③	54	②	55	③
56	④	57	①	58	①	59	③	60	④

	수험	성명
자격종목 및 등급(선택분야) 건설기계기관정비기능사 제6회	시험시간 1시간			

1. 피스톤 링의 3대 작용이 아닌 것은?
   ① 기밀유지 작용   ② 응력분산 작용
   ③ 오일제어 작용   ④ 열전도 작용

2. 기관의 피스톤 간극이 클 경우 생기는 현상으로 아닌 것은?
   ① 마멸 감소   ② 블로바이 가스 발생
   ③ 피스톤 슬랩 발생   ④ 엔진 출력 저하

3. 크랭크축에 오일 실링거(slinger)를 설치하는 이유는?
   ① 오일의 침입을 막기 위해서
   ② 오일의 누설을 막기 위해서
   ③ 오일에 가스 발생을 막기 위해서
   ④ 오일의 열화를 막기 위해서

4. 밸브 스프링 서징 현상의 설명 중 알맞은 것은?
   ① 밸브가 열릴 때 천천히 열리는 현상
   ② 밸브의 흡기·배기가 동시에 열리는 현상
   ③ 고속시 밸브의 고유진동수와 캠의 회전수의 공명에 의하여 스프링이 튕기는 현상
   ④ 고속 회전에서 저속으로 변화할 때 스프링의 장력차에 의한 현상

5. 다음 중 피스톤의 구조가 아닌 것은?
   ① 피스톤 헤드   ② 링홈
   ③ 스커트부   ④ 랜덤

6. 다음 중 실린더 헤드 면을 연삭하여 조립했을 때 나타나는 현상은?
   ① 압축비가 감소하는 현상
   ② 피스톤과 밸브의 간격이 커지는 현상
   ③ 냉각수 온도 상승 현상
   ④ 압축비가 상승하는 현상

7. 다음 중 오일펌프 내부 마모시 발생하는 현상이 아닌 것은?
   ① 엔진이 과열된다.
   ② 오일의 압력이 낮아진다.
   ③ 오일의 압력이 높아진다.
   ④ 각 구성품이 소결된다.

8. 다음 중 엔진의 과열 원인이 아닌 것은?
   ① 방열기 코어에 오물 부착
   ② 수온조절기의 닫힌 상태로 고장
   ③ 연료의 질이 나쁠 때
   ④ 냉각팬 벨트의 느슨함

9. 다음 중 부동액으로 적당한 것은?
   ① 벤젠   ② 에틸렌글리콜
   ③ 알콜   ④ 탄산나트륨

10. 디젤기관 연료 장치의 연료공급 펌프 정비 후 시험방법 중 틀린 것은?
    ① 누설시험   ② 흡입시험
    ③ 진공시험   ④ 배출시험

11. 디젤기관에서 분사노즐의 분사개시 압력이 규정보다 높거나 낮을 때 올바른 정비 방법은?
    ① 니들 밸브 압력 스프링을 교환해서
    ② 분사 압력 조정나사를 풀거나 조여서
    ③ 딜리버리 밸브 스프링을 교환해서

④ 플랜저를 회전시킴으로써 플런저의 유효행정을 바꿔서

12. 다음 중 디젤기관의 연소 촉진제로 적합하지 않은 것은?

① 아질산 아밀   ② 초산 아밀
③ 초산 에틸   ④ 점화 촉진제

13. 다음 중 디젤엔진의 출력이 낮아진 원인이 아닌 것은?

① 밸브 간격이 크다.
② 연료 분사 압력이 낮게 조정되어 있다.
③ 가열플러그(예열플러그)가 손상되었다.
④ 연료 휠터의 막힘율이 커서 연료공급이 불량하다.

14. 기관의 회전수가 2,000rpm에서 최대 토크 35 kgf-m일 경우 축 마력은?

① 102.35PS   ② 116.21PS
③ 99.25PS   ④ 97.77PS

15. 실린더의 지름 60mm, 행정이 80mm인 4기통 기관의 총배기량은 얼마인가?

① 115cc   ② 150cc
③ 904cc   ④ 1,205cc

16. 건설기계의 디젤기관에서 과급기를 사용하는 목적은?

① 압축비를 높인다.
② 배기효율을 낮춘다.
③ 배압을 높인다.
④ 흡입효율을 높인다.

17. 가스절단 작업을 위한 불꽃 조정 방법으로 옳은 것은?

① 절단 토치의 산소 밸브를 약간 열고 아세틸렌 밸브를 열어 점화한다.
② 절단토치의 산소 밸브를 약간 열고 절단 산소를 분출시켜 압력을 조절한다.
③ 탄화불꽃 상태에서 산소의 분출량을 서서히

증가시켜 중성불꽃으로 만든다.
④ 탄화불꽃 상태에서 아세틸렌을 서서히 증가시켜 중성불꽃으로 만든다.

18. 피복 아크 용접시 용접봉과 용접선이 이루는 각도를 무엇이라고 하는가?

① 작업각도   ② 용접각도
③ 진행각도   ④ 자세각도

19. 탄산가스 아크용접에서 허용되는 바람의 한계 속도는?

① 0.5m/s   ② 2m/s
③ 4m/s   ④ 6m/s

20. 용입이 완전한 용접부의 이음 효율은?

① 100%   ② 90%
③ 80%   ④ 70%

21. 피복 금속 아크용접의 아크 길이에 대한 설명으로 맞는 것은?

① 긴 아크 길이는 용융 금속의 산화 및 질화의 우려가 있다.
② 긴 아크 길이는 양호한 용접부를 형성한다.
③ 긴 아크 길이는 발열량이 감소하고 비드 폭이 좁아진다.
④ 긴 아크 길이는 스패터 발생을 감소시킨다.

22. 주철의 용접에 대한 설명으로 적합하지 않은 것은?

① 가능한 한 가는 지름의 용접봉을 사용한다.
② 용입을 깊게 하지 않는다.
③ 직선 비드를 배치한다.
④ 용접비드를 길게 배치한다.

23. 변속할 때 기어의 물림 소리가 심하게 나는 가장 큰 원인은?

① 윤활유의 부족
② 기어 사이의 백래시 과다
③ 클러치가 끊어지지 않을 때
④ 시프트 포크와 시프트 레일과의 관계 불량

24. 토크 디바이더(torque divider)의 특징으로 틀린 것은?

① 최고효율은 토크변환기보다 5~6% 상승하나, 스톨 토크비는 감소한다.
② 유체구동의 원활한 특성은 감소한다.
③ 부하토크가 증가됨에 따라 기관의 회전은 저하되지만, 저속에서 출력은 증가한다.
④ 브레이크를 밟으면 클러치가 차단되는 장치이다.

25. 덤프트럭이 평탄한 도로를 제3속으로 주행하고 있을 때, 엔진의 회전수가 3,000rpm이라면 현재 이 차량의 주행속도는?(단, 제3속의 변속비는 3:1, 종감속비 3:1, 타이어 반경 1m이다.)

① 62.8km/h ② 72km/h
③ 78km/h   ④ 125.6km/h

26. 휠 구동식 굴삭기의 조향 각도가 규정보다 작다면 무엇으로 수정해야 하는가?

① 스톱 볼트   ② 타이로드
③ 압력 조절 밸브 ④ 밸브 스풀

27. 사이드슬립 테스터에서 안쪽으로 3mm, 바깥쪽으로 6mm일 때 사이드 슬립량은?

① 바깥쪽으로 1.5mm
② 안쪽으로 1.5mm
③ 안쪽으로 3mm
④ 바깥쪽으로 6mm

28. 지게차의 브레이크 드럼을 분해할 때 점검하지 않아도 되는 것은?

① 턱 마모 및 균열
② 런 아웃 및 부식
③ 접촉면의 긁힘 및 균열
④ 접촉면의 손상 및 편마멸

29. 공기브레이크에서 제동력을 크게 하기 위해 조정해야 할 밸브는?

① 압력 조절 밸브 ② 체크밸브
③ 언로더 밸브   ④ 안전밸브

30. 트랙 롤러는 흙탕물, 진흙탕, 토사에 묻혀서 회전한다. 따라서 윤활제의 누설을 방지하고 흙물의 침입을 막기 위하여 사용하는 실은?

① 파킹 실   ② 플로팅 실
③ O실   ④ 로드 실

31. 규격이 300ton/h인 쇄석기로 골재 36만 톤을 생산하려면 몇 시간을 가동해야 하는가?

① 1,000시간 ② 1,200시간
③ 1,400시간 ④ 1,600시간

32. 굴삭기 버킷을 지면에서 1m 들어 놓고 잠시 후에 보았더니 버킷이 지면에 닿아 있을 때 점검해야 할 것은?

① 암 실린더 웨어링
② 암 실린더 백업 링
③ 버킷 실린더 더스트 실
④ 붐 실린더 피스톤 패킹

33. 다음 중 로더의 시간당 작업량 계산식은 어느 것인가?(단, Q=운전시간당 작업량(㎥/hr), q=버킷용량(㎥), k=버킷계수, f=토량환산계수, E=작업효율, cm=1회 작업순환시간(sec))

① $Q = \dfrac{3,600 \times q \times k \times f \times E}{cm}$

② $Q = \dfrac{3,600 \times q \times E \times cm}{k \times f}$

③ $Q = \dfrac{3,600 \times q \times k \times f}{E \times cm}$

④ $Q = \dfrac{3,600 \times q \times k \times f \times cm}{E}$

34. 모터그레이더의 구동 방식에 사용되는 탠덤 드라이브의 기능이 아닌 것은?

① 차체의 균형을 유지시킨다.
② 주행이 직진성을 좋게 한다.
③ 전·후 휠에 걸리는 하중을 같게 한다.
④ 회전반경을 작게 한다.

35. 전동식 리치형 지게차를 바르게 설명한 것은?

① 포크를 상하로 움직이고 마스트를 고정식이다.

② 포크는 상하로 움직이고 마스트 전·후진된다.

③ 포크와 미스트를 상하·전후로 회전시킬 수 있다.

④ 마스트는 전후로 경사되고 포크는 고정식이다.

36. 기중기 붐이 상승하여 붐이 뒤로 넘어지는 것을 방지하는 작업 안전장치는?

① 붐 기복 정지 장치　　② 붐 전도 방지 장치

③ 태그라인 장치　　　　④ 어태치먼트

37. 공기압축기에서 언로더(unloader) 밸브의 역할은?

① 공기의 압력을 높이는 역할을 한다.

② 자동차의 에어클리너 역할을 한다.

③ 공기의 양을 조절하여 탱크로 보내는 역할을 한다.

④ 압축된 공기의 열을 냉각시켜 고압실린더로 보내는 역할을 한다.

38. 납산 축전지의 용량 설명으로 맞는 것은?

① 극판의 수 × 단자의 수

② 극판의 수 × 셀의 수

③ 극판의 크기 × 충전 능력

④ 방전 전류 × 방전 시간

39. 건설기계 엔진에 사용되는 시동모터가 회전이 안되거나 회전력이 약한 원인이 아닌 것은?

① 시동스위치 접촉 불량이다.

② 배터리 단자와 터미널의 접촉이 나쁘다.

③ 브러시가 정류자에 잘 밀착되어 있다.

④ 배터리 전압이 낮다.

40. AC 발전기의 정류 다이오드는 열이 발생되는데, 냉각을 위해 설치하는 곳은?

① 냉각 튜브　　　　　② 유체클러치

③ 히트 싱크　　　　　④ 오일 장치

41. 냉방 회로에서 응축 효과를 증대시키는 방법이 아닌 것은?

① 엔진 냉각팬의 직경을 작게 한다.

② 라디에이터 시라우드를 설치한다.

③ 응축기 외부표면에 먼지 등의 이물질을 제거한다.

④ 응축기 냉각용 핀이 막히거나 찌그러지지 않게 한다.

42. 유압 작동유의 대한 설명으로 틀린 것은?

① 작동유는 유압기기 중의 마찰 부분의 윤활 및 냉각 작용을 한다.

② 작동유와 같이 공기가 혼입되면 유압기기의 성능은 저하한다.

③ 작동유는 낮은 점도지수를 가진 것이 바람직하다.

④ 점도는 압력 손실에 영향을 미치게 한다.

43. 유압펌프 중 가변용량에 가장 적합한 펌프는?

① 기어식　　　　　　② 로터리식

③ 피스톤식　　　　　④ 베인식

44. 유압실린더 등이 중력에 의한 자유낙하를 방지하기 위하여 배압을 유지하는 압력제어밸브는?

① 카운터밸런스 밸브　② 언로드 밸브

③ 감압 밸브　　　　　④ 시퀀스 밸브

45. 다음 중 유압장치에서 축압기의 기능이 아닌 것은?

① 에너지의 저장　　　② 유압의 맥동 형성

③ 충격 흡수　　　　　④ 일정 압력 유지

46. 다음 중 O-링의 구비조건이 아닌 것은?

① 내압성과 내열성이 클 것

② 피로강도가 적을 것

③ 내마모성이 적당할 것

④ 설치하기가 쉬울 것

47. 유압기기의 제어와 기능을 간단히 표현할 수 있고, 견적, 배관이나 작동의 해석에 사용되는 유압 회로도는?

① 기호회로도　　　② 그림 회로도
③ 단면 회로도　　　④ 조합 회로도

48. 다음 중 관로를 새로 설치하거나 유압장치 내의 이물질이 들어갔을 때, 이물질을 제거하는 작업을 무엇이라 하는가?

① 랩핑 작업　　　② 플러싱 작업
③ 드로잉 작업　　　④ 호닝 작업

49. 화재의 분류기준에서 휘발유로 인해 발생한 화재는?

① A급 화재　　　② B급 화재
③ C급 화재　　　④ D급 화재

50. 안전한 작업을 하기 위하여 작업 복장을 선정할 때의 유의사항 중 맞지 않는 것은?

① 화기사용 직장에서는 방염성, 불연성의 것을 사용하도록 한다.
② 착용자의 취미, 기호 등을 감안하여 적절한 스타일을 선정한다.
③ 작업복은 몸에 맞고 동작이 편하도록 제작한다.
④ 상의의 끝이나 바짓가랑이 등이 기계에 말려 들어갈 위험이 없도록 한다.

51. 마이크로미터 취급시의 주의사항이 아닌 것은?

① 건조한 곳에 보관할 것
② 녹 방지를 위해 절삭유를 발라둘 것
③ 보관시 앤빌과 스핀들을 붙여 놓지 말 것
④ 사용 전 0점 조정이 되었는가를 확인할 것

52. 인력에 의한 운반 작업 설명으로 틀린 것은?

① 긴 물건은 앞을 조금 낮춰서 든다.
② 신체적으로 키가 고르게 조를 짠다.
③ 보행자는 물품을 운반하고 있는 사람과 마주치면 방해하지 않게 피한다.
④ 물품이 운반자 전방의 시야를 방해하지 않아야 한다.

53. 공기를 사용한 동력공구 사용시 주의사항으로 적합하지 않은 것은?

① 간편한 사용을 위하여 보호구는 사용하지 않는다.
② 에어 그라인더는 회전시 소음과 진동의 상태를 확인한 후 사용한다.
③ 규정 공기압력을 유지한다.
④ 압축공기 중의 수분을 제거하여 준다.

54. 일반 공구 사용에서 안전한 사용법이 아닌 것은?

① 조정 조에 잡아당기는 힘이 가해져야 한다.
② 렌치에 파이프 등의 연장대를 끼워서 사용해서는 안 된다.
③ 언제나 깨끗한 상태로 보관한다.
④ 녹이 생긴 볼트나 너트에는 오일을 넣어 스며들게 한 다음 돌린다.

55. 자동차용 정비 공구 사용상 안전수칙으로 틀린 것은?

① 정비작업에 맞는 크기의 공구를 선택한다.
② 펀치, 해머, 전동공구를 사용할 때는 보호장구를 사용한다.
③ 부품의 파손 여부를 확인하기 위해 렌치로 두드려 본다.
④ 복스 렌치, 소켓렌치는 볼트·너트에 정확히 맞추어 사용한다.

56. 건설기계 장비에서 작업 및 정비와 관련된 설명으로 적합하지 않은 것은?

① 노즐구멍 근처 카본은 경질의 공구를 사용하여 긁어서 제거한다.
② 과급기가 부착된 기관은 시동 후 워밍업 시킨 후 작업한다.
③ 건식 공기청정기의 엘리먼트를 청소할 때는 압축공기로 안쪽에서 바깥쪽으로 불어낸다.
④ 습식 공기청정기의 엘리먼트는 스틸울 또는 천으로 되어 있고 오일은 엔진오일을 사용한다.

57. 부품을 분해 · 정비시 반드시 새것으로 교환해야 할 것이 아닌 것은?

① 오일 실
② 볼트,너트
③ 개스킷
④ O링

58. 건설기계를 정비 작업시 주의사항 중 틀린 것은?

① 작업 중 다른 부품에 손상 가능성이 있을 경우에는 커버를 씌운다.
② 개스킷, 오일 실은 손상이 없으면 다시 사용한다.
③ 볼트 및 너트는 규정 토크로 조인다.
④ 부품 교환시는 제작회사의 순정품을 사용한다.

59. 가스용접 작업에 있어서 용해 아세틸렌의 취급시 주의사항으로 틀린 것은?

① 동결 부분은 끓는 물로 녹일 것
② 저장소에는 휴대용 손전등 이외는 등화를 갖지 말 것
③ 저장장소는 통풍이 양호할 것
④ 용기 사용시는 직사광선을 피할 것

60. 용접공이 가스절단 작업에서 안전을 우선으로 고려하여 작업하지 않는 것은?

① 절단부가 예리하고 날카롭게 작업하였다.
② 호스가 꼬여 있어서 풀어 놓고 작업하였다.
③ 절단 토치의 불꽃 방향을 확인 후 작업하였다.
④ 절단 진행 중에 시선을 고정하여 작업하였다.

제 6 회

01 ②	02 ①	03 ②	04 ③	05 ④
06 ④	07 ③	08 ③	09 ②	10 ③
11 ②	12 ④	13 ③	14 ④	15 ③
16 ④	17 ③	18 ③	19 ②	20 ①
21 ①	22 ④	23 ④	24 ③	25 ④
26 ①	27 ①	28 ②	29 ①	30 ②
31 ②	32 ④	33 ①	34 ④	35 ②
36 ②	37 ③	38 ④	39 ③	40 ③
41 ①	42 ③	43 ③	44 ①	45 ②
46 ②	47 ①	48 ②	49 ②	50 ②
51 ②	52 ①	53 ①	54 ①	55 ③
56 ①	57 ②	58 ②	59 ①	60 ①

	수험	성명

자격종목 및 등급(선택분야) 건설기계기관정비기능사	제7회	시험시간 1시간			

1. 기관의 실린더 헤드 개스킷이 갖추어야 할 조건이 아닌 것은?

　① 취성이 클 것
　② 내압성이 풍부할 것
　③ 적당한 강도와 유연성이 있을 것
　④ 내열성이 있을 것

2. 4행정 기관에서 행정이 120mm이고, 지름이 102mm, 피스톤 평균속도가 8.4m/s이면 크랭크축의 회전속도는?

　① 1,700rpm
　② 2,100rpm
　③ 3,000rpm
　④ 3,125rpm

3. 크랭크축의 축 방향 간극이 너무 클 때 일어나는 현상은 무엇인가?

　① 회진이 무거워진다.
　② 점화시기가 빨라진다.
　③ 기관이 떤다.
　④ 크랭크 암 및 대단부 쪽의 마멸을 촉진시켜 소음이 발생한다.

4. 밸브 스프링 서징 현상을 방지하는 방법에 대한 설명 중 틀린 것은?

　① 고유진동수 같은 2중 스프링 사용
　② 부등피치의 2중 스프링 사용
　③ 고유진동수가 틀린 2중 스프링 사용
　④ 부등피치의 원뿔형 스프링 사용

5. 다음 중에서 고속디젤에 사용되는 열역학적 사이클은 어느 것인가?

　① 정적 사이클
　② 정압 사이클
　③ 카르노 사이클
　④ 사바테 사이클

6. 디젤기관 조립시 크랭크축 기어에 의해 회전되는 기어 중 타이밍 마크를 맞출 필요가 없는 것은?

　① 크랭크축 기어
　② 공기압축기 구동기어
　③ 분사펌프 구동기어
　④ 캠축기어

7. 다음 중 윤활장치의 구성품이 아닌 것은?

　① 오일펌프
　② 연료여과기
　③ 오일여과기
　④ 바이패스밸브

8. 디젤엔진에서 연소실로 엔진오일이 유입되는 원인이 아닌 것은?

　① 엔진오일 팬 개스킷의 누유
　② 밸브 스템 실의 마모에 의한 유입
　③ 피스톤의 오일 링의 마모에 의한 유입
　④ 블로우 바이 가스 속에 함유된 오일의 유입

9. 다음 중 냉각장치에서 소음이 발생되는 원인이 아닌 것은?

　① 수온조절기의 불량
　② 팬벨트 마모 및 유격 불량
　③ 냉각팬의 파손
　④ 물 펌프 베어링 불량

10. 플런저식 연료 분사펌프의 부품이 아닌 것은?

　① 플런저
　② 배럴
　③ 래크와 피니언
　④ 인젝터

11. 노즐 시험기로 시험하는 항목이 아닌 것은?

　① 후적의 유무
　② 분사량
　③ 분사각도
　④ 분사압력

12. 다음 중 분사노즐에 필요한 조건이 아닌 것은?
   ① 고온·고압의 가혹한 조건에서 장기간 사용 가능
   ② 분무를 연소실이 구석구석까지 뿌려지게 할 것
   ③ 분사 후에 후적이 일어나게 할 것
   ④ 연료를 미립화하여 착화성이 좋을 것

13. 다음 중 디젤 연료의 구비조건이 아닌 것은?
   ① 자연발화점이 낮을 것
   ② 황(S)의 함유량이 적을 것
   ③ 고형 미립물이나 유해 성분을 함유하지 않을 것
   ④ 세탄가가 높고 발열량이 적을 것

14. 다음 중 디젤엔진에서 발생되는 NOx를 줄이는 방법이 아닌 것은?
   ① EGR 쿨러 사용
   ② EGR 밸브 장치 사용
   ③ 연소 온도를 1400℃ 이하로 낮춘다.
   ④ 터보차저 사용

15. 배기가스에서 흰 연기가 발생할 때 원인은?
   ① 윤활유가 연소실에 들어가 연소할 때
   ② 냉각수가 연소실에 들어가 연소할 때
   ③ 연료가 연소실에서 완전 연소 될 때
   ④ 연료에 공기가 혼합하여 연소할 때

16. 건설기계에서 1분간 일률이 120,000kgf·m/min 이면, 이 건설기계 기관의 출력은?
   ① 16.67PS
   ② 26.67PS
   ③ 36.67PS
   ④ 46.67PS

17. 아크 용접기의 구비조건이 아닌 것은?
   ① 아크 발생이 잘되도록 무부하 전압이 유지되어야 한다.
   ② 전류조정이 용이하고 일정한 전류가 흘러야 한다.
   ③ 사용 중 용접기 온도가 계속 상승하여야 한다.
   ④ 역률 및 효율이 좋아야 한다.

18. 용접결함의 종류와 결함의 모양을 바르게 연결한 것은?
   ① 언더컷 –
   ② 용입 불량 –
   ③ 오버랩 –
   ④ 피트 –

19. 이산화탄소 아크용접 결함에서 일반적으로 다공성의 원인이 되는 가스가 아닌 것은?
   ① 질소
   ② 수소
   ③ 일산화탄소
   ④ 산소

20. 산소와 아세틸렌 병에서 화기엄금의 최소거리는?
   ① 5m
   ② 10m
   ③ 15m
   ④ 20m

21. 다음 용접작업의 결함 중 보기에 해당되는 것은?

   - 용접 전류가 너무 높을 때
   - 부적합한 용접봉을 사용했을 때
   - 용접 속도가 너무 빠를 때
   - 용접봉의 각도가 부적당할 때

   ① 피드
   ② 언더컷
   ③ 용락
   ④ 용입 부족

22. 가스용접에서 용제를 사용하는 이유는?
   ① 용접봉의 용융 속도를 느리게 하기 위하여
   ② 침탄이나 질화작용을 돕기 위하여
   ③ 용접 중 산화물 등의 유해물을 제거하기 위하여
   ④ 모재의 용융 속도를 낮게 하기 위하여

23. 유체클러치에서 와류를 감소시키는 작용을 하는 것은 어느 것인가?
   ① 펌프
   ② 스테이터
   ③ 임펠러
   ④ 가이드 링

24. 트랙터 구조에 있어서 견인력을 최대한 증가시켜주는 장치는?

① 트랜스 미션　　② 피니언 베벨기어
③ 최종 감속장치　　④ 추진축

25. 도로 주행 건설기계에서 차동장치의 백래시를 측정하는 방법으로 틀린 것은?

① 다이얼게이지를 하우징에 견고하게 고정시킨다.
② 구동 피니언 기어를 고정한 후 링기어를 움직여 측정한다.
③ 다이얼게이지 스핀들을 링기어 잇면에 수직되게 접촉시킨다.
④ 측정값이 규정값 내에 들지 않으면 한쪽 조정나사를 돌려 조정한다.

26. 다음은 어떤 구성품에 대한 설명이다. 무엇에 대한 설명인가?

> 차량이 선회할 때 구동바퀴의 회전속도를 다르게 하고, 노면의 저항을 작게 받는 구동바퀴에 동력을 더 많이 전달시킨다.

① 차동장치　　② 스태빌라이저
③ 현가장치　　④ 스프링

27. 제동 효과를 충분히 발휘하기 위해 브레이크 페달이 갖추어야 할 구비조건에 해당하지 않는 것은?

① 페달 유격(자유간극)　　② 밑판 간극
③ 페달 높이　　④ 페달 압력

28. 브레이크 라이닝의 마모가 증가하는 원인이 아닌 것은?

① 라이닝에 유막 형성
② 드럼과 라이닝의 간격 과소
③ 리턴 스프링의 불량
④ 마스터 실린더의 리턴 구멍 막힘

29. 브레이크를 자주 사용하면 마찰열의 축적으로 인해 라이닝의 표면이 경화되어 제동력이 감소하게 되는데, 이 현상을 무엇이라고 하는가?

① 열화 촉진 현상　　② 베이퍼록
③ 공동 현상　　④ 페이드 현상

30. 불도저의 스프로킷 허브 주위에서 오일이 누설되는 원인은?

① 내·외측 듀콘 실이 파손되었을 때
② 트랙 프레임이 균열되었을 때
③ 작업장 조건이 편평하지 않을 때
④ 트랙 장력이 너무 작을 때

31. 도자에서 트랙의 장력을 측정하는 방법이 아닌 것은?

① 상부롤러와 트랙 사이에서 레버를 끼워 트랙을 들어 올리고 간극을 측정
② 아이들러와 1번 상부롤러 사이에 직정규를 올려 놓고 트랙의 처짐량을 측정
③ 조정 실린더에서 자로 측정
④ 트랙의 한쪽을 들고 늘어짐을 측정

32. 굴삭기가 전후 주행이 되지 않을 때 점검 개소 중 맞지 않는 것은?

① 유싱기어 장치를 짐검해 본다.
② 붐 하이드로릭 실린더의 유압을 점검해 본다.
③ 유니버설 조인트의 스플라인 부분을 점검해 본다.
④ 액슬 샤프트의 절단 여부를 점검해 본다.

33. 모터그레이더의 작업속도가 15km/h, 작업거리 500m일 때, 조종작업에 요하는 시간이 2분이라면 사이클 시간은?

① 3분　② 4분　③ 6분　④ 8분

34. 건설기계의 작업 장치 자연 하강량 측정은 붐 실린더의 수축량을 말하는 것으로, 측정 시작으로부터 몇 분 동안의 자연 하강량을 측정하는 것이 가장 적당한가?

① 1분　② 5분　③ 10분　④ 30분

35. 기중기 하중에 대한 용어 설명으로 틀린 것은?

① 정격 총하중 : 각 분의 길이와 작업 반경에 허용되는 훅, 그래브, 버킷 등 달아 올림 기구를 포함한 최대하중

② 정격하중 : 정격 총하중에서 훅, 그래브, 버킷 등 달아 올림 기구의 무게에 상당하는 하중을 뺀 하중

③ 호칭하중 : 기중기의 최대 작업하중

④ 작업하중 : 기중기로 화물을 최대로 들 수 있는 하중과 들 수 없는 하중과의 한계점에 놓인 하중

36. 지게차 마스트 경사각을 조정할 때 마스트를 어느 상태로 하면 가장 효과적으로 조정할 수 있는가?

① 수평 상태   ② 앞으로 기울인 상태
③ 뒤로 기울인 상태   ④ 수직 상태

37. 버킷 준설선의 장점으로 틀린 것은?

① 악천후나 조류 등에 강하다.
② 토질의 질에 영향을 작게 받는다.
③ 준설단가가 저렴하다.
④ 암반 준설에 좋다.

38. 축전지의 단자에 그리스를 바르는 이유는?

① 녹이 발생하는 것을 방지한다.
② 전류의 흐름을 양호하게 한다.
③ 단자에 연결된 선이 잘 움직이도록 한다.
④ 전류의 방전을 방지한다.

39. 직류 직권 전동기의 전기자 코일과 계자코일은 어떻게 연결되는가?

① 직렬로 연결되어 있다.
② 병렬로 연결되어 있다.
③ 직·병렬로 연결되어 있다.
④ 각각 단자에 연결되어 있다.

40. 교류발전기의 스테이터 코일에서 발생한 교류를 직류로 정류하는 부품은?

① 다이오드   ② 계자 릴레이

③ 슬립링   ④ 정류 조정기

41. 냉난방장치에 사용되고 있는 수동식 송풍기 모터 회전수 제어는 주로 무엇을 이용하는가?

① 센서   ② 저항
③ 반도체   ④ 릴레이

42. 유압 작동유의 온도가 상승하는 원인이 아닌 것은?

① 탱크의 작동유 부족
② 릴리프밸브가 개방된 채로 고장
③ 작동유의 노화 또는 점도 부적당
④ 오일 쿨러의 성능 불량

43. 유압펌프 점검을 위해 측정의 조건 중 틀린 것은?

① 건설기계를 평탄한 곳에 주차한다.
② 난기운전이 끝난 후에 실시한다.
③ 측정 시 유압 작동유 온도는 0~20℃ 범위가 적당하다.
④ 규정된 회전수에서 측정한다.

44. 유압회로에서 역류를 방지하고 회로 내의 잔류 압력을 유지하는 밸브는?

① 체크 밸브   ② 셔틀 밸브
③ 매뉴얼 밸브   ④ 스로틀 밸브

45. 유압회로에 발생되는 맥동 방지를 위해 어큐뮬레이터를 설치하는 경우, 가장 효과적인 설치 위치는?

① 펌프와 가까운 쪽
② 컨트롤 밸브와 가까운 쪽
③ 릴리프밸브와 가까운 쪽
④ 흡입 필터와 가까운 쪽

46. 오일 쿨러의 점검항목이 아닌 것은?

① 오일의 누유 여부
② 냉각관의 막힘
③ 파이프라인의 변색
④ 바이패스 밸브의 작동 확인

47. 유량조정 밸브에 의한 회로가 아닌 것은?

① 미터인 회로　　　② 미터 아웃 회로
③ 블리드 오프 회로　④ 동기 회로

48. 유압기기 정비작업 시 주의해야 할 사항 중 옳지 않은 것은?

① 유압펌프나 모터를 개조해서 사용한다.
② 펌프, 모터 등을 밟고 올라가지 않는다.
③ 유압 작동유가 바닥에 떨어지지 않게 한다.
④ 유압라인 가까이에서 산소용접이나 전기용접을 하지 않는다.

49. 산업재해는 직접 원인과 간접 원인으로 구분되는데, 다음 직접 원인 중에서 인적 불안전 행위가 아닌 것은?

① 작업태도 불안전　② 위험한 장소의 출입
③ 기계공구의 결함　④ 작업복의 부적당

50. 다음 중 인화성 물질이 아닌 것은?

① 아세틸렌가스　　② 가솔린
③ 프로판가스　　　④ 산소

51. 드릴링 머신 사용시 안전 수칙으로 틀린 것은?

① 구멍 뚫기를 시작하기 전에 자동 이송장치를 쓰지 말 것
② 드릴을 회전시킨 후 테이블을 조정하지 말 것
③ 드릴을 끼운 뒤에는 척의 키를 꽂아 놓을 것
④ 드릴 회전 중에는 쇳밥을 손으로 털거나 불지 말 것

52. 마이크로미터의 취급시 안전사항이 아닌 것은?

① 사용 중 떨어뜨리거나 큰 충격을 주지 않도록 한다.
② 온도변화가 심하지 않은 곳에 보관한다.
③ 앤빌과 스핀들을 접촉되어 있는 상태로 보관한다.
④ 눈금은 시차를 작게 하기 위하여 수직위치에서 읽는다.

53. 공기기구 사용시 주의사항으로 틀린 것은?

① 공기기구의 활동 부위에는 윤활유가 묻지 않게 할 것
② 공기기구를 사용할 때는 보호안경을 사용할 것
③ 고무호스가 꺾여 공기가 새는 일이 없도록 할 것
④ 공기기구의 반동으로 생길 수 있는 사고를 미연에 방지할 것

54. 공기압축기 안전수칙에 맞지 않는 것은?

① 전기배선, 터미널 및 전선 등에 접촉될 경우 전기쇼크의 위험이 있으므로 주의한다.
② 분해시 공기압축기, 공기탱크 및 관로 안의 압축공기를 완전히 배출한 뒤에 실시한다.
③ 하루에 한 번씩 공기탱크에 고여 있는 응축수를 제거한다.
④ 작업 중 작업자의 땀이나 열을 식히기 위해 압축공기를 호흡하면 작업효율이 좋아진다.

55. 수공구 사용시 발생할 수 있는 재해 원인으로 거리가 먼 것은?

① 수공구 사용이 미숙하다.
② 수공구의 성능을 잘 알고 선택하였다.
③ 힘에 맞지 않는 공구를 사용하였다.
④ 사용 공구의 점검·정비를 잘하지 않았다.

56. 과급기가 장착된 기관을 안전하게 사용하는 방법이 아닌 것은?

① 공회전은 장시간 시키지 말 것
② 시동하여 즉시 가속시켜 볼 것
③ 에어클리너는 항상 청결하게 유지할 것
④ 이물질이 공기흡입 라인에 빨려 들어가지 않게 할 것

57. 축전지 충전 시 안전수칙으로 맞지 않는 것은?

① 전해액 온도는 45℃ 이상 되지 않게 한다.
② 충전장소는 반드시 환기장치를 해야 한다.
③ 각 셀의 벤트플러그는 닫아 두지 않는다.
④ 충전 시에는 발전기와 병렬 접속하여 충전한다.

58. 하체작업을 하기 위해 지게차를 들어 올리고 차체 밑에서 작업할 때 주의사항으로 틀린 것은?

① 고정 스탠드로 차체의 4곳을 받치고 작업한다.

② 잭으로 받쳐 놓은 상태에서는 밑 부분에 들어가지 않는 것이 좋다.

③ 바닥이 견고하면서 수평 되는 곳에 놓고 작업하여야 한다.

④ 고정 스탠드로 3곳을 받치고 한 곳은 잭으로 들어 올린 상태에서 작업하면 작업효율이 증대된다.

59. 현장에서 용접작업 전에 실시하는 일반적인 준비사항으로 틀린 것은?

① 용접공을 선임한다.

② 용접결함을 보수한다.

③ 용접봉을 선택한다.

④ 모재의 재질을 확인한다.

60. 가스용접 작업 시 안전에 관한 설명으로 옳은 것은?

① 토치를 고무호스에 연결 시 아세틸렌은 녹색호스, 산소는 적색 또는 황색에 연결한다.

② 산소용기는 화기에서 1m정도 거리를 둔다.

③ 산소용기는 40℃ 이하의 온도에 보관한다.

④ 토치 점화시는 성냥불과 담뱃불을 사용한다.

제 7 회

01	①	02	②	03	④	04	①	05	④
06	②	07	②	08	①	09	①	10	④
11	②	12	③	13	④	14	④	15	①
16	②	17	③	18	③	19	④	20	①
21	②	22	③	23	④	24	③	25	④
26	①	27	④	28	①	29	④	30	①
31	③	32	②	33	②	34	②	35	④
36	④	37	④	38	①	39	①	40	①
41	②	42	②	43	③	44	①	45	①
46	③	47	④	48	①	49	③	50	④
51	③	52	③	53	①	54	④	55	②
56	②	57	④	58	④	59	②	60	③

			수험	성명
자격종목 및 등급(선택분야) 건설기계기관정비기능사	제8회	시험시간 1시간		

1. 다음 중 캠 기구 설명 중 틀린 것은?

① 행정에 관계없이 회전비가 2:1로 일정하다.

② 4행정기관에서 캠의 수는 기관의 밸브 수와 같다.

③ 오일펌프와 연료펌프를 작동시킨다.

④ 흡기 및 배기밸브의 개폐를 돕는다.

2. 실린더 테이퍼 마멸을 측정하는데 가장 좋은 측정 기는?

① 필러게이지   ② 강철제의 줄자

③ 보어게이지   ④ 플라스틱게이지

3. 디젤기관 실린더에서 발생하는 측압에 대한 설명으로 옳은 것은?

① 피스톤 하강시 커넥팅 로드를 요동으로 작동시키는 것

② 배기행정시 피스톤의 상승 운동을 방해하는 압력

③ 압축행정시 피스톤의 상승 운동을 방해하는 압력

④ 압축행정시 피스톤이 실린더에 벽에 접촉되어 가하는 압력

4. 크랭크축이 회전 중 받는 힘이 아닌 것은?

① 휨   ② 전단력

③ 비틀림   ④ 관통력

5. 표준지름이 75mm인 크랭크축 저널의 외경을 측정한 결과 74.68mm, 74.66mm, 74.76mm이었다. 크랭크축을 연마할 경우 수정값은?

① 74.50mm   ② 74.46mm

③ 74.25mm   ④ 74.62mm

6. 밸브 스프링 점검과 관계없는 것은?

① 직각도   ② 코일의 수

③ 자유높이   ④ 스프링 장력

7. 다음 중 플라이휠의 정비사항으로 맞지 않는 것은?

① 접촉면이 열화되었을 때는 플라이휠을 교환한다.

② 플라이휠 면마모 깊이가 1mm 이내이면 수정하여 사용한다.

③ 런아웃이 1mm 이상이면 플라이휠을 교환한다.

④ 링기어가 파손되면 플라이휠을 교환한다.

8. 디젤기관에서 윤활유의 점도에 대한 설명으로 틀린 것은?

① 점도가 높을수록 좋다.

② 점도가 낮으면 하중이 증가한다.

③ 점도가 높으면 동력손실이 증대된다.

④ 점도지수가 큰 경우 점도 변화는 적다.

9. 실린더 블록의 급유 통로 막힘을 검사할 때 사용하는 것으로 적합한 것은?

① 유압을 이용

② 압축공기를 이용

③ 물을 이용

④ 시너를 이용

10. 기관이 과열되는 원인과 관계없는 것은?

① 라디에이터 코어 막힘 10%일 때

② 연료 분사량이 많다.

③ 라디에이터 캠의 압력 스프링이 손실되었다.

④ 냉각팬의 유체클러치가 슬립한다.

11. 구동 벨트에 대한 점검 사항 중 틀린 것은?

① 구동 벨트 장력은 약 10kgf의 엄지손가락 힘으로 눌렀을 때 헐거움이 약 12~20mm 여야 한다.

② 장력이 너무 세면 베어링이 조기 마모된다.

③ 장력이 너무 약하면 물 펌프의 회전속도가 느려 엔진이 과열된다.

④ 벨트는 풀리의 홈 바닥에 닿게 설치한다.

12. 다음 중 디젤엔진의 진동 원인이 아닌 것은?

① 분사노즐 구멍의 수

② 크랭크축의 불균형

③ 분사 시기 · 분사 간격의 불균형

④ 분사 압력 · 분사량의 불균형

13. 디젤기관의 연료탱크에 생성되는 응축수에 대한 설명으로 틀린 것은?

① 응축수는 분사펌프와 분사노즐의 손상원인이 된다.

② 무더운 여름철에 많이 발생된다.

③ 응축수 생성을 방지하려면 연료를 가득 채워서 운행한다.

④ 응축수는 연료탱크 밑바닥에 고이게 된다.

14. 디젤기관에서 분사 지연과 착화지연 보상하기 위해 고압 연료 송출 개시점을 기관 회전속도에 따라 진각시키는 장치를 무엇이라 하는가?

① 분사타이머   ② 분사펌프

③ 조속기   ④ 분사노즐

15. 디젤기관의 연료 계통에 공기 배출 작업 설명으로 잘못된 것은?

① 연료여과기의 벤트 플러그를 푼다.

② 프라이밍 펌프를 작동시키면서 공기를 배출한다.

③ 공기가 섞인 연료가 빠지면 프라이밍 펌프의 작동을 멈추고 벤트 플러그를 막는다.

④ 공기가 섞인 연료가 완전히 빠질 때까지 프라이밍 펌프를 작동시키면서 벤트 플러그를 막는다.

16. 디젤기관 분배형 인젝션 펌프 전자제어 시스템에서 입력신호가 아닌 것은?

① 컨트롤 슬리브 위치 검출 신호

② 연료 온도의 검출 신호

③ 펌프 회전수 검출 신호

④ 중력가속도 검출 신호

17. 배기터빈 과급기에서 터빈 축의 베어링에 급유로 맞는 것은?

① 그리스로 윤활

② 엔진오일로 급유

③ 오일리스 베어링 사용

④ 기어오일을 급유

18. 압축비 21, 행정체적 $1,000cm^3$인 기관의 연소실 체적은?

① $47cm^3$ ② $48cm^3$

③ $49cm^3$ ④ $50cm^3$

19. 기계효율이 80%인 기관에서 제동마력이 150PS 이라면 도시마력은 얼마인가?

① 153.2PS   ② 160.4PS

③ 170.6PS   ④ 187.5PS

20. 다음 중 피복재 역할을 맞게 설명한 것은?

① 스패터의 발생을 적게 한다.

② 용착금속의 냉각속도를 빠르게 하여 급랭시킨다.

③ 슬래그 생성을 돕고, 파형이 고운 비드를 만든다.

④ 대기 중으로부터 산화, 질화 등을 방지하여 용착금속을 보호한다.

21. 연강 피복 아크 용접봉인 E4316의 계열은 어는 것인가?

① 저수소계   ② 고산화티탄계

③ 철분저수소계   ④ 일미나이트계

22. 피복 금속 아크용접의 아크 쏠림 방지책 중 틀린 것은?

① 교류 용접으로 하지 말고, 직류 용접으로 할 것
② 용접봉 끝을 아크 쏠림 반대 방향으로 기울일 것
③ 접지점 2개를 연결할 것
④ 짧은 아크를 사용할 것

23. 아세틸렌 용접용 가스의 특징과 관리 방법에 대한 설명으로 틀린 것은?

① 용기는 진동이나 충격을 가하지 말고 신중히 취급한다.
② 저장실의 전기 스위치, 전등 등은 방폭 구조여야 한다.
③ 아세틸렌 충전구가 동결되어 온수로 녹일 때는 35℃ 이하의 온수로 녹여야 한다.
④ 용해 아세틸렌은 발생기를 사용할 때보다 순도가 낮다.

24. 가스용접에서 역류 발생 시 조치 방법으로 맞는 것은?

① 토치를 물에 담근다.
② 산소를 먼저 차단시킨다.
③ 토치를 비눗물에 담근다.
④ 배출되는 산소의 압력을 높게 한다.

25. 동력전달장치에서 클러치 용량이 의미하는 것은?

① 클러치 하우징 내에 당겨지는 오일의 양
② 클러치 마찰판의 개수
③ 클러치 수동판 및 압력판의 크기
④ 클러치가 전달할 수 있는 회전력의 세기

26. 토크컨버터의 기본 구성품이 아닌 것은?

① 임펠러(펌프)　　② 베인
③ 터빈(러너)　　④ 스테이터

27. 다음 장치 중에 감속비가 가장 큰 것은 무엇인가?

① 벨트 전동 장치　　② 종감속기

③ 유성기어장치　　④ 수동변속기

28. 다음 중 브레이크의 구비조건이 아닌 것은?

① 신속하게 작동되어야 한다.
② 작동이 확실하고 안정성이 있어야 한다.
③ 조작이 용이하여야 한다.
④ 제동거리가 길어야 한다.

29. 타이어식 건설기계의 유압식 브레이크 계통에 공기빼기 작업이 필요 없는 경우는?

① 브레이크 파이프나 호스를 떼어 내었을 때
② 마스터 실린더, 휠 실린더를 분해 수리했을 때
③ 브레이크 라인의 오일을 교환했을 때
④ 가속 운전을 했을 때

30. 건설기계 하부롤러 축 부위에서 누유가 있을 때 어느 부품을 교환해야 하는가?

① 부싱　　② 더스트 실
③ 백업 링　　④ 플로팅 실

31. 트랙 구동 스프로킷이 한쪽 방향으로만 마모되고 있다. 그 원인은 무엇인가?

① 트랙 링크가 과다 마모되었기 때문에
② 환향 조작을 너무 심하게 했기 때문에
③ 트랙 긴도가 이완되었기 때문에
④ 롤러 및 아이들러의 정렬이 틀렸기 때문에

32. 불도저의 귀삽날(end bit)의 정비 방법으로 옳은 것은?

① 한쪽이 마모되면 반대쪽과 교환한다.
② 마모된 쪽만 교환한다.
③ 용접하여 사용한다.
④ 한쪽이라도 마모되면 모두 교환한다.

33. 유압식 굴삭기에서 주행 및 선회시 힘이 약하다. 그 원인으로 적합한 것은?

① 흡입 스트레이너가 막혔다.
② 릴리프밸브의 설정압이 높다.
③ 작동유의 온도가 높다.
④ 축압기가 파손되었다.

34. 건설기계의 일일 점검 사항으로 적당하지 않은 것은?

① 엔진오일의 점검 ② 냉각수 점검
③ 유압오일 점검 ④ 기어오일 점검

35. 지게차의 현가장치는 어떤 방식을 사용하는가?

① 판 스프링식이다.
② 코일 스프링식이다.
③ 공기 스프링식이다.
④ 스프링이 없는 일체식 구조이다.

36. 와이어 로프의 교체 시기를 바르게 표현하지 않은 것은?

① 킹크가 심하게 생긴 때
② 심한 변형이나 부식된 때
③ 와이어 로프 지름이 7% 이상 감소된 때
④ 와이어 로프 길이 3cm당 소선이 10% 이상 절단된 때

37. 건설공사용 공기압축기의 사용 분야가 아닌 것은?

① 그라인딩 작업
② 톱을 이용한 목재의 절단
③ 골재 운반 작업
④ 타설된 콘크리트의 진동 혹은 치핑 작업

38. 건설기계 차량에서 축전지를 분리시킬 때 가장 먼저 해야 되는 것은?

① 양 케이블을 동시에 푼다.
② 절연선을 먼저 푼다.
③ 접지단자를 먼저 푼다.
④ 순서에 관계없다.

39. 기동전동기의 전기자 시험에 사용되는 그로울러 시험기는 전기자의 무엇을 점검하는가?

① 단락, 단선, 접지 시험
② 다이오드의 단선 시험
③ 저항시험
④ 절연저항 시험

40. 교류발전기에 대한 설명으로 틀린 것은?

① 컷아웃 릴레이는 필요하고 전류조정기는 필요없다.
② 소형, 경량이고 출력이 크다.
③ 기계적 내구성이 우수하므로 고속 회전에 견딘다.
④ 저속에 있어서도 충전성능이 우수하다.

41. 에어컨 장치의 증발기에 설치되고, 증발기 출구 측의 온도를 감지하여 증발기의 빙결을 예방할 목적으로 설치한 것은?

① 핀 서모센서 ② AQS
③ 일사량 센서 ④ 외기온도 센서

42. 유압 작동유의 특성 중 틀린 것은?

① 운전, 온도에 따른 점도 변화를 최소로 줄이기 위하여 점도지수는 높아야 한다.
② 겨울철의 낮은 온도에서 충분한 유동을 보장하기 위하여 유동점은 높아야 한다.
③ 마찰 손실을 최대로 줄이기 위한 점도가 있어야 한다.
④ 펌프, 실린더, 밸브 등의 누유를 최소로 줄이기 위한 점도가 있어야 한다.

43. 플런저펌프에서 펌프의 토출량을 제어하는 방법이 아닌 것은?

① 유량제어 ② 마력제어
③ 압력제어 ④ 회전수제어

44. 유압회로에서 일부 회로의 압력을 감압제어 하여 유지하는 기능을 가진 밸브는?

① 릴리프 밸브 ② 시퀀스 밸브
③ 밸런스 밸브 ④ 리듀싱 밸브

45. 유압실린더의 피스톤 로드 표면이 붉은색을 띠게 되는 현상은 무엇인가?

① 오일량의 부족
② 오일의 점도 불량
③ 오일의 열화
④ 오일의 공기 혼합

46. 축압기(어큐뮬레이터) 취급상의 주의사항으로 틀린 것은?

① 충격 흡수용 축압기는 충격 발생원에 가까이 설치한다.
② 유압펌프 맥동 방지용 축압기는 펌프의 입구 측에 설치한다.
③ 축압기에 봉입하는 가스는 폭발성 기체를 사용하면 안 된다.
④ 축압기에 용접하거나 가공, 구멍 뚫기 등을 해서는 안 된다.

47. 유압회로 내에 공기가 혼입되었을 때, 일어나는 현상이 아닌 것은?

① 공동현상
② 정마찰 현상
③ 열화촉진 현상
④ 숨돌리기 현상

48. 유압장치 사용시 고장의 주원인과 거리가 먼 것은?

① 온도의 상승으로 인한 것이다.
② 기기의 용량 선정으로 인한 것이다.
③ 기기의 기계적 고장으로 인한 것이다.
④ 조립과 접속의 불완전으로 인한 것이다.

49. 안전 점검을 실시할 때의 유의사항 중 맞지 않는 것은?

① 점검한 내용은 상호 이해하고 협조한 시정책을 강구할 것
② 안전 점검이 끝나면 강평을 실시하고 사소한 사항은 묵인할 것
③ 과거에 재해가 발생한 곳에는 그 요인이 없어졌는지 확인할 것
④ 점검자의 능력에 적응하는 점검내용을 활용할 것

50. 자동차 정비공장에서 폭발의 우려가 있는 가스, 증기, 또는 분진을 발산하는 장소에서 금지해야할 사항에 속하지 않는 것은?

① 화기의 사용
② 과열함으로써 점화의 원인이 될 우려가 있는 기계
③ 사용도중 불꽃이 발생하는 공구
④ 불연성 재료의 사용

51. 기계와 기계 사이 또는 기계와 다른 설비와의 사이에 설치하는 통로는 최소 몇 cm 이상이어야 하는가?

① 40cm
② 60cm
③ 80cm
④ 100cm

52. 연삭 작업 시 안전사항이 아닌 것은?

① 연삭숫돌 설치 전 해머로 가볍게 두들겨 본다.
② 연삭숫돌의 측면에 서서 연삭한다.
③ 연삭기의 커버를 벗긴 채 사용하지 않는다.
④ 연삭숫돌의 주위와 연삭 지지대 간의 간격은 5mm 이상으로 한다.

53. 운반 작업을 할 때 틀리는 것은?

① 드럼통, 봄베 등을 굴려서 운반한다.
② 공동운반에서는 서로 협조를 하여 작업한다.
③ 긴 물건은 앞쪽을 위로 올린다.
④ 무리한 몸가짐으로 물건을 들지 않는다.

54. 전동공구 사용시 발생할 수 있는 감전 사고에 대한 설명으로 틀린 것은?

① 전기 감전의 경우 사전 감지가 어렵다.
② 전기 감전시 사망할 수 있다.
③ 감전으로 인한 2차 재해가 발생할 수 있다.
④ 공장의 전기는 저압교류를 사용함으로 안전하다.

55. 다음은 공기압축기의 안전장치이다. 배관 중간에 설치하여 규정 이상의 압력에 달하면 작동하여 배출시키는 장치는 무엇인가?

① 언로더 밸브
② 체크밸브
③ 압력계
④ 안전밸브

56. 피스톤에서 피스톤 링을 탈거하거나 장착할 때 필요한 공구는?

① 피스톤 스냅 링
② 피스톤 링 컴프레서
③ 피스톤 링 플라이어
④ 피스톤 라이너

57. 축전지 취급시 주의할 사항 중 틀린 것은?

① 충전실은 환기가 잘 되게 한다.

② 전해액의 보충은 증류수를 사용한다.

③ 중화제는 중탄산소다수를 사용한다.

④ 충전상태는 불꽃 방전시켜서 알아본다.

58. 동력조향장치 분해 정비시 작업 안전사항으로 잘못된 것은?

① 유압실린더 로드를 움직이면 유압오일이 흘러나오므로 주의한다.

② 오일실과 부품은 반드시 가솔린으로 세척하도록 한다.

③ 오일 출입구의 유압호스 제거시 먼지가 들어가지 않도록 한다.

④ 반드시 시동시 정지 후 탈거 및 조립한다.

59. 크레인 작업장의 안전 수칙으로 맞는 것은?

① 주유는 운전 중에 한다.

② 작업장에서는 안전 보호구를 착용할 필요가 없다.

③ 신호는 지정된 한 사람만 한다.

④ 15% 범위 내에서 제한하중을 초과해도 된다.

60. 전기용접기가 누전이 되었을 때 가장 적절한 행동은?

① 전압이 낮기 때문에 계속 용접하여도 된다.

② 스위치는 손대지 말고 누전된 부분을 절연시킨다.

③ 용접기만 만지지 않으면 된다.

④ 스위치를 끄고 누전된 부분을 찾아 절연시킨다.

제 8 회

01	①	02	③	03	④	04	④	05	③
06	②	07	④	08	①	09	②	10	①
11	④	12	①	13	②	14	①	15	③
16	④	17	③	18	④	19	④	20	④
21	①	22	①	23	④	24	②	25	④
26	②	27	③	28	④	29	④	30	④
31	④	32	②	33	①	34	④	35	④
36	④	37	③	38	③	39	①	40	①
41	①	42	②	43	④	44	④	45	③
46	②	47	②	48	②	49	②	50	④
51	③	52	④	53	①	54	④	55	④
56	③	57	④	58	②	59	③	60	④

자격종목 및 등급(선택분야)	제9회	시험시간		수험	성명
건설기계기관정비기능사		1시간			

1. 전자제어 디젤엔진의 특징으로 잘못된 것은?

① 커먼레일 형식에서는 압력이 일정하면 송유율도 일정하다.

② 엔진회전속도에 관계없이 항상 일정량을 분사할 수 있다.

③ 커먼레일 형식 Common Rail System)은 커먼레일 내에 일정한 압력으로 연료를 분사한다.

④ 분사시기도 인젝터(injector)에 의해 전자제어된다.

2. 고속회전을 목적으로 하는 왕복기관에서 흡입 밸브와 배기 밸브의 크기는?

① 흡입 밸브를 크게 한다.

② 배기 밸브를 크게 한다.

③ 양 밸브의 치수를 동일하게 한다.

④ 1.3번 배기 밸브를 크게 한다.

3. 디젤기관 밸브 스프링 직각도 검사 결과 스프링을 교환해야 하는 기준은?

① 자유높이 100mm에 대해 3mm 이상

② 자유높이 100mm에 대해 5mm 이상

③ 자유높이 100mm에 대해 7mm 이상

④ 자유높이 100mm에 대해 9mm 이상

4. 기관이 중속 상태에서 2,000rpm으로 회전하고 있을 때, 회전 토크가 7kgf-m라면 회전 마력은?

① 약 9.8PS ② 약 19.5PS

③ 약 25.5PS ④ 약 39.5PS

5. 다음 중 분사노즐에 필요한 조건이 아닌 것은?

① 고온·고압의 가혹한 조건에서 장기간 사용 가능

② 분무를 연소실이 구석구석까지 뿌려지게 할 것

③ 분사 후에 후적이 일어나게 할 것

④ 연료를 미립화하여 착화성이 좋을 것

6. 연료 분사 파이프의 조건과 거리가 먼 것은?

① 분사 파이프의 길이는 가능한 길수록 좋다.

② 분사 파이프의 길이는 모두 같아야 한다.

③ 분사 파이프는 외부 진동의 영향을 거의 받지 않도록 일정한 간격으로 고정한다.

④ 각 분사 파이프의 굽힘 부의 반경은 최소 50mm 이상으로 한다.

7. 디젤기관의 실린더가 4개, 총배기량은 14,000cc, 각 실린더 당 연소실 용적이 220cc일 때 압축비는?

① 15.9 : 1 ② 16.9 : 1

③ 18.5 : 1 ④ 19.5 : 1

8. 가솔린 기관에서 오일 압력이 규정 이상 높아지는 원인으로 맞는 것은?

① 기관 오일에 연료가 희석되었다.

② 기관 오일의 점도가 지나치게 높다.

③ 기관의 회전속도가 낮다.

④ 유압 조절 밸브의 스프링 장력이 작다.

9. 다음 중 실린더 헤드 면을 연삭하여 조립했을 때 나타나는 현상은?

① 압축비가 감소하는 현상

② 피스톤과 밸브의 간격이 커지는 현상

③ 냉각수 온도 상승 현상

④ 압축비가 상승하는 현상

10. 4행정 기관에서 행정이 120mm이고, 지름이 102 mm, 피스톤 평균속도가 8.4m/s이면 크랭크축의 회전속도는?

① 1,700rpm   ② 2,100rpm

③ 3,000rpm   ④ 3,125rpm

11. S · O BTDC 8°, S · C ABDC 40° 일 때의 설명으로 맞는 것은?

① 흡기밸브가 상사점 전 8°에서 열리고 하사점 후 40°에서 닫힌다.

② 흡기밸브가 상사점 전 40°에서 열리고 하사점 후 8°에서 닫힌다.

③ 배기밸브가 상사점 전 8°에서 열리고 하사점 후 40°에서 닫힌다.

④ 배기밸브가 상사점 전 40°에서 열리고 하사점 후 8°에서 닫힌다.

12. 구동 벨트에 대한 점검 사항 중 틀린 것은?

① 구동 벨트 장력은 약 10kgf의 엄지손가락 힘으로 눌렀을 때 헐거움이 약 12~20mm여야 한다.

② 장력이 너무 세면 베어링이 조기 마모된다.

③ 장력이 너무 약하면 물 펌프의 회전속도가 느려 엔진이 과열된다.

④ 벨트는 풀리의 홈 바닥에 닿게 설치한다.

13. 디젤기관에서 분사 지연과 착화지연 보상하기 위해 고압 연료 송출 개시점을 기관 회전속도에 따라 진각시키는 장치를 무엇이라 하는가?

① 분사타이머   ② 분사펌프

③ 조속기   ④ 분사노즐

14. 다음 중 부동액으로 적당한 것은?

① 벤젠   ② 에틸렌글리콜

③ 알콜   ④ 탄산나트륨

15. 표준지름이 65mm인 크랭크축 저널의 외경을 측정한 결과 64.65mm이었다. 크랭크축을 연마해야 할 언더사이즈는 얼마인가?

① 0.25mm   ② 0.50mm

③ 0.75mm   ④ 1.00mm

16. 압력식 라디에이터 캡의 규정 압력은 일반적으로 게이지 압력으로 몇 kg/㎠ 정도인가?

① 0.2~0.9   ② 2.0~9.0

③ 1.2~1.9   ④ 12~19

17. 기관에서 밸브 오버랩은 무엇을 나타내는가?

① 흡 · 배기밸브가 동시에 열려 있는 시기

② 흡기밸브만 열려 있는 시기

③ 배기밸브만 열려 있는 시기

④ 흡 · 배기밸브가 동시에 닫혀 있는 시기

18. 윤활유 소비증대의 가장 큰 원인이 되는 것은?

① 비산과 압력   ② 비산과 누설

③ 연소와 누설   ④ 희석과 혼합

19. 가스 터빈 기관의 구성요소가 아닌 것은?

① 압축기   ② 열교환기

③ 증발기   ④ 터빈

20. 다음 중 피복재 역할을 맞게 설명한 것은?

① 스패터의 발생을 적게 한다.

② 용착금속의 냉각속도를 빠르게 하여 급랭시킨다.

③ 슬래그 생성을 돕고, 파형이 고운 비드를 만든다.

④ 대기 중으로부터 산화, 질화 등을 방지하여 용착금속을 보호한다.

21. 연강을 0℃ 이하에서 용접시 예열온도로 알맞은 것은?

① 10~40℃

② 40~75℃

③ 75~105℃

④ 105~135℃

22. 다음 중 피복재 역할을 맞게 설명한 것은?

① 스패터의 발생을 적게 한다.

② 용착금속의 냉각속도를 빠르게 하여 급랭시킨다.

③ 슬래그 생성을 돕고, 파형이 고운 비드를 만든다.

④ 대기 중으로부터 산화, 질화 등을 방지하여 용착금속을 보호한다.

23. 용접 중 아크를 중단시키면 중단된 부분이 오목하거나 납작하게 파진 모습이 되는데, 이것을 무엇이라고 하는가?

① 용융상태   ② 스패터

③ 아크 쏠림   ④ 크레이터

24. 용접자세에 관한 기호와 뜻으로 잘못 짝지어진 것은?

① 아래 보기 자세:F   ② 수평자세:H

③ 수직자세:V   ④ 위보기 자세:H−Fil

25. 클러치를 연결하고 기어를 변속하면 어떻게 되는가?

① 기어에서 소리가 나고 기어가 마모된다.

② 변속레버가 마모된다.

③ 기관이 정지된다.

④ 클러치 디스크가 마모된다.

26. 유니버설 이음(Universal joint)에 관한 설명으로 옳은 것은?

① 두 축이 평행하고 있을 때 사용하는 클러치이다.

② 두 축이 교차하고 있을 때 사용하는 크랭크 축이다.

③ 두 축이 직교할 때 사용되고 운전 중 단속할 수 있다.

④ 두 축이 교차하는 경우에 사용되는 커플링의 일종이다.

27. 엔진의 회전수가 2,400rpm이고, 변속비가 6:1일 때 추진축의 회전수는 얼마인가?

① 400rpm   ② 600rpm

③ 900rpm   ④ 1,200rpm

28. 동력전달장치에서 클러치 용량이 의미하는 것은?

① 클러치 하우징 내에 당겨지는 오일의 양

② 클러치 마찰판의 개수

③ 클러치 수동판 및 압력판의 크기

④ 클러치가 전달할 수 있는 회전력의 세기

29. 구동바퀴 반경을 R, 축의 회전력을 T라 할 때 구동력 F는?

① $F = \dfrac{T}{R}$ ② $F = \dfrac{R}{T}$

③ $F = \dfrac{RT}{2g}$ ④ $F = \dfrac{R}{2g}$

30. 엔진의 회전수가 1,500rpm이고, 변속비가 1.5, 종감속비가 4.0일 때 총 감속비는?

① 4.0   ② 5.5

③ 6.0   ④ 12.0

31. 브레이크에서 라이닝 간격 자동조정 장치는 어느 때 조정되는가?

① 라이닝과 드럼과의 간격이 작을 때

② 후진 주행에서 브레이크가 작용할 때

③ 정지에서 브레이크가 작동할 때

④ 전진에서 브레이크가 삭농할 때

32. 불도자의 귀삽날(end bit)의 정비 방법으로 옳은 것은?

① 한쪽이 마모되면 반대쪽과 교환한다.

② 마모된 쪽만 교환한다.

③ 용접하여 사용한다.

④ 한쪽이라도 마모되면 모두 교환한다.

33. 무한궤도식 도저가 일직선 운행이 되지 않는다. 그 원인은?

① 메인 클러치가 나쁘다.

② 변속기가 나쁘다.

③ 스티어링 클러치가 나쁘다.

④ 스파이럴 드라이브 기어가 나쁘다.

34. 크레인용 와이어로프의 고임 중 스트랜드를 왼쪽 방향으로 꼰 것은?

① Z 꼬임
② 랭 꼬임
③ S 꼬임
④ 보통 꼬임

35. 기중기의 붐 교환방법으로 가장 거리가 먼 것은?

① 드럼이나 각목을 이용하는 방법
② 기중기를 사용하는 방법
③ 트레일러를 이용하는 방법
④ 지게차를 이용하는 방법

36. 로더의 메이크업 밸브(make-up valve)에 대한 설명이 아닌 것은?

① 진공의 발생을 막아준다.
② 탱크로 오일을 귀환시켜 준다.
③ 부족한 오일을 공급한다.
④ 체크밸브와 같은 역할이다.

37. 굴삭기에서 붐과 암의 각도가 몇 도일 때 가장 굴삭력이 좋은가?

① 45°∽55°
② 50°∽70°
③ 70°∽100°
④ 80°∽110°

38. 축전지 충전작업 시 주의사항으로 맞지 않는 것은?

① 전해액을 혼합할 때는 증류수를 황산에 천천히 붓는다.
② 축전지 단자가 단락하여 스파크가 일어나지 않게 한다.
③ 축전지를 충전하는 곳은 환기장치가 필요하다.
④ 축전지를 차량에 설치할 때 접지선은 제일 나중에 연결한다.

39. 건설기계 차량에서 축전지를 분리시킬 때 가장 먼저 해야 되는 것은?

① 양 케이블을 동시에 푼다.
② 절연선을 먼저 푼다.
③ 접지단자를 먼저 푼다.
④ 순서에 관계없다.

40. 20℃에서 전해액 비중이 1.280이다. 0℃일 때의 비중은?

① 1.266
② 1.273
③ 1.287
④ 1.294

41. 건설기계 에어컨의 순환과정으로 맞는 것은?

① 압축기-팽창밸브-건조기-응축기-증발기
② 압축기-건조기-응축기-팽창밸브-증발기
③ 압축기-응축기-건조기-팽창밸브-증발기
④ 압축기-건조기-팽창밸브-응축기-증발기

42. 유압 작동유가 갖추어야 할 구비조건에 대한 설명이 아닌 것은?

① 방청성이 좋을 것
② 온도에 대한 점도 변화가 작을 것
③ 인화점이 낮을 것
④ 화학적으로 안정될 것

43. 유압 기호 중 중 유압펌프를 표시하는 기호는?

①
②
③
④

44. 유압펌프의 압력이 규정보다 높은 원인이 아닌 것은?

① 유압조정 스프링의 장력이 클 때
② 바이패스 통로가 막혔을 때
③ 유압회로의 단면적이 작을 때
④ 유압유의 점도가 낮을 때

45. 유압실린더의 피스톤 로드 표면이 붉은색을 띠게 되는 현상은 무엇인가?

① 오일량의 부족
② 오일의 점도 불량
③ 오일의 열화
④ 오일의 공기 혼합

46. 유량조정 밸브에 의한 회로가 아닌 것은?

① 미터인 회로
② 미터 아웃 회로
③ 블리드 오프 회로
④ 동기 회로

47. 유압호스 보관 방법으로 적합하지 않은 것은?

① 건조한 장소에 보관한다.

② 햇볕이 잘 드는 실외에 보관한다.

③ 장기간(1년 이상) 보관하지 않는다.

④ 호스 양단에는 이물질이 들어가는 것을 막기 위해 캡을 씌운다.

48. 액체에 공기가 아주 작은 기포 상태에 섞어지는 현상 또는 섞여져 있는 상태를 유압 용어로 무엇이라 하는가?

① 맥동현상   ② 공기혼입

③ 수격현상   ④ 채터링

49. 연 근로시간 1,000시간 중에 발생한 재해로 인하여 손실일수로 나타낸 것은?

① 연천인율   ② 강도율

③ 도수율   ④ 손실율

50. 산업현장에서 산업재해를 예방하기 위한 안전·보건 표지의 종류와 형태에서 다음 그림이 나타내는 표시는?

① 지게차 사용금지

② 수화물 적하금지

③ 차량운전 주의표지

④ 차량 통행금지

51. 마이크로미터 취급시의 주의 사항이 아닌 것은?

① 건조한 곳에 보관할 것

② 녹 방지를 위해 절삭유를 발라둘 것

③ 보관시 앤빌과 스핀들을 붙여 놓지 말 것

④ 사용 전 0점 조정이 되었는가를 확인할 것

52. 공기압축기 안전수칙에 맞지 않는 것은?

① 전기배선, 터미널 및 전선 등에 접촉될 경우 전기쇼크의 위험이 있으므로 주의한다.

② 분해시 공기압축기, 공기탱크 및 관로 안의 압축공기를 완전히 배출한 뒤에 실시한다.

③ 하루에 한 번씩 공기탱크에 고여 있는 응축수를 제거한다.

④ 작업 중 작업자의 땀이나 열을 식히기 위해 압축공기를 호흡하면 작업효율이 좋아진다.

53. 자동차 적재함 밖으로 물건이 나온 상태로 운반할 경우 위험 표시 색깔을 무엇으로 하는가?

① 청색

② 흰색

③ 적색

④ 흑색

54. 감전사고 방지책과 관계가 먼 것은?

① 고압의 전류가 흐르는 부분은 표시하여 주의를 준다.

② 전기 작업을 할 때는 절연용 보호구를 착용한다.

③ 정전 시에는 제일 먼저 퓨즈를 검사한다.

④ 스위치의 개폐는 오른손으로 하고 물기가 있는 손으로 전기장치나 기구에 손을 대지 않는다.

55. 건설기계 기관 취급 시 주의 사항으로 가장 적합하지 않은 것은?

① 연료탱크의 연료 보급은 작업 시작 직전이 가장 좋다.

② 혹한 시 냉각수가 동결할 우려가 있으면 부동액을 미리 주입한다.

③ 정기적으로 연료여과기 교환과 연료탱크의 수분 처리를 한다.

④ 냉각수는 정기적으로 교환, 세정하며 냉각계통의 물때를 배출한다.

56. 자동차 정비 작업시 압축공기를 이용한 공구를 사용할 필요가 없는 작업은?

① 타이어 교환 작업
② 클러치 탈거 작업
③ 축전지 단자 케이블 연결
④ 엔진 분해 · 조립

57. 전기용접기가 누전이 되었을 때 가장 적절한 행동은?

① 전압이 낮기 때문에 계속 용접하여도 된다.
② 스위치는 손대지 말고 누전된 부분을 절연시킨다.
③ 용접기만 만지지 않으면 된다.
④ 스위치를 끄고 누전된 부분을 찾아 절연시킨다.

58. 현장에서 용접 작업 전에 실시하는 일반적인 준비 사항으로 틀린 것은?

① 용접공을 선임한다.
② 용접결함을 보수한다.
③ 용접봉을 선택한다.
④ 모재의 재질을 확인한다.

59. 축전지를 탈거하지 않고 급속충전을 안전하게 하려면?

① 발전기 L 단자를 분리한다.
② 발전기 R 단자를 분리한다.
③ 점화스위치를 OFF 상태로 놓는다.
④ 축전지의 +, − 케이블을 모두 분리한다.

60. 안전한 작업을 하기 위하여 작업 복장을 선정할 때의 주의 사항 중 맞지 않는 것은?

① 화기사용 직장에서는 방염성, 불연성의 것을 사용하도록 한다.
② 착용자의 취미, 기호 등을 감안하여 적절한 스타일을 선정한다.
③ 작업복은 몸에 맞고 동작이 편하도록 제작한다.
④ 상의의 끝이나 바짓가랑이 등이 기계에 말려 들어갈 위험이 없도록 한다.

제 9 회

01	③	02	①	03	①	04	②	05	③
06	①	07	②	08	②	09	④	10	②
11	①	12	④	13	①	14	②	15	③
16	①	17	①	18	③	19	③	20	④
21	②	22	④	23	④	24	④	25	①
26	④	27	①	28	④	29	①	30	③
31	②	32	③	33	③	34	①	35	④
36	②	37	④	38	①	39	③	40	④
41	③	42	③	43	③	44	④	45	③
46	④	47	②	48	②	49	②	50	④
51	②	52	④	53	③	54	③	55	①
56	③	57	④	58	②	59	④	60	②

자격종목 및 등급(선택분야)		시험시간		수험	성명
건설기계기관정비기능사	제10회	1시간			

1. 엔진 오일량 점검에서 오일게이지 상한선(Full)과 하한선(Low) 표시가 되어 있을 때 가장 적합한 것은?

　① Low 표시에 있어야 한다.
　② Low와 Full 사이에서 Low에 가까우면 좋다.
　③ Low와 Full 사이에서 Full에 가까우면 좋다.
　④ Full 표시 이상이 되어야 한다.

2. 다음 중 타이밍기어의 백래시가 클 때 발생하는 현상이 아닌 것은?

　① 밸브의 개폐 시기가 늦어진다.
　② 연료의 분사가 늦어진다.
　③ 엔진의 출력이 증가한다.
　④ 엔진의 소음이 증가한다.

3. 폭발순서가 1-3-4-2-인 기관에서 3번 피스톤이 압축행정을 할 때, 2번 피스톤은 무슨 행정을 하는가?

　① 폭발행정　　　② 배기행정
　③ 압축행정　　　④ 흡입행정

4. 디젤기관 연료 장치의 연료공급 펌프 정비 후 시험방법 중 틀린 것은?

　① 누설시험　　　② 흡입시험
　③ 진공시험　　　④ 배출시험

5. 건설기계의 디젤기관에서 과급기를 사용하는 목적은?

　① 압축비를 높인다.　② 배기효율을 낮춘다.
　③ 배압을 높인다.　④ 흡입효율을 높인다.

6. 다음 중 플라이휠의 정비사항으로 맞지 않는 것은?

　① 접촉면이 열화되었을 때는 플라이휠을 교환한다.
　② 플라이휠 면마모 깊이가 1mm 이내이면 수정하여 사용한다.
　③ 런아웃이 1mm 이상이면 플라이휠을 교환한다.
　④ 링기어가 파손되면 플라이휠을 교환한다.

7. 기관의 피스톤 간극이 클 경우 생기는 현상으로 아닌 것은?

　① 마멸 감소
　② 블로바이 가스 발생
　③ 피스톤 슬랩 발생
　④ 엔진 출력 저하

8. 밸브 스프링 서징 현상을 방지하는 방법에 대한 설명 중 틀린 것은?

　① 고유진동수 같은 2중 스프링 사용
　② 부등피치의 2중 스프링 사용
　③ 고유진동수가 틀린 2중 스프링 사용
　④ 부등피치의 원뿔형 스프링 사용

9. 기관 실린더의 점검 사항에 들지 않는 것은?

　① 실린더 내벽의 균열
　② 실린더 윗면의 변형
　③ 실린더 내벽의 마모
　④ 실린더 내벽의 강도

10. 디젤기관의 시동이 꺼져버렸을 때, 고장원인이 연료 계통에 있다면 가장 먼저 점검해야 할 것은?

① 분사시기를 점검한다.
② 프라이밍 펌프를 작동하며 에어브리더를 풀어 공기혼입을 점검한다.
③ 고압노즐 파이프를 풀고 프라이밍 펌프를 작동하며 공기혼입을 점검한다.
④ 연료필터를 풀고 불순물의 유무를 점검한다.

11. 디젤기관의 연료탱크에 생성되는 응축수에 대한 설명으로 틀린 것은?

① 응축수는 분사펌프와 분사노즐의 손상원인이 된다.
② 무더운 여름철에 많이 발생된다.
③ 응축수 생성을 방지하려면 연료를 가득 채워서 운행한다.
④ 응축수는 연료탱크 밑바닥에 고이게 된다.

12. 디젤기관에서 배기가스 중 검은 연기를 내는 원인이 아닌 것은?

① 압축압력이 낮아 압축온도가 낮을 때
② 노즐에서 관통력과 무화가 강할 때
③ 분사 시기가 나쁠 때
④ 노즐로부터 분사 상태가 나쁠 때

13. 디젤기관이 잘 시동되지 않거나, 시동되더라도 출력이 약한 원인은?

① 연료분사펌프의 기능 불량
② 연료탱크에 공기가 들어 있을 때
③ 클러치가 과도하게 마모되었을 때
④ 변속 조작이 잘되지 않을 때

14. 디젤기관에서 노크를 경감시키는 조건으로 옳은 것은?

① 압축비를 작게 한다.
② 연소실 벽의 온도를 높인다.
② 세탄가가 낮은 연료를 사용한다.
④ 착화지연기간 중 연료의 분사량을 많게 한다.

15. 실린더 총체적이 1,000cc이고 행정체적이 850cc인 엔진의 압축비는?

① 5.60 : 1 ② 6.67 : 1
③ 5.67 : 1 ④ 7.52 : 1

16. 디젤기관 운전 중 배기가스의 색이 백색일 경우 예상되는 고장은?

① 피스톤 링의 소손 또는 실린더 간극 과다
② 노즐의 분사 압력 낮음
② 연료 공급 펌프의 기능 저하
④ 밸브간극 과다

17. 건설기계에서 1분간 일률이 120,000kgf · m/min 이면, 이 건설기계 기관의 출력은?

① 16.67PS ② 26.67PS
③ 36.67PS ④ 46.67PS

18. 용접결함의 종류와 결함의 모양을 바르게 연결한 것은?

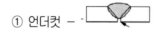

① 언더컷 –
② 용입 불량 –
③ 오버랩 –
④ 피트 –

19. 탄산가스 아크용접의 장점이 아닌 것은?

① 전류밀도가 대단히 높으므로 용입이 깊고 용접속도를 빠르게 할 수 있다.
② 전 자세 용접이 가능하다.
③ 용접 진행의 양부 판단이 가능하고 사용이 편리하다.
④ 적용 재질이 다양하다.

20. 피복 금속 아크용접의 아크 길이에 대한 설명으로 맞는 것은?

① 긴 아크 길이는 용융 금속의 산화 및 질화의 우려가 있다.
② 긴 아크 길이는 양호한 용접부를 형성한다.
③ 긴 아크 길이는 발열량이 감소하고 비드 폭이 좁아진다.
④ 긴 아크 길이는 스패터 발생을 감소시킨다.

21. 용해 아세틸렌 가스충전 압력으로 가장 알맞은 것은?

① 160kgf/㎠ ② 150kgf/㎠
③ 30kgf/㎠ ④ 15kgf/㎠

22. 용접자세에 관한 기호와 뜻으로 잘못 짝지어진 것은?

① 아래 보기 자세 : F
② 수평자세 : H
③ 수직자세 : V
④ 위보기 자세 : H-Fil

23. 덤프트럭이 주행 중 조향 핸들이 한쪽으로 쏠리는 원인과 가장 거리가 먼 것은?

① 뒤차축이 차의 중심선에 대하여 직각이 되지 않는다.
② 좌우 타이어의 압력이 같지 않다.
③ 조향 핸들의 축 방향 유격이 크다.
④ 앞차축 한쪽의 현가 스프링이 절손되었다.

24. 유압식 브레이크의 마스터 실린더 푸시로드에 작용하는 힘이 200kgf이고 피스톤의 단면적이 4㎠이다. 이때 발생하는 유압은 몇 kgf/㎠인가?

① 20 ② 30
③ 40 ④ 50

25. 지게차의 브레이크 드럼을 분해할 때 점검하지 않아도 되는 것은?

① 턱 마모 및 균열
② 런 아웃 및 부식
③ 접촉면의 긁힘 및 균열
④ 접촉면의 손상 및 편마멸

26. 도자에서 트랙을 분리해서 정비해야 할 경우가 아닌 것은?

① 아이들러 교환시 ② 상부롤러 교환시
③ 스프로켓 교환시 ④ 트랙 링크 교환시

27. 축거가 1.2m인 지게차의 핸들을 왼쪽으로 완전히 꺾었을 때, 오른쪽 바퀴의 각도가 30°이고 왼쪽 바퀴의 각도가 45°일 때 최소 회전반지름은?

① 1.2m ② 1.68m
③ 2.1m ④ 2.4m

28. 토크컨버터의 기본 구성품이 아닌 것은?

① 임펠러(펌프) ② 베인
③ 터빈(러너) ④ 스테이터

29. 로더 토크컨버터에서 출력 부족의 원인을 열거하였다. 옳지 않은 것은?

① 입력축 커플링의 볼트 이완
② 오일량 부족
③ 오일 스트레이너의 막힘
④ 펌프 흡입측 연결 호스의 실 파손

30. 도로 주행 건설기계에서 차동장치의 백래시를 측정하는 방법으로 틀린 것은?

① 다이얼게이지를 하우징에 견고하게 고정시킨다.
② 구동 피니언 기어를 고정한 후 링기어를 움직여 측정한다.
③ 다이얼게이지 스핀들을 링기어 잇면에 수직되게 접촉시킨다.
④ 측정값이 규정값 내에 들지 않으면 한쪽 조정나사를 돌려 조정한다.

31. 리코일 스프링에 대한 설명으로 틀린 것은?

① 안 스프링과 바깥 스프링의 2중으로 된 구조이다.
② 주행 중 프런트 아이들러가 받는 충격을 완화시켜 트랙 장치의 파손을 방지한다.
③ 리코일 스프링 장력보다 큰 충격이 발생하면 압축되면서 프런트 아이들러가 약간 후퇴하여 완충된다.
④ 리코일 스프링의 장력이 강하면 트랙이 벗겨지는 원인이 된다.

32. 모터그레이더의 회전반경을 작게 하기 위해서 앞바퀴를 좌·우로 기울이는 장치는?

① 리닝 장치　　　② 아티귤레이트 장치
③ 스캐리 파이어 장치④ 파워 컨트롤 장치

33. 무한궤도식 굴삭기에서 접지면적이 4.5㎡, 장비 중량이 21톤일 때, 접지압은?

① $0.47kgf/cm^2$　　② $0.57kgf/cm^2$
③ $0.67kgf/cm^2$　　④ $0.77kgf/cm^2$

34. 공기압축기에서 언로더(unloader) 밸브의 역할은?

① 공기의 압력을 높이는 역할을 한다.
② 자동차의 에어클리너 역할을 한다.
③ 공기의 양을 조절하여 탱크로 보내는 역할을 한다.
④ 압축된 공기의 열을 냉각시켜 고압실린더로 보내는 역할을 한다.

35. 기중기 하중에 대한 용어 설명으로 틀린 것은?

① 정격 총하중 : 각 분의 길이와 작업 반경에 허용되는 훅, 그래브, 버킷 등 달아 올림 기구를 포함한 최대하중
② 정격하중 : 정격 총하중에서 훅, 그래브, 버킷 등 달아 올림 기구의 무게에 상당하는 하중을 뺀 하중
③ 호칭하중 : 기중기의 최대 작업하중
④ 작업하중 : 기중기로 화물을 최대로 들 수 있는 하중과 들 수 없는 하중과의 한계점에 놓인 하중

36. 도저의 블레이드 높이가 60mm이고 길이가 2,000mm일 때, 블레이드 용량은?

① $0.72㎥$　　　② $1.2㎥$
③ $2.4㎥$　　　④ $3.6㎥$

37. 회전식 천공기에 대한 설명이 아닌 것은?

① 천공속도가 느리다.
② 보링기계, 어스오거, 어스드릴 등이 이에 속한다.
③ 비트에 강력한 회전력과 압력을 주어 마모·

천공한다.
④ 깊은 천공이나 대구경의 천공은 기술적으로 곤란하다.

38. 12V 30W 헤드라이트 한 개를 켰을 때 흐르는 전류는 몇 A인가?

① 2.5A　　　② 5A
③ 10A　　　④ 36A

39. 교류발전기의 출력은 무엇을 변화시켜 조정하는가?

① 로터 전류　　② 스테이터 전류
③ 회전속도　　④ 다이오드의 용량

40. 건설기계 엔진에 사용되는 시동모터가 회전이 안되거나 회전력이 약한 원인이 아닌 것은?

① 시동스위치 접촉 불량이다.
② 배터리 단자와 터미널의 접촉이 나쁘다.
③ 브러시가 정류자에 잘 밀착되어 있다.
④ 배터리 전압이 낮다.

41. 에어컨 장치의 증발기에 설치되고, 증발기 출구측의 온도를 감지하여 증발기의 빙결을 예방할 목적으로 설치한 것은?

① 핀 서모센서　　② AQS
③ 일사량 센서　　④ 외기온도 센서

42. 작동유에 공기가 유입되었을 때 발생하는 현상이 아닌 것은?

① 유압 실린더의 숨돌리기 현상이 발생된다.
② 작동유의 열화가 촉진된다.
③ 유압장치 내부에 공동현상이 발생한다.
④ 작동유 누출이 심하게 된다.

43. 유압펌프의 송출압력이 $55kgf/cm^2$, 송출유량이 30 ℓ/min인 경우 펌프 동력은 얼마인가?

① 1.8kW　　　② 2.69kW
③ 2.04kW　　④ 2.97kW

44. 그림에서 유압호스 설치가 가장 옳은 것은?

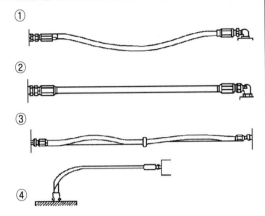

45. 건설기계에서 유압 배관을 정비 및 탈거하는 경우 주의사항 중 틀린 것은?
    ① 회로의 잔압이 없는 것을 확인하고 작업한다.
    ② 버킷을 땅 위에 내려놓고 작업하다.
    ③ 배관은 마찰이 있을 때 직각으로 구부려 조립한다.
    ④ 복잡한 배관은 꼬리표를 붙인다.

46. 유압 작동유의 교환 시 주의 사항으로 옳지 않은 것은?
    ① 장비 가동을 완전히 멈춘 후에 교환한다.
    ② 화기가 있는 곳에 교환 작업을 히지 않는다.
    ③ 유압 작동유의 온도가 고온일 때 유압유를 교환한다.
    ④ 서로 다른 종류의 유압 작동유를 혼합해서 사용하지 않는다.

47. 유압실린더 등이 중력에 의한 자유낙하를 방지하기 위하여 배압을 유지하는 압력제어밸브는?
    ① 카운터밸런스 밸브   ② 언로드 밸브
    ③ 감압 밸브   ④ 시퀀스 밸브

48. 유압 작동유의 온도가 상승하는 원인이 아닌 것은?
    ① 탱크의 작동유 부족
    ② 릴리프밸브가 개방된 채로 고장
    ③ 작동유의 노화 또는 점도 부적당
    ④ 오일 쿨러의 성능 불량

49. 선반작업 시 안전 수칙이다. 틀린 것은?
    ① 선반 위에 공구를 올려놓은 채 작업하지 않는다.
    ② 돌리개는 적당한 크기의 것을 사용한다.
    ③ 공작물을 고정한 후 렌치류는 제거해야 한다.
    ④ 날 끝의 칩 제거는 손으로 한다.

50. 로더에서 기동전동기를 탈착하고자 한다. 안전한 방법으로 가장 적합한 것은?
    ① 로더 버킷을 들어 올린 다음 배터리 접지선을 떼어 낸 후 탈착한다.
    ② 경사진 곳에서 사이드 브레이크를 잠그고 탈착한다.
    ③ 버킷을 내려놓은 후 바퀴에 고임목을 받치고 배터리 접지선을 떼어 낸 후 탈착한다.
    ④ 기관을 가동한 상태에서 사이드 브레이크를 잠그고 탈착한다.

51. 산업현장에서 산업재해를 예방하기 위한 안전·보건표지의 종류와 형태이다. 그림이 나타내는 표시는?

    ① 접촉금지   ② 출입금지
    ③ 탑승금지   ④ 보행금지

52. 기관 분해 · 조립 시 스패너 사용 자세 중 옳지 않은 것은?
    ① 몸의 중심을 유지하게 한 손은 작업물을 지지한다.
    ② 스패너 자루에 파이프를 끼우고 발로 민다.
    ③ 너트에 스패너를 깊이 물리고 조금씩 앞으로 당기는 식으로 풀고, 조인다.
    ④ 몸은 항상 균형을 잡아 넘어지는 것을 방지한다.

53. 공작물 가공 및 절삭에서 사용하는 절삭제의 목적이 아닌 것은?
① 공구의 경도 저하를 막는다.
② 공작물의 냉각을 돕는다.
③ 공구와 칩의 친화력을 돕는다.
④ 공구의 냉각을 돕는다.

54. 겨울철에 건설기계 보관 시 가장 주의해야 할 것은?
① 윤활유 유무를 점검해야 한다.
② 부동액이 채워져 있는지 점검해야 한다.
③ 냉각수가 채워져 있는지 점검해야 한다.
④ 연료 유무를 점검해야 한다.

55. 건설기계의 변속기 탈착 및 부착 작업시 안전한 방법으로 맞지 않는 것은?
① 크랭킹 하면서 변속기를 설치하지 않는다.
② 건설기계 밑에서 작업시에는 보안경을 쓴다.
③ 잭과 스탠드를 사용하여 장비를 안전하게 고정시킨다.
④ 차체를 로프로 고정시키고 작업한다.

56. 실린더 보어 게이지 취급시 안전 사항과 관련이 없는 것은?
① 스핀들이 잘 움직이지 않을 때 휘발유로 세척한다.
② 스핀들은 공작물에 가만히 접촉하도록 한다.
③ 보관시는 건조된 헝겊으로 닦아서 보관한다.
④ 스핀들이 잘 움직이지 않으면 고급 스핀들유를 바른다.

57. 기중기 작업 중 주의할 점이 아닌 것은?
① 달아 올릴 화물의 무게를 파악하여 제한하중 이하에서 작업한다.
② 매달린 화물이 불안전하다고 생각될 때는 작업을 중지한다.
③ 신호의 규정은 없고 작업은 적당히 한다.
④ 항상 신호인의 신호에 따라 작업한다.

58. 피스톤에서 피스톤 링을 탈거하거나 장착할 때 필요한 공구는?
① 피스톤 스냅 링
② 피스톤 링 컴프레서
③ 피스톤 링 플라이어
④ 피스톤 라이너

59. 축전지 충전 시 안전 수칙으로 맞지 않는 것은?
① 전해액 온도는 45℃ 이상 되지 않게 한다.
② 충전장소는 반드시 환기장치를 해야 한다.
③ 각 셀의 벤트플러그는 닫아 두지 않는다.
④ 충전 시에는 발전기와 병렬 접속하여 충전한다.

60. 공기를 사용한 동력공구 사용시 주의사항으로 적합하지 않은 것은?
① 간편한 사용을 위하여 보호구는 사용하지 않는다.
② 에어 그라인더는 회전시 소음과 진동의 상태를 확인한 후 사용한다.
③ 규정 공기압력을 유지한다.
④ 압축공기 중의 수분을 제거하여 준다.

제 10 회

01	③	02	③	03	②	04	③	05	④
06	④	07	①	08	①	09	④	10	②
11	②	12	②	13	①	14	②	15	②
16	①	17	②	18	③	19	④	20	①
21	④	22	④	23	③	24	④	25	②
26	②	27	④	28	②	29	①	30	④
31	①	32	①	33	①	34	①	35	④
36	①	37	④	38	①	39	①	40	③
41	①	42	③	43	②	44	③	45	④
46	③	47	①	48	②	49	④	50	③
51	④	52	②	53	③	54	②	55	④
56	①	57	③	58	③	59	④	60	①

				수험	성명
자격종목 및 등급(선택분야) 건설기계기관정비기능사	제11회	시험시간 1시간			

1. 피스톤 실린더 사이의 간격이 크면 어떤 현상이 생기게 되는가?
   ① 레이싱 현상이 생긴다.
   ② 블로바이 현상이 생긴다.
   ③ 스틱 현상이 생긴다.
   ④ 런-온 현상이 생긴다.

2. 크랭크축에 오일 실링거(slinger)를 설치하는 이유는?
   ① 오일의 침입을 막기 위해서
   ② 오일의 누설을 막기 위해서
   ③ 오일에 가스 발생을 막기 위해서
   ④ 오일의 열화를 막기 위해서

3. 폭발순서가 1-3-4-2-인 기관에서 3번 피스톤이 압축행정을 할 때, 2번 피스톤은 무슨 행정을 하는가?
   ① 폭발행정
   ② 배기행정
   ③ 압축행정
   ④ 흡입행정

4. 밸브 스프링 서징 현상의 설명 중 알맞은 것은?
   ① 밸브가 열릴 때 천천히 열리는 현상
   ② 밸브의 흡기·배기가 동시에 열리는 현상
   ③ 고속시 밸브의 고유진동수와 캠의 회전수의 공명에 의하여 스프링이 튕기는 현상
   ④ 고속 회전에서 저속으로 변화할 때 스프링의 장력차에 의한 현상

5. S·O BTDC 8°, S·C ABDC 40° 일 때의 설명으로 맞는 것은?
   ① 흡기밸브가 상사점 전 8°에서 열리고 하사점 후 40°에서 닫힌다.
   ② 흡기밸브가 상사점 전 40°에서 열리고 하사점 후 8°에서 닫힌다.
   ③ 배기밸브가 상사점 전 8°에서 열리고 하사점 후 40°에서 닫힌다.
   ④ 배기밸브가 상사점 전 40°에서 열리고 하사점 후 8°에서 닫힌다.

6. 다음 중 실린더 헤드 면을 연삭하여 조립했을 때 나타나는 현상은?
   ① 압축비가 감소하는 현상
   ② 피스톤과 밸브의 간격이 커지는 현상
   ③ 냉각수 온도 상승 현상
   ④ 압축비가 상승하는 현상

7. 윤활유의 점도지수를 설명한 것이다. 틀린 것은?
   ① 점도지수란 온도에 따라 점도가 변하는 정도를 나타내는 척도이다.
   ② 일반적으로 파라핀계는 온도에 따른 점도 변화가 나프텐계의 윤활유에 비해 많다.
   ③ 온도에 따른 점도 변화가 적은 경우를 '점도지수가 높다' 라고 정의한다.
   ④ 윤활유는 점도지수가 높은 것이 바람직스럽다.

8. 다음 중 오일펌프 내부 마모시 발생하는 현상이 아닌 것은?
   ① 엔진이 과열된다.
   ② 오일의 압력이 낮아진다.
   ③ 오일의 압력이 높아진다.
   ④ 각 구성품이 소결된다.

9. 다음 중 엔진의 과열 원인이 아닌 것은?

① 방열기 코어에 오물 부착
② 수온조절기의 닫힌 상태로 고장
③ 연료의 질이 나쁠 때
④ 냉각팬 벨트의 느슨함

10. 독립식 연료분사장치(열형펌프)의 연료공급순서로 맞는 것은?

① 연료탱크→열형 연료 분사펌프→연료여과기
   →연료 공급펌프→분사노즐
② 연료탱크→열형 연료 분사펌프→연료 공급펌
   프→연료여과기→분사노즐
③ 연료탱크→연료 공급펌프→연료여과기→열
   형 연료 분사펌프→분사노즐
④ 연료탱크→분사노즐→연료여과기→연료 공
   급펌프→열형 연료 분사펌프

11. 디젤기관 연료 장치의 연료공급 펌프 정비 후 시험방법 중 틀린 것은?

① 누설시험   ② 흡입시험
③ 진공시험   ④ 배출시험

12. 디젤기관에서 분사노즐의 분사개시 압력이 규정보다 높거나 낮을 때 올바른 정비 방법은?

① 니들 밸브 압력 스프링을 교환해서
② 분사 압력 조정나사를 풀거나 조여서
③ 딜리버리 밸브 스프링을 교환해서
④ 플랜저를 회전시킴으로써 플런저의 유효행정
   을 바꿔서

13. 디젤기관에서 연료가 정상적으로 공급되지 않아 시동이 꺼지는 현상이 발생되었다. 그 원인이 아닌 것은?

① 연료필터의 막힘
② 연료 파이프 손상
③ 프라이밍 펌프 고장
④ 연료탱크 내의 오물 과다

14. 디젤기관의 실린더가 4개, 총배기량은 14,000cc, 각 실린더당 연소실 용적이 220cc일 때 압축비는?

① 15.9 : 1   ② 16.9 : 1
③ 18.5 : 1   ④ 19.5 : 1

15. 기관의 회전수가 2,000rpm에서 최대 토크 35kgf -m일 경우 축 마력은?

① 102.35PS   ② 116.21PS
③ 99.25PS   ④ 97.77PS

16. 건설기계의 디젤기관에서 과급기를 사용하는 목적은?

① 압축비를 높인다.   ② 배기효율을 낮춘다.
③ 배압을 높인다.   ④ 흡입효율을 높인다.

17. 토치 작업시 발생하는 역화의 원인으로 거리가 먼 것은?

① 가스의 압력이 부적합하다.
② 팁 끝이 과냉되어 있다.
③ 팁의 조임이 완전하지 않다.
④ 팁 끝에 오물이 묻어있다.

18. 피복 아크 용접시 용접봉과 용접선이 이루는 각도를 무엇이라고 하는가?

① 작업각도   ② 용접각도
③ 진행각도   ④ 자세각도

19. 이산화탄소 아크용접에서 반자동 용접의 용접속도(위빙 및 토치 이동)로 가장 적합한 것은?

① 10~20cm/mim   ② 30~50cm/mim
③ 60~70cm/mim   ④ 70~80cm/mim

20. 피복 금속 아크용접의 아크 길이에 대한 설명으로 맞는 것은?

① 긴 아크 길이는 용융 금속의 산화 및 질화의
   우려가 있다.
② 긴 아크 길이는 양호한 용접부를 형성한다.
③ 긴 아크 길이는 발열량이 감소하고 비드 폭
   이 좁아진다.
④ 긴 아크 길이는 스패터 발생을 감소시킨다.

21. 용해 아세틸렌 가스충전 압력으로 가장 알맞은 것은?

① 160kgf/㎠
② 150kgf/㎠
③ 30kgf/㎠
④ 15kgf/㎠

22. 주철의 용접에 대한 설명으로 적합하지 않은 것은?

① 가능한 한 가는 지름의 용접봉을 사용한다.
② 용입을 깊게 하지 않는다.
③ 직선 비드를 배치한다.
④ 용접비드를 길게 배치한다.

23. 변속할 때 기어의 물림 소리가 심하게 나는 가장 큰 원인은?

① 윤활유의 부족
② 기어 사이의 백래시 과다
③ 클러치가 끊어지지 않을 때
④ 시프트 포크와 시프트 레일과의 관계 불량

24. 유성기어장치에서 유성기어 캐리어를 고정하고 선기어의 구동하면 링기어의 회전은 어떻게 되는가?

① 증속
② 감속
③ 직결
④ 역전 감속

25. 엔진의 회전수가 2,400rpm이고, 변속비가 6:1일 때 추진축의 회전수는 얼마인가?

① 400rpm
② 600rpm
③ 900rpm
④ 1,200rpm

26. 휠 구동식 굴삭기의 조향 각도가 규정보다 작다면 무엇으로 수정해야 하는가?

① 스톱 볼트
② 타이로드
③ 압력 조절 밸브
④ 밸브 스풀

27. 사이드슬립 테스터에서 안쪽으로 3mm, 바깥쪽으로 6mm일 때 사이드 슬립량은?

① 바깥쪽으로 1.5mm
② 안쪽으로 1.5mm
③ 안쪽으로 3mm
④ 바깥쪽으로 6mm

28. 하이드로 백의 릴레이 밸브를 작동시키는 것은?

① 릴레이 스프링
② 릴레이 유압
③ 릴레이 막
④ 릴레이 피스톤

29. 하이드로백의 동력 피스톤의 지름이 20cm이고, 대기압과 부압의 차이가 0.5kgf/㎠이라면 이 하이드로백의 작용력은?

① 약 157kgf
② 약 193kgf
③ 약 224kgf
④ 약 353kgf

30. 트랙 롤러는 흙탕물, 진흙탕, 토사에 묻혀서 회전한다. 따라서 윤활제의 누설을 방지하고 흙물의 침입을 막기 위하여 사용하는 실은?

① 파킹 실
② 플로팅 실
③ O실
④ 로드 실

31. 굴삭기 버킷을 지면에서 1m 들어 놓고 잠시 후에 보았더니 버킷이 지면에 닿아 있을 때 점검해야 할 것은?

① 암 실린더 웨어링
② 암 실린더 백업 링
③ 버킷 실린더 더스트 실
④ 붐 실린더 피스톤 패킹

32. 굴삭기에서 붐과 암의 각도가 몇 도일 때 가상 굴삭력이 좋은가?

① 45° ∞55°
② 50° ∞70°
③ 70° ∞100°
④ 80° ∞110°

33. 무한궤도식 굴삭기에서 접지면적이 4.5㎡, 장비 중량이 21톤일 때, 접지압은?

① $0.47 kgf/cm^2$
② $0.57 kgf/cm^2$
③ $0.67 kgf/cm^2$
④ $0.77 kgf/cm^2$

34. 모터그레이더의 구동 방식에 사용되는 탠덤 드라이브의 기능이 아닌 것은?

① 차체의 균형을 유지시킨다.
② 주행이 직진성을 좋게 한다.
③ 전 · 후 휠에 걸리는 하중을 같게 한다.
④ 회전반경을 작게 한다.

35. 전동식 리치형 지게차를 바르게 설명한 것은?

　① 포크를 상하로 움직이고 마스트를 고정식이다.

　② 포크는 상하로 움직이고 마스트 전·후진된다.

　③ 포크와 미스트를 상하·전후로 회전시킬 수 있다.

　④ 마스트는 전후로 경사되고 포크는 고정식이다.

36. 크레인 와이어의 지름이 3cm, 들어 올릴 하중이 100kgf 일 때의 인장강도(kgf/cm^2)는?

　① 14.2　　　　② 15.2

　③ 16.2　　　　④ 17.2

37. 회전식 천공기에 대한 설명이 아닌 것은?

　① 천공속도가 느리다.

　② 보링기계, 어스오거, 어스드릴 등이 이에 속한다.

　③ 비트에 강력한 회전력과 압력을 주어 마모·천공한다.

　④ 깊은 천공이나 대구경의 천공은 기술적으로 곤란하다.

38. 납산 축전지의 용량 설명으로 맞는 것은?

　① 극판의 수 × 단자의 수

　② 극판의 수 × 셀의 수

　③ 극판의 크기 × 충전 능력

　④ 방전 전류 × 방전 시간

39. 건설기계 엔진에 사용되는 시동모터가 회전이 안되거나 회전력이 약한 원인이 아닌 것은?

　① 시동스위치 접촉 불량이다.

　② 배터리 단자와 터미널의 접촉이 나쁘다.

　③ 브러시가 정류자에 잘 밀착되어 있다.

　④ 배터리 전압이 낮다.

40. 발전기의 전압조정기는 저항을 어디에 넣어 조정하는가?

　① 아마추어 코일과 축전지 사이

　② 로터 코일과 축전지 사이

　③ 브러시와 출력축 사이

　④ 충전회로

41. 냉방 회로에서 응축 효과를 증대시키는 방법이 아닌 것은?

　① 엔진 냉각팬의 직경을 작게 한다.

　② 라디에이터 시라우드를 설치한다.

　③ 응축기 외부표면에 먼지 등의 이물질을 제거한다.

　④ 응축기 냉각용 핀이 막히거나 찌그러지지 않게 한다.

42. 유압 작동유의 교환 시 주의사항으로 옳지 않은 것은?

　① 장비 가동을 완전히 멈춘 후에 교환한다.

　② 화기가 있는 곳에 교환 작업을 하지 않는다.

　③ 유압 작동유의 온도가 고온일 때 유압유를 교환한다.

　④ 서로 다른 종류의 유압 작동유를 혼합해서 사용하지 않는다.

43. 유압펌프 중 가변용량에 가장 적합한 펌프는?

　① 기어식　　　　② 로터리식

　③ 피스톤식　　　④ 베인식

44. 유압회로에서 어느 부분의 압력이 설정치 이상이 되면 압력에 의하여 밸브를 전개하고, 압력유를 1차 측에서 2차 측으로 통하게 하는 밸브는?

　① 시퀀스 밸브　　② 유량조절 밸브

　③ 릴리프 밸브　　④ 감압밸브

45. 다음 중 유압장치에서 축압기의 기능이 아닌 것은?

　① 에너지의 저장　　② 유압의 맥동 형성

　③ 충격 흡수　　　　④ 일정 압력 유지

46. 유압호스 보관 방법으로 적합하지 않은 것은?

　① 건조한 장소에 보관한다.

　② 햇볕이 잘 드는 실외에 보관한다.

　③ 장기간(1년 이상) 보관하지 않는다.

　④ 호스 양단에는 이물질이 들어가는 것을 막기 위해 캡을 씌운다.

47. 유압기기의 제어와 기능을 간단히 표현할 수 있고, 견적, 배관이나 작동의 해석에 사용되는 유압 회로도는?
① 기호회로도　　② 그림 회로도
③ 단면 회로도　　④ 조합 회로도

48. 액체에 공기가 아주 작은 기포 상태에 섞여지는 현상 또는 섞여져 있는 상태를 유압 용어로 무엇이라 하는가?
① 맥동현상　　② 공기혼입
③ 수격현상　　④ 채터링

49. 화재의 분류 기준에서 휘발유로 인해 발생한 화재는?
① A급 화재　　② B급 화재
③ C급 화재　　④ D급 화재

50. 작업장 내에서의 화재분류로 알맞은 것은?
① A급 화재 - 전기화재
② B급 화재 - 휘발유, 벤젠 등의 화재
③ C급 화재 - 금속화재
④ D급 화재 - 목재, 종이, 석탄화재

51. 마이크로미터 취급시의 주의 사항이 아닌 것은?
① 건조한 곳에 보관할 것
② 녹 방지를 위해 절삭유를 발라둘 것
③ 보관시 앤빌과 스핀들을 붙여 놓지 말 것
④ 사용 전 0점 조정이 되었는가를 확인할 것

52. 인력에 의한 운반 작업 설명으로 틀린 것은?
① 긴 물건은 앞을 조금 낮춰서 든다.
② 신체적으로 키가 고르게 조를 짠다.
③ 보행자는 물품을 운반하고 있는 사람과 마주치면 방해하지 않게 피한다.
④ 물품이 운반자 전방의 시야를 방해하지 않아야 한다.

53. 자동차정비 작업시 압축공기를 이용한 공구를 사용할 필요가 없는 작업은?
① 타이어 교환 작업

② 클러치 탈거작업
③ 축전지 단자 케이블 연결
④ 엔진분해 · 조립

54. 일반 공구 사용에서 안전한 사용법이 아닌 것은?
① 조정 조에 잡아당기는 힘이 가해져야 한다.
② 렌치에 파이프 등의 연장대를 끼워서 사용해서는 안 된다.
③ 언제나 깨끗한 상태로 보관한다.
④ 녹이 생긴 볼트나 너트에는 오일을 넣어 스며들게 한 다음 돌린다.

55. 물체를 잡을 때 사용하고, 조(jaw)에 세레이션이 설치되어 있어서 미끄러지지 않으며, 물체의 크기에 따라 조를 조절 할 수 있는 공구는?
① 와이어 스트립퍼　　② 알렌 렌치
③ 바이스 플라이어　　④ 복스 렌치

56. 차량에 연료공급시 주의사항이다. 적당하지 못한 것은?
① 차량의 모든 전원을 off하고 주유한다.
② 소화기를 비치한 후 주유한다.
③ 엔진 시동을 끈 후 주유한다.
④ 엔진을 공회전 시키면서 주유한다.

57. 부품을 분해 · 정비시 반드시 새것으로 교환해야 할 것이 아닌 것은?
① 오일 실　　　　② 볼트,너트
③ 개스킷　　　　④ O링

58. 건설기계를 정비 작업시 주의사항 중 틀린 것은?
① 작업 중 다른 부품에 손상 가능성이 있을 경우에는 커버를 씌운다.
② 개스킷, 오일 실은 손상이 없으면 다시 사용한다.
③ 볼트 및 너트는 규정 토크로 조인다.
④ 부품 교환시는 제작회사의 순정품을 사용한다.

59. 크롤러식 건설기계의 아이들러 점검 및 정비시 안전한 방법으로 볼 수 없는 것은?

① 아이들러의 균열 및 손상을 점검한다.

② 아이들러의 바깥지름과 마멸을 점검한다.

③ 축의 오일구멍을 와이어브러시로 청소한다.

④ 축의 플랜지와 부싱 마멸을 점검한다.

60. 용접공이 가스절단 작업에서 안전을 우선으로 고려하여 작업하지 않는 것은?

① 절단부가 예리하고 날카롭게 작업하였다.

② 호스가 꼬여 있어서 풀어 놓고 작업하였다.

③ 절단 토치의 불꽃 방향을 확인 후 작업하였다.

④ 절단 진행 중에 시선을 고정하여 작업하였다.

제11회

01	②	02	②	03	②	04	③	05	①
06	④	07	②	08	③	09	③	10	③
11	③	12	②	13	③	14	②	15	④
16	④	17	②	18	③	19	②	20	①
21	④	22	④	23	③	24	④	25	①
26	①	27	①	28	④	29	①	30	②
31	④	32	④	33	①	34	④	35	②
36	①	37	④	38	④	39	③	40	②
41	①	42	③	43	③	44	①	45	②
46	②	47	①	48	②	49	②	50	②
51	②	52	①	53	③	54	①	55	③
56	④	57	②	58	②	59	③	60	①

국가기술자격검정 필기시험문제

			수험	성명
자격종목 및 등급(선택분야) 건설기계기관정비기능사	제12회	시험시간 1시간		

1. 다음 중 캠 기구 설명 중 틀린 것은?
   ① 행정에 관계없이 회전비가 2:1로 일정하다.
   ② 4행정기관에서 캠의 수는 기관의 밸브 수와 같다.
   ③ 오일펌프와 연료펌프를 작동시킨다.
   ④ 흡기 및 배기밸브의 개폐를 돕는다.

2. 엔진의 실린더 표준 안지름이 88mm인 6기통 기관에서 안지름을 측정한 결과, 최대값이 88.43 mm인 경우 수정값은?
   ① 0.25 O/S
   ② 0.50 O/S
   ③ 0.75 O/S
   ④ 1.00 O/S

3. 디젤기관 실린더에서 발생하는 측압에 대한 설명으로 옳은 것은?
   ① 피스톤 하강시 커넥팅 로드를 요동으로 작동시키는 것
   ② 배기행정시 피스톤의 상승 운동을 방해하는 압력
   ③ 압축행정시 피스톤의 상승 운동을 방해하는 압력
   ④ 압축행정시 피스톤이 실린더에 벽에 접촉되어 가하는 압력

4. 캠축의 휨을 측정시 가장 적당한 것은?
   ① 스프링 저울과 브이블록
   ② 버니어캘리퍼스와 곧은 자
   ③ 마이크로미터와 다이얼 게이지
   ④ 다이얼 게이지와 브이블록

5. 기관의 밸브간극이 너무 좁을 때 일어나는 현상 중 틀린 것은?
   ① 압축가스의 누설로 동력이 감소된다.
   ② 실화를 일으킨다.
   ③ 적게 열리고 정확히 닫힌다.
   ④ 역화가 일어나기 쉽다.

6. 밸브 스프링 점검과 관계없는 것은?
   ① 직각도
   ② 코일의 수
   ③ 자유높이
   ④ 스프링 장력

7. 다음 중 플라이휠의 정비사항으로 맞지 않는 것은?
   ① 접촉면이 열화되었을 때는 플라이휠을 교환한다.
   ② 플라이휠 면마모 깊이가 1mm 이내이면 수정하여 사용한다.
   ③ 런아웃이 1mm 이상이면 플라이휠을 교환한다.
   ④ 링기어가 파손되면 플라이휠을 교환한다.

8. 실린더 블록의 급유 통로 막힘을 검사할 때 사용하는 것으로 적합한 것은?
   ① 유압을 이용
   ② 압축공기를 이용
   ③ 물을 이용
   ④ 시너를 이용

9. 기관 윤활 회로 내의 유압을 높이려면?
   ① 유압 조정기 스프링 장력을 세게 한다.
   ② 유압 조정기 스프링 장력을 약하게 한다.
   ③ 점도가 낮은 오일을 사용한다.
   ④ 오일 간극을 크게 한다.

10. 실드형 예열플러그의 설명 중 틀린 것은?

① 병렬로 결선되어 있다.

② 히트 코일이 연소실에 직접 노출되어 있다.

③ 저항기가 필요치 않다.

④ 발열부가 가는 열선으로 되어 있다.

11. 구동 벨트에 대한 점검 사항 중 틀린 것은?

① 구동 벨트 장력은 약 10kgf의 엄지손가락 힘으로 눌렀을 때 헐거움이 약 12~20mm여야 한다.

② 장력이 너무 세면 베어링이 조기 마모된다.

③ 장력이 너무 약하면 물 펌프의 회전속도가 느려 엔진이 과열된다.

④ 벨트는 풀리의 홈 바닥에 닿게 설치한다.

12. 디젤기관의 연료분사계통에 널리 쓰이는 펌프는?

① 터빈펌프   ② 기어펌프

③ 플런저 펌프   ④ 다이어프램 펌프

13. 디젤기관의 연료탱크에 생성되는 응축수에 대한 설명으로 틀린 것은?

① 응축수는 분사펌프와 분사노즐의 손상원인이 된다.

② 무더운 여름철에 많이 발생된다.

③ 응축수 생성을 방지하려면 연료를 가득 채워서 운행한다.

④ 응축수는 연료탱크 밑바닥에 고이게 된다.

14. 기관이 중속 상태에서 2,000rpm으로 회전하고 있을 때, 회전 토크가 7kgf-m라면 회전 마력은?

① 약 9.8PS   ② 약 19.5PS

③ 약 25.5PS   ④ 약 39.5PS

15. 커먼레일 디젤엔진의 배기장치에서 미세먼지(PM)을 제거하는 기능을 가진 부품의 명칭은 무엇인가?

① 3차원 촉매장치

② 선택적 환원 촉매장치

③ 흡착형 촉매장치

④ 매연여과장치

16. 디젤기관 분배형 인젝션 펌프 전자제어 시스템에서 입력신호가 아닌 것은?

① 컨트롤 슬리브 위치 검출 신호

② 연료 온도의 검출 신호

③ 펌프 회전수 검출 신호

④ 중력가속도 검출 신호

17. 압축비 21, 행정체적 $1,000cm^3$인 기관의 연소실 체적은?

① $47cm^3$ ② $48cm^3$ ③ $49cm^3$ ④ $50cm^3$

18. 교류아크 용접기의 종류별 특성으로 맞는 것은?

① 가동 철심형은 미세한 전류조정이 가능하다.

② 가동 코일형은 코일의 감긴 수에 따라 전류를 조정한다.

③ 탭 전환형은 탭 철심으로 누설 자속을 가감하여 전류를 조정한다.

④ 가포화 리액터형은 가변전압 변화로 전류를 조정한다.

19. 용접부 결함 중 오버랩이 생기는 주된 원인은?

① 운봉 속도가 느릴 때

② 용접봉에 습기가 많을 때

③ 모재에 불순물이 부착될 때

④ 용접 전류가 너무 높을 때

20. 연강 피복 아크 용접봉인 E4316의 계열은 어느 것인가?

① 저수소계   ② 고산화티탄계

③ 철분저수소계   ④ 일미나이트계

21. 피복 아크 용접 시 안전 홀더를 사용하는 이유로 가장 옳은 것은?

① 자외선과 적외선 차단

② 유해가스 중독방지

③ 고무장갑 대용

④ 용접작업 중 전격 방지

22. 피복 금속 아크용접의 아크 쏠림 방지책 중 틀린 것은?
   ① 교류 용접으로 하지 말고, 직류 용접으로 할 것
   ② 용접봉 끝을 아크 쏠림 반대 방향으로 기울일 것
   ③ 접지점 2개를 연결할 것
   ④ 짧은 아크를 사용할 것

23. 클러치가 미끄러지는 일과 관계가 없는 것은?
   ① 클러치 페달의 자유 간극이 작을 때
   ② 스플라인 부의 마멸
   ③ 클러치 페이싱의 마멸
   ④ 클러치 페이싱의 오일 부착

24. 토크컨버터의 기본 구성품이 아닌 것은?
   ① 임펠러(펌프)   ② 베인
   ③ 터빈(러너)   ④ 스테이터

25. 엔진의 회전수가 1,500rpm이고, 변속비가 1.5, 종감속비가 4.0일 때 총감속비는?
   ① 4.0   ② 5.5
   ③ 6   ④ 12

26. 다음 중 브레이크의 구비조건이 아닌 것은?
   ① 신속하게 작동되어야 한다.
   ② 작동이 확실하고 안정성이 있어야 한다.
   ③ 조작이 용이하여야 한다.
   ④ 제동거리가 길어야 한다.

27. 휠 구동식 건설기계의 전차륜 정렬에서 캐스터를 두는 이유는?
   ① 주행중 조향 바퀴에 방향성을 부여한다.
   ② 조향 휠의 조작력을 적게 할 수 있다.
   ③ 앞바퀴의 시미 현상을 방지할 수 있다.
   ④ 조향시에 앞바퀴의 직진 성능을 향상시킨다.

28. 건설기계 하부롤러 축 부위에서 누유가 있을 때 어느 부품을 교환해야 하는가?
   ① 부싱   ② 더스트 실
   ③ 백업 링   ④ 플로팅 실

29. 브레이크 페달을 밟았을 때 제동 시작이 늦어지는 원인이 아닌 것은?
   ① 마스터 실린더의 오일 포트가 막혔을 때
   ② 브레이크 라이닝과 드럼 사이 간격이 작을 때
   ③ 브레이크 페달의 유격이 클 때
   ④ 휠 실린더와 피스톤 사이 간극이 클 때

30. 트랙 구동 스프로킷이 한쪽 방향으로만 마모되고 있다. 그 원인은 무엇인가?
   ① 트랙 링크가 과다 마모되었기 때문에
   ② 환향 조작을 너무 심하게 했기 때문에
   ③ 트랙 긴도가 이완되었기 때문에
   ④ 롤러 및 아이들러의 정렬이 틀렸기 때문에

31. 트랙 장력이 조정시 아이들 롤러는 무엇에 의해 앞쪽으로 밀리는가?
   ① 리코일 스프링   ② 장력 조정 실린더
   ③ 스프로킷   ④ 자력으로

32. 도저의 블레이드 높이가 60mm이고 길이가 2,000mm일 때, 블레이드 용량은?
   ① 0.72㎥   ② 1.2㎥
   ③ 2.4㎥   ④ 3.6㎥

33. 불도자의 귀삽날(end bit)의 정비 방법으로 옳은 것은?
   ① 한쪽이 마모되면 반대쪽과 교환한다.
   ② 마모된 쪽만 교환한다.
   ③ 용접하여 사용한다.
   ④ 한쪽이라도 마모되면 모두 교환한다.

34. 로더의 붐 레버를 중립 위치에서 상승 위치로 작동시 붐이 순간적으로 내려가는 원인은?
   ① 작업 장치 링키지의 핀, 부싱에 과도한 부하가 걸렸을 때
   ② 덤프 실린더의 피스톤 실 불량
   ③ 덤프 실린더 보텀 쪽의 안전밸브 결함
   ④ 유압조절 밸브의 밸브시트 또는 붐 로드 체크밸브 결함

35. 건설기계의 일일 점검 사항으로 적당하지 않은 것은?
① 엔진오일의 점검　② 냉각수 점검
③ 유압오일 점검　④ 기어오일 점검

36. 건설공사용 공기압축기의 사용 분야가 아닌 것은?
① 그라인딩 작업
② 톱을 이용한 목재의 절단
③ 골재 운반 작업
④ 타설된 콘크리트의 진동 혹은 치핑 작업

37. 타이어 롤러의 타이어 공기압에 대한 설명 중 맞는 것은?
① 앞타이어보다 뒤타이어의 공기압이 약간 높은 것이 좋다.
② 중앙의 타이어보다 양측의 타이어의 공기압이 약간 높은 것이 좋다.
③ 타이어의 공기압은 되도록 높게 하는 것이 좋다.
④ 타이어의 공기압은 앞·뒤 모두 동일하게 하는 것이 좋다.

38. 건설기계 차량에서 축전지를 분리시킬 때 가장 먼저 해야 되는 것은?
① 양 케이블을 동시에 푼다.
② 절연선을 먼저 푼다.
③ 접지단자를 먼저 푼다.
④ 순서에 관계없다.

39. 기동전동기의 전기자 시험에 사용되는 그로울러 시험기는 전기자의 무엇을 점검하는가?
① 단락, 단선, 접지 시험
② 다이오드의 단선 시험
③ 저항시험
④ 절연저항 시험

40. AC 발전기에서 유도전류는 어디에서 발생되는가?
① 로터 코일　② 아마추어 코일
③ 계자 철심　④ 스테이터 코일

41. 에어컨 장치의 증발기에 설치되고, 증발기 출구 측의 온도를 감지하여 증발기의 빙결을 예방할 목적으로 설치한 것은?
① 핀 서모센서　② AQS
③ 일사량 센서　④ 외기온도 센서

42. 유압 작동유에 수분이 혼입되었을 때의 영향이 아닌 것은?
① 작동유의 윤활성이 저하시킨다.
② 작동유의 방청성을 저하시킨다.
③ 작동유의 산화를 방지한다.
④ 작동유의 열화를 촉진시킨다.

43. 플런저펌프에서 펌프의 토출량을 제어하는 방법이 아닌 것은?
① 유량제어　② 마력제어
③ 압력제어　④ 회전수제어

44. 유압펌프의 송출압력이 $55 \text{kgf}/cm^2$, 송출유량이 30ℓ/min인 경우 펌프 동력은 얼마인가?
① 1.8kW　② 2.69kW
③ 2.04kW　④ 2.97kW

45. 유압실린더의 피스톤 로드 표면이 붉은색을 띠게 되는 현상은 무엇인가?
① 오일량의 부족
② 오일의 점도 불량
③ 오일의 열화
④ 오일의 공기 혼합

46. 백업 링을 사용하는 목적에 알맞은 것은?
① O-링의 움직임을 원활하게 하기 위하여
② O-링에 고압이 작용시 돌출을 방지하기 위해
③ O-링의 간극을 적게 하기 위해
④ O-링의 간극을 크게 하기 위해

47. 다음 중 정용량형 유압펌프의 기호는?

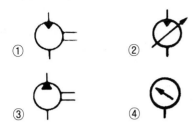

48. 유압회로 내에 공기가 혼입되었을 때, 일어나는 현상이 아닌 것은?

① 공동현상　　② 정마찰 현상
③ 열화촉진 현상　④ 숨돌리기 현상

49. 안전 점검을 실시할 때의 유의사항 중 맞지 않는 것은?

① 점검한 내용은 상호 이해하고 협조한 시정책을 강구할 것
② 안전 점검이 끝나면 강평을 실시하고 사소한 사항은 묵인할 것
③ 과거에 재해가 발생한 곳에는 그 요인이 없어졌는지 확인할 것
④ 점검자의 능력에 적응하는 점검내용을 활용할 것

50. 화상으로 수포가 발생되어 응급조치가 필요한 경우 대책으로 가장 옳은 것은?

① 수포를 터뜨리지 않도록 하며, 소독 가제로 덮어준 다음 의사에게 치료를 받도록 한다.
② 수포를 터뜨려서 응급조치 후, 의사에게 치료를 받도록 터뜨려 치료한다.
③ 수포를 터뜨려 응급조치 후 화상을 입었을 때는 바르는 기름을 바르고, 의사에게 치료를 받도록 한다.
④ 수포를 터뜨려 응급조치 후 화상을 입었을 때는 바르는 기름을 바르고, 의사에게 치료를 받도록 한다.

51. 기계와 기계 사이 또는 기계와 다른 설비와의 사이에 설치하는 통로는 최소 몇 cm 이상이어야 하는가?

① 40cm　　② 60cm
③ 80cm　　④ 100cm

52. 작업자가 기계작업시의 일반적인 안전사항으로 틀린 것은?

① 급유시 기계는 운전을 정지시키고 지정된 오일을 사용한다.
② 고장수리, 청소 및 조정 시에는 동력을 끊고 다른 사람이 작동시키지 않도록 표시해 둔다.
③ 운전 중 기계로부터 이탈한 때는 운전을 정지시킨다.
④ 기계운전 중 정전이 발생되었을 때는 각종 모터의 스위치를 켜둔다.

53. 운반 작업을 할 때 틀리는 것은?

① 드럼통, 봄베 등을 굴려서 운반한다.
② 공동운반에서는 서로 협조를 하여 작업한다.
③ 긴 물건은 앞쪽을 위로 올린다.
④ 무리한 몸가짐으로 물건을 들지 않는다.

54. 렌치 사용시 주의사항으로서 틀린 것은?

① 녹이 생긴 볼트나 너트에 오일을 스며들게 한 다음 돌린다.
② 조정 조(jaw)에 잡아당기는 힘이 가해져서는 안된다.
③ 장시간 보관할 때에는 방청제를 바르고 건조한 곳에 보관한다.
④ 힘겨울 때는 파이프 등의 연장대를 끼워서 사용하여야 한다.

55. 정 작업에 대한 주의사항으로 틀린 것은?

① 정 작업을 할 때는 서로 마주보고 작업하지 말 것
② 정 작업은 반드시 열처리한 재료에만 사용할 것
③ 정 작업은 시작과 끝에 조심할 것
④ 정 작업에서 버섯 머리는 그라인더로 갈아서 사용할 것

56. 피스톤에서 피스톤 링을 탈거하거나 장착할 때 필요한 공구는?

① 피스톤 스냅 링

② 피스톤 링 컴프레서

③ 피스톤 링 플라이어

④ 피스톤 라이너

57. 축전지를 탈거하지 않고 급속충전을 안전하게 하려면?

① 발전기 L 단자를 분리한다.

② 발전기 R 단자를 분리한다.

③ 점화스위치를 OFF 상태로 놓는다.

④ 축전지의 +, − 케이블을 모두 분리한다.

58. 동력조향장치 분해 정비시 작업 안전사항으로 잘못된 것은?

① 유압실린더 로드를 움직이면 유압오일이 흘러나오므로 주의한다.

② 오일실과 부품은 반드시 가솔린으로 세척하도록 한다.

③ 오일 출입구의 유압호스 제거시 먼지가 들어가지 않도록 한다.

④ 반드시 시동시 정지 후 탈거 및 조립한다.

59. 도저의 하부롤러를 탈거할 때 안전상 제일 먼저 하는 것은?

① 트랙을 먼저 탈거

② 상부롤러를 탈거

③ 하부롤러 볼트를 탈거

④ 아이들러를 먼저 탈거

60. 전기용접기가 누전이 되었을 때 가장 적절한 행동은?

① 전압이 낮기 때문에 계속 용접하여도 된다.

② 스위치는 손대지 말고 누전된 부분을 절연시킨다.

③ 용접기만 만지지 않으면 된다.

④ 스위치를 끄고 누전된 부분을 찾아 절연시킨다.

제 12 회

01	①	**02**	③	**03**	④	**04**	④	**05**	③
06	②	**07**	④	**08**	②	**09**	①	**10**	②
11	④	**12**	③	**13**	②	**14**	②	**15**	④
16	④	**17**	④	**18**	①	**19**	①	**20**	①
21	④	**22**	④	**23**	④	**24**	④	**25**	④
26	④	**27**	①	**28**	④	**29**	②	**30**	④
31	②	**32**	①	**33**	②	**34**	④	**35**	④
36	③	**37**	④	**38**	③	**39**	①	**40**	④
41	①	**42**	③	**43**	④	**44**	②	**45**	③
46	②	**47**	③	**48**	②	**49**	②	**50**	①
51	③	**52**	④	**53**	①	**54**	④	**55**	②
56	③	**57**	④	**58**	②	**59**	①	**60**	④

저자약력

김 인 호
- 금오공과대학교 대학원 기계공학과 공학석사
- 육군 공병 준위 전역(건설기계정비)
- 건설기계정비 기능장
- 前) 육군종합군수학교 건설기계정비 교관
- 現) 구미대학교 특수건설기계과 교수
- 現) 구미대학교 건설기계기술교육원 교수
- 現) 한국산업인력공단 건설기계정비 분야 NCS 자격 설계 자문위원

유 인 재
- 금오공과대학교 대학원 기계공학과 공학석사
- 육군 공병기술부사관 전역(건설기계정비)
- 건설기계정비 기능장
- 前) 軍건설기계정비 기술지원관
- 現) 구미대학교 특수건설기계과 교수
- 現) 구미대학교 건설기계기술교육원 교수

류 상 렬
- 영남대학교 대학원 기계공학과 공학박사
- 前) 영남대학교 기계공학부 박사후(post-doc.) 연구원
- 前) 비피엔지니어링 대표
- 現) 중소기업기술개발 지원사업 평가위원
- 現) 구미대학교 특수건설기계과 교수
- 現) 구미대학교 건설기계기술교육원 교수

신 영 철
- 경일대학교 기계공학과 공학사
- 건설기계정비 기능장
- 前) (주)캐터필러 선임 기술교육 담당
- 前) 한국산업인력공단 건설기계정비 검토위원
- 現) 구미대학교 특수건설기계과 교수
- 現) 구미대학교 건설기계기술교육원 교수

내용관련 Q&A

kih8049@hanmail.net

※ 이 책의 내용에 관한 질문은 위 메일로 문의해 주십시오.
질문요지는 이 책에 수록된 내용에 한합니다.
전화로 질문에 답할 수 없음을 양지하시기 바랍니다.

패스 건설기계정비 기능사 필기

초 판 발 행 ┃ 2022년 8월 25일
제2판2쇄발행 ┃ 2025년 1월 10일

지 은 이 ┃ 김인호, 유인재, 류상렬, 신영철
발 행 인 ┃ 김길현
발 행 처 ┃ (주)골든벨
등   록 ┃ 제 1987–000018 호
I S B N ┃ 979-11-5806-589-8
가   격 ┃ 23,000원

이 책을 만든 사람들

편 집 · 디 자 인 ┃ 조경미, 박은경, 권정숙	제 작 진 행 ┃ 최병석
웹 매 니 지 먼 트 ┃ 안재명, 양대모, 김경희	오 프 마 케 팅 ┃ 우병춘, 이대권, 이강연
공 급 관 리 ┃ 오민석, 정복순, 김봉식	회 계 관 리 ┃ 김경아

㉾ 04316 서울특별시 용산구 원효로 245(원효로1가 53-1) 골든벨빌딩 5~6F
● TEL : 도서 주문 및 발송 02-713-4135 / 회계 경리 02-713-4137
   편집 및 디자인 02-713-7452 / 해외 오퍼 및 광고 02-713-7453
● FAX : 02-718-5510   ● http : // www.gbbook.co.kr   ● E-mail : 7134135@ naver.com